CEDU(쎄듀)는 A **C**omprehensive **E**nglish e**DU**cation(종합적 영어교육)의 약자입니다.

펴낸이 김기훈 김진희

펴낸곳 ㈜쎄듀/서울시 강남구 논현로 305 (역삼동)

발행일 2020년 10월 30일 초판 1쇄

내용 문의 www.cedubook.com

구입 문의 콘텐츠 마케팅 사업본부

Tel. 02-6241-2007

Fax. 02-2058-0209

등록번호 제22-2472호

ISBN 978-89-6806-209-4

문법을
알아야
독해가 된다

고등 독해가 읽히는
기본 문법

저자

김기훈 現 ㈜쎄듀 대표이사
現 메가스터디 영어영역 대표강사
前 서울특별시 교육청 외국어 교육정책자문위원회 위원

저서 천일문 / 천일문 Training Book / 천일문 GRAMMAR
첫단추 BASIC / Grammar Q / ALL씀 서술형 / Reading Relay
문법을 알아야 독해가 된다 / 구문을 알아야 독해가 된다
어휘끝 / 어법끝 / 쎄듀 본영어 / 절대평가 PLAN A
The 리딩플레이어 / 빈칸백서 / 오답백서
첫단추 / 파워업 / 쎈쓰업 / 절대유형 / 수능실감 등

허경원 現 미스터디학원 강사
서울대학교 영어영문학과 졸업
저서 능률 리딩튜터 / 능률 주관식독해 100선 외
신사고 리스닝엔탑 / 신사고 Writing Salad
검토 쎄듀 첫단추 모의고사 독해유형편 / 쎄듀 본영어 문법적용편 / 쎄듀 파워업 어법어휘 모의고사

쎄듀 영어교육연구센터
쎄듀 영어교육센터는 영어 콘텐츠에 대한 전문지식과 경험을 바탕으로
최고의 교육 콘텐츠를 만들고자 최선의 노력을 다하는 전문가 집단입니다.

한예희 책임연구원 · **구민지** 전임연구원

개발에 도움을 주신 분 **최대호** 선생님 (전북과학고)

마케팅 콘텐츠 마케팅 사업본부
제작 정승호
영업 문병구
인디자인 편집 한서기획
디자인 윤혜영
영문교열 Janna Christie

PREFACE 이 책을 펴내며

이 책은 중학 과정을 성공적으로 마치고 바야흐로 우리가 사는 세상 모든 분야 모든 주제를 커버하는, 리딩이 중심이 되는 고교영어로의 진입을 앞둔 학생을 대상으로 기획되었습니다. 그 넓은 독해의 바다에서 파도타기를 하며 바다를 누비는 즐거움을 누리기까지 학생들은 얼마나 많은 물을 삼키고 시행착오를 겪어야 하는 걸까요?

<문법을 알아야 독해가 된다>는 이 넓은 세계로 들어가기에 앞서 어떤 문장, 어떤 구조도 스펀지가 물 흡수하듯 이해할 수 있도록, 중학 수준에서 학습한 영문법 지식들이 낱낱의 지식으로 흩어지지 않고 서로 어떻게 긴밀히 연관되며 통합되는지, 영문법 바다의 본선과 지선을 큰 그림으로 볼 수 있도록 구성하였습니다. 문장을 구성하는 기본요소들과 그 확장 형태들, 동사에서 읽어야 할 중요 의미들, 주요소 외에 문장을 다채롭게 하는 수식 요소의 종류와 형태, 기본요소와 부수적 요소를 대신하는 준동사들의 본질, 문장의 확장에 다리 역할을 하는 접속사와 관계대명사 등을 의미 있는 순서로 다루었고, 챕터의 순서, 본문 각 유닛의 전개, 챕터 내 문법에서 독해, 워크북에 이르기까지의 흐름 전반을 통해 학습자 입장에서의 체감 난이도, 중요 개념의 학습 부담도, 수업 진행자의 교실 수업 속도 및 방식 일체를 염두에 두고 효과적인 지도와 학습이 이뤄질 수 있도록 고민하였습니다.

그 어느 때보다 영어에 많이 노출되어 있지만 여전히 영어에 자신이 없는 학생들이 삶과 세상을 구성하는 핵심 주제와 다양한 형식의 살아 있는 글을 접하고 수능과 내신 어느 유형도 자신 있게 다룰 수 있도록 글의 소재, 난이도, 문제 유형의 측면에서 최고의 교재가 되도록 노력하였습니다. 이 책이 늘 배움에 고달픈 여러분들께 의미 있고 유쾌한 경험을 선사하리라 믿습니다.

- 저자 -

PREVIEW 교재의 구성 특징 및 사용법

긴밀하게 연계된 목차 구성

1 문법을 위한 문법이 아닌, 실전 독해에서 바로 눈이 뜨였음을 확인할 수 있게 해주는 독해 최중요 사항부터 시작합니다. 챕터가 진행되면서 이전 챕터들에서 학습된 내용이 적당한 간격을 두고 다시 수면 위로 떠올라 기존의 지식 및 이해에 깊이와 폭을 더하는 방식으로 전개했습니다.

2 교실 수업의 경험을 바탕으로 평균적인 학생의 이해 수준을 고려하여 어려운 개념이 집중적으로 쏟아져 나와 과부하를 일으키지 않도록 조절하였습니다.

문법, 독해, 어휘의 마스터 코스

1 문법 본문(3개 유닛) ▶ Into the Grammar ▶ Read it(수능형2+실용문1+서술형1) ▶ Summary ▶ Workbook(직독직해와 어휘 문제 포함)

2 독해를 위한 문법 ▶ 심화 문법 문제 ▶ 문법을 실전에서 확인하며 수능과 내신의 주요 유형을 섭렵하는 독해 ▶ 학습된 문법을 한눈에 확인해보는 Summary ▶ 추가 문제로 다시 한번 복습하는 Workbook

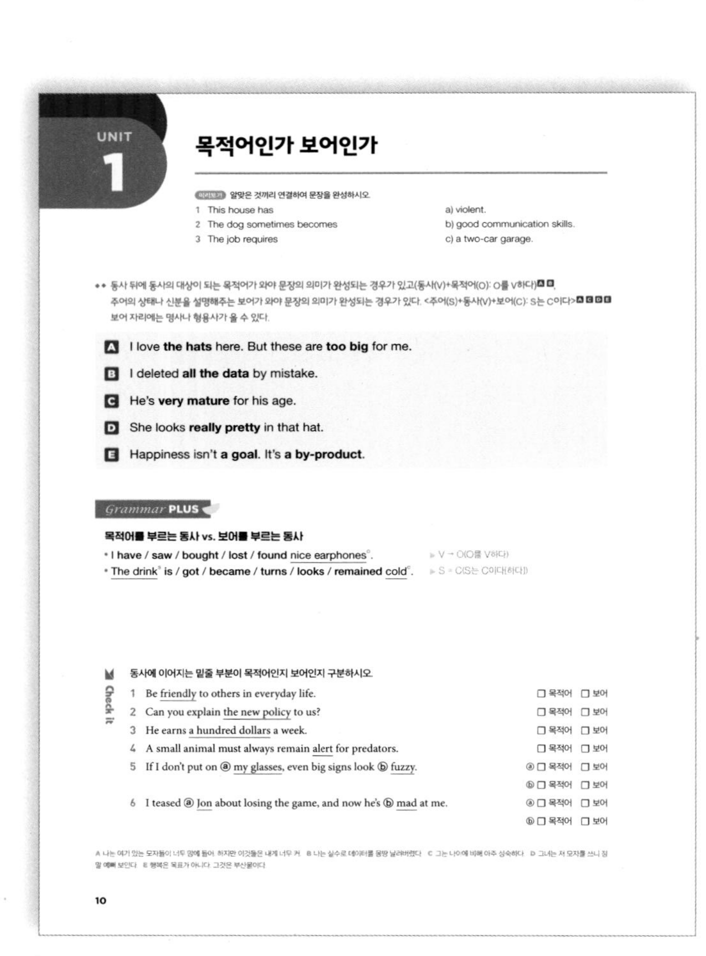

UNIT 1

목적어인가 보어인가

미리보기 알맞은 것끼리 연결하여 문장을 완성하시오.

1 This house has — a) violent.
2 The dog sometimes becomes — b) good communication skills.
3 The job requires — c) a two-car garage.

•• 동사 뒤에 동사의 대상이 되는 목적어가 와야 문장의 의미가 완성되는 경우가 있고(동사(V)+목적어(O): O를 V하다) A B, 주어의 상태나 신분을 설명해주는 보어가 와야 문장의 의미가 완성되는 경우가 있다. <주어(S)+동사(V)+보어(C): S는 C이다> A C D E 보어 자리에는 명사나 형용사가 올 수 있다.

A I love **the hats** here. But these are **too big** for me.
B I deleted **all the data** by mistake.
C He's **very mature** for his age.
D She looks **really pretty** in that hat.
E Happiness isn't **a goal**. It's **a by-product**.

Grammar PLUS

목적어를 부르는 동사 vs. 보어를 부르는 동사

• I have / saw / bought / lost / found nice earphones. ▶ V → O(O를 V하다)
• The drink is / got / became / turns / looks / remained cold. ▶ S = C(S는 C이다[하다])

Check it 동사에 이어지는 밑줄 부분이 목적어인지 보어인지 구분하시오.

1 Be friendly to others in everyday life. □ 목적어 □ 보어
2 Can you explain the new policy to us? □ 목적어 □ 보어
3 He earns a hundred dollars a week. □ 목적어 □ 보어
4 A small animal must always remain alert for predators. □ 목적어 □ 보어
5 If I don't put on ⓐ my glasses, even big signs look ⓑ fuzzy. ⓐ □ 목적어 □ 보어 ⓑ □ 목적어 □ 보어
6 I teased ⓐ Jon about losing the game, and now he's ⓑ mad at me. ⓐ □ 목적어 □ 보어 ⓑ □ 목적어 □ 보어

A 나는 여기 있는 모자들이 너무 맘에 들어. 하지만 이것들은 내게 너무 커. B 나는 실수로 데이터를 몽땅 날려버렸다. C 그는 나이에 비해 아주 성숙하다. D 그녀는 저 모자를 쓰니 정말 예뻐 보인다. E 행복은 목표가 아니다. 그것은 부산물이다.

10

미리보기

본격 유닛에 들어가기에 앞서 기존의 문법 지식을 맛보는 장치. 무엇을 알고 무엇을 모르고 있는지 스스로 진단해봄으로써 앞으로의 학습에 동기 부여가 될 수 있는 코너.

대표 예문

4~6개의 예문으로 중요 문법 사항을 모두 언급할 수 있게 구성. 해당 문법의 가장 핵심적이며 독해에 직결되는 사항이 담긴 문장들로 주요 내용을 다 짚어볼 수 있음.

Grammar PLUS

해당 문법에서 가장 본질적인 것, 학생들이 특히 혼동하는 것, 영문법의 큰 그림을 보는 데 도움이 될 것들로 구성하고 관련 설명을 간단 메모 방식으로 제시한 코너.

Check it

대표 예문 및 Grammar PLUS에서 학습된 문법 사항의 확인 코너. 영어에 자연스럽게 녹아드는 생생하고 실전적인 예문들로 구성.

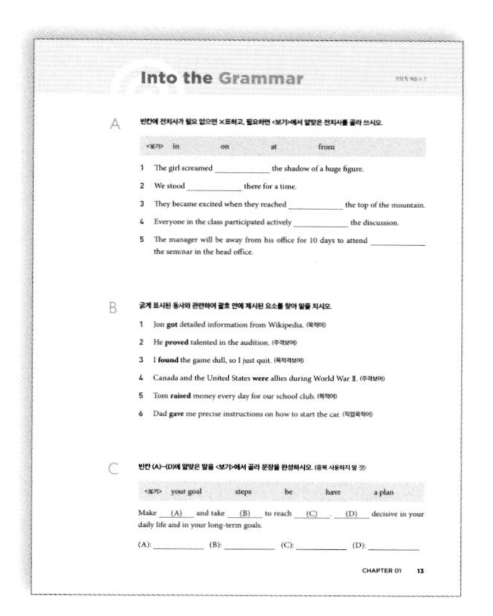

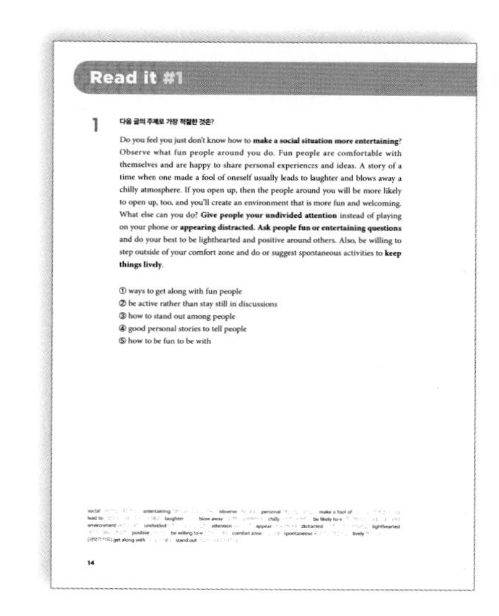

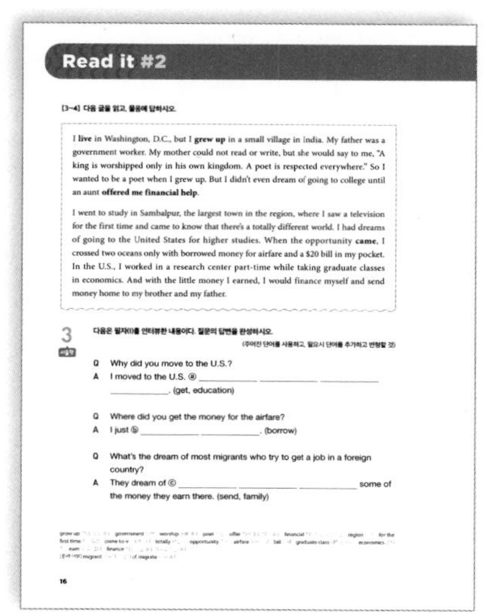

Into the Grammar

해당 문법의 핵심 컨셉을 체크하는 문제에서 내신 서술형 어법 유형에 이르기까지, 확인 학습 성격의 Check it보다 난이도 있고 실전에 가까운 문제를 통해 문법 사항을 전체적으로 정리할 수 있는 코너.

Read it

수능형 2, 실용문 1, 서술형 1로 구성하여 수능과 내신 서술형 둘 다 효과적으로 대비.
문제 유형, 글의 형식, 다루는 주제 그 어느 것도 놓치지 않은 <문.알.독.>의 백미.

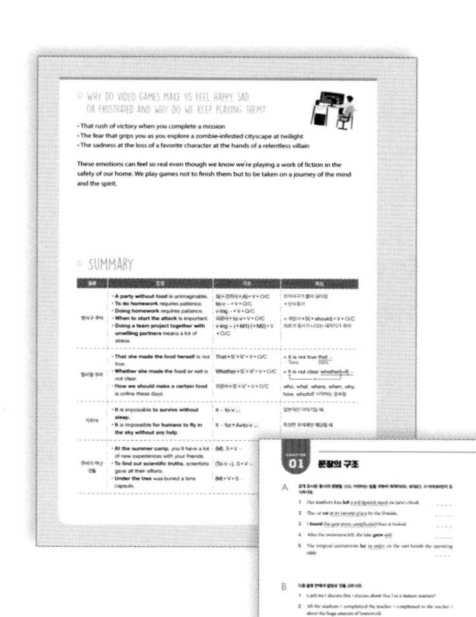

Filler

Read it 4개 글 중 하나의 주제와 연관된, 가벼운 혹은 생각해볼 읽을거리를 제공하는 다양한 형식의 글감. 시험을 떠나 진짜 영어를 느끼게 하려는 의도로 구성되었으며 지적 탐구심이 있는 학생에게 특히 생각의 깊이를 더해줄 코너.

Summary

챕터에서 학습된 문법 사항을 짧고 인상적인 문장들과 요점 정리로 제시. 그동안 공부한 내용을 간단히 상기해볼 수 있는 장치로, 학습자가 각 항목에 대해 분명히 이해하고 있는지 체크해보는 자가 진단 가능.

Workbook

- 학생들의 과제 또는 테스트지로 활용 가능. 직독직해, 어순 배열, 어법에 맞게 고치기 등을 통해 배운 내용을 확실하게 마스터하고 점검할 수 있는 장치.
- 간단한 어휘 퀴즈 형식의 VOCA*voca*를 통해 본문에 나온 어휘 중 선별된 24개를 단숨에 복습할 수 있는 코너. 품사별 배열로 단어 뜻뿐만 아니라 품사 감각도 덤으로 키울 수 있는 짧고도 강력한 어휘 복습 장치.

이 책에 쓰인 기호

/, // 끊어 읽기	( ) 수식어구	[ ] 수식어절	(*that*) 생략 가능 어구	< > 구문
└ = ┘ 동격 의미	└┘ 서로 연관됨	↖┘ 수식		
S 주어	V 동사	O 목적어	IO 간접목적어	DO 직접목적어
C 보어	SC 주격보어	OC 목적격보어	M 수식어	
S′ 종속절의 주어	V′ 종속절의 동사	to-v to부정사	v-ing 동명사 또는 현재분사	

www.cedubook.com에서 무료 부가자료를 다운로드 받으세요.

CONTENTS 목차

CHAPTER 09
준동사의 이해 (1)

CHAPTER 10
부사 수식어

CHAPTER 11
준동사의 이해 (2)

CHAPTER 12
문장의 확장: 접속사 (1)

CHAPTER 13
형용사 수식어 (2): 관계대명사

CHAPTER 14
문장의 확장: 접속사 (2)

CHAPTER 15
비교구문

CHAPTER 16
특수구문

STUDY PLAN 학습 플랜

12주 동안 주 3회 학습할 경우 학습 플랜의 예시입니다.
(/) 안에는 학습한 날짜를 기입하고, 학습을 완료한 후에는 □에 √표시하세요.

1주	**CH01** UNIT 1~3	**CH01** Read it	**CH02** UNIT 1~3
	(/)	(/)	(/)
	완료 □	완료 □	완료 □
2주	**CH02** Read it	**CH03** UNIT 1~3	**CH03** Read it
	(/)	(/)	(/)
	완료 □	완료 □	완료 □
3주	**CH04** UNIT 1~3	**CH04** Read it	**CH01~04** 복습
	(/)	(/)	(/)
	완료 □	완료 □	완료 □
4주	**CH05** UNIT 1~3	**CH05** Read it	**CH06** UNIT 1~3
	(/)	(/)	(/)
	완료 □	완료 □	완료 □
5주	**CH06** Read it	**CH07** UNIT 1~3	**CH07** Read it
	(/)	(/)	(/)
	완료 □	완료 □	완료 □
6주	**CH08** UNIT 1~3	**CH08** Read it	**CH05~08** 복습
	(/)	(/)	(/)
	완료 □	완료 □	완료 □
7주	**CH09** UNIT 1~3	**CH09** Read it	**CH10** UNIT 1~3
	(/)	(/)	(/)
	완료 □	완료 □	완료 □
8주	**CH10** Read it	**CH11** UNIT 1~3	**CH11** Read it
	(/)	(/)	(/)
	완료 □	완료 □	완료 □
9주	**CH12** UNIT 1~3	**CH12** Read it	**CH09~12** 복습
	(/)	(/)	(/)
	완료 □	완료 □	완료 □
10주	**CH13** UNIT 1~3	**CH13** Read it	**CH14** UNIT 1~3
	(/)	(/)	(/)
	완료 □	완료 □	완료 □
11주	**CH14** Read it	**CH15** UNIT 1~3	**CH15** Read it
	(/)	(/)	(/)
	완료 □	완료 □	완료 □
12주	**CH16** UNIT 1~3	**CH16** Read it	**CH13~16** 복습
	(/)	(/)	(/)
	완료 □	완료 □	완료 □

CHAPTER

01

문장을 구성하는 것들

주어와 동사는 다 있고 그 뒤는 제각각이네.
없으면 안 되는 게 있고 없어도 되는 게 있단 말이지?

UNIT 1

목적어인가 보어인가

미리보기 알맞은 것끼리 연결하여 문장을 완성하시오.

1 This house has
2 The dog sometimes becomes
3 The job requires

a) violent.
b) good communication skills.
c) a two-car garage.

◆◆ 동사 뒤에 동사의 대상이 되는 목적어가 와야 문장의 의미가 완성되는 경우가 있고(동사(V)+목적어(O): O를 V하다) A B, 주어의 상태나 신분을 설명해주는 보어가 와야 문장의 의미가 완성되는 경우가 있다. <주어(S)+동사(V)+보어(C): S는 C이다> A C D E
보어 자리에는 명사나 형용사가 올 수 있다.

A I love **the hats** here. But these are **too big** for me.

B I deleted **all the data** by mistake.

C He's **very mature** for his age.

D She looks **really pretty** in that hat.

E Happiness isn't **a goal**. It's **a by-product**.

Grammar PLUS

목적어를 부르는 동사 vs. 보어를 부르는 동사

- **I have / saw / bought / lost / found** nice earphones°. ▶ V → O(O를 V하다)
- The drink[s] **is / got / became / turns / looks / remained** cold[c]. ▶ S = C(S는 C이다[하다])

Check it 동사에 이어지는 밑줄 부분이 목적어인지 보어인지 구분하시오.

1 Be friendly to others in everyday life. □ 목적어 □ 보어
2 Can you explain the new policy to us? □ 목적어 □ 보어
3 He earns a hundred dollars a week. □ 목적어 □ 보어
4 A small animal must always remain alert for predators. □ 목적어 □ 보어
5 If I don't put on ⓐ my glasses, even big signs look ⓑ fuzzy. ⓐ □ 목적어 □ 보어 ⓑ □ 목적어 □ 보어
6 I teased ⓐ Jon about losing the game, and now he's ⓑ mad at me. ⓐ □ 목적어 □ 보어 ⓑ □ 목적어 □ 보어

A 나는 여기 있는 모자들이 너무 맘에 들어. 하지만 이것들은 내게 너무 커. **B** 나는 실수로 데이터를 몽땅 날려버렸다. **C** 그는 나이에 비해 아주 성숙하다. **D** 그녀는 저 모자를 쓰니 정말 예뻐 보인다. **E** 행복은 목표가 아니다. 그것은 부산물이다.

UNIT 2

간접목적어와 직접목적어, 목적격보어와 주격보어

미리보기 예시와 같이 동사 뒤에 오는 요소를 둘로 나눈 다음(/), 동사를 포함한 뒷부분을 해석하시오.

예 They called their baby / Sarah. 아기를 Sarah라고 불렀다.

1 That night, the boy's parents left him alone. ______

2 The boy's grandfather left him a lot of money. ______

◆◆ 직접목적어(~을) 외에 간접목적어(~에게)도 함께 쓰이는 동사들이 있으며 이때 <동사(V)+간접목적어(IO)+직접목적어(DO): IO에게 DO를 V하다>의 어순을 띤다.A 한편 주어를 주격보어가 보충 설명하듯이B 목적어는 목적격보어로 보충 설명하며 <동사(V)+목적어(O)+목적격보어(OC): O가 OC하는 것을 V하다>의 어순을 띤다.C D E

A She told **me**(IO) **everything about her childhood**(DO).

B The frog(S) kept **still**(SC) until the morning.

C You should keep the frog(O) **alive**(OC) until science class tomorrow.

D I destroy my enemy by making him(O) **my friend**(OC).

E We make our fortunes and call them(O) **fate**(OC).

▶ IO: Indirect Object(간접목적어)
▶ DO: Direct Object(직접목적어)
▶ SC: Subject Complement(주격보어)
▶ OC: Object Complement(목적격보어)

Grammar PLUS

① **give+IO+DO vs. give+O(+전치사+A)**

- Give me[IO] your number[DO]. = Give your number[O] (to me). ▶ give, send, sell, lend, teach+O(+to+A)
- Mom bought me[IO] chicken[DO]. = Mom bought chicken[O] (for me). ▶ buy, make, cook, find+O(+for+A)

② **문장형식에 따라 달라지는 동사 뜻**

- I found him[IO] his cell phone[DO]. 나는 그에게 그의 휴대전화를 **찾아주었다**.
- I found him[O] boring[OC]. 나는 그가 따분하다고 **여겼다**. (him=boring)

Check it

괄호 안에서 알맞은 것을 고르시오.

1 A warm fire made the room (cozy / cozily).

2 The designer showed (the company / to the company) a design for the new model.

3 My headache (gave / made) me a little sensitive. Please forgive me.

4 The man sold the painting (for a woman / to a woman) who needed artwork for her new house.

5 The upcoming final exam caused (me great stress / great stress me).

A 그녀는 내게 그녀의 어린 시절에 관한 모든 얘기를 해주었다. B 개구리는 아침까지 꼼짝 않고 있었다. C 너는 개구리를 내일 과학 시간까지 살려두어야 한다. D 나는 적을 벗으로 만듦으로써 적을 쳐부순다. E 우리는 자신의 운을 만들어 놓고는 그것들을 운명이라 부른다.

UNIT 3

혼자로도 충분한 동사, 그리고 수식어들

미리보기 각 문장을 읽고 예시와 같이 질문에 답하시오.

예 Many flowers blossom in spring.	언제 꽃피는가?	봄에
1 This photocopier works very fast.	어떻게 작동하는가?	
2 The parade lasted for an hour and a half.	얼마 동안 계속됐는가?	

◆◆ 목적어나 보어 없이 혼자서도 문장의 의미가 완성되는 동사가 있는데, 목적어가 있어야 하는 타동사와 대비하여 자동사로 불린다. 자동사여도 부사, 전치사구 등 다양한 수식어가 올 수 있다. 수식어는 '언제? 어디서? 어떻게?' 등과 같은 정보를 문장에 더하며, 수식어와 문장의 필수요소를 구분할 줄 아는 것이 중요하다.

A The Olympics *always* **begin** and **end** *with an enormous show*.

B The service industry will *rapidly* **grow** *in the near future*.

C Emergencies like a car accident can **occur** *anytime*.

D The form of government **varies** *from country to country*.

Grammar PLUS

① 자동사 vs. 타동사

- (Inside its cocoon), the caterpillar **changes** (into a butterfly). ▶ 목적어 없이 쓰이므로 자동사
- My sister **changes** *her hair style* (every month). ▶ 목적어가 이어지므로 타동사
- Flight 707 **landed** (on time). The pilot **landed** *the plane* (on runway 3). ▶ 자동사(착륙하다) 타동사(착륙시키다)

  (landed: 자동사 / landed: 타동사)

② 혼동하기 쉬운 자동사, 타동사

- The success of education **lies** in respecting the student. ▶ [× lays(~을 놓다)] lie: 있다, 존재하다
- The mom **seated** her child on her knee at the theater. ▶ [× sat(앉다)] seat: ~을 앉히다
- The sun **rose** above the mountain. ▶ [× raised(~을 올리다[모으다])] rise: 오르다
- We'll **discuss** the problem at the class meeting. ▶ [× discuss about] discuss: ~을 논의하다 (= talk about)

Check it 각 문장의 동사에 밑줄 긋고, 동사 뒤에서 부사구 또는 전치사구 수식어 요소를 괄호 수만큼 찾아 ( )로 묶으시오.

1 A child's creativity increases a lot during exposure to nature. (2)

2 I overheard a funny conversation on the bus this morning. (2)

3 People remained silent during the whole funeral. (1)

4 An expert gave a lecture to the students about low-fat diets. (2)

A 올림픽은 늘 어마어마한 쇼로 시작하고 끝난다. B 서비스 산업이 가까운 미래에 급속히 성장할 것이다. C 자동차 사고와 같은 긴급 상황은 언제든 일어날 수 있다. D 정부 형태는 나라마다 다르다.

Into the Grammar

정답 및 해설 p. 3

A

빈칸에 전치사가 필요 없으면 ×표하고, 필요하면 <보기>에서 알맞은 전치사를 골라 쓰시오.

<보기> in on at from

1 The girl screamed ______________ the shadow of a huge figure.

2 We stood ______________ there for a time.

3 They became excited when they reached ______________ the top of the mountain.

4 Everyone in the class participated actively ______________ the discussion.

5 The manager will be away from his office for 10 days to attend ______________ the seminar in the head office.

B

굵게 표시된 동사와 관련하여 괄호 안에 제시된 요소를 찾아 밑줄 치시오.

1 Jon **got** detailed information from Wikipedia. (목적어)

2 He **proved** talented in the audition. (주격보어)

3 I **found** the game dull, so I just quit. (목적격보어)

4 Canada and the United States **were** allies during World War Ⅱ. (주격보어)

5 Tom **raised** money every day for our school club. (목적어)

6 Dad **gave** me precise instructions on how to start the car. (직접목적어)

C

빈칸 (A)~(D)에 알맞은 말을 <보기>에서 골라 문장을 완성하시오. (중복 사용하지 말 것)

<보기> your goal steps be have a plan

Make __(A)__ and take __(B)__ to reach __(C)__. __(D)__ decisive in your daily life and in your long-term goals.

(A): ______________ (B): ______________ (C): ______________ (D): ______________

Read it #1

1

다음 글의 주제로 가장 적절한 것은?

Do you feel you just don't know how to **make a social situation more entertaining**? Observe what fun people around you do. Fun people are comfortable with themselves and are happy to share personal experiences and ideas. A story of a time when one made a fool of oneself usually leads to laughter and blows away a chilly atmosphere. If you open up, then the people around you will be more likely to open up, too, and you'll create an environment that is more fun and welcoming. What else can you do? **Give people your undivided attention** instead of playing on your phone or **appearing distracted. Ask people fun or entertaining questions** and do your best to be lighthearted and positive around others. Also, be willing to step outside of your comfort zone and do or suggest spontaneous activities to **keep things lively**.

① ways to get along with fun people
② be active rather than stay still in discussions
③ how to stand out among people
④ good personal stories to tell people
⑤ how to be fun to be with

social 사회적인, 사교적인 **entertaining** 재미있는, 흥을 돋우는 **observe** 관찰하다 **personal** 개인적인, 사적인 **make a fool of** ~을 우스갯거리로 만들다 **lead to** ~로 이어지다, ~을 이끌어내다 **laughter** 웃음 **blow away** ~을 불어 날려버리다 **chilly** 냉랭한, 싸늘한 **be likely to-v** ~할 가능성이 있다, ~하기 쉽다 **environment** 환경, 분위기 **undivided** 분할되지 않은, 온전한 **attention** 주의, 집중 **appear** ~처럼 보이다 **distracted** 산만한, 집중이 흐트러진 **lighthearted** 마음이 가벼운, 명랑한 **positive** 긍정적인 **be willing to-v** 기꺼이 ~하다 **comfort zone** 안전지대 **spontaneous** 즉흥적인, 자발적인 **lively** 활기 있는
[선택지 어휘] **get along with** ~와 잘 지내다 **stand out** 두드러지다, 눈에 띄다

2

(A), (B), (C)의 각 네모 안에서 어법에 맞는 것은?

Behind every sports tournament and championship, whether local or worldwide, you will **find skilled management professionals** (A) **hard / hardly** **at work.** Athletes **are the stars and the face of sports organizations**, but it is the managers behind the scenes who **keep sports running** as a business. Most people think about the sports industry in terms of the games, lives, and careers of professional athletes, but just as in any other field, the business aspects of the industry (B) play / plays a significant role, including marketing, sponsorship, branding, and economics. Students who want to study sports management at university must understand that they cannot break into this industry merely because they played sports in high school. Today's sporting world **is highly commercial**, and this **creates a strong demand** for (C) educate / educated individuals to fill management positions.

(A)		(B)		(C)
① hard	……	play	……	educate
② hard	……	plays	……	educated
③ hard	……	play	……	educated
④ hardly	……	plays	……	educate
⑤ hardly	……	play	……	educated

tournament 시합, 경기, 토너먼트 championship 선수권 대회, 결승전 local 지역의, 현지의 worldwide 전 세계의, 세계 규모의 skilled 숙련된, 노련한 management 관리, 경영(manager 관리자) professional 전문가; 직업적인 athlete 직업 운동선수 organization 조직 behind the scene 막후에서, 무대 뒤에서 run 운영하다 industry 산업 in terms of ~의 면에서, ~의 관점에서 career 직업; 이력 aspect 측면, 양상 play a (significant) role (중요한) 역할을 하다 including ~을 포함하여 sponsorship (재정적) 후원 economics 경제성; 경제학 break into 진입하다, 침입하다 merely 단지, 그저 highly 매우 commercial 상업적인 demand 수요 individual 개인

Read it #2

[3~4] 다음 글을 읽고, 물음에 답하시오.

I **live** in Washington, D.C., but I **grew up** in a small village in India. My father was a government worker. My mother could not read or write, but she would say to me, "A king is worshipped only in his own kingdom. A poet is respected everywhere." So I wanted to be a poet when I grew up. But I didn't even dream of going to college until an aunt **offered me financial help**.

I went to study in Sambalpur, the largest town in the region, where I saw a television for the first time and came to know that there's a totally different world. I had dreams of going to the United States for higher studies. When the opportunity **came**, I crossed two oceans only with borrowed money for airfare and a $20 bill in my pocket. In the U.S., I worked in a research center part-time while taking graduate classes in economics. And with the little money I earned, I would finance myself and send money home to my brother and my father.

3 서술형

다음은 필자(I)를 인터뷰한 내용이다. 질문의 답변을 완성하시오.

(주어진 단어를 사용하고, 필요시 단어를 추가하고 변형할 것)

Q Why did you move to the U.S.?

A I moved to the U.S. ⓐ ____________ ____________ ____________ ____________. (get, education)

Q Where did you get the money for the airfare?

A I just ⓑ ____________ ____________. (borrow)

Q What's the dream of most migrants who try to get a job in a foreign country?

A They dream of ⓒ ____________ ____________ ____________ some of the money they earn there. (send, family)

grow up 크다, 성장하다 government 정부 worship 숭배하다 poet 시인 offer 제공하다, 제안하다 financial 재정적인, 금전적인 region 지역 for the first time 처음으로 come to-v ~하게 되다 totally 완전히 opportunity 기회 airfare 항공 요금 bill 지폐 graduate class 대학원 수업 economics 경제학 earn (돈을) 벌다 finance 재정 지원하다, 자금을 조달하다

[문제 어휘] migrant 이주자, 이민자 *cf.* migrate 이주하다

My story **is not unique**. There are millions of people who migrate each year. With the help of family, they cross oceans, they cross deserts, rivers, and mountains. They risk their lives to realize a dream, and that dream is as simple as having a decent job somewhere so they can send money home and help their family.

As for me, I have been away from India for two decades now. My wife is Venezuelan. My children are Americans. Increasingly, I feel like a global citizen. And yet, I **am growing nostalgic** about my country of birth. I want to be in India and in the U.S. at the same time. My parents are not there anymore. My brothers and sisters have moved on. There is no real urgency for me to send money home now. And yet, from time to time, I send money home to friends, relatives, and the village, just to feel like I'm still there, to **stay connected**—that's part of my identity. And I'm still striving to be a poet for the hardworking migrants and their struggle to break free of the cycle of poverty.

- From a speech made by Dilip Ratha,
an Indian economist and Head of KNOMAD,
a global knowledge hub on migration

According to the passage, the reason why the writer sends money home even now is ______________________________.

① to pay back the money he borrowed from his family
② to support his brother in getting a good education
③ to contribute to financing his home country
④ to feel connected with his own country
⑤ to invest his money in his own country

unique 독특한, 유일무이한 risk one's life 목숨을 걸다 realize 실현하다; 깨닫다 decent 번듯한, 어엿한 as for ~에 관해 말하자면 decade 10년 Venezuelan 베네수엘라인 increasingly 점차로 citizen 시민 nostalgic 향수병에 걸린 at the same time 동시에 urgency 긴급, 절박 from time to time 가끔씩 relative 친척 identity 정체성 strive 몹시 애쓰다, 분투하다 hardworking 열심히 일하는 struggle 투쟁, 분투 break free 벗어나다, 도망치다 cycle 순환, 회전 poverty 빈곤, 가난
[선택지 어휘] support 지원하다 contribute to ~에 기여하다 invest 투자하다

FOR PEOPLE WHO FEEL AWKWARD AMONG PEOPLE

Embrace your true personality. While learning new social skills is important,
you should never think that you have to change your whole personality just to be more fun!
For example, even if you're too shy to open up to someone you don't really know,
you can try other techniques, like trying new experiences with friends.
Remember, there is room for all kinds of people on this Earth!

SUMMARY

문장의 구조	문장	동사 예	특징
S+V	I **dream** often these days.	arrive, fly, last, occur rise, lie, sit talk, look, listen	목적어나 보어 없이 쓰임. 수식어들이 이어짐. 대상을 나타낼 때는 <전치사+A>로 씀.
S+V+C	My dreams **are** mysterious.	be, become, get, turn look, taste, smell, feel keep, stay, remain	상태나 상태의 변화를 나타내는 동사 생김새, 맛 등을 표현하는 지각동사 상태의 지속을 나타내는 동사
S+V+O	I **had** a strange dream yesterday.	have, buy, see, find raise, lay, seat discuss, attend, reach	목적어 없이 쓸 수 없음. 수동태로 쓸 수 있음. 전치사 없이 바로 목적어를 씀.
S+V+IO+DO	She **gave** me a big smile.	give, send, bring, lend buy, make, cook, find	→ S+V+O(+to+A) → S+V+O(+for+A)
S+V+O+OC	She **made** my life wonderful. We **call** them heroes.	make, find, keep call, name(이름 짓다)	형용사 목적격보어 (my life = wonderful) 명사 목적격보어 (them = heroes)

CHAPTER

02

다양한 주어: 문장의 주인공들

주어 자리엔 명사만 온다는데...
이것도 명사 저것도 명사...
명사라서 주어 자리에 올 수 있다고?

UNIT 1

명사구, 명사절

미리보기 각 문장의 주어에 밑줄 치고 밑줄 친 부분을 해석하시오.

1 Walking is an excellent exercise for people of all ages. ____________
2 Who to send to the angry king is the problem. ____________
3 That he said sorry to me is important. ____________

◆◆ 문장의 주인공인 주어 자리에는 명사 개념이 온다. 주어 자리에서 수식어구가 붙어 길어진 명사구 A, to부정사구나 동명사구 B, 접속사/의문사 뒤에 <주어+동사> 모양을 갖춘 명사절 C D E 등 다양한 형태의 주어를 볼 수 있다.

A **Five dollars for an hour's bike rental** seemed very reasonable.

B **To learn** is the most valuable thing in your life.

C **Where I put my glasses before taking a shower** is a mystery.

D **That the man was on the spot at that time** is a fact.

E **What to do and when we should start** should be decided by next Monday.

Grammar PLUS

① 주어의 범위와 수일치

- **Studying with friends** *is* more fun. [× are] ▶ 주어가 friends가 아니라 Studying with friends
- **To stay healthy** *needs* a lot of effort. [× need] ▶ To stay healthy는 추상적 개념이므로 단수

② 의문사+to-v = 의문사+S+should+V

- **What to do** for our science project should be decided first. ▶ 명사구
- **What we should do** for our science project should be decided first. ▶ 명사절

Check it

괄호 안에서 알맞은 것을 고르시오.

1 (Wear / Wearing) safety equipment is very important in laboratories.
2 (When / That) he started just a second ahead of the other players was the problem.
3 To pilot an airplane (require / requires) a high degree of competence.
4 Learning to read characters (is / are) the first step to learn a language.

A 자전거 한 시간 빌리는 데 5달러는 아주 적정해 보였다. B 배운다는 것은 너의 삶에서 가장 귀중한 것이다. C 샤워 전에 안경을 어디 뒀는지 알 수가 없다. D 그 남자가 그때 현장에 있었다는 것은 사실이다. E 무엇을 할 것인지 또 언제 시작해야 할지가 다음 주 월요일까지는 결정되어야 한다.

UNIT 2

긴 주어를 불러오는 가주어 it

미리보기 It이 실제 의미하는 부분에 밑줄 치시오.

1 It is difficult to learn a new language.
2 It is necessary to open the windows regularly.
3 It is true that every effort does not lead to success.

◆◆ to부정사구나 동명사구, 명사절 주어는 길어지기 마련이므로 긴 주어 대신 가주어 it으로 대체되고, 진짜 주어는 주어에 대한 서술이 끝난 뒤에 나오는 패턴이 많다. It으로 시작하는 문장은 곧이어 진주어가 나올 수 있음을 적극적으로 예상하며 읽자.

A **It** is not easy **to forget your own birthday.**

B What's **it** like **to work at Google**?

C **It** is important **to turn off the light before bed.**

D **It**'s obvious **that the voices of all humans are unique.**

Grammar PLUS

① **It ~ (for ...) to-v**

- **It** is easy **to believe what you see.** ▶ 의미상주어를 따로 밝힐 필요가 없음 — 누구에게나 해당
- **It** is easy for a young child **to fall down while running.** ▶ 의미상주어를 밝힐 필요가 있음 — 어린아이에게만 해당
  (for a young child: 의미상주어)

② **진주어의 다양한 형태**

- **It** is no use **quarreling with grown-ups.** ▶ 동명사구
- **It** is said **that global warming is getting worse.** ▶ that으로 시작하는 명사절
- **It** is doubtful **whether he did it himself or not.** ▶ whether(~인지 아닌지(=if))로 시작하는 명사절
- **It** is a mystery **how she got the information.** ▶ 의문사로 시작하는 명사절

Check it

괄호 안에서 알맞은 것을 고르시오.

1 It is (clear / clearly) that Suji is the best dresser at the party.
2 Whose crazy idea (it was / was it) to walk all the way home?
3 It is my belief that honesty (to pay / pays) in the long run.
4 It is important (that / for) old people to wear a warm hat in winter.
5 Is it possible (that / to) wash your hair in five minutes?

A 자기 생일을 깜빡하는 것은 쉽지 않다. B 구글에서 일한다는 건 어떤 걸까? C 자기 전 불 끄는 것이 중요하다. D 인간의 목소리가 다 다르다는 건 분명하다.

UNIT 3

주어와 주어가 아닌 것들

미리보기 각 문장의 주어를 찾아 밑줄 치시오.

1 In his anger, Daniel tore up the letter.
2 With proper care, the car will last for many years.
3 To survive the night, we need more blankets.

◆◆ 수식어로 시작하는 문장이면 문장의 주어가 얼른 눈에 띄지 않는 경우가 있다. 전치사구, 부사구, to부정사구 등 다양한 수식어들로 문장이 시작될 수 있으며 특히 수식어가 강조되어 문두에 쓰인 경우 주어와 동사가 도치되기도 한다. E

A *In every part of the refugee camp*, **sick and hungry children** were crying.

B If *at first* **you** don't succeed, get a bigger hammer.

C *Contrary to expectation*, **what he said** turned out to be false.

D *In order to write about life, first* **you** must live it.

E *Behind every argument* lies **someone's ignorance**.

Grammar PLUS

① **<There+be+주어>**

- There is[V] a man[S] lying on the bench over there.
- There are[V] a lot of people[S] on the subway at this time of the day.

② **<수식어+동사+주어> 도치**

- *On the hill* stands[V] a big tree[S]. ▶ 장소·방향의 부사(구)
- *In the box* were[V] cute newborn puppies[S].

Check it 밑줄 친 두 부분 중 주어인 것에 S표 하시오.

1 In medical school, medical students are learning the complex systems of the human body.
2 Many scientists believe that with enough time and research, we can beat AIDS.
3 Under the bridge was a small hut for homeless people.
4 By going to the top of the mountains all the people in the village were able to escape the huge tsunami.

A 난민 캠프 모든 곳에서 아프고 굶주린 아이들이 울고 있었다. B 당신이 첫 시도에 성공하지 못한다면 더 큰 망치를 구하라.(더 확실한 방법으로 다시 시도하라.) C 예상과는 반대로 그가 말한 것은 거짓인 걸로 드러났다. D 삶에 대해 글을 쓰려면 우선 삶을 살아야 한다. E 모든 주장의 이면에는 누군가의 무지가 있다.

Into the Grammar

정답 및 해설 p. 8

A

각 문장의 동사에 모두 밑줄 치고, 주어에 동그라미 치시오.

1 On Wednesday there will be a total eclipse of the sun.

2 The mountain looks peaceful, but inside is red hot boiling lava.

3 What you will do in the future is important, but what you do now is more important.

4 Between people, as among nations, respect for each other's rights ensures peace.

B

주어진 단어를 맞게 변형하여 문장을 완성하시오. (빈칸 수에 맞게 쓸 것)

1 It is better ____________ ____________ one candle than curse the darkness. (light)

2 Lucy didn't think that ____________ a concert ticket for the singer's autographed poster was a good deal. (trade)

3 Doing the best at this moment ____________ you in the best place for the next moment. (put)

C

우리말과 일치하도록 주어진 어구를 알맞게 배열하여 문장을 완성하시오.

1 그들이 쌍둥이라는 걸 믿기 힘들다.
It is ____.
(to / they / that / are / hard / twins / believe)

2 고립된 곳에서 혼자 산다는 건 어떤 걸까?
What ______________________________ alone in an isolated area?
(be / will / it / live / like / to)

Read it #1

1

다음 글에서 전체 흐름과 관계없는 문장은?

Comforting someone who has lost a beloved one is not an easy task. While there is nothing you can do that can take their pain away, there are **some ways that you can help to lessen it**. **Expressing your sympathy through cards or letters** is one way to provide comfort and peace of mind to someone who is suffering from a loss. However, **finding the right words** is tricky. ① While we may not know what someone is going through, we do know that **saying something** is better than saying nothing at all. ② When someone you know has lost one of their pet companions, you can say, "I am deeply saddened to hear that (pet name) has passed on. His/her memory will forever be in our hearts." ③ "**It**'s not a good idea **to walk such an aggressive dog without a muzzle* on.**" ④ "Your pet was an absolute joy to be around. I am so sorry for your loss." ⑤ "What we have once enjoyed we can never lose; all that we love deeply becomes a part of us."

*muzzle: (개 입에 씌우는) 입마개

comfort 위로(하다), 위안(을 주다) beloved 사랑하는 task 일, 과업 take away 제거하다, 없애다 pain 고통 lessen 줄이다, 감소시키다 sympathy 공감, 연민 provide 제공하다 suffer from ~로 고통 받다 loss 상실, 분실 tricky 까다로운, 힘든 go through ~을 겪다 companion 동반자, 벗 deeply 몹시, 매우 sadden 슬프게 하다 pass on 죽다, 돌아가시다 aggressive 공격적인 absolute 절대적인, 완전한 loss 상실

정답 및 해설 p. 9

2

글의 흐름으로 보아, 주어진 문장이 들어가기에 가장 적절한 곳을 고르시오.

However, there are **also important benefits** for society as a whole.

Education is one of the most critical areas of empowerment for women. (①) It is also an area that offers some of the clearest examples of discrimination that women suffer from. (②) Among children not attending school there are **twice as many girls as boys**, and among illiterate adults there are **twice as many women as men**. (③) **Offering girls basic education** is one sure way of giving them much greater power—of enabling them to make real choices over the kinds of lives they wish to lead. (④) **That women might have the chance of a healthier and happier life** should be reason enough for promoting girls' education. (⑤) An educated woman has the skills, information and self-confidence that she needs to be a better parent, worker and citizen, and is thereby able to contribute to society in a positive way.

benefit 혜택, 이득 **as a whole** 전체로서의 **critical** 중요한; 비판적인 **area** 분야, 지역 **empowerment** 권한 부여, 힘을 실어주기 **discrimination** 차별 **among** ~ 가운데 **illiterate** 문맹의 **sure** 확실한 **enable** ~할 수 있게 하다 **choice** 선택 **chance** 가능성, 확률 **promote** 촉진하다 **self-confidence** 자신감 **citizen** 시민 **thereby** 그로 인해, 그것에 의해서 **contribute to** ~에 기여하다

Read it #2

[3~4] 다음 글을 읽고, 물음에 답하시오.

Everyone gives a gift at some time, and for many people gift giving is an activity from which they derive a great deal of pleasure. As an economic activity, **gift giving** plays an important part in our lives and in the consumer goods industries. **It** is also important **to realize** that in it are reflected **many of the important issues of modern times.** **How people act in their gift exchanges** is a result of how they think about relations. Also, gift practices can be powerfully affected by ⓐ economic change, and by the hopes and fears of ordinary people faced with crises such as ⓑ health or ⓒ academic matters. In short, gift giving is as much a part of the struggle for existence in the modern world as is **any other form of social behavior**. At the very least, **studying gift behavior** gives us a ____________ through which we can look into people's lives.

3

글의 흐름상 빈칸에 들어갈 말로 가장 적절한 것은?

① rule ② question ③ satisfaction
④ window ⑤ grade

4

다음 사람들의 말은 밑줄 친 ⓐ~ⓒ 중 어느 요인과 관련 깊은지 표시하시오.

1 _______ **Tom**: "I bought my first child a device for the use of an online dictionary. It will help her with her English studies."

2 _______ **Jane**: "My financial situation is not good these days. I have to prepare a smaller gift for my parents this year."

3 _______ **James**: "What about giving a vitamin drink to each visitor to our restaurant? It will help show our customers how much we care about their well-being."

activity 활동, 행위(act 행동하다) derive A from B B에서 A를 끌어내다 a great deal of 많은 ~, 다량의 ~ pleasure 즐거움, 기쁨 economic 경제의 play a part 역할을 하다, 한몫하다 consumer goods 소비재(식품·의류 등 개인의 욕망을 충족하기 위해 소비되는 재화) industry 산업 reflect 반영하다 exchange 교환 relation 관계 practice 관행, 관습 affect 영향을 끼치다 fear 두려움 ordinary 보통의, 평범한 crisis 위기; 중대한 기로; 결정적 단계(복수형 crises) academic 학업의, 학문적인 in short 간단히 말해 struggle 투쟁, 노력 existence 존재 at (the very) least 적어도
[문제 어휘] satisfaction 만족 grade 등급 device 기계장치 well-being 복지, 행복

정답 및 해설 p. 10

5 **다음 상담 글을 읽고, 상담 받은 부모가 이후 할 일로 적절하지 않은 것 두 가지를 고르시오.**

DEAR Counselor: I have two sons who love to play video games more than anything. They are middle-schoolers, but they rarely want to go out and spend time with their friends. Sometimes I suppose I should be happy that they aren't out wandering the streets idly, but **it** is weird to me **that they are so absorbed in their games**. It doesn't seem healthy. How can I get them to come up for air?

Video Game Overdose

DEAR Video Game Overdose: You can limit the time that your sons are allowed to use their electronics and schedule other activities that will occupy them. **It** is important **to have other things for them to do** so that they don't feel like they are being punished when they are not allowed to play their games. Find out what else excites them. Does anything capture their interest that may get them to want to go out and explore? What museums might be of interest to them? Sporting activities?

Counselor

① 게임을 과도하게 할 경우 금지시킨다.
② 전자기기 사용시간을 정하고 지키게 한다.
③ 가끔씩 게임을 같이 한다.
④ 관심 있어 하는 활동이 있는지 살핀다.
⑤ 일정한 운동 계획을 잡는다.

dear (편지 첫 부분 수신자 이름 앞에) ~에게 **rarely** 좀처럼 ~ 않다 **suppose** (~일 거라고) 여기다, 생각하다 **wander** 방황하다, 쏘다니다 **idly** 하릴없이 **weird** 기이한, 이상한 **be absorbed in** ~에 푹 빠져있다 **come up for air** 한숨 돌리다, (숨쉬기 위해) 수면으로 나오다 **overdose** 과다 복용, (약의) 과량 **limit** 제한하다, 한도를 두다 **be allowed to -v** ~하도록 허용되다 **electronics** 전자기기 **schedule** 일정을 잡다, 시간 계획을 하다 **occupy** 점령하다, 차지하다 **punish** 처벌하다, 벌주다 **explore** 탐험하다, 탐구하다 **be of interest** 흥미 있다

WHY DO VIDEO GAMES MAKE US FEEL HAPPY, SAD, OR FRUSTRATED AND WHY DO WE KEEP PLAYING THEM?

- That rush of victory when you complete a mission
- The fear that grips you as you explore a zombie-infested cityscape at twilight
- The sadness at the loss of a favorite character at the hands of a relentless villain

These emotions can feel so real even though we know we're playing a work of fiction in the safety of our home. We play games not to finish them but to be taken on a journey of the mind and the spirit.

SUMMARY

종류	문장	구조	특징
명사구 주어	• **A party without food** is unimaginable. • **To do homework** requires patience. • **Doing homework** requires patience. • **When to start the attack** is important. • **Doing a team project together with unwilling partners** means a lot of stress.	S(+전치사+A)+V+O/C to-v ~+V+O/C v-ing ~+V+O/C 의문사+to-v+V+O/C v-ing ~ (+M1) (+M2)+V +O/C	전치사구가 붙어 길어짐. +단수동사 = 의문사+S(+should)+V+O/C 최초의 동사가 나오는 데까지가 주어
명사절 주어	• **That she made the food herself** is not true. • **Whether she made the food or not** is not clear. • **How we should make a certain food** is online these days.	That+S′+V′+V+O/C Whether+S′+V′+V+O/C 의문사+S′+V′+V+O/C	= It(가주어) is not true that(진주어) ~. = It is not clear whether[=if] ~. (It = whether[=if] ~) who, what, where, when, why, how, which로 시작하는 종속절
가주어	• **It** is impossible **to survive without sleep**. • **It** is impossible **for humans to fly in the sky without any help**.	It ~ to-v ... It ~ for+A+to-v ...	일반적인 이야기일 때 특정한 주체에만 해당될 때
주어가 아닌 것들	• **At the summer camp**, you'll have a lot of new experiences with your friends. • **To find out scientific truths**, scientists gave all their efforts. • **Under the tree** was buried a time capsule.	(M), S+V ~ (To-v ~), S+V ~ (M)+V+S ~	수식어구가 문두에 옴. to부정사 수식어구가 문두에 옴. 부사구가 문두에 놓여 동사-주어로 도치된 구조

CHAPTER

03

동사에 이어지는 것들

주어 자리에 오던 것들이 동사 뒤에도 오네?
동사마다 좋아하는 패턴이 따로 있다고?

UNIT 1

목적어나 보어로 쓰이는 명사구, 명사절

미리보기 동사 뒷부분을 모두 밑줄 치고, 밑줄 부분을 해석하시오.

1 I found the key to the room. ____________

2 I'm planning to move to Jeju-do. ____________

3 Everyone says that you should be the team leader. ____________

◆◆ 주어 자리에 오는 다양한 형태의 명사, 즉 to부정사구나 동명사구, <주어+동사> 모양을 갖춘 명사절 등은 동사의 목적어 자리, 주어를 보충 설명하는 주격보어 자리에서도 볼 수 있다. 주어와 목적어 자리, 보어 자리에도 공통적으로 명사 개념의 표현들이 온다.
(→ CH 11 UNIT 1 to부정사구/동명사구 목적어)

A All the employees have **an equal opportunity for promotion.**

B My job is **to teach English to adult students.**

C The waiter says **that big tables are reserved for parties of eight.**

D The mark of a successful organization isn't **whether or not it has problems.** It's **whether it has the same problems it had last year.**

Grammar **PLUS**

① **간접의문문: 의문사/if+S+V**

- Do you know **what Alex needs**? ▶ Do you know?+"What does Alex need?"
- I'm not sure **if it was real or a dream.** ▶ I'm not sure.+"Was it real or a dream?"

② **의문사+do you think+S+V?**

- **How much** *do you guess* **it is?** ▶ guess, think, believe 등 의견을 묻는 동사가 있을 때 의문사로 시작
- Do you know **how much** it is? [o] / Do you *think* **how much** it is? [×]

Check it 괄호 안에서 알맞은 것을 고르시오.

1 I accidentally overheard what (they were / were they) saying.

2 The news headline was (that / when) the forest fires are finally under control.

3 We're discussing (what / whether) to update our computer or to buy a new one.

4 People doubted the politician's explanation of (where did the money come from / where the money came from).

A 모든 직원에게 동등한 승진 기회가 있다. **B** 내 직업은 성인 학습자에게 영어를 가르치는 것이다. **C** 웨이터가 큰 테이블은 8인 일행용으로 따로 마련된 것이라고 한다. **D** 성공적인 조직의 특징은 조직에 문제가 있느냐 없느냐가 아니다. 그것은 작년에 있었던 같은 문제를 (지금도) 갖고 있느냐이다.

UNIT 2

동사별 전치사 패턴과 가목적어 it

미리보기 괄호 안에서 알맞은 것을 고르시오.

1 I regard creativity (for / as) a skill.
2 We're trying to provide people (with / for) better medical services.
3 Drivers find (it / that) convenient to call anytime and get help.

◆◆ 동사 뒤에 목적어뿐 아니라 의미 완성에 필요한 기타 요소가 이어지는 경우가 있다. 주로 <전치사+A>의 모양을 띠며, 동사별로 함께 잘 쓰이는 전치사를 익혀두면 술부(서술하는 부분) 전체가 한눈에 보인다.A B C 한편 가목적어 it이 오면 긴 목적어가 곧이어 나올 것을 예상할 수 있다.D

A Road signs **warn** drivers **of** danger ahead.

B Doctors are trying to **stop** the disease **from** spread**ing**.

C She **spent** a lot of time prepar**ing** her presentation.

D I found **it** hard *to eat noodles with a fork*.

Grammar PLUS

① <동사+A+전치사+B> 패턴

- provide A with B A에게 B를 제공하다
- replace A with B A를 B로 교체하다
- associate A with B A를 B와 연결하다[연관 짓다]
- inform A of B A에게 B를 알리다
- remind A of B A에게 B를 상기시키다
- warn A of B A에게 B를 경고하다[주의시키다]
- stop[keep, prevent, prohibit] A from v-ing A가 ~ 못 하게 하다
- spend A (in) v-ing A를 ~하는 데 쓰다
- turn A into B A를 B로 바꾸다
- translate A into B A를 B로 번역하다
- transform A into B A를 B로 변화시키다
- talk[fool] A into v-ing A를 설득해[속여] ~하게 하다
- regard[see, think of] A as B A를 B로 여기다

② 가주어와 가목적어

- It[S] seems strange[SC] *that he knows my name*[진주어]. ▶ 가주어 뒤에는 주로 주격보어(SC)가 등장함.
- I found it[O] strange[OC] *that there was no answer*[진목적어]. ▶ 가목적어 뒤에는 목적격보어(OC)가 이어짐.

Check it 주어진 표현을 알맞게 배열하여 문장을 완성하시오.

1 We'll have to replace ______________________________.
(something / with / this carpet / free of dust)

2 The pilot thinks of safety of ______________________________.
(the top priority / as / the passengers)

3 I make ______________________________ before going to the next stage.
(a rule / my progress / it / to check)

A 도로 표지판은 운전자에게 전방의 위험을 경고한다. B 의사들이 그 병이 퍼지는 걸 막으려 노력 중이다. C 그녀는 발표를 준비하는 데 많은 시간을 썼다. D 나는 국수를 포크로 먹는 게 어렵게 느껴졌다.

UNIT 3

다양한 목적격보어

미리보기 괄호 안에서 알맞은 것을 고르시오.

1 I will make my movie (interesting / interestingly) in every aspect.
2 I don't know what caused him (leaves / to leave / leave) so early.
3 I want the gift (to wrap / wrap / wrapped) in plain paper.

◆◆ 목적어를 보충 설명하는 목적격보어는 특히 다양한 형태를 띤다. 명사나 형용사가 목적어를 보충해줄 수 있고A, 목적어의 행위를 나타내는 목적격보어로는 문장의 동사에 따라 to부정사B, 원형부정사C, 현재분사D, 과거분사E의 다양한 형태가 오는 데 유의한다.

A Dust from the volcano makes *the sunset* **gorgeous** everywhere.

B Mom asked *me* **to set** the table for supper.

C My father helped *me* **park** the car.

D I heard *someone* **shouting** loudly on the street.

E Some parents prefer to have *daughters* **taught** by women.

Grammar PLUS

① want+O+to-v류

- ask+O+to-v　O에게 ~해달라고 부탁하다
- expect+O+to-v　O가 ~할 것으로 예상하다
- allow+O+to-v　O가 ~하는 것을 허용하다
- help+O+(to-)v　O가 ~하는 것을 돕다(원형부정사도 가능)
- tell+O+to-v　O에게 ~하라고 시키다
- advise+O+to-v　O에게 ~하라고 충고하다
- get+O+to-v　O가 ~하게 하다

② 사역동사+O+동사원형 | 지각동사+O+동사원형/v-ing

- I *made* him **promise** that he would keep it secret.
- We *saw* an eagle **dive[diving]** at its prey.

▶ 사역동사: make, have, let
▶ 지각동사: see, hear, feel, watch, notice
diving—진행의 의미가 강조됨.

③ find/keep+O+C

- Keep the door **open**. ▶ 형용사가 목적격보어
- I found my cat **sleeping** under my bed. ▶ 현재분사(능동, 진행)가 목적격보어
- I'll have my hair **dyed** purple next time. ▶ 과거분사(수동)가 목적격보어

Check it 괄호 안 동사를 어법에 맞게 고쳐 문장을 완성하시오.

1 The doctor advised him ____________ enough rest. (get)
2 The magician will now make her assistant ____________ from the stage. (disappear)
3 She found it difficult to get everything ____________ in time for the party. (do)
4 My family wants Grandma ____________ with us, but she prefers having her own home. (stay)

A 화산재가 일몰을 어디나 멋지게 해준다. B 엄마가 내게 저녁 상차림을 해달라고 하셨다. C 아빠는 내가 주차하는 것을 도와주셨다. D 나는 누군가 거리에서 크게 소리 지르는 것을 들었다. E 어떤 부모님은 딸이 여자 선생님께 배우게 하는 것을 선호하신다.

Into the Grammar

정답 및 해설 p. 13

A

다음 각 문장에서 괄호 안 요소에 해당하는 곳에 밑줄 치시오.

1 Ask her where she got that nice jacket. (직접목적어)

2 My biggest gain from summer school is learning how to study better. (주격보어)

3 I told my mom not to buy such colorful shoes. (목적격보어)

B

빈칸에 들어갈 것이 나머지와 다른 하나를 고르시오.

1 Students complain ______________ memorizing a lot of words every day gives them stress.

2 The traveler wonders ______________ the view will be worth the effort of the climb.

3 Many people believe ______________ the economy will be better next quarter.

C

다음 각 문장의 밑줄 친 부분에서 어법상 틀린 것을 찾아 맞게 고치시오.

1 What made you to choose our school? ____________________

2 Can I ask when does break time begin? ____________________

3 Most people associate this brand to good quality. ____________________

4 He asked me let him staying one more night. ____________________

D

주어진 우리말과 같은 뜻이 되도록 괄호 안 표현을 알맞게 배열하여 문장을 완성하시오.

1 우리는 고양이가 가구를 긁지 못하게 고양이 발톱을 깎는다.
We clip our cat's nails ____.
(him / to keep / the furniture / scratching / from)

2 아빠의 함박웃음은 우리에게 아빠가 선물을 얼마나 맘에 들어 하시는지를 말해줬다.
Dad's big smile told ____.
(how / the present / us / liked / he / much)

Read it #1

1

다음 빈칸에 들어갈 말로 가장 적절한 것을 고르시오.

An educated person is a person who comprehends **that education is a lifelong process**. Therefore, to become one, you need to consistently work at broadening your mind. An educated person is literate, cultured, and aware. He or she knows **what is happening in the world,** appreciates the arts, and behaves in a decent manner. Another feature universally found in educated people is **that they try to find opportunities to talk to people who are educated and have different interests**. They try to get into conversations with people who have learned, whether through school or work, a great deal about life. They know education takes its form in a variety of ways: your mechanic can be as ______________ as your professor.

① wealthy
② talented
③ prejudiced
④ knowledgeable
⑤ sociable

educated 교육받은, 교양 있는 **comprehend** 이해하다 **lifelong** 일생의, 평생의 **therefore** 따라서, 그러므로 **consistently** 한결같이, 끊임없이 **broaden** 넓히다, 확장하다 **literate** 글을 읽고 쓸 줄 아는 **cultured** 교양 있는, 세련된 **aware** 자각하고 있는 **appreciate** 진가를 알다; 감사히 여기다 **decent** 품위 있는, 점잖은 **feature** 특징 **universally** 보편적으로, 어디에서나 **get into** ~을 시작하게 되다 **a variety of** 다양한 ~ **mechanic** 정비사 **professor** 교수
[선택지 어휘] **wealthy** 부유한 **talented** 재능 있는 **prejudiced** 편견에 사로잡힌 **knowledgeable** 박식한 **sociable** 사교적인

정답 및 해설 p. 13

2

(A), (B), (C)의 각 네모 안에서 문맥에 맞는 낱말로 가장 적절한 것은?

How would you describe a color to someone who is blind? When you consider **that even sighted people see colors differently**, this (A) [subjective / objective] task can be difficult. However, you can get an idea from the fact that many colors can be associated with certain smells, tastes, sounds, or feelings. To describe a color to a blind person, try to use other senses, such as smell, taste, and touch. For example, **have the person hold** (B) [subjects / objects] that are typically one color, like grass and leaves, and explain **that green feels like a living plant**. Then, **have the person touch** the bark of a tree, or touch dirt on the ground, and explain **that these things are all brown**. Say, "Brown feels like the earth, while the smoothness of leaves feels like green; green feels like life. But when the leaves are crispy, they have turned brown and aren't (C) [alive / dead] anymore."

	(A)		(B)		(C)
①	subjective	……	subjects	……	alive
②	subjective	……	objects	……	alive
③	objective	……	objects	……	alive
④	objective	……	objects	……	dead
⑤	subjective	……	subjects	……	dead

describe 묘사하다, 설명하다　blind 눈먼　sighted 앞을 볼 수 있는 *cf.* sight 앞을 보다; 보기; 시력　subjective 주관적인(↔ objective 객관적인)　be associated with ~가 연상되다, ~와 관련되다　sense 감각　touch 촉각; 만지다　hold 쥐다, 잡다　subject 주제; 과목　object 사물; 대상　typically 보통, 일반적으로　living 살아 있는　bark 나무껍질　dirt 흙, 먼지　earth 흙; 지구　crispy 바삭바삭한

Read it #2

[3~4] 다음 글을 읽고, 물음에 답하시오.

Taking classes online is unlike any other learning experience. Students are in total ① <u>control</u> of their academic goal. They are able to set their own schedule and generally have more freedom than they would in a traditional classroom. However, this can be a difficult ② <u>challenge</u> for many students. In order to be successful in an online academic course, learners must take the initiative to motivate themselves, set goals, and maintain a ③ <u>passive</u> posture in their learning environment. One of the most important aspects in the online learning environment is **understanding personal motivation**. Most online college students have full-time or part-time jobs and families that ④ **<u>prevent</u> them from being** a traditional college student. Despite all the potential ⑤ <u>distractions</u> of their daily lives, they must know and remember **what initially attracted them to be in their program of study**.

3 **밑줄 친 ①~⑤ 중에서 문맥상 낱말의 쓰임이 적절하지 <u>않은</u> 것은?**

4 **빈칸에 주어진 철자로 시작하는 알맞은 말을 넣어 글의 주제를 완성하시오.** (본문에서 찾아 쓸 것)

the importance of taking i____________ in o____________ learning

unlike ~와 다른 in control of ~을 제어하고 있는 academic 학업의, 학문적인 challenge 어려움, 난제 take (the) initiative 주도권을 잡다, 앞장서다 motivate (열심히 하도록) 동기 부여하다(motivation 동기) maintain 유지하다 passive 소극적인 posture 자세, 태도 aspect 측면, 점 personal 개인적인 prevent A from v-ing A가 ~하지 못하게 막다 despite ~에도 불구하고 potential 잠재적인 distraction 정신을 분산시키는 것 initially 최초에 attract 마음을 끌다

정답 및 해설 p. 15

5

서술형

다음 글을 읽고, (A)~(C)에 알맞은 제목을 아래의 <보기>에서 골라 써넣으시오.

*Don't let youngsters have all the fun on the most mischievous day of the year! April Fools' Day is your chance to show your kids **that their parents still possess that spirit of April Fools' Day**.*

(A)

At some point in the day you'll **hear your children exclaim**, "I'm starving!" Offer to make them a ham sandwich. Now, it's very important that they aren't in the kitchen while you prepare this special sandwich. It must look like a perfect ham sandwich, but in it you can put almost anything, using your imagination. Of course, it will not be very impressive, but at least it will **help both of you enjoy** a pleasant break from your boring routine.

(B)

Want to startle your kids in the morning? **Sew their socks closed.** You can **sew the socks shut** and put them back where they were. Come morning, they might freak out that their socks don't fit. That is **when you reveal your prank.** Be sure to **have some other pairs of nice socks ready** so they won't be mad.

(C)

Does it feel like a huge task? It's super simple! Buy a "For Sale" sign at the store and put it in your yard when your kids are not around. They are too dull to notice that? Then attach a "SOLD" sign to it, and see **how they react.**

Good luck! But be warned: they're probably planning a more creative prank for you!

<보기> *Serve a Silly Snack* / *Put Something Weird in Their Bed* / *Put a Sign in the Front Yard* / *Secretly Ruin Their Socks*

youngster 아이, 젊은이 **mischievous** 짓궂은, 장난기 있는 **possess** 소유하다 **spirit** 정신, 기상 **exclaim** 소리치다, 외치다 **starve** 굶주리다 **offer** 제안하다; 제공하다 **impressive** 인상적인 **at least** 적어도, 최소한 **pleasant** 기쁜, 즐거운 **routine** (판에 박힌) 일상 **startle** 깜짝 놀라게 하다 **sew** 바느질하다, 꿰매다 **shut** 닫힌, 봉한 **freak out** 질겁하다 **fit** (어떤 장소에) 맞다, 들어가다 **reveal** 드러내다 **prank** 장난 **be sure to-v** 틀림없이 ~하다 **huge** 거대한, 거창한 **sign** 표지판, 간판; 표식 **dull** 둔한 **notice** 알아보다 **attach A to B** A를 B에 붙이다

[문제 어휘] **serve** 음식을 내다 **silly** 바보 같은, 우스꽝스러운 **weird** 기이한 **front yard** 앞마당 **ruin** 망치다

SOME MORE ABOUT HOW TO EXPLAIN COLORS TO A BLIND PERSON

Color	Object	Explanation
RED (heat)	fire candle flame	"If you have a sunburn, your skin turns red." "If you feel embarrassed and blush, that heat on your cheeks looks red."
RED (alert)	fire truck police & ambulance lights	"When you hear a siren, it causes people to be alert right away, because there might be danger. Red is like that—it's urgent and grabs your attention."
GREY (metal/concrete)	sidewalk	"Grey is very hard and strong. It feels sturdy like a road under your feet, or the wall that you can lean against, but it isn't alive and doesn't grow or have feelings."
BLUE (the sound of running water)	a bubbling stream the ocean waves crashing	"Blue is calm and peaceful, like how the sound of water makes you feel relaxed."

SUMMARY

종류	문장	구조	특징
명사구 목적어	The bird likes **to gather shiny things**.	S+V+to-v ~	to부정사가 목적어 (= likes gathering ~)
명사구 보어	To cook is **to manage many things at the same time**.	S+V+to-v ~	to부정사가 보어 (= is managing ~)
명사절 목적어	I remember **that you made special food for me on my birthday**.	S+V+that+S′+V′	that+S+V (~라는 것을)
	I wonder **whether he'll help me or not in that situation**.	S+V+whether[if]+S′+V′	whether+S+V or not (~인지 아닌지를)
명사절 보어	My question is **where you were from 10 to 12 p.m. that day**.	S+V+wh-+S′+V′	wh-+S+V (왜/어떻게/언제/어디서/누구(를)/무엇(을) ~한지(이다))
가목적어+목적격보어+진목적어	We think **it** mannerless **to criticize someone in front of people**.	S+V+it+C+to-v ~.	= think it mannerless to criticize ~ (it = to criticize ~)
동사별 전치사 패턴	The pictures of the summer holiday **remind** us **of** our great time there.	remind A of B	동사별로 이어지는 전치사에 유의.
목적어+목적격보어	Mom **wants** me **to get up** immediately.	S+V+O+to-v	want, ask, tell, expect, allow 등
	Mom **made** me **get up** immediately.	S+V+O+동사원형	make, have, let (사역동사)
	I **saw** two guys **hide** behind the wall. [**hiding***]	S+V+O+v[v-ing]	see, hear, smell, feel, watch, notice, listen to 등 (지각동사) *<진행>의 의미를 위해 v-ing형이 쓰임.
	I once **helped** Dad (***to***) **clean** his car.	S+V+O+(to-)v	help는 목적격보어로 원형부정사를 쓸 수 있음.
	Do you **want** the gift **wrapped**?	S+V+O+p.p.	<목적어-목적격보어>가 수동관계일 때.

CHAPTER

04

동사 속으로: 시제

동사는 변. 화. 무. 쌍.
동사원형은 시작점일 뿐
늘 모양이 바뀌고 모양마다 의미도 다 다르네?

UNIT 1

기본 시제

미리보기 다음 각 문장의 동사에 밑줄 치고, 그 원형을 쓰시오.

1 The country remained very poor in the 1950s. ____________

2 Chip's family eats breakfast early. ____________

3 Look! A dog is lying on the porch. ____________

◆◆ 늘 하는 일인지, 이미 한 일인지, 앞으로 할 일인지에 따라 현재(-s), 과거(-ed), 미래(will[be going to]+v)시제로 동사 모양이 달라진다. 현재 진행 중인 일인지, 과거 어느 때에 진행 중이었던 일인지, 미래 어느 때에 진행 중일 일인지에 따라 진행형(be+v-ing)으로도 표현된다.

A Sue **reads** books on many diverse subjects.

B It**'s** six o'clock now. I **will stay** here until 10.

C Class leaders **had** a meeting last week to discuss the school field trip.

D All our factories **are working** at full capacity.

E I **was** always **looking** outside myself for strength and confidence, but now I realize that they **come** from within. They were there all the time.

Grammar PLUS

① 과거시제 분석

- I was driving when you called me.
  (was driving: 과거진행형 / called: 과거형)
  ▶ called (특정 시점) / was driving (진행 중)
- The day **was** hot and humid, and my shirt **kept** sticking to my back. ▶ 시제의 일관성(과거시제-과거시제)

② 혼동 주의 동사 변화형

- The hunters **lay** traps in the woods. ▶ **lay**(~을 놓다<타동사>: lay-laid-laid)
  vs. **lie**(~에 있다, 눕다<자동사>: lie-lay-lain>
- The school **was founded** by a missionary. ▶ **found**(설립하다: found-founded-founded)
  vs. **find**(찾다: find–found-found)
- That morning, **wounded** soldiers and horses were lying on the battlefield.
  ▶ **wound**(부상을 입히다: wound-wounded-wounded)
  vs. **wind**(태엽을 감다, (길이) 구불구불하다: wind-wound-wound)

Check it 문장을 읽고, 밑줄 친 동사 부분을 해석하시오.

1 On an average day, we sell two dozen hotdogs. ____________

2 Who founded Google? — It was invented by two computer scientists. ____________

3 Laura ⓐ didn't exercise at all, and now she ⓑ is suffering the consequences.
ⓐ ____________ ⓑ ____________

4 The lifeless bodies of sea birds lay in the oil spill that morning. ____________

5 I will drink bottled water because I think the city water is polluted. ____________

A Sue는 여러 다양한 주제의 책을 읽는다. B 지금은 6시야. 나는 10시까지 여기에 있을 거야. C 반장들이 현장학습을 의논하기 위해 지난주에 모임을 가졌다. D 우리의 모든 공장이 전면 가동 중이다. E 난 늘 힘과 자신감을 내 밖에서 찾고 있었지만, 지금은 그것들이 (내) 안에서 나오는 것임을 깨닫고 있다. 그것들은 늘 그곳에 있었다.

UNIT 2

완료 시제

미리보기 밑줄 친 두 부분 중 먼저 일어난 일을 A, 나중에 일어난 일을 B로 표시하시오.

1 This radio hasn't worked since I dropped it.
2 The police announced that they had found evidence.
3 The owl has caught a mouse and is carrying it to her babies.

◆◆ 이미 일어나 끝나버린 과거 일과는 달리, 과거에 일어난 일을 현재와 연관 지어 말할 때 현재완료(have p.p.)시제로 표현한다. A E 현재완료는 과거부터 현재까지의 경험, 계속, 완료, 결과를 나타낸다. 마찬가지로 과거 이전부터 과거 시점까지의 일, 또는 과거보다 앞서 일어난 일은 과거완료/대과거(had p.p.)B로, 미래 이전부터 미래 시점까지의 일은 미래완료(will have p.p.)C로 쓴다. 행위가 여전히 계속됨을 강조할 때는 완료진행형(have been v-ing)D을 쓴다.

A Since the introduction of the microwave, cooking habits **have changed** greatly.

B On the day of the test, Ellen was not afraid because she **had studied** hard.

C By the end of the day, we **will have had** no red ones in stock.

D They concluded that the driver who caused the accident **had been speeding**.

E All the mistakes I **have made** are the result of action without thought.

Grammar PLUS

현재완료가 말해주는 것들

- I **have** *never* **been** here *before*. ▶ 지금까지 와본 경험이 없음. <경험>
- Dinosaurs **have been extinct** *for* millions of years. ▶ 멸종 상태가 수백 년간 계속됨. <계속>
- The melon **has** not *yet* **matured**. ▶ 아직 잘 익은 상태가 아님. <완료>
- A lot of people **have lost** their job during the economic depression. ▶ 현재까지 실직자가 많음. <결과>

Check it

괄호 안에서 알맞은 것을 고르시오.

1 I've made up my mind and (don't / didn't) have any doubts.
2 The company has been growing rapidly since it (entered / has entered) into a new business field.
3 When she heard what her friend (has said / had said) about her, she felt upset.
4 If you get one more sticker, (you have collected / you'll have collected) all twenty stickers for the tea gift box.
5 The two (have been / had been) friends for years and trust each other completely.

A 전자레인지의 도입 이후로 요리 습관이 크게 바뀌었다. B 시험 날에 Ellen은 열심히 공부했기 때문에 두렵지 않았다. C 하루가 끝날 무렵이면 우리에게 빨간색은 재고가 없을 것이다. D 그들은 사고를 일으킨 운전자가 과속 중이었던 것으로 결론지었다. E 내가 한 모든 실수는 생각 없이 행동한 결과였다.

UNIT 3

주의해야 할 시제

미리보기 각 문장에서 괄호 안 요소에 밑줄 치고, 밑줄 친 부분에서 틀린 것을 찾아 맞게 고치시오.

1 I will wait here until she'll return. (시간의 부사절)
2 We have visited here a few days ago. (동사)
3 Our organization has been collected money for the blind. (동사)

◆◆ 시제별로 주의해야 할 사항들을 알아두어야 한다. 주어와 동사의 능동·수동 관계로 현재완료진행(have been v-ing)인지 현재완료 수동태(have been p.p.)인지 파악한다.E(→ CH 5 수동태)

A We'**re having** dinner at a buffet *tonight*. [= are going to have]

B He **knows** much more about history than me. [× is knowing]

C *If* I **miss** the last bus, I will not get home until midnight. [× will miss]

D *When* **did** you **move** to our neighborhood? [× When have you moved ~?]

E Environmentalists **have been urging** the government to take actions against forest destruction. [× have been urged]

Grammar PLUS

① 부사절 시제 vs. 명사절 시제

- I'll let you know **when** I *leave*. vs. I'll let you *know* **when** I'll leave.
  시간을 나타내는 부사절(~할 때): 미래시제 × / 동사 know의 목적어로 쓰인 명사절(언제 ~하는지)
- I'll buy it **if** it *is* an original. vs. I *wonder* **if** he will buy it.
  조건을 나타내는 부사절(~이라면): 미래시제 × / 동사 wonder의 목적어로 쓰인 명사절(~인지 아닌지)

② 진행형 불가 동사

- × I *was knowing* his secret then. (→ I **knew** his secret then.) ▶ know, have(소유), like, think 등은 진행형 불가

③ 과거시제 vs. 현재완료시제

- I **cooked** a week *ago*. ▶ 과거에 일어난 일/과거에 끝나버린 일
  과거시제+**last** week/in **1987**/a few months **ago**/in **the past**/when ~? ...
- × When *have* you *cooked* last? (→ *When* **did** you **cook** ~?) ▶ 과거 어느 때 있었던 일은 현재완료로 표현하지 않음.

Check it 밑줄 친 부분이 어법상 맞으면 O, 틀리면 ×로 표시하고 맞게 고치시오.

1 Your English is quite good. When have you started to learn English?
2 Why don't you ask her when she'll pay your money back?
3 The country has been suffered from many social problems from poverty to poor health systems.
4 I'll be free from housework as soon as Mom will come back from her trip.
5 We have been living in a small apartment, but next week we're moving to a big one.

A 우리는 오늘 밤에 뷔페에서 저녁 식사를 할 거야. B 그는 나보다 역사에 대해 훨씬 더 많이 안다. C 내가 마지막 버스를 놓치면 난 자정까지는 집에 도착 못 할 것이다. D 당신은 언제 우리 동네로 이사 왔나요? E 환경운동가들이 정부가 삼림 파괴에 대해 조치를 취할 것을 촉구해오고 있다.

Into the Grammar

정답 및 해설 p. 18

A

다음 각 문장의 빈칸에 알맞은 표현을 <보기>에서 골라 쓰시오. (중복 사용하지 말 것)

<보기>	for thousands of years	in the Middle Ages	every day
	since the accident last month	until she grows up	

1 People have mined coal ______________________.

2 I will keep the secret to myself ______________________.

3 ______________________, cooks decorated foods with marigolds and roses.

4 The subway conveys thousands of passengers into the business district ______________________.

5 The man has been in the hospital for more than three weeks ______________________.

B

다음 a)~c)의 빈칸에 공통으로 들어갈 단어를 쓰시오.

1 a) I felt certain that something terrible ____________ going to happen.

b) The singer gave a poor performance because she ____________ suffering from a cold.

c) It ____________ so dark that I couldn't see anything.

2 a) All the complaints indicate that there ____________ been a serious drop in the quality of the product.

b) After repeated trials, the boy finally ____________ learned how to boil an egg without breaking the shell.

c) Mr. Smith ____________ been dealing with public relations since he started working at the company.

Read it #1

1

다음 글의 목적으로 가장 적절한 것은?

We **have been** barely **managing** to make ends meet for years now and with increasing rent prices and overall increases in the cost of doing business, our shop **is** in desperate need of your support! We **opened** the restaurant in 1990 two days before Christmas, in the hopes of creating a place for the British in New York to come and have a proper cup of tea. In 1994 Carry On Tea & Sympathy opened to ease all of your crisps, biscuits and chocolate cravings, and in 1999 A Salt and Battery, to serve the best fish and chips*. We **have watched** all of the local businesses lose to landlords and leave this area. We **are trying** hard not to be added to that list. Any contribution you can afford is extremely appreciated. These funds **will be used** to help lower our loan payment. There are no words to describe how much we love this community.

*fish and chips: 피시 앤 칩스(생선튀김에 감자튀김을 곁들어 먹는 영국 음식)

① 가게 개업 소식을 알리려고
② 크리스마스 특별행사를 알리려고
③ 프랜차이즈 가입을 촉구하려고
④ 임대료 인하를 부탁하려고
⑤ 가게 운영 지원 모금을 부탁하려고

barely 겨우 **make ends meet** 먹고 살 만큼만 벌다, 겨우겨우 살아가다 **increasing** 오르는, 증가하는 **overall** 전반적인 **in need of** ~가 필요한 **desperate** 필사적인, 절박한 **the British** 영국 사람들 **proper** 제대로 된, 적절한 **ease** 완화시키다 **crisp** 감자 칩; 바삭바삭한 (것) **craving** 갈망, 욕구 **serve** (음식을) 제공하다, 내다 **landlord** 임대주, 집주인 **contribution** 기부; 공헌, 기여 **afford** (~의 경제적) 형편[여유]이 되다 **extremely** 대단히; 극단적으로 **appreciate** 감사하다, 고맙게 여기다 **lower** 낮추다, 줄이다 **loan payment** 대출상환금 **community** 공동체, 지역사회

2

밑줄 친 it wasn't beyond our reality to think that it could happen이 의미하는 바로 가장 적절한 것은?

"I have a dream that one day this nation will rise up, live out the true meaning of its creed*: 'We hold these truths to be self-evident, that all men are created equal ...' I have a dream that my four little children **will** one day **live** in a nation where they will not be judged by the color of their skin but by the content of their character." This is a world-famous speech by Martin Luther King Jr. given at the Lincoln Memorial, before the march for human rights on August 28, 1963. The march **showed** Americans the power of peaceful protest. A year later it **led** to the birth of the Civil Rights Act, banning discrimination. A participant in the march says King's dream **is** as important today as it **was** then. "The image that he gave was of a future. And it wasn't beyond our reality to think that it could happen. Of all the gifts he gave us, the greatest **has been** the belief in society's ability to change and the power each of us has to make that change," she says.

*creed: 신조, 신념, 강령

① 처음에는 실현 불가능한 꿈이었다.
② 이 모든 것이 상상력을 토대로 이뤄졌다.
③ 더 나은 미래를 꿈꾸는 것이 가능해 보였다.
④ 현실과 이상의 차이가 컸다.
⑤ 이상을 꿈꾸는 것은 우리의 역할이 아니었다.

rise up 들고 일어나다, 봉기하다 live out (생각만 하던 것을) 실행하다 hold 간주하다, 여기다 self-evident 자명한, 따로 증명할 필요가 없는 equal 평등한, 동등한 judge 판단하다, 평가하다 character 인격, 성격, 개성 memorial 기념관 march 행진 human right 인권 peaceful 평화적인 protest 시위, 항의 civil right 시민권 act 법률, 법 ban 금지하다 discrimination 차별 participant 참가자 beyond ~ 너머, ~를 벗어나 reality 현실 society 사회

Read it #2

[3~4] 다음 글을 읽고, 물음에 답하시오.

Animals **have** long **been** on the front lines of scientific discovery. But (A) <u>those pioneers</u> didn't volunteer for their missions. But (B) <u>that</u> doesn't reduce their important contribution to scientific knowledge. A good example is the first animals that were sent to space. Sixty years ago, humans **had** visions of traveling above the atmosphere and out toward the moon and planets. But could anyone, or anything, survive such a journey? On November 3, 1957, Laika **began** providing answers. She was an 11-pound abandoned dog, picked up on the streets of Moscow. The Soviet Union (now called Russia) launched her into orbit aboard the spaceship Sputnik 2. The world **wondered** if she **would survive** her journey. She **didn't**. In fact, she was never intended to survive (C) <u>it</u>. Sputnik 2 had no reentry system. There was enough food and water to last Laika for seven days, no more. As it turned out, she barely survived for six hours.

3 서술형

밑줄 친 (A)~(C)가 가리키는 바를 찾아 조건에 맞게 쓰시오.

(A): ____________________ (영어, 1단어)

(B): ____ (우리말)

(C): ____________________ ____________________ (영어, 2단어)

front line 최전방 **pioneer** (새로운 분야의) 개척자 **volunteer** 자원하다, 자진하다 **mission** 임무 **contribution** 기여, 이바지 **space** 우주; 공간 **vision** 상상(력), 비전 **atmosphere** 대기 **planet** 행성 **journey** 여행, (길고 힘든) 여정 **abandoned dog** 유기견 *cf.* **abandon** 버리다, 유기하다 **launch** (우주선 등을) 발사하다 **orbit** 궤도 **aboard** ~을 타고, (배, 항공기)에 승선[탑승]하여 **intend** 의도하다, ~할 작정이다 **reentry** (인공위성 등의 대기권) 재진입, 재돌입 **last** 지속되다; 존속시키다 **turn out** ~임이 밝혀지다 **barely** 가까스로, 간신히

More animals would follow Laika into orbit—and survive. In the U.S., the first giant leap for mankind was made by a 4-year-old chimpanzee named Ham. On January 31, 1961, Ham **rocketed** into space for a 16-minute flight. It **was** a test to see if an animal **could survive** a journey in the tiny Mercury spacecraft. Ham was trained to pull handles aboard the craft in response to a flashing light. His success with the task during his trip proved it was possible to work under the stress of spaceflight. Ham took the same trip astronauts Alan Shepard and Gus Grissom would later take. These animals, and many more, helped make it possible for humans to fulfill their dreams of space exploration. They **were** the first to make the journey away from Earth. We **owe** these involuntary pioneers our thanks.

4 글의 내용에 맞게 대화의 빈칸을 채우시오. (주어진 철자로 시작할 것)

A Do you know who Laika is?
B Isn't it a dog that was sent out to the ⓐ u____________?
A Right. She was sent to ⓑ t____________ if living things can survive there.
B Did she come back to ⓒ E____________?
A Unfortunately, she ⓓ d____________ in the spaceship at some point in orbit.
B She was a victim of human exploration projects. We owe our thanks to her.
A There was a chimpanzee that successfully completed his mission in a spacecraft.
B What did he do?
A He pulled handles whenever he ⓔ s____________ a flashing light. Scientists concluded that ⓕ h____________ could also do some work in space.
B So that's how it all started.

leap 도약 mankind 인류 rocket 로켓으로 날다, 치솟다 flight 비행(편) tiny 아주 작은 Mercury 수성 spacecraft 우주선 handle 손잡이 in response to ~에 반응하여, ~에 답하여 prove 입증하다, 증명하다 astronaut 우주비행사 fulfill 이루다, 성취하다 exploration 탐험, 탐사 away from ~에서 벗어나 owe A B A에게 B를 빚지다 involuntary 비자발적인, 강제의
[문제 어휘] victim 희생자 conclude 결론짓다

"I WAS THERE"

People attending the March on Washington remember how Martin Luther King Jr. led the crowd in raising a voice for equality.

"I'd never seen anything like it. I remember the electricity in the air."

– Joan Baez, Singer

"We were looking for leadership, and he was offering it."

– Rachel Robinson, The Jackie Robinson Foundation

"I resolved at that moment... I was going to be a part of changing the country."

– Nan Orrock, State Senator

SUMMARY

시제	말하는 것	특징
현재	현재의 반복적인 습관/일반적 사실 I **cook** every day.	시간, 조건의 부사절에서 미래 대신 현재로 표현 I'll cook for you **if** you **do** the dishes.
과거	과거에 일어난 일/과거에 끝나버린 일 I **cooked** a week ago.	과거 어느 때 있었던 일은 현재완료로 표현하지 않음. × When *have* you *cooked* last?[→ When **did** you **cook** ~?] 과거시제+last week/in 1987/a few months ago/in the past ...
미래	앞으로 일어날 일 **I'll cook** spaghetti tonight.	미래시제+soon, in a minute, next year, in the near future ... = **I'm going to cook** spaghetti tonight.
현재완료	과거 어느 때부터 지금까지의 일 <경험> I **have cooked** for my family *once*. <완료> **I've** *just* **cooked** something new. <계속> The tower **has been** on fire *for* an hour. <결과> The fire **has destroyed** all living things in the forest.	 경험을 나타내는 표현들: ever, never, once, before ... 완료를 나타내는 표현들: just, already, yet ... 계속을 나타내는 표현들: for, since, so far ...
대과거	과거 일보다 먼저 일어난 일 Suddenly I realized that I **had left** my cat outside overnight.	
과거완료	과거 이전의 어느 때부터 과거까지의 일 <경험, 완료, 계속, 결과> <계속> Grandma finally *opened* the jar she **had kept** in the cupboard *for* more than ten years.	
미래완료	미래 이전부터 미래 시점까지의 일 <완료> She **will have gotten** into a university by next year.	
현재진행	지금 진행 중인 일 The bus **is coming** very slowly.	가까운 미래를 표현하기도 함. The bus **is coming** soon. Let's wait just five more minutes. 그 자체 진행의 의미를 띠는 동사(know, have(소유), like, think ...)는 진행형으로 쓰지 않음. × I *was knowing* his secret then. [→ I **knew** his secret then.]
과거진행	과거 어느 때에 진행 중이었던 일 I **was waiting** for the bus then.	과거진행형(일정 기간 지속)+when+과거(일시적) I **was talking** on the phone when I **got on** the bus.
현재완료진행	과거 어느 때부터 지금까지 계속되고 있는 일 (현재완료+진행) Go back to work! You **have been talking** on the phone for almost half an hour.	
과거완료진행	과거 이전의 어느 때부터 과거 어느 때까지 계속되고 있던 일 (과거완료+진행) Who **had** you **been waiting for** when we saw you in front of the theater?	

CHAPTER

05

동사 속으로: 태

주어가 하는 것은 능동태,
이것이 기본 모양이고
주어가 당하는 것은 수동태,
be가 들어간 모양

UNIT 1

능동태와 수동태

미리보기 각 문장에서 밑줄 친 동작을 하는 행위자를 찾아 동그라미 치시오.

1 The conversation was recorded by the secret agent.
2 Is the old man walking the dog, or is the dog walking the man?
3 The pilots thrilled the crowd with their stunts at the air show.

◆◆ 주어가 행위를 하는 쪽인 능동태와 달리 주어가 행위를 당하는 쪽일 때 수동태(be+p.p.)로 표현하여 능동태와 구분한다. 이때 누가 한 일인지 밝힐 필요가 있으면 <by+행위자>로 표시한다.

A The hot pan **left** an ugly mark on the tablecloth.

B The movie star **is guarded** *by sturdy men*.

C A lot of care **is required** for the delivery of glasswork.

D The biggest library in the country **will be built** close to our school.

E One's philosophy **is** not best **expressed** in words. It **is expressed** in the choices one makes.

Grammar PLUS

① 수동태: 목적어가 주어로

- People *celebrate* **the special day**[O] every year.
  → **The special day**[S] *is celebrated* every year (by people).

② 수동태가 불가능한 동사

- The race **took place** in spite of the rain. [× was taken place]
- The sun has **risen** above the horizon. [× is risen] ▶ happen, occur, appear, disappear 등의 자동사

Check it 괄호 안에서 알맞은 것을 고르시오.

1 The designer (decorated / was decorated) the hat with all kinds of buttons.
2 Two teams will debate (what should do / what should be done) about air pollution.
3 The dangers of mining (include / are included) ground collapses and explosions.
4 The hurricane (has ruined / was ruined) thousands of acres of the sugar cane crop.
5 The tourists (traveled / were traveled) to the Grand Canyon and (overwhelmed / were overwhelmed) by the majestic scenery.

A 뜨거운 냄비가 식탁보에 흉한 자국을 남겼다. B 그 영화배우는 건장한 사내들의 호위를 받는다. C 유리 제품의 배달에는 많은 주의가 요구된다. D 나라에서 제일 큰 도서관이 우리 학교 가까이에 지어질 것이다. E 한 사람의 철학은 말속에 가장 잘 표현되지 않는다. 그것은 그 사람이 하는 선택에 표현되는 법이다.

UNIT 2

복잡한 수동태

미리보기 각 문장의 동사를 해석하시오.

1 No one is allowed to approach the building for now. ____________
2 The data is being deleted. It will be completed in five minutes. ______ / ______
3 The contestants will be given only one chance to answer the questions. ____________

◆◆ 3형식을 수동태로 바꾸면 행위의 대상이었던 것이 주어가 되는 것과 달리, 4, 5형식을 수동태로 바꾸면 주어가 된 목적어 외에 남는 목적어(4형식), 목적격보어(5형식)의 기타 요소가 있음에 유의한다. A B 4형식의 직접목적어를 주어로 하면, 간접목적어였던 대상 앞에 적절한 전치사가 필요하다. 또한 다양한 시제별로 수동태의 형태를 익히고, 능동태와는 그 의미가 어떻게 다른지 살피자. C D

A Every year *a box of sweets* **was sent** *to* each of us in the name of Santa.
[Every year *each of us* was sent *a box of sweets* in the name of Santa.]

B Anyone who sees him **is asked** *to call 911 immediately*.

C The new library plan **is being studied** to ensure complete wheelchair access.

D How much money **has been raised** for the big fire?

Grammar PLUS

① 5형식이 수동태가 된 패턴들: 목적격보어가 to 부정사인 경우

- be asked to-v ~할 것이 요청되다
- be told to-v ~할 것을 지시받다
- be allowed to-v ~하는 것이 허용되다
- be forced to-v ~하도록 강요받다
- be required to-v ~할 것이 요구되다
- be scheduled to-v ~하기로 예정되어 있다
- be expected to-v ~할 것으로 기대되다
- be recommended to-v ~할 것이 권장되다

② 진행시제/완료시제와 태

- Blankets **are being collected** for the homeless. ▶ 현재진행형-수동
- The scientist **has discovered** that this disease **is carried** by rats. ▶ 현재완료-능동 / 현재-수동
- She **has been involved** in Red Cross work for the past two decades. ▶ 현재완료-수동

Check it 각 문장의 빈칸에 알맞은 말을 써넣어 동사의 모양을 완성하시오.

1 A number of bridges have ____________ destroyed by the flood.
2 Anyone who smokes in public places will ____________ fined $100 starting next month.
3 All the students in the class ____________ required to submit their report by next Monday.
4 She was afraid to tell her parents she ____________ been fired from her job last month.
5 The event which was scheduled ____________ take place on Sunday has been cancelled.

A 해마다 산타라는 이름으로 우리 각자에게 달콤한 것이 든 상자가 보내졌다. B 그를 보는 사람은 누구든 911로 즉시 전화할 것이 요청된다. C 휠체어의 완전한 접근을 보장하기 위해 새 도서관 계획이 연구되고 있다. D 그 대화재를 위한 모금이 얼마나 이뤄졌나요?

UNIT 3

수동태 문장 제대로 보기

미리보기 예시와 같이 동사에 밑줄 치고 해당 정보를 찾아 우리말로 답하시오.

예 The key was found under the bed.	어디에서?	침대 밑에서
1 The streets are cleaned every morning.	얼마나 자주?	
2 It is said that she is a spy.	무엇이 말해지나?	

◆◆ 수동태 문장의 중요한 정보는 대체로 동사가 아닌 다른 곳에 있으므로 중요 정보가 어디에 있는지 포착하며 읽는 것이 중요하다.A B 그 외에도 지각동사나 사역동사가 포함된 수동태C, 동사구의 수동태D, 행위자를 나타내는 by 대신 다른 전치사를 쓰는 경우E, 능동태와 수동태가 함께 어우러진 문장의 병렬구조 파악E에 주의한다.

A Tales of supernatural beings and powers **are found** *in every culture*.

B **It is said that** *the movie is based on a real story*.
[= People *say that the movie is based* ~. / The movie *is said to be based* ~.]

C The suspect **was seen** entering[**to** *enter*] the building that night.[× **was seen** *enter*]

D Good manners **are made up of** small sacrifices.

E Main Street **is** wide *and* **lined with** old oak trees.

Grammar PLUS

① 전달되는 정보가 중요한 수동태: It is said that ~ (= S+is said to-v)

- It is said that ~ ~라고들 한다
- It was believed that ~ ~라고 믿어졌다
- It was found out that ~ ~임이 밝혀졌다
- It is estimated that ~ ~임이 추정된다

② 전치사에 주의해야 할 수동태 표현들

- be known **as**[**to**] ~로[~에게] 알려져 있다
- be crowded[filled] **with** ~로 붐비다[가득하다]
- be exposed **to** ~에 노출되다
- be composed[made up] **of** ~로 이루어지다(=consist of)
- be faced[confronted] **with** ~에 직면하다
- be regarded[thought of] **as** ~로 여겨지다[간주되다]

③ 지각동사/사역동사의 수동태

- The monster **was seen** *to* **turn[turning]** into a prince. ▶ [← Someone *saw* the monster **turn** ~.]
- Sometimes we **are made** *to* **behave** against our will. ▶ [← ~ they *make* us **behave** ~.]

Check it 괄호 안에서 알맞은 것을 고르시오.

1 All the guys were made (stay / to stay) in the police station until their guardian appeared.
2 The man (was laid / was laid off) from his job last month, but he hopes to be rehired soon.
3 The bowl is filled (with / of) various shapes of jellies.
4 Children are exposed (by / to) adult situations and adult views of life.
5 Just a 15-minute nap in the daytime (believe / is believed) to keep you alert the whole day.

A 초자연적인 존재와 힘에 관한 얘기가 모든 문화에서 발견된다. B 그 영화는 실제 이야기를 바탕으로 한 것이라고 한다. C 용의자가 그날 밤 그 건물에 들어가는 것이 목격됐다. D 훌륭한 매너는 소소한 희생으로 이뤄진다. E Main 가는 넓고, 오래된 떡갈나무로 줄지어져 있다.

Into the Grammar

정답 및 해설 p. 24

A

괄호 안에서 알맞은 것을 고르시오.

1 The hurricane (caused / was caused) extensive damage along the Atlantic coast.

2 I (have been suffering / have been suffered) from headaches for a long time.

3 Who (is considering / is being considered) for the starting pitcher?

4 The solar system (is consisted of / is composed of) one star, eight planets, dozens of moons, and thousands of comets and asteroids.

5 People (have called for / have been called for) a thorough investigation of the recent terror attack.

B

각 문장에서 어법상 틀린 부분을 찾아 맞게 고치시오.

1 Part-time employees pay by the hour once a week.

2 The new model has carefully designed to improve its durability.

3 It suddenly was occurred to me that I won't be young forever.

4 There'll be a lot of schoolwork that will be demanded your time and energy.

5 The thief was seen drive away in a blue van.

C

괄호 안 단어를 순서대로 활용하여 문맥에 맞게 빈칸을 완성하시오. (필요하면 단어를 추가할 것)

1 The new car model scheduled to be released next month ____________________ ____________________ buyers both at home and abroad. (expect / attract)

2 Edgar and Edwin try hard to be different because they don't ____________________ ____________________ "the twins." (want / know / as)

Read it #1

1

다음 글의 제목으로 가장 적절한 것은?

Many different robots **are used** in health care, including some that zip around hospital hallways like motorized carts and some like dolls that bring patients comfort. Stevie is what**'s known as** a social robot. It **was designed** to interact with people. Stevie responds to words with speech, gestures, and movements. For example, tell Stevie you're sick, and it frowns and says, "I'm sorry to hear that." Compliment Stevie, and its screen changes to a smile. At rest, its digital eyes blink, waiting for a command. At a social hour with residents in a nursing center, a resident had Stevie tell a joke: "What did the left eye say to the right?" The punch line: "Something smells between us!" According to McGinn, Stevie's lead engineer, when residents **were asked** what they liked most about the robot, they said, "It makes me laugh and smile."

① The History of Robot Development
② Can a Robot Command Human Language?
③ A Robot as a Friend of Humans
④ Uses of Robots in Everyday Life
⑤ Robots Replace the Human Workforce

health care 의료 서비스, 보건 zip 쌩하고 가다; 지퍼로 잠그다 hallway 복도 motorized 엔진을 단 comfort 위안, 안락함 be known as ~로 알려져 있다 social 사교적인(= sociable); 사회적인 design 고안하다 interact 상호작용하다, 교류하다 movement 움직임, 동작 frown 찌푸리다, 찡그리다 compliment 칭찬하다; 찬사 blink 깜빡이다 command 명령(하다), 지시(하다) resident 거주자 nursing center 양로원, 요양원 punch line 농담 중 정곡을 찌르는 부분, 급소를 찌르는 명언 lead 선두의, 제일 중요한
[선택지 어휘] command 명령하다; (언어를) 자유자재로 구사하다 replace 대체하다 workforce 노동력

2 다음 글의 밑줄 친 부분 중, 어법상 틀린 것은?

Frontiers in Genetics publishes peer-reviewed research on genes and genomes relating to all the domains of life, from humans to plants to livestock and other model organisms*. This open-access journal ① **is led** by outstanding leading experts, and is at the front of communicating newly conducted research to researchers, academics, policy makers and the public. The study of the impact of the genome on various biological processes **has been well-documented**. However, the majority of discoveries are still to come. A new era ② is seeing major developments in the function of the genome. *Frontiers in Genetics* ③ covers research areas in various sections, among which are "Genome research in farm animals" and "Interactions between environment and organisms." All sections are open-access and ④ **are published** original research, reviews and opinions. This ⑤ consists of the full spectrum of genetic and genomic research, from the most basic to the clinically applied.

*model organism: 모델 생물(실험실에서 생체 연구를 위해 이용되는 생물)

frontier (학문, 연구의) 미개척 분야, 최전선 genetics 유전학 publish 출판하다 peer-reviewed 동료의 평가[심사]를 받는 gene 유전자 *cf.* genetic 유전(학)의 genome 게놈(세포나 생명체의 유전자 총체) *cf.* genomic 게놈[유전체]의 relating to ~에 관하여 domain 영역, 분야 livestock 가축 open-access 누구나 접근할[이용할] 수 있는 journal 학술지, 신문, 잡지 outstanding 뛰어난, 두드러진 at the front of ~의 선두에 newly conducted 새로이[최근에] 진행된 academic 학자, 교수; 학문적인 policy 정책 impact 영향, 충격 biological 생물학적인 document 서류(로 기록하다) majority 대다수 *cf.* major 주요한, 중대한 era 시대 cover (연구, 주제를) 다루다, 포함하다 section 부문 original 최초의, 원래의; 독창적인 consist of ~로 구성되다 spectrum 영역, 범위; (빛의) 스펙트럼 clinically 임상적으로 apply 적용하다

Read it #2

3 서술형

다음 글을 읽고, 조건에 맞게 요약문의 빈칸을 완성하시오.

People who stay busy with tasks tend to be happier than idle folks, new research indicates. Researchers had 98 college students take part in experiments requiring them either to spend 15 minutes doing nothing or to take a walk before performing another task. The students **were instructed to fill out** a survey about their school and **were told** they could do nothing else while doing so. After the first survey, they **were told** they**'d be given** a piece of candy, with which they could do either of the two before doing another survey: drop it off at a nearby location and then do nothing, or take a walk to a distant location for drop-off. After 15 minutes, the students **were given** a questionnaire that asked, "How good did you feel in the last 15 minutes?" and responses **were made** on a scale from 1, or "not good at all," to 5, indicating they felt "very good." The result: Participants who walked to the faraway spot reported a higher score than those who chose to wait idly, the researchers say.

<조건>
- 본문에서 찾아 쓸 것
- 각 1단어로 쓸 것
- 필요하면 변형할 것

Idleness does not make you happy. Rather, to keep yourself ____________ is the key to ____________.

tend to-v ~하는 경향이 있다 idle 빈둥거리는, 한가한 *cf.* idly 하릴없이 folk 사람들 indicate (간접적으로) 시사하다, 암시하다 either A or B A와 B 둘 중 하나 instruct 지시하다 fill out (양식서 등을) 작성하다, 기입하다 location 위치, 장소 distant 먼, 멀리 떨어진 questionnaire 설문지 scale 등급, 단계 spot 지점, 장소 report 보고하다, 전하다
[문제 어휘] idleness 빈둥거림 rather 오히려, 반대로 the key to ~에 이르는 열쇠[핵심]

정답 및 해설 p. 27

4

서술형

다음 글을 읽고, 보기에서 알맞은 말을 골라 빈칸 (A)~(E)를 완성하시오. (필요하면 변형할 것)

DEAR Counselor: My son goes to an international school, and **it was found that** a couple of racist incidents have happened at his school recently, and it is disturbing to all the students, the teachers and the parents. But I don't think much **is being done** about it. It has been an issue among students, and student forums to find a solution **have been held**, but they were all ____(A)____ and led to more division. I want to recommend that the principal should find a solution to deal with this serious ____(B)____. What can I do to encourage him?

Voice of a wannabe fixer

Dear Voice of a Wannabe Fixer: Do your research and identify organizations or individuals who **are known as** experts in the ____(C)____. Make a list of several choices of diversity experts that could offer proper services on this matter. Also figure out who is willing to support you with the process at the school. In a best-case scenario, you would have allies on all ____(D)____ — with the teachers, the students, the parents, and even the administration. ____(E)____ a small group, and ask them to work with you in presenting your findings and recommendations to the principal.

Counselor

<보기> field issue form fruitless side

(A): ____________ (B): ____________

(C): ____________ (D): ____________

(E): ____________

a couple of 두서너 개의 ~, 둘의 racist 인종 차별의; 인종 차별주의자 incident (범죄, 사고 등의) 사건 disturbing 불안감을 주는 교란시키는 forum 포럼, (공공 문제에 관한) 공개 토론회 division 분열; 분할 recommend 권고하다; 추천하다 *cf.* recommendation 권고; 추천(사항) wannabe 꿈꾸는, 되고 싶어 하는 fixer 해결사 identify 알아내다, 찾아내다 be known as ~로 알려져 있다 make a list 명단을 만들다 diversity 다양성 proper 적절한, 적합한 matter 문제, 일, 사태 figure out 알아내다 be willing to-v 기꺼이 ~하다 scenario (미래에 가능한 일을 묘사하는) 시나리오, 각본 ally 협력자; 동맹 administration 행정부 present (정식으로) 소개하다, (생각·의견 등을) 내놓다
[선택지 어휘] field 분야, 영역; 들판 form 결성하다, 형성하다; 형태 fruitless 결실 없는

WHAT LIES IN THE SATISFACTION OF GOING FARAWAY TO DROP OFF THE CANDY?

"Do people love idleness? Absolutely not. We often find people trying to keep busy just not to be idle. That is, their so-called reasons for activity may just be excuses for keeping busy. In general, people will, when given a choice, choose to do things that will keep them busy.
The idea that people desire justification for busyness is rooted in the scientific finding that people are rational animals and try to make their decisions based on reasons: It is silly to put effort into something without purpose. People seem to know that busyness leads to happiness, but if they lack justification for busyness, then they will choose idleness. This reconfirms the desire of people to make decisions based on rules and reasons."

SUMMARY

시제별 수동태		
현재/과거/미래	be[will be] p.p.	The notice **is sent** every 5 minutes. **was sent** 5 minutes ago. **will be sent** in 5 minutes.
현재진행	be being p.p.	The top line **is being erased** with a big brush.
현재완료	have been p.p.	All the files relating to the project **have been deleted**.

문장형식별 수동태		
3형식	Jerry **is** always **chased** by Tom.	← S+V+O
4형식	The winner **will be given** a trophy. A trophy **will be given** *to* the winner.	← S+V+IO+DO ← S+V+IO+DO
5형식	People who are knowledgeable in their field **are called** *experts*. We **are allowed** *to have* lunch only at lunchtime. The clouds **were seen** *to move* westward. The army **was made** *to wait* under darkness.	← S+V+O+OC ← allow+O+to-v(5형식 동사) ← 지각동사+O+v ← 사역동사+O+v

주의할 수동태		
동사구	Free gifts **were being handed out** by salespeople.	× were being handed
by 아닌 다른 전치사	Everybody **was impressed with** the performance.	
전치사에 유의해야 할 수동태 표현	Chocolate **is known as** an immediate energy booster. The singer **is** better **known to** teenagers.	
수동태로 쓰이지 않는 동사	He disappeared[has disappeared].	× He was disappeared.
전달되는 정보가 중요한 수동태	It **is said** that they are a couple. (It = that they are a couple) They **are said** *to be* a couple.	← People(S) say(V) that they are a couple(O).

CHAPTER

06

동사 속으로: 조동사

조동사가 동사를 만날 때
동사도 완성되고
조동사도 날개를 달지.
이것이 새로운 의미 조합의 탄생

UNIT 1

조동사가 말해주는 것들

미리보기 밑줄 친 can의 의미가 나머지와 다른 하나를 고르시오.

1) You can leave now.
2) You can make it possible.
3) Can you read these small letters?

◆◆ 조동사는 동사 앞에 쓰여 동사에 능력A, 추측B, 필요 및 의무C E, 불필요D, 요청F, 허가, 금지 등의 의미를 보탠다. 어떤 의도로 쓰이는지, 또 비슷한 의도로 쓰이는 것들 간에도 어떤 차이가 있는지 알아두자.

A Some young birds **can** walk and fly soon after they hatch from eggs.

B A very tall boy like Hank **may** have trouble buying clothes.

C Knowing is not enough; we **must** apply. Willing is not enough; we **must** do.

D I've already forgotten about it, so you **don't have to** feel bad about it.

E Learning materials **should** be related to the learner's background.

F **Will** you be away while I talk on the phone?

Grammar PLUS

① 문맥에 따라 달라지는 조동사 뜻

- He **must** be homeless. vs. You **must** not tell me a lie. ▶ 추측 vs. 금지 (*cf.* don't have to(불필요: ~할 필요 없다)
- He **may** be single still. vs. You **may** come earlier. ▶ 추측 vs. 허가
- She **can't** be a size small. vs. I **can't** afford that luxurious car. ▶ 추측 vs. 능력

② 주장, 제안의 내용에 생략되어 있는 should

- I *suggest* we (***should***) **vote** on what movie to rent. ▶ suggest[insist, demand 등]의 내용('~해야 한다고')
- We *demand* that the government **take** immediate action against the attack. ▶ [× takes]
- I *recommend* you **think** twice about wearing those shoes to school.

Check it

각 문장의 밑줄 친 부분이 의도하는 바에 ✓표하시오.

1	You must not touch anything here.	☐ 금지	☐ 불필요
2	Gary must be really upset. He seldom complains like that.	☐ 필요	☐ 추측
3	Humans don't have to wholly depend on nature for their food.	☐ 금지	☐ 불필요
4	A mother bear may attack anyone who gets close to her cubs.	☐ 추측	☐ 허가
5	Mom suggested I put less salt in the soup next time.	☐ 현재 사실	☐ 제안

A 어떤 어린 새들은 알에서 나온 후 곧 걷고 날 수 있다. **B** Hank와 같은 아주 키 큰 남자애는 옷 사는 데 곤란할 수 있겠다. **C** 알고 있는 것으로는 충분치 않고 적용해야 한다. 의지로는 충분치 않고 해야 한다. **D** 나는 벌써 잊어버렸으니, 네가 그것에 대해 속상해할 필요 없다. **E** 학습 자료는 학습자의 배경과 관련이 있어야 한다. **F** 내가 전화하는 동안 다른 데 가 있어 줄래?

UNIT 2

긴 조동사들

미리보기 a)의 밑줄 친 부분을 참고하여 b)의 밑줄 부분을 해석하시오.

1 a) You may forget the password. b) He may have lost his cellphone. ______
2 a) It could be a trap. b) I could have saved more lives. ______
3 a) It must be somewhere around here. b) He must have left just now. ______

◆◆ 조동사가 두 단어 이상으로 이뤄진 것일 때 동사부가 길어진다.A B C 현재의 일이 아닌 과거 일에 대한 추측, 후회, 가능성을 얘기할 때는 <조동사+동사원형>이 아닌 <조동사+have p.p.>로 쓰여 동사부가 길어진다.D

A You **had better not speak** badly of your friends behind their backs.

B I **would rather work out** outdoors **than** in the gym.

C People in the past **used to think** that the earth was flat and square.

D He **must have been** very nervous during the presentation.

Grammar PLUS

① 두 단어 이상 조동사의 뜻

- had better+동사원형: ~하는 게 낫다 / had better not+동사원형: ~ 않는 게 낫다
- would rather A than B: B보다는 차라리 A하겠다[하고 싶다]
- used to+동사원형: (과거 한때) ~했었다(지금 더는 ~하지 않다)

② 과거 일을 말하는 <조동사+have p.p.>

- She **must have had** a heart attack then. ▶ ~했음이 틀림없다
- A fuel leak **may have caused** the explosion. ▶ ~했을지도 모른다
- He **can't have been** there. He was with us. ▶ ~했을 리가 없다
- You **should have noticed** the change in her attitude. ▶ ~했어야 했다(실제로는 하지 않았다) <후회>
- You **could have expressed** it differently. ▶ ~할 수도 있었다 <과거의 가능성>

③ ×조동사+조동사: 하나는 변신

- If Bill wants to be the team captain, he'**ll have to** earn it. ▶ [×will must, ×will should]
- You **may** not **be able to** enjoy the ride if you worry about safety. ▶ [×may not can]

Check it 다음 괄호 안에서 알맞은 것을 고르시오.

1 You (have better / had better) not go there alone.
2 I (would rather / should rather) stay all night than wake up so early to leave for work.
3 Sorry, I fell asleep when I (should be watching / should have been watching) the patient.
4 He (may have said / can't have said) that. It's out of character.
5 You ⓐ (should have handled / must have handled) the plug with dry hands.
You ⓑ (should have lost / could have lost) your life.

A 너는 친구 몰래 친구에 대해 험담하지 않는 게 좋겠다. B 나는 체육관에서보다는 차라리 실외에서 운동하겠어. C 과거 사람들은 지구가 평평하고 네모나다고 생각했었다. D 그는 발표하는 동안 많이 떨렸던 것이 틀림없다.

UNIT 3

혼동하지 말아야 할 조동사 표현들

미리보기 각 문장을 읽고, 밑줄 친 부분의 뜻을 쓰시오.

1 Students are used to a variety of schoolwork. ________

2 Trends in spending and investment suggest a gradual economic recovery. ________

◆◆ 주장, 제안 동사에 이어지는 절의 내용이 '현재 사실'을 말할 때는 <(should+)동사원형>이 아님을 유의해야 한다.A B 혼동하기 쉬운 조동사 표현C D E을 구분하여 알아두고, 조동사 관용표현F도 기억해둔다.

A It *suggests* that younger generations **are** usually better at handling technology. ▶ [×be]

B The witness *insisted* she **had seen** the same mark on the man's arm. ▶ [×see]

C My grandmother **would** grow plants in the garden. ▶ [= used to]

D **I'm used to finding** solutions to small computer problems myself. ▶ *cf.* used to find

E Salt can **be used to clean** teeth. ▶ *cf.* be used to cleaning

F I **cannot help smiling** at her wink. ▶ [= cannot but smile]

Grammar PLUS

① would의 다양한 쓰임

- **Would** you please wait outside? ▶ 정중한 요청[부탁]
- **I'd like to** join you. ▶ would like to: ~하고 싶다
- We **would** run all over the town just for fun. I miss those days. ▶ 과거의 습관(=used to)
- You *said* you **would** help me when I was in trouble. ▶ [×will] 시제의 일치
- You **would** look amazing in that dress. ▶ 가정(=If you wore that dress, you would ~)
- **I'd rather** walk **than** take the bus today. ▶ would rather A than B(=prefer A to B)

② used to+v / be used to-v / be used to v-ing

- **used to+v:** ~하곤 했다 <조동사>
- **be used to-v:** ~하는 데 사용되다 <to-v는 '목적'>
- **be used to v-ing:** ~하는 데 익숙하다 <전치사 to+동명사>

Check it 각 문장의 밑줄 친 부분을 맞게 고치시오.

1 The data suggest that a person living alone be more likely to use convenience stores.

2 I cannot but avoiding a confrontation with him. He's the strongest one of us.

3 Look! The tickets are all sold out. That's why I recommended we came earlier.

4 In medical areas, drugs are being used to treating seriously ill patients.

A 그것은 젊은 세대가 보통 기술을 더 잘 다룬다는 것을 시사한다. B 목격자가 남자의 팔에서 같은 표식을 봤다고 주장했다. C 우리 할머니는 정원에서 식물을 기르곤 하셨다. D 나는 사소한 컴퓨터 문제의 해결책을 스스로 찾는 데 익숙하다. E 소금이 치아를 깨끗하게 하는 데 쓰일 수 있다. F 나는 그녀의 윙크에 미소 짓지 않을 수 없다.

Into the Grammar

정답 및 해설 p. 30

A

다음 각 상황에서 할 법한 말을 골라 그 기호를 쓰시오. (중복을 피할 것)

a) May I take a break?	b) Can I interrupt you just for a minute?
c) Can I give you a hand?	d) Will you come over here for a moment?

1 A woman is struggling to put her luggage on the shelf in a train. You've been watching her and say. ____________

2 You have an urgent issue to discuss with your boss, who is talking on the phone. ____________

3 You are cooking something. It looks so delicious. You want to show it to Mom. ____________

B

주어진 우리말과 일치하도록 두 그룹에서 알맞은 말을 하나씩 골라 문장을 완성하시오. (필요하면 변형할 것)

should	must	can

work	be	ask for

1 He ________________ at home now. I just saw him entering the library.
(그가 지금 집에 있을 리가 없어. 난 방금 그가 도서관에 들어가는 걸 봤거든.)

2 You ________________ my help. Now you've gotten in trouble.
(너는 내 도움을 구했어야지. 이제 네가 곤란에 처하게 됐잖아.)

3 The special gift ________________. She's become kind to me again.
(그 특별선물이 통했음에 틀림없다. 그녀는 다시 내게 친절해졌으니까.)

C

다음 각 문장에서 어법상 틀린 곳을 찾아 맞게 고치시오.

1 You had not better shout, or we'll get in trouble.

2 He insists he do nothing wrong. Can we check what was going on on the CCTV?

3 A difficult choice will has to be made by the government.

4 The sales manager demanded that the company raised the prices of its products.

5 She is used to go jogging in the park every morning.

Read it #1

1

(A), (B), (C)의 각 네모 안에서 어법에 맞는 표현으로 가장 적절한 것은?

There are two things to remember about naps: Don't take more than one, and don't take it too (A) [close / closely] to your bedtime. You **should** nap at least six or seven hours before you would normally go to bed. If you **must** take a nap quite late at night, make it a short one. Napping at school **can** be difficult, although it is often (B) [unavoidable / unavoidably] for those who are more alert at nighttime. If you **cannot** avoid taking a nap at school, take one during your break and use a vibrating alarm clock to make sure your nap doesn't spill over into your class time. "If you **can't** nap, (C) [rest / resting] quietly with your eyes closed for 10 minutes or so will help," says a researcher at the Stanford University Sleep Medicine Center in Redwood City, California.

	(A)		(B)		(C)
①	close	……	unavoidable	……	rest
②	close	……	unavoidable	……	resting
③	closely	……	unavoidable	……	resting
④	closely	……	unavoidably	……	resting
⑤	closely	……	unavoidably	……	rest

nap 낮잠; 낮잠을 자다 closely 면밀히, 자세하게 at least 적어도 normally 보통 때는, 정상적으로 unavoidable 피할 수 없는 *cf.* unavoidably 피할 수 없게
alert 정신이 초롱초롱한; 기민한 vibrating 진동하는 *cf.* vibrate 진동하다 spill over ~으로 흘러넘치다 *cf.* spill 흘리다, 쏟아져 나오다

정답 및 해설 p. 31

2

(A), (B), (C)의 각 네모 안에서 문맥에 맞는 낱말로 가장 적절한 것은?

There's a major problem with tap water in Newark, New Jersey. Tests show it contains toxic levels of lead. The lead got into the water from a network of old and worn-down pipes. It **could** take more than two years and $120 million to (A) [replace / resume] the city's pipes. In mid-August, Newark began providing bottled water to 15,000 homes. "This is a slap in the face to the residents of the city," a resident told a news station. Protesters have demanded that the problem **be** fixed immediately. "We also demand a more (B) [stable / unstable] system to ensure access to clean and safe water **be** established," he added. "Access to clean and safe drinking water is a fundamental right. We are working to figure out a long-term measure," the New Jersey governor said. This isn't the first time a U.S. city has been impacted by toxic water. The water crisis in Flint, Michigan, began in 2014. It is (C) [ongoing / upcoming].

	(A)		(B)		(C)
①	replace	……	stable	……	ongoing
②	replace	……	stable	……	upcoming
③	resume	……	unstable	……	upcoming
④	resume	……	stable	……	ongoing
⑤	resume	……	unstable	……	ongoing

major 심각한; 중대한 tap water 수돗물 contain 포함하다, ~이 들어 있다 toxic 독성의 lead 납 a network of ~의 망 worn-down 마모된, 닳아빠진 replace 교체하다 resume 재개하다 bottled water 생수 slap 철썩 때리기 news station 뉴스 방송국, 뉴스 보도국 protester 항의자, 시위자 stable 안정적인(↔ unstable 불안정한) ensure 보장하다 access to ~에의 접근[이용] fundamental 기초적인, 근본적인 measure 조치, 방안 governor 주지사 impact 영향(을 끼치다) crisis 위기 ongoing 계속 진행 중인 upcoming 다가오는

Read it #2

[3~5] 다음 글을 읽고, 물음에 답하시오.

Home | Menu | Reservations | Our Rules | Catering | Contact

Reservations

We accept reservations for lunch and dinner from Monday through Friday and for dinner only on Saturdays and Sundays. Our weekend dinner menu begins at 6:00 p.m. Our breakfast and lunch seatings on Saturdays and Sundays are walk-ins only.

Please note that your entire party **must** be present before being seated and that we **cannot** seat late arrivals.

Reservations **may** be made by telephone, email, or via the Reserve Now link below.

Book now for your favorite British dishes including a full English breakfast and afternoon tea!

▼ Mon, Jan 13 | ▼ 7:00 pm | ▼ 2 people | Reserve Now

3 서술형

안내된 내용과 일치하도록 빈칸에 알맞은 말을 써넣으시오.

1) Reservations are not available for ______________ on weekdays or for ______________ and ______________ on Saturdays and Sundays.

2) Late a______________ cannot be seated. Only complete parties present at the t______________ of their reservation may be seated.

4 Which of the following can be reserved? (Choose all that apply.)

☐ the number of diners ☐ seating preferences ☐ food order

☐ the time of visit ☐ parking needs

reservation 예약 *cf.* reserve 예약하다 seat 자리에 앉히다 *cf.* seating 좌석 배정 walk-in 예약이 안 된[필요 없는] (내방자) note 유념하다 entire 전체의, 온 ~ party 일행 present 출석한, 와 있는 arrival 도착(한 사람) via ~을 통해서 below 아래에 book 예약하다 including ~을 포함하여

[문제 어휘] available 이용 가능한 diner 식사하는 사람 preference 선호(사항) need 필요

정답 및 해설 p. 32

Home | Menu | Reservations | Our Rules | Catering | Contact

Our Rules

#1 No exceptions: you **will have to** wait outside until your entire party is present. Latecomers will not be seated.

#2 All members of a party **must** order food. (Takeout does not count as an order.)

#3 Sorry, we do not accept gift certificates.

#4 Occasionally, you **may** be asked to change tables so that we **can** accommodate all customers.

#5 Be pleasant to our staff — remember, they are only doing their jobs.

#6 If there are many open tables, you **may** stay all day, but if people are waiting and you have finished your meal, then it's time to leave. Sorry, we try to make everyone happy, but when we are busy there will be a time limit and you will be asked to leave. It's nothing personal.

#7 Any visitors who don't respect the rules above **could** be asked to leave the restaurant.

5 According to the rules, which of the following groups or individuals may be asked to leave? (Choose all.)

A an old man
- keeping the waitress at the table for about 10 minutes to inquire about the food and the recipe

B a party of four
- order 3 dishes and add one more at the end of the meal for takeout

C two men
- talking loudly the entire time

D two females
- a table for four
- refusing to move to another table for a party of three

E a window-seat lover
- occupying the table the whole morning with no other diners around

exception 예외 takeout 포장 음식, 테이크아웃 count 계산하다; 포함하다 gift certificate 상품권 occasionally 가끔, 때때로 accommodate 수용하다 pleasant 상냥한, 기분 좋은 staff 직원, 부원 open 비어 있는, 공석인; 열다 limit 제한, 한계
[문제 어휘] inquire 문의하다 recipe 조리법 refuse 거절하다 occupy 차지하다, 점령하다

WHAT THEY SAY ABOUT NAPS ...

When all else fails, take a nap.

Always nap when you can. It is cheap medicine.

Legend says that when you can't sleep, it's because you're awake in someone's dream.

I want to be like a caterpillar. Eat a lot, sleep for a while, and then wake up beautiful.

Morning: Feel tired, cranky and lazy.
Afternoon: I could go for a nap.
Night: I can't sleep.

SUMMARY

의도	종류	주의점
능력	can (과거: could)	could (가능성) / could have p.p. (과거의 가능성)
허가	can / may	
추측	must / may / can't+동사원형 (과거: must / may / can't+have p.p.)	must have p.p. ≠ should have p.p.
필요, 의무	must / should / have to	had to (과거) / has to (3인칭 단수)
불필요	don't have to (don't need to)	must = have to must not ≠ don't have to
금지	must not	
주장, 제안	(should+)V	주장, 제안을 나타내는 동사 표현: suggest, propose, insist, demand 등
과거 일에 대한 유감, 후회	should have p.p.	should have p.p. ≠ had to
권고	had better	had better not (부정형)
선호	would rather A (than) B	= prefer A to B
과거의 습관	would / used to	be used to-v: 사용되다 / be used to+(동)명사(구): ~하는 데 익숙하다
요청	Will[Would, Could] you ~?	Would[Could] ~? (보다 정중한 요청)
권유	Would you ~?	

CHAPTER

07

동사 속으로: 가정법

가정법에서는
시제가 보이는 대로가 아니라고?
과거가 과거가 아니고
과거완료가 과거완료가 아니다?

UNIT 1

숨은 의미를 읽어내야 하는 가정법 읽기

미리보기 각 문장을 읽고, 짐작되는 사실에 ✓표하시오.

1 If people were angels, no government would be necessary.

☐ People are angels. ☐ People are not angels.

2 I could have made a better choice.

☐ My choice was the best. ☐ My choice wasn't the best.

◆◆ 조동사의 과거형에 '가정'이 전제되어 있으면 숨겨진 전제를 읽을 수 있어야 한다.A 가정법에서 동사는 있는 그대로 보면 안 되고 가정이 담긴 절(if)의 과거형(were/-ed)은 현재의 반대B C, 과거완료(had p.p.)는 과거의 반대로 봐야 한다D. 이어지는 주절(가정에 따른 결과)은 각각 <조동사 과거형+동사원형>B C, <조동사 과거형+have p.p.>D의 모양을 띤다.

A She **would do** anything for her family.

B If I **were** you, I**'d talk** to my parents about it first.

C If we **lived** forever, life **would be** boring.

D If you **had done** regular virus checks, the computer **would not have been damaged.**

Grammar **PLUS**

① **가정법 vs. 직설법**

- The school **would be** noisy if it **were** a weekday. ▶ 가정법 과거: ~이면 ...일 텐데
  (← The school *is not* noisy as it *is not* a weekday.) 주중이 아니라 학교가 시끄럽지 않음.
- If he **had quit** on the way, he **could never have reached** the finish line.
  (← As he *didn't quit* on the way, he *could reach* the finish line.) ▶ 가정법 과거완료: ~했다면 ...했을 텐데
  도중 그만두지 않았음.—결승선에 도달했음.

② **가정 vs. 조건**

- I **would** be happy if I **were** on the national soccer team. ▶ 팀에 들지 못한 상황—현실의 반대
- I **will** be happy if I **am** on the national soccer team. ▶ 팀에 들 수도 있는 상황

Check it 다음 괄호 안에서 알맞은 것을 고르시오.

1 If I had a sister, I (will / would) share everything with her.

2 If you (have called / had called) me, I would have come right away.

3 If I (was / were) you, I'd take English literature rather than psychology.

4 If I had known we have a quiz today, I (had prepared / would have prepared) for it.

5 If you had joined us, we (would have / would have had / would had had) more fun.

A 그녀는 가족을 위해서라면 뭐든 할 것이다. B 내가 너라면 부모님께 먼저 그것에 대해 말씀드리겠다. C 우리가 영원히 산다면 삶은 지루할 거야. D 정기적인 바이러스 검사를 했더라면 컴퓨터가 망가지지 않았을 것이다.

UNIT 2

I wish 가정법과 as if 가정법

미리보기 각 문장을 읽고, 짐작되는 사실을 예시와 같이 완성하시오.

예	I wish I were not nervous in public.	I am nervous in public.
1	I feel as if I were dreaming.	I ______________.
2	I wish I had a unique name.	My name is ______________.

◆◆ I wish(~하면 좋을 텐데)는 현재의 이루지 못하는 소망(I wish+과거)이나, 과거의 이루지 못했던 소망(I wish+과거완료)을 나타낸다.A B as if(마치 ~인 것처럼)도 가정법으로 쓰이며, as though로 바꿔 쓸 수 있다.C D E

A **I wish I had** a true friend.

B **I wish I had known** what she wanted for her birthday present.

C She behaved **as if** she **didn't know** me.

D The mayor sounds **as if** he **were not** responsible for the terrible accident.

E The two seem **as if** they **had not been born** to the same mother.

Grammar PLUS

① I wish/as if 가정법 읽기

- **I wish** you were more active in class. ▶ 가정법 과거: ~라면 좋을 텐데
  동사의 과거형—현재 사실(수업에서 적극적인 편이 아님)의 반대를 소망
- **I wish** I had said sorry to her at the moment. ▶ 가정법 과거완료: ~했더라면 좋을 텐데
  had p.p.—과거 사실(그 순간에 바로 사과하지 않았음)의 반대를 소망
- He acted **as if** he **didn't have** any money. ▶ 가정법 과거: 마치 ~인 것처럼
  동사의 과거형—지금 사실(수중에 돈이 있음)의 반대를 가정(act와 have의 시점이 같음)
- The hostess talks **as if** she **had prepared** all the food herself. ▶ 가정법 과거완료: 마치 ~했던 것처럼
  had p.p.—과거 사실(음식 전부를 직접 준비한 것은 아님)의 반대를 가정

② 가정법과 조동사

- I wish I **could** join you. ▶ 할 수 없음(can't)을 암시
- He ordered more and more food as if he **would** pay the bill. ▶ 하지 않을 것임(will not)을 암시
- If I had treated him in time, I **might** have saved his life. ▶ 희박한 가능성(might)

Check it 주어진 우리말과 일치하도록 괄호 안의 단어를 문맥에 알맞게 변형하여 빈칸을 완성하시오.

1 Look! The man on TV is eating the food as if it ______________ spicy at all. (be)
(봐! TV에 나오는 저 남자는 전혀 안 매운 것처럼 음식을 먹고 있어.)

2 I wish we ______________ more pictures of our travels. (take)
(우리 여행한 사진을 좀 더 찍을 걸 그랬어.)

3 Mom talked as if she ______________ the food and encouraged us to have more. (like)
(엄마는 그 음식을 안 좋아하시는 것처럼 말씀하시며 우리에게 더 많이 먹으라고 권하셨다.)

A 내게 진정한 친구가 있다면 좋을 텐데. B 그녀가 생일 선물로 뭘 원하는지 알았더라면 좋을 텐데. C 그녀는 나를 모르는 것처럼 굴었다. D 시장은 마치 그 끔찍한 사고에 책임이 없는 것처럼 들린다[말한다]. E 그 둘은 같은 엄마에게 태어나지 않은 것처럼 보인다.

UNIT 3

가정법의 변칙들

미리보기 전체 문맥을 고려하여 굵게 표시된 부분을 우리말로 해석하시오.

1 I couldn't have done it **without your help**. ______________

2 **Were it not for rainwater**, no living things could survive. ______________

3 **More friendly advice** would have made him open his mind. ______________

◆◆ if절은 가정법 과거완료(had p.p.)인데 그 영향은 현재에 미쳐 주절은 가정법 과거(조동사 과거형+동사원형)이면 혼합가정법이다.A
if가 없지만 가정의 내용이 암시된 가정법 문장들B C, if가 생략되고 주어-동사가 도치된 패턴도 가정법 문장이다.D E

A If I **had taken** the job offer, I **might be working** in Australia now.

B **Without** team spirit, we couldn't have completed our mission.

C **Just one more step toward the figure** would have made it clear who it was.

D **Had I known** that there were no more chances, I would not have missed it.

E **Had it not been for** her emotional support, I couldn't have gotten out of the slump.

Grammar PLUS

같은 가정, 다른 표현

- If we **didn't have** snow, we could not make a snowman.
  = If we **had no** snow, we could not make a snowman.
  = **If it were not for** snow, we could not make a snowman.
  = **Were it not for** snow, we could not make a snowman.
  = **Without** snow, we could not make a snowman.

▶ if it were not for: ~가 없다면
cf. if it had not been for: ~가 없었다면

Check it 두 문장이 같은 의미가 되도록 빈칸에 알맞은 말을 써넣으시오.

1 If I hadn't prepared an extra pen, I would have panicked before the test.
= ____________ an extra pen, I would have panicked before the test.

2 He could have won the game if he had been more aggressive at the start.
= He could have won the game ____________ ____________ ____________ more aggressive at the start.

3 We experienced a huge financial crisis then. As a result, our business still suffers a lot.
= If we ____________ ____________ a huge financial crisis then, our business wouldn't suffer a lot.

4 Without an expert's advice, we would have made a big mistake.
= Had ____________ ____________ been for an expert's advice, we would have made a big mistake.

A 내가 그 일자리 제안을 받아들였다면 지금 호주에서 일하고 있을지도 몰라. B 단체정신이 없었다면 우리는 임무를 완수하지 못했을 것이다. C 그 형체에 한 발만 더 다가갔더라면 그게 누구였는지 확실히 알았을 텐데. D 더는 기회가 없다는 것을 알았더라면 난 그 기회를 놓치지 않았을 텐데. E 그녀의 정서적 지지가 없었다면 나는 슬럼프에서 빠져나오지 못했을 것이다.

Into the Grammar

정답 및 해설 p. 36

A 괄호 안에 주어진 단어를 사용하여 다음 각 상황에서 할 법한 말을 완성하시오.

1

> Your friend has lost her smartphone. She can't remember where she last used it. You want to help her.

"If ______________ ______________ you, I ______________ ______________ the phone first. If you don't get any answer, access your phone account and find its location." (be, call)

2

> You've found a great song on YouTube. It was really unique. You try to find recent songs by the musician, but there are no others. You're sorry you can't enjoy more of his songs.

"I wish I ______________ ______________ more of his great songs." (enjoy)

3

> You ordered a new game CD last week. This morning a message arrived informing you that the package will arrive by 9 pm. Unfortunately, when you got home, the box had already been opened by a member of your family. You're so disappointed and think,

"If I ______________ ______________ at home, I ______________ ______________ ______________ my long-awaited package myself." (be, open)

B 문맥이 통하도록 괄호 안의 단어를 알맞게 배열하여 문장을 완성하시오.

1 If I ____, I would never have gone there. (far, known, was, how, had, it)

2 If we ____ his wife's death, we would have gone to her funeral. (been, of, had, informed)

3 ____, many people would have lost hope. (it, the, been, support, had, not, for, financial)

Read it #1

1

다음 글의 요지로 가장 적절한 것은?

If someone looks down or upset, I approach the person, ask what's wrong, and listen to him, accompanying his emotional journey of ups and downs. I hold the door open for people in public places. Sometimes I even pay for a stranger on a bus who happens to have no coin for his fare. It's okay to help a stranger or a friend. In fact, these are the simple things that make me feel good as a person. I like to help. I thrive on the high I get from making someone else's life a little bit better. These days, however, too often I find myself doing things for everyone else; not for me. All those unwanted obligations—these are more like habits because no one forced me to do them—have worn me out. Sometimes **I wish I were** a different person. **I** truly **wish I were not** that attentive to the needs of others and **could focus** on myself.

① 타인의 어려움에 공감하는 능력을 키워야 한다.
② 일상생활 속의 사소한 배려와 도움이 좋은 세상을 만든다.
③ 타인에 대한 도움과 배려를 강요해서는 안 된다.
④ 남을 지나치게 배려하면 나 자신을 놓치게 된다.
⑤ 타인이 원치 않는 배려는 삼가는 것이 좋다.

approach 다가가다, 접근하다 accompany 동행[동반]하다 ups and downs 기복, 부침 happen to-v 우연히 ~하다 fare (교통) 요금 thrive on (남들은 좋아하지 않는 일을) 즐기다, 잘하다 *cf.* thrive 번성하다 high 도취감, 황홀감 unwanted 원치 않는, 반갑지 않은 obligation 의무 force 강요하다 wear A out A를 마모시키다 attentive 신경을 쓰는, 주의를 기울이는

정답 및 해설 p. 37

2 다음 글의 목적으로 가장 적절한 것은?

Dear Readers,

We're asking you readers to make a New Year's contribution in support of our paper's open, independent journalism. This has been a decade of rapid changes across the world—protest, mass migration and the escalating climate crisis. Our paper has been in every corner of the globe, reporting the most critical events of our times. At a time when factual information is both scarcer and more essential than ever, we believe that each of us deserves access to accurate reporting. Our journalism is free from commercial and political bias. This makes us different. It means we can challenge the powerful without fear and give a voice to those less heard. None of this **would have been** possible **without** our readers' generosity. As we enter a new decade, we need your support so we can keep delivering quality journalism. Every reader's contribution, however big or small, is so valuable. Thank you.

Yours Truly,

Fort Collins Newspaper

① 언론의 본질적인 역할을 알리기 위해
② 독자 기고 기회가 열려 있음을 알리기 위해
③ 상업 언론의 폐해를 고발하기 위해
④ 본 신문이 걸어온 길을 알리기 위해
⑤ 독자 기부를 촉구하기 위해

contribution 기부; 기고; 기여, 공헌 **in support of** ~을 후원하여 **independent** 독립적인 **journalism** 언론, 저널리즘(신문·방송·잡지를 위해 기사를 쓰는 일) **protest** 시위, 항의 **mass migration** 집단 이주 **escalating** 고조되는, 증가하고 있는 **critical** 중대한; 비판적인 **factual** 사실에 입각한 **scarce** 드문, 희박한 **essential** 꼭 있어야 하는; 본질적인 **deserve** ~받을 만하다, ~을 누릴 자격이 있다 **accurate** 정확한 **free from** ~로부터 자유로운 **commercial** 상업적인 **political** 정치적인 **bias** 편견 **generosity** 너그러움, 도량, 선심 **quality** 양질, 고급; 질 **valuable** 귀중한, 가치 있는

Read it #2

[3~5] 다음 글을 읽고, 물음에 답하시오.

There are 232 million international migrants in the world. These are people who live in a country other than their country of birth. If there **were** a country made up of only international migrants, it **would be** larger, in population, than Brazil. The size of its economy **would be** larger than that of France. Most of the migrants send money home regularly. The money is called a remittance*. And 413 billion dollars was the amount of remittances sent last year by migrants to developing countries. That's a remarkable number because that is three times the size of the total of development aid money worldwide. Migrants send 200 dollars per month, on average. It's not a lot of money. But, repeated month after month, by millions of people, these sums of money add up to rivers of foreign currency. Indeed, in poorer countries, remittances are a lifeline, as in Somalia or in Haiti.

*remittance 송금(액)

3 서술형 **다음 각 내용에 해당하는 한 단어를 윗글에서 찾아 쓰시오.**

1) ____________________: money, equipment, or services that are provided for people, countries, or organizations that need them but cannot provide them for themselves

2) ____________________: the money used in a particular country

migrant 이민자 other than ~ 말고, ~ 이외의 (be) made up of ~으로 이루어지다 regularly 정기적으로, 규칙적으로 billion 십억 remarkable 놀랄 만한, (수치 등이) 대단히 큰 aid 원조, 도움 on average 평균적으로 add up (to) 합하여 ~가 되다 foreign currency 외국 화폐[통화], 외환 lifeline 생명줄, 구명 밧줄
[문제 어휘] equipment 장비 particular 특정한

정답 및 해설 p. 38

No wonder these (A) [flaws / flows] have huge impacts on economies and on poor people. They act like a kind of insurance. When the family is in trouble, facing hard times, remittances increase. Unlike development aid money that must go through official agencies, remittances (B) [directly / indirectly] reach the poor—reach families. Remittances are, in fact, dollars wrapped with (C) [care / cure]. Migrants send money home for food, for buying necessities, for building houses, for funding education, for funding health care for the elderly, and for business investments. It's all for their friends and family.

4

(A), (B), (C)의 각 네모 안에서 문맥에 맞는 낱말로 가장 적절한 것은?

	(A)		(B)		(C)
①	flaws	……	directly	……	care
②	flaws	……	indirectly	……	care
③	flows	……	directly	……	care
④	flows	……	indirectly	……	cure
⑤	flaws	……	directly	……	cure

5

서술형

글의 내용에 맞게 다음 요약문을 완성하시오.

According to the passage, the money sent home by migrants has a greater i_____________ on the lives of people in developing countries. For the family, it is better than development aid money because it k_____________ arriving and helps solve their immediate f_____________ problems.

(It is) no wonder (that) ~ ~임은 놀랄 일이 아니다[당연하다] flow 흐름, 물결 flaw 결함, 결점 act 작용하다 insurance 보험 unlike ~와 달리 official 공식적인 agency 기관; 대행사 directly 직접, 바로(↔ indirectly 간접적으로) necessity 필수품 fund 자금을 대다 health care 의료; 건강관리 elderly 연세가 드신, 고령의 investment 투자

CAPITAL FLOWS TO THE DEVELOPING WORLD

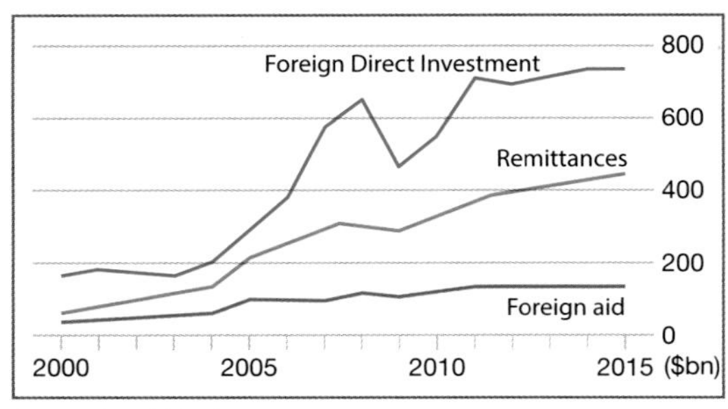

Sources: World Bank

SUMMARY

종류	예	뜻 / 의도하는 바
If S+동사의 과거형 ~, S+would v ~.	If she **were** my friend, I **would be** happy.	'~라면 ...할 텐데.' <현재 사실의 반대를 가정>
If S+had p.p. ~, S+would[could, might] have p.p. ~.	If I **had been** at his concert, I **would have asked** for his autograph.	'~했다면 ...했을 텐데.' <과거 사실의 반대를 가정>
I wish+S+동사의 과거형 ~.	**I wish I had** a seat in the first row.	'~라면 좋을 텐데.' <현재에 이루지 못하는 소망>
I wish+S+could+v ~.	**I wish I could see** my favorite singer closer.	'~할 수 있다면 좋을 텐데.' <현재의 능력 없음을 반대로 소망>
I wish+S+had p.p. ~.	**I wish I had come** earlier and **gotten** a seat in the first row.	'~했다면 좋았을 텐데.' <과거에 이루지 못했던 소망>
~ as if+S+동사의 과거형 ~.	He is smiling **as if** he **were not** sad at all.	'마치 ...인 것처럼 ~하다.' <현재 사실의 반대>
~ as if+S+had p.p. ~.	He cries **as if** he **had lost** his own family.	'마치 ..였던 것처럼 ~하다.' <과거 사실의 반대>
If I were you, ~.	**If I were you**, I would get help from an expert.	'내가 너라면 ~.' <충고>
If it were not for ~, ~. (= Were it not for ~ / = Without ~)	**If it were not for** mechanics, many cars would stop running much earlier.	'~가 없다면, ...할 텐데.'
If it had not been for ~, ~. (= Had it not been for ~ / = Without ~)	**If it had not been for** your financial help, I could not have finished my studies successfully.	'~가 없었다면, ...했을 텐데.'
혼합가정법 If S+had p.p. ~, S+조동사 과거형+v ~.	If I **had checked** the car's engine before leaving, I **would not be** on the highway now waiting for help to arrive.	'~했더라면, (지금) ...할 텐데.'
가정 내포 어구들	**A sincere apology** *could have made* her change her mind.	'~가 ...했을 수도 있었을 텐데.'

CHAPTER

08

형용사 수식어 (1)

형용사 근처에는 명사가!
꾸미는 것과 꾸밈 받는 것을 구분하니
더 잘 보이는 것 같아

UNIT 1

명사를 꾸미는 것들

미리보기 예시와 같이 밑줄을 수식하는 어구를 ( )로 묶으시오.

예 a (loud) voice

1 What is your current occupation?

2 The bird in the painting looks real.

◆◆ 명사는 형용사 외에도 명사 앞 또는 뒤에서 다양한 의미 덩어리의 수식을 받는다. 이런 것들에 전치사구(전치사+A), 분사(구)(v-ing/p.p.), to부정사(구), 관계사절이 있다. 명사를 꾸미는 것이 단어/구/절인지가 다를 뿐 모두 명사를 꾸미는 형용사 역할을 하는 것으로, 이것들이 명사를 만나 완결된 의미 덩어리 하나가 완성된다.

A That **fearless** cat is playing with a **huge** dog.

B The book got **favorable** reviews.

C Everyone **in the neighborhood** was alarmed by the huge fire.

D She clicked the "grade report" button with a **trembling** hand.

E The last person **to leave the room** must turn off the light.

F The computer **that I want to buy** is too expensive.

Grammar PLUS

① 명사를 수식하는 형용사 vs. 명사를 서술하는 형용사

- This is a **perfect** *necklace* for her. ▶ perfect가 necklace를 수식
- *The weather* was **perfect** for the picnic. ▶ perfect가 The weather를 서술

② 명사인 듯 형용사인 듯

- The discovery of penicillin was **of** great **importance** in medical history. ▶ of+추상명사=형용사(important)
- Unlike most robbers, Robin Hood stole from **the rich** and gave to **the poor**.
  ▶ the+형용사=복수 보통명사(rich people / poor people)

Check it 각 문장의 밑줄 친 부분을 /를 사용하여 수식하는 부분과 수식받는 부분으로 나누고, 우리말로 해석하시오.

1 The blind man was led by a guide dog. ______________________

2 Her grades at school are excellent. ______________________

3 Breakfast is provided to all guests staying in our hotel. ______________________

4 The ability to distinguish between right and wrong is called morality. ______________________

5 The people that you've invited are all celebrities. ______________________

A 저 겁 없는 고양이가 거대한 개와 놀고 있다. B 그 책은 우호적인 비평을 받았다. C 이웃 사람 모두가 그 거대한 화재에 깜짝 놀랐다. D 그녀는 떨리는 손으로 '성적표' 버튼을 클릭했다. E 방을 나가는 마지막 사람이 불을 꺼야 한다. F 내가 사고 싶은 컴퓨터는 너무 비싸다.

UNIT 2

형용사의 수식, 전치사구의 수식

미리보기 괄호 친 부분이 수식하는 어구에 밑줄 치고, 수식 관계를 화살표로 표시하시오.

예 Pick up the book (on the floor).

1 Do you know the name (of this flower)?

2 I can only read the letters (on the top line).

◆◆ -ing, -one, -body 등으로 끝나는 명사는 수식하는 형용사가 뒤에 온다.A 수량형용사는 독해에서 특히 중요하므로 그 의미 차이를 잘 파악해 두자.B 전치사구(전치사+A)는 명사를 뒤에서 겹겹이 꾸밀 수 있다.C D E

A I'll try something **new** today, not my usual order.

B He has **little** money and cannot afford to travel abroad.

C The key results **of the research** are summarized in this paper.

D Most **of the flowers in the cemetery** are artificial ones.

E The number **of people in the stadium** is estimated around 40,000.

Grammar PLUS

① 수량형용사의 해석

- **Few** *people* like to work overtime. ▶ 거의 없는 – 셀 수 있는 명사에 쓰임. (vs. a few(약간의, 몇몇의))
- **A little** *learning* is a dangerous thing. ▶ 조금 있는 – 셀 수 없는 명사에 쓰임. (vs. little(거의 없는))

② most vs. most of

- **Most** athletes want victory. ▶ athletes가 Most의 수식을 받는 명사
- Most **of the players** on the team got injured in the game. ▶ Most가 수식을 받는 명사

③ a number of vs. the number of

- **A number of** tickets *were* sold on the first day of release. ▶ tickets가 수식(많은 ~)을 받는 명사+복수동사
- **The number of** tickets for foreign fans *is* around 10,000. ▶ number가 수식을 받는 명사(~의 수)+단수동사

Check it 다음 각 문장의 밑줄 친 부분을 해석하시오.

1 It was a story about the power of a simple act of kindness. ____________

2 Most of the audience fell asleep before the third song was played. ____________

3 The number of birds killed on the island approaches 6 million. ____________

4 Carving requires a number of tools, from powerful chisels to delicate scrapers. ____________

5 We don't need the support of someone dishonest. ____________

A 오늘은 늘 시키는 거 말고 뭔가 새로운 것을 시켜볼래. B 그는 돈이 거의 없어서 해외여행 할 형편이 안 된다. C 그 연구의 핵심 결과들이 이 논문에 요약되어 있다. D 공동묘지의 꽃 대부분이 조화이다. E 경기장의 사람 수가 약 4만 명으로 추정된다.

UNIT 3

분사의 수식, to부정사의 수식, 관계대명사의 수식

미리보기 각 문장을 읽고, 예시와 같이 밑줄 친 부분의 의미를 완성하시오.

예 Stir the boiling soup. 끓고 있는 국
1 I need someone to help me. ______ 사람
2 Ask anyone who's wearing a uniform for help. ______ 사람

◆◆ 현재분사(v-ing)나 과거분사(p.p.)가 명사 앞이나 뒤에서 명사를 꾸미는 형용사로 쓰일 수 있다. 명사와의 관계가 능동·진행이면 v-ing(~하고 있는), 수동·완료면 p.p.(~된, ~해버린)를 쓴다. A B (→ CH 09 준동사 참고) to부정사구(to부정사구가 전치사로 끝나는 경우를 주의 C)나 주어 동사를 갖춘 절이 앞에 오는 명사를 수식하는 구조도 형용사로 쓰인 경우이다. D E (→ CH 13 관계대명사 참고)

A Watch out! There are **broken** pieces of glass under your feet!

B People **living in big cities** lead a busy life.

C It is an easy problem **to deal with.**

D The information **that I have** might be useful to you.

E A friend is someone **who gives you total** freedom ***to be yourself***.

Grammar PLUS

① **명사+to부정사(+전치사)**

- Do you have any string (**to tie** these books **with**)? ▶ tie these books with string
- Do you have any stuff (**to read**)? ▶ read stuff (V O)

② **형용사 vs. 형용사구 vs. 형용사절**

- There are some (**confusing**) words in this sentence. ▶ 분사가 명사를 앞에서 수식
- There are some words (**confusing us**) in this sentence. ▶ 분사구가 명사를 뒤에서 수식
- = There are some words [**that confuse**^{V} **us**^{O}] in this sentence. ▶ 관계사절이 명사를 뒤에서 수식

Check it 괄호 안에서 알맞은 것을 고르시오.

1 The (frightening / frightened) people started to run away from the huge waves.
2 Her ability (to / of) make her own clothes has saved her a lot of money.
3 The couple that I met at the party (asking / asked) me to take a picture of them.
4 I need a bowl (to put these sweets / to put these sweets in).
5 There are notices in all the buses (informing / informed) riders of changes in service.

A 조심해! 네 발밑에 깨진 유리 조각이 있어. B 대도시에 사는 사람들은 바쁜 삶을 산다. C 그것은 다루기 쉬운 문제이다. D 내가 갖고 있는 정보가 네게 유용할지도 몰라. E 친구란 너 자신이 될 완전한 자유를 네게 주는 사람이다.

Into the Grammar

정답 및 해설 p. 41

A

괄호 안 단어를 문맥에 맞게 고쳐 빈칸을 한 단어로 완성하시오.

1 Do you know who wrote this ______________(inspire) music?

2 Men ______________(dive) deep in the sea need special equipment.

3 The number of tickets that I've gathered so far ______________(be) over 20.

4 Some of the glasses ______________(buy) online were delivered damaged.

B

다음 각 문장에서 어법상 틀린 곳을 찾아 맞게 고치시오.

1 I want to do meaningful something with you on our 100-day anniversary.

2 The book deals with the rapidly economic growth of China during the past few decades.

3 This library has a limit on a number of books that you can check out.

4 A new game developing by the company is receiving good reviews in the market.

5 The game is for the truly adventurous who is thirsty for anything new.

6 Mom thinks my large collection of comic books is of few value.

C

주어진 우리말과 같은 뜻이 되도록 괄호 안의 단어들을 알맞게 배열하여 빈칸 (A), (B)를 완성하시오.

오늘날 사람들이 직면하고 있는 가장 큰 문제점 중 하나는 경제적 기회와 고용의 부족이다.

One of (A) ____ today

(issues / are facing / people / the biggest / that)

is a (B) ____.

(of / employment / lack / and / economic opportunity)

Read it #1

1

다음 글에서 필자가 주장하는 바로 가장 적절한 것은?

There has been much concern **about so-called game addicts**. Recently I began to think about my own gaming, particularly back when I was in high school. I spent a lot of time playing World of Warcraft*. I did not have the problems **that most addicts have**. I got mostly A's in high school, went to college and studied journalism, hung out with friends on weekends, and spent time with my family. In fact, looking back, I still think World of Warcraft was good for me. As an **introverted** teen, it was the one space where I found a group of friends **I could be totally open with**. I opened up to them long before I opened up to anyone **I knew in my real life**. Having a safe space online made my early **isolated** life a lot more bearable. However, sometimes I wonder if I should have tried other ways **to open up to others**. Regardless, I am now happier than any other time in my life.

*World of Warcraft: 월드 오브 워크래프트(인기 온라인 게임 중 하나)

① 게임은 어린 시절에만 할 만한 오락거리이다.
② 여러 게임보다는 한 게임에 집중하는 게 좋다.
③ 게임에서 사귀는 친구가 진짜 친구로 이어질 수 있다.
④ 내게 게임은 어려운 시절을 견디게 해준 좋은 방편이었다.
⑤ 게임 마니아를 위해 게임 산업을 더 발전시켜야 한다.

concern 우려, 염려 so-called 소위 말하는 addict 중독자 recently 최근에 particularly 특히 mostly 대개는, 주로 journalism 언론학, 신문학 hang out with ~와 어울려 지내다 look back 되돌아보다, 회고하다 introverted 내향적인 space 공간 totally 완전히, 전적으로 long before ~하기 오래전에 isolated 고립된, 소외된 bearable 견딜 만한, 참을 만한 regardless 그럼에도 불구하고, 여하튼

정답 및 해설 p. 42

2

(A), (B), (C)의 각 네모 안에서 어법에 맞는 표현으로 가장 적절한 것은?

How often do I need to shampoo? Maybe not as often as you think, dermatologists* and stylists say. Maybe you've heard shampooing less often is better for your hair. "I have always said, 'It's fine to go (A) [**few / a few**] days without shampooing,'" says a **professional** hairstylist. "For hair **that's normal in terms of oiliness and medium weight**, I sometimes tell my clients (B) [to go / go] as long as they can without shampooing." Then who should shampoo every day? "Only a small group needs to shampoo daily, like those **with very fine hair**, someone **who exercises a lot and sweats**, or someone (C) [**lives / living**] **in a very humid place**," she says. For the **average** person, washing every other day, or every 2 to 3 days, is generally fine. "There is no blanket recommendation. If hair is visibly oily, the scalp* is itching, or there's flaking due to dirt, those are signs that it's time **to shampoo**," she says.

*dermatologist: 피부과 의사
*scalp: 두피

	(A)		(B)		(C)
①	few	……	to go	……	lives
②	few	……	go	……	living
③	a few	……	to go	……	lives
④	a few	……	to go	……	living
⑤	a few	……	go	……	living

shampoo 샴푸(하다) stylist 스타일리스트, 미용 전문가 go without ~없이 지내다 professional 전문적인, 직업적인 normal 보통의, 정상적인 in terms of ~의 관점[면]에서 oiliness 유분, 기름기 *cf.* oily 지성의 medium 중간 weight 무게 client 고객 daily 매일(의) fine 미세한, 고운 sweat 땀(이 나다) humid 후텁지근한 average 평균적인, 보통의 every other day 이틀에 한 번, 격일로 generally 일반적으로, 보통 blanket recommendation 일괄 추천 visibly 눈에 띄게, 확연히 itch 가렵다, 근질거리다 flake (얇은 조각이) 벗겨지다[떨어지다]; (다른 것에서 떨어져 나온 얇은) 조각 due to ~ 때문에 dirt 더러운 것, 먼지 sign 조짐, 표시

Read it #2

[3~4] 다음 인터뷰를 읽고, 물음에 답하시오.

*Every day we see cases **of human rights** being threatened. An interview **with a social movement leader** was conducted regarding practical ways **to help build a better world** where every one **of us** can live being aware of our value as a **respected** citizen.*

Q What human rights need to be protected in relation to community?

A The right **to live in a just society**; the right **to equality**; the right **for every member to have a say in decisions**; the right **not to be ruled by a tyrant**.

Q How can I protect and support the victims **of human rights violations**?

A Donate to organizations **that** provide **free legal** support to victims **of human rights violations**, and talk with others about these violations to help spread awareness.

Q What needs to happen for human rights to be respected?

A Citizens should create awareness programs. People must participate in **local** human rights activism. **Honest** politicians and **visionary** leaders should be given more support. People should report human rights violations to a **trusted** organization.

3 서술형

What human rights do we have as a member of a community? Mention two. (Answer in Korean.)

1) ______________________ 2) ______________________

4 서술형

Fill in the blanks with appropriate words.

1) To protect human rights, we can j____________ a social activity that contributes to supporting human rights. We can also vote for p____________ leaders who make human rights protection a priority.

2) We should inform the public of cases of human rights violations to make citizens more a____________ of the problem.

human right 인권 threaten 위협하다 social movement 사회운동 conduct 수행하다 be aware of ~를 인식하다 *cf.* awareness 인식, 각성 in relation to ~와 관련하여 community 공동체 just 정의로운 equality 평등 say 발언권 rule 지배하다 tyrant 독재자 violation 침해, 위반 donate 기부하다 organization 단체 legal 법적인 activism 행동주의, 실천주의 politician 정치인 visionary 비전을 가진 trusted 믿을 만한, 신뢰받는
[문제 어휘] mention 언급하다 vote for ~에 투표하다 priority 우선순위 the public 대중

5

다음 요리법에 대한 설명으로 일치하는 것은?

Mom's Nighttime Goulash*

SERVES: 4 COOK TIME: 20 Min

Mom's Nighttime Goulash is super easy and budget-friendly, making it a great weeknight dinner recipe! This family-friendly dinner is made with **ground** beef, macaroni, a couple of veggies and your family's favorite spaghetti sauce.

What You'll Need

1/2 pound macaroni
1 1/2 pounds **ground** beef
1/2 green bell pepper, **chopped**
1/2 cup **chopped** onion
1 (26-ounce) jar spaghetti sauce
1 teaspoon garlic powder
1/2 teaspoon salt
1/2 teaspoon black pepper
1 cup (4 ounces) **shredded** cheese

What to Do

1. Put macaroni in **boiling** water; after 15 minutes, drain and set aside. Don't rinse with cold water.
2. Meanwhile, cook beef, bell pepper, and onion in a large frying pan. Stir meat over high heat for 6 to 8 minutes until it becomes brown.
3. Add macaroni, spaghetti sauce, garlic powder, salt, and pepper; mix well. Reduce heat to medium-low and cook 5 to 7 minutes or until heated completely.
4. Sprinkle cheese on top and heat 1 more minute, or until cheese is melted.

*goulash: 굴라시(고기에 파프리카를 넣은 헝가리 스튜 요리)

① 요리하기 쉽지만 비용이 꽤 든다.
② 야채는 끓는 물에 삶아 조리한다.
③ 고기가 갈색으로 변할 때까지 볶는다.
④ 마카로니를 넣은 뒤 불을 약간 키우고 섞는다.
⑤ 먹기 직전에 치즈를 넣고 바로 불을 끈다.

serve (음식을) 내다, 제공하다 budget-friendly 저렴한 *cf.* budget 예산, 비용 weeknight 평일 저녁 recipe 조리법 family-friendly 가족 친화적인, 가족을 어울리게 하는 ground 갈은, 빻은, 가루로 만든(grind-ground-ground) macaroni 마카로니 a couple of 두서너 개의 ~ veggie 야채(= vegetable) pound 파운드(무게 단위, 16온스) bell pepper 피망 chop 잘게 썰다, 다지다 ounce 온스(28.35그램) jar (잼 등을 담는) 병 teaspoon 티스푼, 찻숟가락 garlic 마늘 black pepper 후추 shredded 잘게 조각난 drain 물을 빼다 set aside 한쪽으로 치워놓다 rinse 씻다, 헹구다 meanwhile 그러는 동안, 한편 stir 휘젓다 heat 열기; 열을 가하다 mix 섞다, 혼합하다 reduce 줄이다 sprinkle 흩뿌리다 melt 녹(이)다

RATINGS & COMMENTS FOR MOM'S NIGHTTIME GOULASH

butterflyAlice ★★★★☆ Feb 06

My kids loved this. Thanked me for making such a delicious meal! So easy to make. Will definitely be a favorite in my recipe box.

---

happybunny88 ★★★★★ Jan 18

I always enjoy your delicious recipes. Can I add noodles at the end instead of macaroni?

↳ **Kitchen Team** Jan 19

Hi, there! As for the recipe, you can definitely add the noodles, uncooked, in with all the ingredients listed above. We hope you enjoy your own version of the dish! :D

SUMMARY

명사를 꾸미는 것들		
형용사	a **remote** star	(형용사+)명사
전치사구	the name **of the remote star**	명사(+전치사+A)
분사구	the star **shining in the sky** What is the name of the star **found by the first astronomer**?	명사(+v-ing ~) 명사(+p.p. ~)
to부정사구	When is the proper time **to see stars**?	명사(+to-v ~)
관계사절	A star is usually named after the person **who found it first**.	명사(+관계대명사 ~)

구분해야 할 것들		
few vs. a few	**Few** of us would know the name of the star. **a few** questions about the star	few/little 거의 없는 a few/a little 조금 있는
little vs. a little	I have **little**[**a little**] information about the star.	(a) few vs. (a) little 셀 수 있는 vs. 셀 수 없는
현재분사 vs. 과거분사	a star **shining** ~ / a star **found by** ~	능동 · 진행 vs. 수동 · 완료
to부정사 vs. to부정사+전치사	a friend **to trust** a friend **to spend** time **with**	trust(V) a friend(O) spend time with a friend
a number of vs. the number of	**A number of** scientists wrote papers on the star. **The number of** papers on the star published so far is 26.	a number of+명사: 많은 ~ the number (of+A): A의 수
most vs. most of	**Most** teachers are good at remembering names. I remember **most of** my students' names.	most+명사: 대부분의 ~ most (of+A): A의 대부분
단어 vs. 구 vs. 절	Look at this **shiny** stone. Can you see the stone **shining in the dark**? Find stones **that shine in the dark**.	한 단어 두 단어 이상 주어-동사를 갖춘 표현
수식 vs. 서술	a **hoarse** voice *Her voice* is **hoarse**. / Hard practice made *her voice* **hoarse**.	형용사+명사: 명사를 수식 S+V+C/S+V+O+OC: 명사를 서술

독해에서 중요한 형용사 관련 표현들		
the+형용사	**The rich** must not think little of **the poor**. (= rich people) (= poor people)	= 복수보통명사
of+추상명사	A diamond is **of** *no* **value** to women who are not vain. (= valueless)	= 형용사

CHAPTER

09

준동사의 이해 (1)

동사가 아니지만 동사의 성질을 띤 것
명사, 형용사, 부사의 역할을 하는 것
무수히 쏟아지는 to부정사, 동명사, 분사들

UNIT 1

문장의 주요소인 준동사

미리보기 다음 각 문장의 밑줄 친 부분을 해석하시오.

1 Driving a car requires a lot of attention. ____________

2 I enjoy working with people. ____________

3 He is good at imitating famous people's voices. ____________

◆◆ 문장의 주요소인 주어A, 목적어B C, 보어D 자리에 to부정사나 동명사가 올 수 있다. 명사 개념('~하는 것'으로 해석됨)으로 둘을 서로 바꿔 쓸 수 있지만, 전치사 뒤에는 동명사만 올 수 있다.E

A **Learning a foreign language** is challenging to everyone.

B If you want **to keep your things here**, you can use the lockers over there.

C Parents enjoy **boasting about their children's achievements**.

D Your duty in this restaurant is **doing the dishes** and **setting the table**.

E She is worried about **going to the dentist next week**.

Grammar PLUS

① to부정사와 동명사: 공통점과 차이점

- My hobby is **drawing cartoon characters**. ▶ 보어로 쓰임.(= is to draw ~)
- **To draw cartoon characters** is one of my favorite activities. ▶ 주어로 쓰임.(= Drawing ~)
- I like **to draw cartoon characters**. ▶ 동사의 목적어로 쓰임.(= drawing ~)
- I'm interested in **drawing cartoon characters**. [× to draw] ▶ 전치사의 목적어로 쓰임.

② 긴 주어와 긴 목적어를 대신하는 가주어·가목적어

- It's crazy to go out in heavy rain with no umbrella. (It = to go out ...) ▶ 가주어-진주어
- The smoke made it impossible to figure out where I was. (it = to figure out ...) ▶ 가목적어-진목적어

Check it 괄호 안 요소에 해당하는 부분을 각 문장에서 찾아 밑줄 치시오.

1 Understanding their employees is essential for good managers. (주어)

2 The kids started crying one by one like domino pieces. (동사의 목적어)

3 Tall people have an advantage in playing basketball. (전치사의 목적어)

4 As for me, growing plants is more interesting than anything else. (주어)

5 My dream is to become a professional musician. (보어)

A 외국어를 배우는 것은 누구에게나 도전적인 일이다. B 당신의 소지품을 여기 두고 싶으면 저기 있는 사물함을 이용하시면 됩니다. C 부모들은 자녀의 성취에 대해 자랑하는 것을 즐긴다. D 이 식당에서의 너의 직무는 설거지와 상 차리기이다. E 그녀는 다음 주 치과 가는 것에 대해 걱정하고 있다.

UNIT 2

문장의 부요소인 준동사

미리보기 예시와 같이 밑줄 부분을 수식하는 어구에 괄호 치고, 수식 관계를 화살표로 표시하시오.

예 He has no friend (to help him).

1 I don't have the courage to say the truth.

2 The people attending the seminar are going to get useful information.

- to부정사나 분사는 명사를 수식하는 형용사 역할을 할 수 있다. 분사의 경우, 수식받는 명사 입장에서 볼 때 능동이나 진행을 나타내면 현재분사(v-ing)로, 수동이나 완료를 나타내면 과거분사(p.p.)로 쓰인다. A B C D
- to부정사나 분사가 특정 명사가 아닌 나머지 전체와 관련되면 부사 역할을 하는 경우이다. E F (→ CH 10 UNIT 2 부사로 쓰이는 구)

A The **frightened** driver hit the brakes too hard, and the car skidded.

B Workers **digging for the highway** have found an ancient Native American city.

C The astronauts did all the experiments **planned for their mission.**

D The boy's efforts **to save the animals in the *burning* house** were heroic.

E People gathered **to congratulate the newly *elected* president.**

F **Making no sound,** the man crept toward the monster.

Grammar PLUS

① **to부정사: 명사 vs. 부사**

- To pay the huge bill[S] requires[V] a plan. ▶ to부정사가 주어(= Paying the huge bill ~)
- (To pay the huge bill), I[S] worked[V] day and night. ▶ to부정사는 부사 역할의 수식 요소

② **to부정사: 형용사 vs. 부사**

- We need something (to put out the fire). ▶ to부정사가 앞의 명사를 수식 <형용사적 요소>
- We did our best (to put out the fire). ▶ to부정사가 전체를 수식 <부사적 요소>

Check it 각 문장의 밑줄 친 부분을 해석하시오.

1 The order to attack was recalled when heavy rain began. ____________

2 The project given to our team by the teacher was well completed. ____________

3 The gate was closed after midnight to protect the residents. ____________

4 ⓐ Going into the pouring rain, I heard ⓑ the terrifying roar of the thunder above.

ⓐ ____________ ⓑ ____________

5 The couple are studying the procedure required to adopt a child. ____________

A 겁먹은 운전자가 브레이크를 너무 세게 밟아 차가 미끄러졌다. B 고속도로 건설을 위해 땅을 파고 있던 인부들이 고대 미국 원주민의 도시를 발견해냈다. C 우주비행사들은 그들의 임무를 위해 계획된 모든 실험을 수행하였다. D 불타는 집에서 동물을 구하려는 소년의 노력은 영웅적이었다. E 사람들이 새로 선출된 대통령을 축하하러 모였다. F 아무 소리도 내지 않고 그 남자는 괴물 쪽으로 기어 다가갔다.

UNIT 3

준동사와 동사의 공통분모: 주어, 부정, 태, 시제

미리보기 문맥이 자연스럽도록 괄호 안 단어를 알맞은 곳에 넣어 문장을 완성하시오.

1 You should be careful to catch a cold. (not)
2 It's almost time the bell to ring. (for)
3 I am sorry have kept you waiting. (to)

◆◆ 준동사는 동사에서 비롯되었으므로 동사의 기본 성질, 즉 행위의 주체(의미상주어)A, 부정형(부정어 not)B, 태(능동/수동)C E, 시제(완료형)D E를 나타내는 장치가 있다. (→ CH 11 준동사의 이해 (2) 참고)

A Every muscle of mine was tense as I waited **for the race** *to start*.

B I chose **not to follow** other people's opinions this time.

C All social gatherings need **to be discouraged** for the time being.

D He proved his story of **having met** the star by showing the star's autograph.

E This building is said **to have been built** almost 200 years ago.

Grammar **PLUS**

① **준동사의 의미상주어**

- It's difficult **for an average person** *to remember* all the numbers at a glance.
  ▶ an average person이 remember의 주체
- The idea of **animals'** *having* emotions like humans has not been proved.
  ▶ animals가 have의 주체 (동명사의 의미상주어는 소유격)

② **준동사는 동사 아닌 어떤 것**

- *A man* (**holding** an umbrella)S **is walking**V in the snow. ▶ holding ~은 A man을 꾸미는 '형용사구'
- **Barking** at a big dogS isV *a dangerous thing* (for a small dog) **to do**.
  ▶ Barking ~은 문장의 주어로 쓰인 '명사구' / to do는 명사를 꾸미는 '형용사구'

Check it 각 문장의 밑줄 친 부분에서 어법상 틀린 것을 찾아 맞게 고치시오.

1 England and America are two countries are separated by the same language.
2 It is normal for people to want to be liked and respect.
3 I am sorry to miss the final episode of the drama.
4 The practice of older members of a group train new ones is found in almost all fields of work.
5 Copy whole pages of the textbook is not a good way to study the lesson.

A 경주가 시작되기를 기다리고 있는 동안 내 근육 하나하나가 다 긴장됐다. B 나는 이번에는 남들의 의견을 따르지 않기로 했다. C 모든 사교 모임이 당분간 단념될 필요가 있다. D 그는 그 스타를 만났다는 자기의 이야기를 스타의 사인을 보여줌으로써 입증했다. E 이 건물은 약 2백 년 전에 지어졌다고 한다.

Into the Grammar

정답 및 해설 p. 47

A

각 문장에서 밑줄 친 부분이 하는 역할에 ✓표하시오.

1 Fashion models have to control their diet to stay in shape. ☐ 명사 ☐ 형용사 ☐ 부사

2 My father has a job collecting tolls at the new bridge. ☐ 명사 ☐ 형용사 ☐ 부사

3 Listening to loud music repeatedly could cause ear problems. ☐ 명사 ☐ 형용사 ☐ 부사

4 A police officer has the authority to arrest people. ☐ 명사 ☐ 형용사 ☐ 부사

5 My first try at making bread at home was not successful. ☐ 명사 ☐ 형용사 ☐ 부사

6 Listening to loud music, I began to clean my desk. ☐ 명사 ☐ 형용사 ☐ 부사

B

괄호 안 단어를 문맥에 맞게 변형하여 빈칸을 완성하시오.

1 That ______________ scene in the movie has lasted in my mind ever since. (touch)

2 I bought a book the other day ______________ *Recipes for Friday Nights*. (call)

3 ______________ a parking space reserved for the disabled is a mean thing to do. (take)

4 Jin was so afraid of ____________________ that her whispers to me were hardly heard. (overhear)

C

괄호 안 단어를 문맥상 알맞은 곳에 넣어 문장을 완성하시오.

1 A good photographer waits for the right moment take each picture. (to)

2 The sailors complained about the food until the captain threatened to give them any. (not)

3 The report ended by saying that would be unwise not to conserve our natural resources. (it)

4 John is weak, so his mother worries about playing on the soccer team. (his)

Read it #1

1 **다음 글의 밑줄 친 부분 중, 문맥상 낱말의 쓰임이 적절하지 않은 것은?**

"Live your best life." These four simple words, **made famous by Oprah Winfrey***, give a single instruction **to follow** for happiness and success. While the quote is ① priceless in its meaning and simplicity, it's an instruction many don't know how to follow. **To live your best life**, start by **thinking about the things that fulfill you**, like **making music** or **volunteering to help the ② less fortunate**. Those things will eventually help you **to find your ③ purpose**. Additionally, try **to appreciate what you have**, like good friends or a nice home, instead of **feeling ④ jealous of people who seem to have more than you**. You can also look for people **to advise you** and **help you make good decisions**, such as ⑤ immature friends or a professional counselor. They will keep you from **getting lost in life** and help you become more self-aware about everything that happens in life.

*Oprah Winfrey: 방송인, Oprah Winfrey 쇼의 진행자

single 하나의; 독신의 instruction 가르침; 지시 quote 인용구 priceless 매우 귀중한 simplicity 간결함; 단순성 fulfill 성취감을 주다; 달성하다 fortunate 운 좋은 eventually 결국에는, 나중에 가서는 additionally 또한, 추가적으로 appreciate 감사하다 feel jealous of ~에 질투를 느끼다 immature 미성숙한 professional 전문적인, 직업의 counselor 상담가 self-aware 자각하는

정답 및 해설 p. 48

2

주어진 글 다음에 이어질 글의 순서로 가장 적절한 것은?

When you are applying for your dream college or program, you may be asked **to write a personal statement**. A personal statement is often the only opportunity you have **to set yourself apart from all the other applicants.**

(A) Also, whenever possible, leave your statement overnight and then look at it again with fresh eyes. Check that it flows well. Now you're ready to show it to others. Ask them for constructive feedback. A second point of view can really add to your statement and is well worth taking the effort.

(B) Admissions officers use it **to make their final decision on a list of candidates.** They want **to know what makes you unique**. You need **to convey all your enthusiasm in that limited space.**

(C) Above all, your introduction needs **to grab the reader's attention**. Avoid clichés or long-winded explanations. Instead, spark their interest and get to the point—in just one paragraph. Because the introduction is so important, you may want **to write it last**. That's okay!

① (A) — (C) — (B)
② (B) — (A) — (C)
③ (B) — (C) — (A)
④ (C) — (A) — (B)
⑤ (C) — (B) — (A)

apply for ~에 지원하다[신청하다] **personal statement** 자기소개서 *cf.* **statement** 진술, 서술 **set A apart (from B)** A를 (B와 달리) 돋보이게 하다; A를 (B와) 따로 떼어놓다 **applicant** 지원자, 신청자 **whenever** ~할 때는 언제든지 **overnight** 하룻밤 동안 **flow** 흐르다; 진행되다 **constructive** 건설적인 **feedback** 피드백, 조언 **point of view** 관점, 견해 **add to** ~에 보탬이 되다 **be worth v-ing** ~할 가치가 있다 **admissions officer** 입학사정관 **candidate** 후보자, 지원자 **convey** 전달하다 **enthusiasm** 열정 **limited** 제한된, 한정된 **above all** 무엇보다도, 특히 **introduction** 도입부 **grab** (관심을) 붙잡다[끌다] **attention** 관심; 주의 **cliché** 상투적 표현, 진부한 문구 **long-winded** 장황한 *cf.* **wind** (실, 태엽 등을) 감다 **explanation** 설명 **spark** 불을 붙이다; 자극하다 **get to the point** 본론으로 들어가다 **paragraph** (글의) 단락

Read it #2

3
서술형

다음 글을 읽고, 글의 내용에 맞게 빈칸을 완성하시오.

Headaches happen. The good news is there are several simple things you can do **to avoid a trip to the doctor or drugstore**. First of all, dim the lights. Bright or **flickering** lights, even from your computer screen, can cause migraine* headaches. What can you do **to prevent them**? Cover your windows with blackout curtains during the day. You might also add anti-glare screens to your computer. Another thing you can do **to prevent them in everyday life** is related to **using your jaw**. **Chewing gum** can hurt not just your jaw, but your head as well. The same is true for **chewing your fingernails, lips, or handy objects like pens**. Avoid crunchy and sticky foods, and make sure you take small bites. If you grind your teeth at night, ask your dentist about a mouth guard. This may decrease your early morning headaches.

*migraine: 편두통

1) Blackout curtains and anti-glare screens help to decrease headaches c__________ by exposure to bright or flickering l__________.

2) C__________ things which are hard, crunchy, or sticky can do h__________ to your head as well as your jaw.

3) Overall, to avoid migraines, take care n__________ to be exposed to strong light in your everyday life. Also, you should stay away from anything or any habit that could have a negative impact on your j__________.

drugstore 약국 dim 어둑하게 하다; 희미한 flicker 깜빡거리다 cover 가리다, 덮다 blackout 암막; 정전 anti-glare 눈부심 방지용 *cf.* glare 눈부시다; 쏘아보다 be related to ~와 관계있다 jaw 턱 chew 씹다 the same is true for[of] ~에서도 마찬가지이다 fingernail 손톱 handy 바로 곁에 있는; 편리한 crunchy 우두둑 깨무는 sticky 끈적끈적한 bite 한 입 grind 갈다; 닳게 하다 mouth guard 마우스 가드, 구강 보호 장치
[문제 어휘] exposure 노출 *cf.* expose A to B A를 B에 노출시키다 A as well as B B는 물론 A도 overall 전반적으로 stay away from ~을 가까이하지 않다, 멀리하다 have a negative impact on ~에 부정적인 영향을 끼치다

4

서술형

다음 블로거들이 동의할 내용으로 가장 알맞은 것은?

cool789 1 day ago

I grew up in a family where everybody shares the "save for a rainy day" spirit. Maybe this in part was due to **being in a lower income class**. Throughout all my school years, I was always looking for ways **to make money** from **cutting grass**, **raking leaves**, or whatever job I could get until I was 15, and then started **working my first "real" job** at a pizza house. I have always held some sort of job since then, **trying to save what I could**. People need to know that a nest egg* doesn't build overnight. Put in what you can whenever you can.

curious_oldman66 2 days ago

I just retired a few months ago and am loving it. I can cover all my normal living expenses with my pension*. What I have saved I do not need to touch, and I can let it grow. Note: Even if it is a small amount, it does pile up over time, like snow.

Spot333 5 days ago

In my opinion, the key to happiness is "**delayed** satisfaction." Don't live beyond your income. Try **not to touch the balance**. Pay off your credit cards EVERY month. Lastly, CHOOSE **to be happy with your lot in life**.

house010 16 days ago

I've worked for the same company for 32 years on an average salary and lived on about 2/3 of what I make. **Being frugal but not miserly** has worked well for me.

*nest egg 목돈, 저축금 *pension 연금

① 경제관념은 어릴 때부터 기르는 것이 좋다.
② 미래의 안정적 생활을 위해 현재의 삶을 희생하는 것은 어리석다.
③ 다양한 직업보다 한 직업에 오래 머무는 것이 저축에 유리하다.
④ 저축하고 아껴 쓰는 생활을 하는 것이 무엇보다 중요하다.
⑤ 모은 자금을 활용해 투자를 할 필요가 있다.

spirit 정신, 기상 in part 부분적으로, 어느 정도는 income 수입 class 계층, 계급 throughout ~ 내내 make money 돈을 벌다 rake 갈고리로 긁어모으다 hold 유지하다 put in (돈을) 쓰다[들이다] retire 은퇴하다, 퇴직하다 cover (경비를) 대다 living expenses 생활비 note 주목하다, 주의하다 pile up 쌓이다 the key to ~의 비결 balance (수입, 지출의) 균형 pay off 다 갚다, 청산하다 lot 숙명, 운 salary 월급 live on ~에 기대어 살다 frugal 검소한, 절약하는 miserly 구두쇠인, 아끼는

10 EASY WAYS TO MONITOR YOUR SPENDING HABITS AND CUT EXPENSES

1. Make a weekly "money date."
2. Make coffee at home.
3. Host a potluck*.
4. Work more.
5. Wait 48 hours before you click "buy."
6. Use blogs to learn DIY beauty treatments.
7. Get creative with gifts.
8. Stop trying to keep up with fashionable people.
9. Map out your financial goals.
10. Track your progress.

*potluck: 각자 음식을 조금씩 가져와서 나눠 먹는 식사

SUMMARY

준동사의 역할	예	참고사항
주어	**To eat[Eating] spicy food without water** is difficult.	to-v주어=v-ing주어
동사의 목적어	I want **to eat spicy food** today. My family enjoys **having snacks at night**.	to부정사 목적어 동명사 목적어
보어	My habit when eating spicy food is **to pull[pulling] my ears**.	My habit ~= to pull[pulling] my ears
전치사의 목적어	Well, I'm not good at **eating spicy food**.	전치사+(동)명사
긴 주어 대신	**It**'s difficult **to eat spicy food without water**.	It=to eat spicy food without water
to부정사의 주체	It's difficult **for me** *to eat* spicy food without water.	<for+의미상주어> to-v
긴 목적어 대신	I make **it** a rule **to pour a big glass of water before eating anything spicy**.	it=to pour ~
명사를 수식	**Fried** chicken is my favorite late-night snack. The man **serving the food over there** is my uncle. What is the best beverage **to drink with a hamburger**?	과거분사 <수동, 완료> 현재분사 <능동, 진행> 명사+to-v
부사 수식어	**Looking over the street crowded with cars and people,** I enjoy eating a hamburger.	분사구문 <동시동작: ~하면서>
수동의 표시	You should avoid drinking coke to prevent your teeth from **being stained**.	to부정사 <목적: ~하기 위해> be p.p. <수동형: ~되는 것>
부정의 표시	He may be upset about **not being** invited to the party.	not+v-ing / to-v
앞선 시점의 표시 v-ing의 주체	The politician seems **to have been** quite popular once, but **his** *overseeing* illegal activities has ruined his career.	to have p.p. <완료형: ~했던 것> 동명사의 의미상주어는 동명사 앞에 소유격으로 표현

CHAPTER

10

형용사와 비슷하면서 다르고
형용사보다 하는 일도 종류도 많고
이것도 부사, 저것도 부사

UNIT 1

부사가 수식하는 범위

미리보기 다음 문장의 ( ) 부분이 형용사 요소인지 부사 요소인지 구분하시오.

1 The teacher often begins his classes (with stories about famous people). □형 □부
2 The teacher often begins his classes with stories (about famous people). □형 □부
3 The teacher (often) begins his classes with stories about famous people. □형 □부

◆◆ 형용사가 명사를 수식한다면 부사는 명사를 뺀 나머지, 즉 동사, 부사, 형용사, 문장 전체를 수식하며 그 형태도 단어인 것부터 구, 절까지 다양하다. 빈도, 정도, 시간, 장소, 방법 등 온갖 범위에 걸쳐 문장에 다양한 의미를 보태는 것이 부사이다.

A The phone *rang* **unexpectedly** in the middle of the night.

B News about the development of new treatments *is* **mostly** *false*.

C In 1849, thousands of people *rushed* **to California** to search for gold.

D *This bridge uses strong materials* **to bear the weight of dozens of cars.**

E **Fortunately**, *I could get a ticket to the concert of my favorite singer*.

F **As soon as we brought it home**, the timid pup crawled under the sofa.

Grammar PLUS

① 주의할 부사 표현 1: 형태가 유사한 부사/형용사

- lately(최근에) – late(늦게; 늦은)
- highly(대단히, 몹시) – high(높게; 높은)
- fully(완전히, 전적으로) – full(가득 찬)
- deeply(대단히, 몹시) – deep(깊은)
- closely(면밀히; 밀접하게) – close(가까이; 가까운)
- hardly(좀처럼 ~ 않다) – hard(열심히, 세게; 어려운; 딱딱한)
- mostly(주로, 대개는) – almost(거의, 하마터면; 약, 대략) – most(대부분(의))

② 주의할 부사 표현 2: 부정적 의미를 포함한 부사

- I **seldom** get up before nine o'clock. [× seldom don't] ▶ seldom: 거의[좀처럼] ~않다(= hardly, rarely)

Check it

다음 괄호 안에서 알맞은 것을 고르시오.

1 Kind words can be short and easy to speak, but their echoes are (true / truly) endless.
2 Eddie has an easygoing personality and seldom worries about (anything / nothing).
3 The experts are all (high / highly) trained, and they make few mistakes.
4 I (almost / mostly) forgot it was my birthday, as it was a hectic, busy day.
5 My friend plans to rent a ⓐ (full / fully) equipped office ⓑ (close / closely) to his home.
6 I found the old couple (pleasant / pleasantly) surprised with the party.

A 한밤중에 전화가 예기치 않게 울렸다. B 새 치료제 개발에 대한 뉴스는 대개 거짓이다. C 1849년에 수천 명의 사람들이 금을 찾으러 캘리포니아로 돌진해 갔다. D 이 다리는 수십 대의 차량 무게를 견디도록 튼튼한 재료를 사용한다. E 다행히 나는 내가 좋아하는 가수의 콘서트 티켓을 구할 수 있었다. F 우리가 집에 데려오자마자 그 겁 많은 강아지는 소파 밑으로 기어들어 갔다.

UNIT 2

부사로 쓰이는 구

미리보기 다음 문장에서 부사구를 3개 찾아 밑줄 치고, 각각 ⓐ~ⓔ의 항목 중 어느 것에 해당하는지 그 기호를 쓰시오.
"부사는 ⓐ 시간, ⓑ 장소, ⓒ 방법, ⓓ 이유, ⓔ 조건 등 문장에 다양한 의미를 보태는 요소이다."
After two weeks of camping, Phil is glad to get back to his own soft bed.

◆◆ 문장에 다양한 의미를 보태는 부사구로는 <전치사+A> 형태를 띤 것A, 전치사 없이 쓰이는 것A, 부사적 역할의 to부정사B C, 분사구문D E이 있다.

A The girl is alone **in the house every afternoon.**

B After the open class, moms would get together **to chat over soft drinks.**

C It was sad **to think that the homeless had nowhere to go in such cold weather.**

D My brother works as a software engineer, **developing computer programs.**

E **Smelling smoke**, the babysitter called 911 and got the children out of the house.

Grammar PLUS

① 부사로 쓰이는 to부정사

- The pilot altered her flight plan **to avoid a bad thunderstorm.** ▶ <목적(~하기 위해)>
- We were *relieved* **to hear no one was harmed in the accident.** ▶ <감정의 원인(~해서)>
- I would be happy **to stay in touch with you.** ▶ <조건(~한다면)>
- They must be proud **to have such loyal fans.** ▶ <판단의 근거(~하다니)>
- Edison grew up **to be a great scientist and businessman.** ▶ <결과(~하게 되다)>

② 다양한 의미의 분사구문

- **Talking on the phone**, the visitor showed her ID card to the guard. ▶ <동시동작(~하면서)>
- **Doing quite well in his work**, he had no reason to quit. ▶ <이유(~ 때문에)>
- **(*Being*) Late for the boarding time**, I missed the last flight to LA. ▶ <이유(~ 때문에)>
- **Watching her dance**, you will be impressed. ▶ <조건(~한다면)>

Check it 다음 각 문장의 굵은 부분을 해석하시오.

1 **To find the key**, I turned my bag upside down and poured all the things on the bed. ____________

2 None of the creative works can be copied **without permission from the author**. ____________

3 **Being totally skilled**, the tightrope walker can ride his bicycle **on the high wire**. ____________

4 I'm honored **to see** one of the greatest musicians of our time. ____________

5 Dad scanned the parking lot, **trying to find our car**. ____________

A 그 소녀는 매일 오후 집에 혼자 있다. B 공개수업 후에 엄마들은 음료수를 마시며 담소를 나누기 위해 모이곤 했다. C 노숙자들이 그렇게 추운 날씨에 갈 곳이 아무 데도 없다는 걸 생각하니 슬펐다. D 우리 오빠는 컴퓨터 프로그램을 개발하며 소프트웨어 엔지니어로 일한다. E 연기를 맡고는 베이비시터가 911에 전화하고 아이들을 집에서 데리고 나왔다.

UNIT 3

부사로 쓰이는 절

미리보기 괄호 안에서 앞뒤 내용을 자연스럽게 이어주는 접속사를 고르시오.

1 I feel refreshed (after / before) I have a good sleep.
2 Do you know you snore (while / though) you sleep?
3 I didn't notice it was you (because / though) you were too far away.

◆◆ <주어+동사>의 모양을 갖춘 절이 이유, 시간, 조건, 양보 등을 나타내는 접속사와 함께 쓰여 문장에 다양한 내용을 더한다A B C. 한편 앞뒤 문장을 연결하는 접속부사D는 이어질 내용의 길잡이 역할을 한다.

A **When** the bus driver saw a boy on the road, he stopped the bus immediately.

B Nothing is a waste of time **if** you get something from the experience.

C **Although** Spain is usually sunny, winter temperatures can be quite chilly.

D My brother is a night owl. **On the contrary**, I'm an early bird.

Grammar PLUS

① 다양한 의미의 부사절 접속사 (→ CH 12, 14)

- My little brother sleeps better **when** the lamp is on. ▶ <시간> when, while, as, until, as soon as ...
- I want to keep my old sneakers **because** they're so comfortable. ▶ <이유> because, since, as
- **If** you're not listening, you're not learning. ▶ <조건> if, as long as(~하는 한), unless(~하지 않는다면)
- My uncle was very successful in his career **though** he didn't go to college. ▶ <양보> though, although, even though

② 같은 의미, 다른 모양: 분사구문 vs. 부사절

- (**Examining** the lens,) I[S] saw[V] a tiny scratch. ▶ '~하다가'-부사구
  = **When[While, As]** I[S] was examining[V] the lens, / I[S] saw[V] a tiny scratch. ▶ <때, 시간>의 부사절
- (Closely **examining** the lens,) you[S] will see[V] a tiny scratch. ▶ '~한다면'-부사구
  = **If** you[S] closely examine[V] the lens, / you[S] will see[V] a tiny scratch. ▶ <조건>의 부사절

Check it

문맥이 자연스럽도록 다음 괄호 안에서 알맞은 것을 고르시오.

1 Because Jim seldom sticks to his word, he is (easy / hard) to get along with.
2 (While / If) I stayed home with the flu, my friends called me to cheer me up.
3 The company has grown continuously for the last three years, even though the economic state of the whole country has (improved / declined).
4 (If / Though) the guitar strings are too tight, they may break.

A 버스 운전자가 도로에서 소년을 봤을 때 버스를 바로 정지시켰다. B 경험에서 뭔가를 얻는다면 어떤 것도 시간 낭비는 아니다. C 스페인은 보통은 화창한 날씨지만 겨울 기온은 꽤 쌀쌀할 수 있다. D 내 남동생은 저녁형 인간이다. 그와 반대로 나는 아침형 인간이다.

Into the Grammar

정답 및 해설 p. 53

A

<보기>에서 문맥에 맞는 말을 골라 각 문장을 완성하시오. (중복 사용하지 말 것)

<보기> deeply	unfortunately	quickly	potentially

1 The police responded ____________ to the emergency.

2 Electricity is ____________ dangerous.

3 The audience was ____________ moved by his speech.

4 ____________, the expert failed to disable the bomb in time.

B

각 문장의 밑줄 친 부분을 해석하시오.

1 Parents in this neighborhood are highly involved with school activities.

→ ____________________

2 Eager to buy the goods on sale, hundreds of people lined up.

→ ____________________

3 The mother calmed her crying baby by hugging him until he became quiet.

→ ____________________

4 For the whole week, the reporter hid herself in a bush next to the candidate's house to find a chance to interview him.

→ ____________________

C

밑줄 친 부분의 의미로 적절한 것을 고르시오.

1 The old couple were holding each other's hands while they took a walk.

ⓐ ~ 하는 동안 ⓑ ~ 하는 반면 ⓒ ~함에도 불구하고

2 When I missed the bus, I called Mom to let her know I would be late.

ⓐ ~하기 위해 ⓑ ~하게 되어서 ⓒ ~하다니

3 Yesterday my brother didn't leave his room all day because he was upset over staying home alone to do his homework while everyone else was out having fun.

ⓐ ~한다면 ⓑ ~하면서 ⓒ ~하기 때문에

Read it #1

1

빈칸 (A), (B)에 들어갈 연결어가 알맞게 짝지어진 것은?

Horses brought mankind mobility. And more. **Once chariots* were invented**, they changed the way war was fought. A general with foot soldiers was lucky **if his troops could cover a few miles per hour. Wearing armor, or carrying a heavy weapon**, a soldier's speed was **pretty** slow. But put him in a chariot and the speed could jump. ______(A)______, nations with armies of horse-drawn chariots could arrive **quickly at the door of the enemy**, attack, and then make a quick retreat and live another day. **Similarly**, people with horses, like those early horse-owning tribes, were richer than their horseless neighbors. Nations prospered **even better**: they conquered their horseless neighbors. ______(B)______, the pharaohs of ancient Egypt, some of the most powerful rulers in the ancient world, lost their lands to a people called the Hyksos* ("rulers of desert uplands") **because the Hyksos' army overwhelmed them with chariots pulled by strange animals called horses. Indeed**, the race for power and glory in ancient history was a horse race!

*chariot: (전투나 경주용의) 전차, 마차
*Hyksos: 힉소스 왕조(1750-1580 B.C.경까지 이집트에 군림함)

	(A)		(B)
①	However	……	Fortunately
②	For example	……	On the other hand
③	In fact	……	For example
④	On the contrary	……	In fact
⑤	In fact	……	However

mankind 인류 mobility 기동성 general 장군 foot soldier 보병 troop 군대, 부대 cover (일정한 거리를) 이동하다, 가다 per ~당 armor 갑옷 army 군대 horse-drawn 말이 끄는 retreat 퇴각, 후퇴 similarly 마찬가지로, 이와 유사하게 tribe 부족, 종족 prosper 번성[번영]하다 conquer 정복하다 ancient 고대의 powerful 강력한, 힘센 ruler 통치자 desert 사막 upland 고지대 overwhelm 압도하다, 제압하다 race 경주; 경쟁 glory 영광

정답 및 해설 p. 54

2

다음 글에서 설명하는 deep breathing에 대해 일치하지 <u>않는</u> 것은?

As more and more of us are getting less and less sleep, it's tempting to reach for an energy drink or an espresso **when we feel sleepy while studying**. But you can stay awake **naturally by just breathing**. Deep breathing raises blood oxygen levels in the body. This slows your heart rate, lowers blood pressure, and improves circulation, **ultimately aiding mental performance and energy**. The idea of deep-breathing exercises is to inhale to the abdomen*, not the chest. You can do them at your desk. **Sitting up straight**, try this exercise up to 10 times: **With one hand on your belly just below your ribs and the other on your chest**, inhale **deeply through your nose** and let your belly push your hand out. Your chest should not move. Breathe out **through your lips** as if you were whistling. You can use the hand on your belly **to help push air out**.

*abdomen: 배, 복부

① 심장 박동 수와 혈압을 낮추고 혈액 순환을 돕는다.
② 흉부 호흡이 아닌 복부 호흡으로 가능하다.
③ 책상 앞에서 앉았다 섰다를 반복하며 10회 반복한다.
④ 두 손으로 각각 갈비뼈 아래와 가슴팍을 누르며 코로 깊이 숨을 들이마신다.
⑤ 복부의 손을 지그시 누르며 휘파람을 불듯 숨을 토해낸다.

tempting 유혹적인 reach for ~에 손을 뻗다 espresso 에스프레소 (커피) stay awake 안 자고 있다, 졸지 않고 있다 naturally 자연히, 자연의 힘으로 breathe 호흡하다, 숨 쉬다 *cf.* breathe out 숨을 내쉬다 raise 올리다, 높이다 oxygen 산소 level 수준, 정도 heart rate 심장 박동 수 lower 낮추다, 줄이다 blood pressure 혈압 circulation (혈액) 순환 ultimately 궁극적으로, 최종적으로 aid 돕다 mental 정신의 performance 수행, 활동 inhale 들이마시다 chest 가슴, 흉부 sit up 똑바로 앉다 straight 똑바로, 곧장 belly 배, 복부 below (~의) 아래에 rib 갈비뼈 deeply 깊게, 깊이 lip 입술 whistle 휘파람 불다

Read it #2

[3~5] 다음 글을 읽고, 물음에 답하시오.

Honor is not an easy concept to grasp. The words "honor," "dishonor," and "honorable" can mean different things **to each of us** and **to each of the groups or the culture we belong to**. Honor lies **at the center of who we are; who we want to be; how we make choices**. Why do we feel more stressed **when making difficult choices**? Might that stress result from the ___(A)___ between our selfish desires and other needs? How do we develop and maintain our own sense of honor? How much does our society influence how we listen to our conscience, the inner voice that urges us to behave honorably? A famous experiment* where the behavior of people was studied after they were grouped and labeled either as "prison guards" or "prisoners" showed how easy it is to ignore the voice of your conscience. **Obviously**, social context can silence our conscience. We forget who we are **when we are forced to play a role by a group we belong to**. What if we did the same kind of experiment **with people** who have an **extremely** strong sense of honor? Would they be as **easily** influenced to behave **according to their "labels"**?

Every organization in our society tends to emphasize honor **to build and maintain their members' loyalty to the group**. Its code of conduct requires the members to sacrifice themselves, **for the sake of the goals of the group**. It includes killing the voice of your conscience. It is **often** found that some groups of people are **easily** persuaded to give up their critical thinking skills and accept blind loyalty. Have they chosen to let their sense of loyalty ___(B)___ the voice of their conscience? Have they suddenly forgotten all about what honor means **to them**? What is the long-term cost that society has to endure?

Let's bring back the true idea of honoring ourselves. Let's encourage people to reintegrate their conscience **with the spirit of justice, fairness, equality, and freedom**. We need to remind ______________________ ourselves.

* 스탠퍼드 대학에서 실시된 유사 감옥 실험으로, 죄수와 교도관으로 역할 지어진 피실험자들이 자아를 잊고 역할에 충실한 행동을 보인, 상황과 환경의 중요성을 보여준 실험

honor 명예(롭게 하다) **grasp** 파악하다; 붙잡다 **dishonor** 불명예 **honorable** 명예로운 **at the center of** ~의 중심[핵심]에 **stressed** 스트레스를 받는, 긴장을 느끼는 **result from** ~에서 비롯되다 **selfish** 이기적인 **conscience** 양심 **urge** 촉구하다 **label** ~라고 부르다; 라벨[명칭](을 붙이다) **guard** 교도관; 보호자 **prisoner** 죄수 **social context** 사회적 상황 **silence** 침묵시키다 **be forced to-v** ~하도록 강요받다 **play a role** 역할을 하다 **organization** 조직, 단체 **tend to-v** ~하는 경향이 있다 **emphasize** 강조하다 **loyalty** 충성심, 신의 **code** (행동의) 수칙, 규칙 **conduct** 행동, 행실 **sacrifice** 희생(하다) **for the sake of** ~을 위하여 **persuade** 설득하다 **critical** 비판적인; 중요한 **blind** 맹목적인, 눈먼 **long-term** 장기적인 **reintegrate** 다시 통합하다, 다시 완전하게 하다 **fairness** 공정함 **equality** 평등 **remind** 상기시키다 *cf.* **remind A of B** A에게 B를 상기시키다

3

글의 제목으로 가장 적절한 것은?

① How to Keep the Balance Between Oneself and the Group
② Nothing Becomes Something Without Being Labeled
③ Loyalty to the Group: What Makes Individuals Stick Together
④ Recovering the True Sense of Honor Defeated by Group Morality
⑤ What's More Important: Group Unity or Individual Freedom?

4

빈칸 (A), (B)에 들어갈 말이 알맞게 짝지어진 것은?

	(A)		(B)
①	similarity	……	compete
②	tension	……	lead
③	conflict	……	suppress
④	balance	……	mute
⑤	similarity	……	silence

5

서술형

주어진 단어를 알맞게 배열하여 글의 주제에 맞게 마지막 문장을 완성하시오.

We need to remind ______________________________ ourselves.
(of / what / means / to / ourselves / it / honor)

[선택지 어휘] balance 균형, 조화 stick together 함께 뭉치다 defeat 패배시키다 morality 도덕(성) unity 단합, 결속 similarity 유사점 tension 긴장(감) conflict 갈등 suppress 억누르다 mute 음소거하다; 무언의

THOUGHTS ON HONOR

"Without integrity and honor, having everything means nothing."

- Robin Sharma -

"Guard your honor."

- Lois Mcmaster Bujold -

"Honor isn't given; it's earned."

- Anonymous -

"Stand for what is right. Even if it means standing alone."

- Anonymous -

"All the great things are simple and many can be expressed in a single word: freedom, honor, duty, mercy, hope."

- Winston Churchill -

"My self-esteem is high because I honor who I am."

- Louise Hat -

SUMMARY

부사 수식어의 수식 범위

동사 수식 (+기타 정보(시간))	I *could have* **completely** *finished* the homework **this morning**.	형용사+ly +전치사 없는 부사구
형용사 수식 / 부사 수식	The homework looked **pretty** *simple*, and I started **quite** well.	부사+형용사 부사+부사
문장 전체 수식 (+기타 정보(시간))	**Unfortunately** *my younger brother drew something on it* ***while I was away***.	= It was unfortunate that ~ +부사절(접속사+S+V)

다양한 의미를 더하는 부사 수식어

기타 정보	I searched **for related data on the Internet**.	전치사+명사(구)
기타 정보(목적)	I put the printed material aside **to use it later**.	to부정사구
기타 정보(감정의 원인)	I was shocked **to see all the notes I made were ruined**.	to부정사구
기타 정보(동시동작)	I cried hard all day **feeling sorry for my bad luck**.	분사구문

주의해야 할 부사 표현

부정어	I could **hardly** believe my eyes.	hardly, seldom, rarely ...
뜻에 주의해야 할 -ly	I **deeply** regretted letting him in my room.	deeply, highly, closely, lately ...

CHAPTER

11

준동사의 이해 (2)

명사로 쓰이는 to부정사와 동명사,
형용사로 쓰이는 to부정사와 분사,
부사로 쓰이는 to부정사와 분사,
할 건 다 하는 부지런한 준동사들

UNIT 1

to부정사와 동명사

미리보기 밑줄 친 부분의 목적어에 동그라미 치고, 동그라미 부분을 해석하시오.

1 I adapted to living with others when my dormitory life began. ____________

2 He ⓐ started to play with the dog after he ⓑ finished doing house chores. ____________

◆◆ • to부정사와 동명사가 동사의 목적어로 쓰일 때 동사별로 사용되는 것이 다르며A B, to부정사를 쓰는지 동명사를 쓰는지에 따라 의미가 달라지기도 한다.C
• 동명사는 to부정사와 달리 전치사의 목적어로도 쓰인다.D 관용표현들은 문장 속에서 하나의 패턴으로 파악할 수 있도록 하자.E

A The company **promises to hire** more people this year.
B The boy sipped the hot chocolate to **avoid burning** his mouth.
C **Forgetting to change** a car's oil can lead to major engine trouble.
D Do you know the key **to calming** angry residents?
E When his excuse didn't work, he **ended up being dumped** by his girlfriend.

Grammar PLUS

① to부정사 목적어 vs. 동명사 목적어

• I *hope* **to go** on a journey to Africa someday. [×going] ▶ want, decide, promise, offer ... +to-v
• Mom doesn't *enjoy* **cooking** during holidays. [×to cook] ▶ stop, avoid, consider, give up ... +v-ing
• As the fever reduced, she *began* **to feel** better. [=feeling] ▶ like, start, begin, continue ... +to-v/v-ing
• Do you *remember* **promising** me new shoes? vs. *Remember* **to change** your password regularly.
v-ing(과거의 일: ~했던 것을) to-v(미래의 일: ~해야 하는 것을)
▶ remember, forget
• I *regret* **saying** bad words to you. vs. We *regret* **to tell** you that you've lost the chance.
v-ing(과거의 일: ~했던 것을 후회하다) to-v(미래의 일: ~하게 되어 유감이다)
• *Try* **pushing** the button with your glove off. vs. Three men *tried* **to move** the rock.
v-ing(한번 ~해보다) to-v(~하려고 애쓰다)

② 동명사 관용 표현

• spend A v-ing A를 ~하는 데 쓰다
• It's no use v-ing ~해봐야 소용없다(=It is useless v-ing[to-v])
• end up v-ing ~하는 것으로 끝나다
• have difficulty[trouble] v-ing ~하는 데 어려움을 겪다
• There is no v-ing ~하는 것은 불가능하다(=It is impossible to-v)
• cannot help v-ing ~하지 않을 수 없다(=cannot but v)

Check it 괄호 안에서 알맞은 것을 고르시오.

1 The man is not good at expressing and (understands / understanding) emotions.
2 The seller has offered (to give / giving) me a discount if I buy two.
3 I'll never forget (to visit / visiting) the place. It was so amazing.
4 If your kids don't stop ⓐ (to run / running) around, your family will have trouble ⓑ (to stay / staying) here.

A 그 회사는 올해 더 많은 사람을 고용하겠다고 약속한다. B 소년은 입을 데는 걸 피하려고 핫초코를 홀짝이며 마셨다. C 차의 오일 바꾸는 걸 잊어버리는 것은 중대한 엔진 문제를 일으킬 수 있다. D 당신은 화난 주민들을 진정시키는 비결을 아시나요? E 그의 변명이 먹히지 않자 그는 여자 친구에게 결국 차였다.

UNIT 2

to부정사, 분사, 분사구문의 확장

미리보기 예시와 같이 밑줄 친 주어를 보충 설명하는 보어에 동그라미 치시오. (한 단어만 칠 것)

예 The audience doesn't look (easy) to impress.

1 Jeff was too shy to try out for the chorus.

2 The box is large enough to contain all this old stuff.

◆◆ • '정도'를 나타내는 to부정사의 확장된 표현으로 <A enough to-v>, <too A to-v>가 있다.A

• p.p.로 시작하는 분사구문은 being p.p.에서 being이 생략된 수동형이며B, 수동의 과거분사는 <with+O+v-ing[p.p.]> 패턴C에도 자주 등장한다.

• 분사가 연이어 나오는 경우D, 문장의 복합적인 구조로 인해 to부정사가 명확히 보이지 않는 경우E도 자주 접할 수 있다.

A The manager was sharp **enough to** handle the job.

B **Embarrassed** by falling on the ice, the girl rejected people's helping hands.

C My younger sister was sitting on a bench **with her legs crossed**.

D **Walking** in the woods **wearing** shorts, he got mosquito bites all over his legs.

E What made his jokes so funny was the silly face he used **to tell** them.

Grammar PLUS

① too ~ to-v vs. ~ enough to-v

• The girl looks **too** small **to** take care of the big dog. ▶ '~하기에는 너무 ...한'

• I wish I were brave **enough to** tell them that they are wrong. ▶ '~하기에 충분히 ...한'

② V+O+v-ing[p.p.]: 진행 vs. 수동

• I saw[V] the leaves[O] lifted[C1] by the wind and whirling[C2] in the sky. ▶ leaves–lift <수동관계> ▶ leaves–whirl <능동, 진행관계>

• Stalin was a harsh dictator who had[V] millions of people[O] killed[C]. ▶ people–kill <수동관계>

③ with+O+C: O가 ~한 채로

• The house **with the walls**[O] **covered** in ivy[C] is my favorite. ▶ walls–covered <수동관계>

• A parcel has arrived **with** no name[O] **(written)** on it[C]. ▶ name–write <수동관계>

Check it 괄호 안 단어가 들어가기에 알맞은 곳을 찾아 ✓표하시오.

1 I stood there motionless until it became dark, by the sunset. (amazed)

2 The basket is made of twisted straw, feathers and beads worked in. (with)

3 The description of the street in the book is detailed to make us feel as if we were there. (enough)

4 The sports bag with the tennis racket in it is big to fit in a locker. (too)

5 Is this all the equipment you need join the mountain climbing team? (to)

A 그 관리자는 그 일을 다룰 만큼 충분히 똑똑했다. B 빙판에 넘어져 부끄러워서 소녀는 사람들의 도움의 손길을 뿌리쳤다. C 내 여동생은 다리를 꼰 채로 벤치에 앉아있었다. D 반바지를 입고 숲속을 거닐다가 그는 온 다리가 모기에 물렸다. E 그의 농담을 그토록 웃기게 했던 것은 농담하기 위해 그가 지었던 우스꽝스러운 표정이었다.

UNIT 3

많은 것을 담고 있는 준동사

미리보기 표시된 동사 work와 관련하여 질문 1, 2의 답에 해당하는 곳에 동그라미 치시오.

No one thought about the possibility of his having **work**ed for the FBI.

1 Who worked? 2 Which happened first, "worked" or "thought"?

◆◆ 준동사 앞에 의미상주어가 쓰였는지A, 앞선 시점을 나타내는 완료형으로 쓰였는지BCD, 능동형 또는 수동형인지CD 등의 파악을 통해서 준동사가 나타내는 의미를 읽을 수 있다.

A It was wise **of you** not to tell the stranger that your parents weren't home.

B Since she is known **to have been** untruthful many times in the past, her friends tend not to believe her.

C **Having been checked** several times, the product can't have any problems.

D What is prejudice? An opinion, which is not based upon reason; a judgement, **without having heard** the argument; a feeling, **without being able to trace** where it came from.

Grammar PLUS

① 의미상주어 for vs. of

- It's *important* **for a waiter** to ask about your food allergies before taking your order.
- It's very *considerate* **of you** to ask about my food allergies before taking my order.

▶ 이성적 판단의 말 vs. 성격·품성을 판단하는 말
important, necessary, right[wrong], easy[hard], possible[impossible] ... + <for 의미상주어>
considerate, rude, polite, stupid, foolish, silly, wise, careful, reckless ... + <of 의미상주어>

② 부정사·동명사의 수동형·완료형

기본형 '말하는 것'	수동형 '말해지는 것'	완료형 '말했던 것'	완료수동형 '말해졌던 것'
to say	to be said	to have said	to have been said
saying	being said	having said	having been said

Check it 각 문장에서 틀린 곳을 찾아 맞게 고치시오.

1 It was wise for you to have saved some money for a rainy day.
2 The teacher gave the class a letter with six mistakes them to correct.
3 The Eurasians are believed to be the first to tame and ride the horse.
4 People living in this area are planning a street demonstration to prevent their houses from tearing down.

A 낯선 이에게 부모님이 집에 없다는 것을 말하지 않았다니 참 현명했구나. B 그녀는 과거에도 여러 번 부정직했던 것으로 알려져 있어서 친구들이 그녀를 안 믿는 경향이 있다. C 여러 번 검사받았으므로 그 제품에 문제가 있을 리 없다. D 편견이란 무엇인가? 이성에 기반하지 않은 의견이요, 주장을 듣지 않은 판단이요, 어디서 비롯되었는지 추적할 수 없는 감정이다.

Into the Grammar

정답 및 해설 p. 59

A

괄호 안에서 문맥에 알맞은 것을 고르시오.

1 The roof of this cabin isn't (strong / weak) enough to endure the heavy snow.

2 It's (useful / useless) arguing with him. He never admits defeat even when he's wrong.

3 It was (careless / necessary) of you to put your bike in a public place unlocked.

4 Joe is in an awkward situation—he (is considering / promised) to go to two parties at the same time.

B

빈칸 안에 들어갈 수 없는 하나를 고르시오.

1 ______________ from the rain, I was glad to put on dry clothes.

ⓐ Getting soaked ⓑ Soaked ⓒ Having soaked

2 The boss ______________ to let him leave work early on the day of his kid's piano recital.

ⓐ refused ⓑ minded ⓒ planned

C

괄호 안 단어를 문맥에 맞게 배열하여 문장을 완성하시오.

1 ____________________________________ $14,000, the painting is the most expensive item sold today. (been / sold / for / having)

2 The store promises it will do anything ____________________________________.
(to / can / the customers / it / satisfy)

3 Cleaning out half the garage, the twins decided they _________________________ _________________________ any more work. (tired / do / to / were / too)

4 My school bag was all wet because I ran all the way _________________________ _________________________ the pouring rain. (to / it / exposed / with)

Read it #1

1

다음 글의 제목으로 가장 적절한 것은?

An eco-friendly substitute of artificial fertilizers was introduced by Warm Heart* recently. With biochar*, farmers could increase their yields without purchased chemical fertilizers, saving money and protecting the environment. **Applied to fields**, biochar encourages soil life and improves soil fertility. It also protects crops against disease and pests. Warm Heart field tests demonstrate that biochar soil outperforms synthetic fertilizers in rice fields by more than 10%. The use of biochar has major public health benefits too. Since synthetic fertilizers are believed **to have been** a major cause for farmers' concern about working in the field, the introduction of a chemical-free replacement is good news to both farmers and environmentalists. Farmers who suffered from chemical poisoning from pesticide use or from farming contaminated land will be the primary beneficiaries of biochar. Over time, the large-scale use of biochar in soil will decontaminate water flows and remove toxins from the food chain, eventually bringing about major public health benefits.

*Warm Heart: 환경 프로그램을 운영하는 태국의 비영리 단체.
*biochar: 바이오 숯(탄소를 다량 함유한 토양 대체제)

① Artificial Fertilizers: A Threat to Soil and Farmers' Lives
② Synthetic Fertilizers: A Double-Edged Sword
③ Biochar: A Hope for Soil and Humans
④ Ever-Increasing Risks in Rural Life
⑤ The Secret in Biochar Production

eco-friendly 친환경적인 substitute 대체물 artificial 인공의, 인위적인 fertilizer 비료 *cf.* fertilize 비옥하게 하다 fertility 비옥함 yield 산출량; 산출하다 apply to ~에 적용하다 soil 토양, 흙 crop 농작물 disease and pest 병충해 outperform 더 나은 결과를 내다, 능가하다 synthetic 합성한, 인조의 concern 염려, 우려 -free ~로부터 자유로운, ~이 없는 replacement 대체물 suffer from ~으로 고통받다 pesticide 살충제 contaminate 오염시키다 *cf.* decontaminate 오염물질을 제거하다 primary 제1의, 주요한 beneficiary 수혜자 toxin 독성물질, 독소 food chain 먹이사슬 bring about (결과를) 가져오다, 낳다

[선택지 어휘] threat 위협 double-edged 양날의; 상반된 두 가지로 이뤄진

정답 및 해설 p. 60

2

다음 글에 드러난 'I'의 심경 변화로 가장 적절한 것은?

I can't forget the moment that I first set foot on the campus. The air was full of youthful spirit, and I was more motivated than ever in my life. I started my college life **filled** with enthusiasm for my studies and for my adult life I had just started. I was proud of myself for coming home late after finishing my part-time work. But my first semester at college showed me that working students face problems at school and at work. I was just **too** tired **to** begin the day especially when I had an early morning class, and it triggered the same problem at the workplace. Sometimes I came to work very tired, and it ruined everything. When I didn't get enough sleep I would become rude to fellow co-workers, and then the rudeness got me into trouble. I remember one particular time a co-worker reported me to my supervisor. She must have felt my attitude was too aggressive. What happened? She **spent** half an hour **complaining** about my job performance. **Having stood** there all the while **feeling** I was losing control of myself, I exploded. Of course, I was asked to leave early that night. I never want to go back to those times again.

① motivated → proud
② excited → frustrated
③ regretful → angry
④ stressed → satisfied
⑤ fearful → hopeful

set foot on ~에 발을 내딛다 youthful 젊은, 청춘의 spirit 기운, 정신 motivated 의욕 있는, 동기 부여가 되어 있는 enthusiasm 열정 be proud of ~을 자랑스러워하다 part-time 시간제의 semester 학기 face 직면하다, 마주치다 especially 특히 trigger 촉발시키다, 유발하다 workplace 일터 ruin 망치다, 엉망으로 만들다 rude 무례한 *cf.* rudeness 무례함 fellow 동료(의) co-worker 직장 동료 get A into trouble A를 곤란에 빠뜨리다 particular 특정한 supervisor 감독관, 관리자 aggressive 공격적인 job performance 업무 수행 all the while 내내 lose control of ~을 제어할 수 없게 되다 explode 폭발하다
[선택지 어휘] frustrated 좌절감을 느끼는 regretful 후회스러운 satisfied 만족스러운 fearful 두려워하는

3 서술형

사건에 대해 수집된 다음 사항들을 읽고, 관련 후속 보도 내용의 빈칸을 완성하시오.

1) There was a fire in a sugar cane* field in Cagua, western Venezuela, on Thursday.
2) Witnesses said strong winds at the plantation*, where the crops were being burned, changed the direction of the fire.
3) The victims were children hunting for rabbits on the plantation.
4) The cloud of heavy smoke cut off the children's visibility.
5) Authorities are investigating if the fire was accidental or arson*.
6) Farmers often burn the fields this time of year during harvest, and villagers **try to catch** animals as they come up from underground to escape the flames.
7) The animals are a main source of food for the poor in Venezuela.

*sugar cane: 사탕수수
*plantation: 대규모 농장
*arson: 방화(에 의한)

A Routine Fire Ends in Tragedy

Strong winds caused a ⓐ f_____________ to spread quickly at a plantation in western Venezuela where farmers were about to cut sugar cane crops. Heavy smoke made it impossible **for** a group of children ⓑ h_____________ for rabbits **to** immediately **leave** this area, causing their deaths. The governor said the ⓒ v_____________ were all aged between 10 and 18.

The plantation in Cagua, Venezuela was set on fire by sugar company workers in order to effectively ⓓ h_____________ sugar cane. It is a 30-year-old tradition **for** ⓔ v_____________ **to visit** the plantation and **hunt** for rabbits that come out from underground and when caught are used for cooked meals.

witness 목격자 crop 곡물, 작물 cut off 차단하다, 가로막다 visibility 시야, 가시거리 authorities 당국 *cf.* authority 권위 investigate 조사하다, 수사하다 accidental 우연의 harvest 수확(하다) flame 불길
[문제 어휘] spread 퍼지다, 퍼져나가다 be about to-v 막 ~하려는 참이다 governor 주지사 set A on fire A에 불 놓다, 불을 지르다

정답 및 해설 p. 61

[4~5] 블로그에 올라온 다음 질문과 답변을 읽고, 물음에 답하시오.

Q I was in my favorite yoga class recently when the teacher said, "OK, friends, breathe into your left hip. Breathe all the way into your little toe." I've heard variations of this cue a lot, but this time it struck me in a new, more puzzling way. What does that actually MEAN? How exactly does one breathe into their toes?

A As I am a yoga student myself, I can picture your ___(A)___ face when given the instruction. My way of understanding the cue is thinking of it as just a visualization to **help bring** my ___(B)___ to the area. You cannot actually 'breathe into' a body part except your lungs. Right, but I **try to 'imagine'**—focus on—that part of my body when given a cue like that. Just ___(C)___ the body part and relax the muscles around it. Then you'll feel like you're ___(D)___ energy to it.

4

서술형

다음에서 알맞은 말을 골라 빈칸 (A)~(D)를 완성하시오. (필요하면 변형할 것)

send	aware	confuse	picture

(A): ________________ (B): ________________

(C): ________________ (D): ________________

5

질문자가 겪고 있는 어려움에 해당하는 것은?

① 난이도 있는 요가 자세를 잡기가 힘듦
② 요가의 호흡법이 너무 많아 혼란스러움
③ 요가가 자기에게 잘 맞는 운동인지 확신이 안 듦
④ 요가 강사의 지시 내용이 잘 이해되지 않음
⑤ 특정 요가 자세가 잘 구사가 안 됨

breathe 숨 쉬다, 호흡하다 hip 엉덩이 all the way 내내, 끝까지 toe 발가락 variation 변형, 변종 cue (행동의) 신호, 지시 strike (타격을) 가하다, 느끼게 하다 puzzling 알쏭달쏭한, 어리둥절하게 하는 *cf.* puzzle 어리둥절하게 하다 picture ~을 마음속에 그리다, 상상하다; 그림 instruction 지시, 가르침 visualization 시각화 *cf.* visualize 시각화하다, 마음속에 그리다 area 부위, 지역 part 부분 lung 폐 focus on ~에 집중하다
[문제 어휘] aware 깨닫고[자각하고] 있는 confuse 혼란스럽게 하다

FROM AN INTERVIEW WITH A FARMER USING BIOCHAR

Q What's your experience with the chemical fertilizers?

A Everyone knows that if you use chemical fertilizers for very long, it will harden your soil. So, we went to a farmer's cooperative* to learn about switching to organic fertilizer.

Q Why did you participate in the biochar test?

A I want to see my soil improve to be soft again and full of earthworms. I don't want bad soil that is acidic or alkaline.

Q What's the difference between the two fields?

A In the biochar field, the plant leaves were green and strong. In the chemical field, the plants grew fast but just for a short time. If we stopped using chemicals the plants didn't grow well, so we had to use more.

*cooperative 협동조합

SUMMARY

목적어로 쓰이는 to부정사와 동명사

to부정사만 목적어로 취하는 동사	want, promise, offer, decide, refuse, plan, hope ...	I **want to invest** in your business.
동명사만 목적어로 취하는 동사	enjoy, finish, stop, avoid, consider, give up ...	Mom doesn't **enjoy cooking** these days.
둘 다 목적어로 취하는 동사	start, begin, love, like, continue, prefer ...	The train **started moving[to move]**.
to부정사/동명사에 따라 뜻이 달라지는 동사	remember, forget regret, try	The author **forgot to sign** my book. I sent the money again, **forgetting sending** it the other day.

동명사 관용표현

I **could not help saying** yes to the offer. We **had difficulty deciding** the winner.	• cannot help v-ing: ~하지 않을 수 없다(= cannot but+v) • have difficulty[trouble] v-ing: ~하는 데 어려움이 있다

to부정사, 분사, 분사구문의 확장

Isn't she **too** beautiful **to** be your partner? – No, I'm good **enough to** be her partner. I **had** my room **cleaned** this morning, but it's not clean at all. – Sorry, I'll **have** another cleaner **clean** your room again. The boys are **watching** ants **carrying** their food to their nest. Don't sit **with** your legs **crossed**.	• too ~ to-v: ...하기에 너무 ~한 • ~ enough to-v: ...하기에 충분히 ~한 • 사역동사+O+p.p.: O가 ~되도록 하다 *cf.* 사역동사+O+동사원형: O가 ~하게 하다 • 지각동사+O+v-ing[v]: O가 ~하고 있는[하는] 것을 ...하다 • with+O+C[p.p./v-ing]: ~가 ...된/하고 있는 채로

준동사의 동사적 성질

It's important **not to make** the same mistake again.	부정형: not to-v
It's necessary **for teens** to know what's happening in the world. How silly **of him** to miss a big opportunity!	for+의미상주어(이성적 판단의 말 뒤) of+의미상주어(성격 판단 형용사 뒤)
He seems **to have studied** this subject deeply. **Having been visited** by so many tourists, the place is unrecoverably polluted.	완료형: to have p.p. 완료수동형: 완료형(시점이 앞섬)+수동

CHAPTER

12

문장의 확장: 접속사 (1)

접속사가 보이면
주어 동사가 다시 시작된다는 것
다시 집중해야 한다는 신호

UNIT 1

종속절을 이끄는 접속사: 명사절, 형용사절, 부사절

미리보기 각 문장에서 괄호 안 요소를 찾아 밑줄 치고, 밑줄 부분의 주어(S) 동사(V)를 각각 표시하시오.

1 Tell your sister that dinner's ready. (직접목적어)
2 You can leave the classroom when the bell rings. (때를 나타내는 말)
3 My friend can play any song she hears without practicing. (동사의 목적어)

◆◆ 문장에 주어+동사, 즉 절이 한 개 이상 이어질 때 중심이 되는 주절과 부수적인 종속절을 다양한 접속사와 관계사가 연결한다. 종속절은 기능에 따라 명사절, 형용사절, 부사절로 나뉜다.

A The US government has declared **that it will not negotiate with terrorists.**

B **Whether the astronaut will survive the space travel** is everybody's concern.

C My roommate always asks me **where I went** and **who I was with**.

D The man **who sat next to me on the subway** was snoring all the way.

E I was embarrassed **when I spilled the soup all over the floor**.

Grammar PLUS

① 명사절의 종류

- I believed (*that*) you were my friend. ▶ that 명사절(~라는 것)
- I'm wondering **if** you're my friend (*or not*). ▶ if 명사절(~인지 아닌지(=whether))
- I don't understand **why** you lied to me. ▶ 의문사로 시작하는 명사절: 의문사+S+V

② 자주 사용되는 that 명사절 패턴: 동사의 목적어 / 주격보어 / 가주어-진주어

- I think ... / I didn't realize ... / Many people believe ... / No one noticed ... / The findings show ...
- The problem is that ... / What's important is that ... / Chances are that ... (아마 ~일 것이다)
- It is said that ... / It is clear that ... / It seems that ... / No doubt that ... (~인 것은 틀림없다)

Check it 괄호 안의 접속사가 문장에 위치할 적절한 곳에 ✔표시하시오.

1 I asked Mom my friend could stay for supper. (whether)
2 The nurse comforted the kid's parents by saying the burn was minor. (that)
3 The kids are doing an experiment to see their magnets are. (how strong)
4 Our worry about Bill's safety turned to anger he walked in idly two hours later. (when)
5 A benefit of taking a DIY class is you can save money by making simple things yourself. (that)

A 미국 정부는 테러리스트와는 협상하지 않겠다고 선언했다. B 우주비행사가 우주여행에서 살아남을지가 모두의 관심사이다. C 내 룸메이트는 늘 내게 어디 갔었는지, 누구와 함께 있었는지를 캐묻는다. D 지하철에서 내 옆에 앉았던 남자는 내내 코를 골고 있었다. E 수프를 바닥에 온통 쏟았을 때 나는 창피했다.

UNIT 2

등위접속사와 상관접속사

미리보기 다음 문장의 빈칸에 but이 들어갈 수 없는 것은?

1) The house was small ____________ pleasant.
2) It could be cold ____________ wet, so pack some extra clothes.
3) The freshman listened to the economics class ____________ understood nothing.

◆◆ 두 개 이상의 대등한 단어, 구, 절을 연결하는 등위접속사(and, but, or, so, for(왜냐하면))와 A B, 다른 요소와 쌍을 이뤄 쓰이는 상관접속사(both A and B, either A or B, neither A nor B, not A but B(B, not A), not only A but also B(B as well as A))가 있다. C D E 상관접속사로 연결된 A, B 요소 중 하나가 두드러지는 경우에 주목한다. E

A The politician apologized for her cold **and** thoughtless remark.

B The scary faces stared at me and chanted, "Trick **or** treat!"

C The country's industry is on the increase, **both** in export **and** in domestic sales.

D The earth is our home, **neither** a playground **nor** a junkyard.

E We are what we repeatedly do; excellence, then, is **not** an act **but** a habit.

Grammar PLUS

① **명령문+and / 명령문+or**

- Speak louder, **and** they will hear you. ▶ 명령문+and: ~해라, 그러면 ...할 것이다
- Speak louder, **or** they will not hear you. ▶ 명령문+or: ~해라, 그러지 않으면 ...할 것이다

② **상관접속사와 수일치**

- **Both** salad **and** bread *are* served with this dish. ▶ both A and B(A와 B 둘 다) — 복수
- **Either** that man **or** these boys *are* lying. ▶ either A or B(A와 B 둘 중 하나) — B에 수일치
- **Neither** plan A **nor** plan B *sounds* good to me. ▶ neither A nor B(A와 B 둘 다 아닌) — B에 수일치
- The parents **as well as** the child *have to* come by 8 am. ▶ A as well as B(B뿐 아니라 A도) — A에 수일치

  = **Not only** the child **but also** the parents *have to* come by 8 am. ▶ = not only B but also A

Check it 다음 괄호 안에서 알맞은 것을 고르시오.

1 Handling the job requires (not / not only) responsibility but also communication skills.
2 Many people want to conserve the environment (but / for) don't know what they can do.
3 The coach says no more complaining about practice, (and / or) it will start with a two-mile run.
4 I bet the small face in the back row is (either / neither) Alex or Ray.

A 그 정치인은 냉담하고 경솔한 발언에 대해 사과했다. B 무서운 얼굴들이 나를 노려보고는 '사탕 줄래, 장난 줄까![맛있는 것을 주지 않으면, 장난칠 거야!]'라고 계속 외쳤다. C 그 나라의 산업은 수출과 내수 판매 둘 다에서 성장세이다. D 지구는 놀이터나 쓰레기 처리장이 아닌 우리의 집이다. E 우리는 우리가 반복적으로 하는 그것이다. 그렇다면 탁월함은 행위가 아니라 습관이다.

UNIT 3

문장에 다양한 의미를 보태는 부사절: 시간, 이유, 조건, 양보

미리보기 각 문장에서 앞뒤 내용을 자연스럽게 이어줄 접속사를 고르시오.

1 (Because / Though) they live in the same house, they seldom speak to each other.
2 I like spending time with Jin (because / even if) he is amusing.
3 (If / Though) you don't reduce your spending, you can't expect to save money.

◆◆ 부사절을 이끄는 접속사는 다음과 같다.

- 때: when, while, until, since(~한 이래로), as soon as(~하자마자)
- 이유: because, as, since(~이기 때문에)
- 조건: if, unless(~하지 않는다면), as long as(~하는 한)
- 양보: (al)though, even though, even if

A The child in the supermarket kept crying **until** his mother found him.

B The hospital sent an ambulance **as soon as** the news of the accident came in.

C I hate to go to the movies with Pete **because** he criticizes everything he sees.

D **Unless** you come right now, we're going to leave without you.

E All our used cars run perfectly **even though** they look quite old.

Grammar **PLUS**

부사절 if vs. 명사절 if

- Your kids[S] will be disappointed[V] / **if** you[S'] cancel[V'] the family trip. ▶ 수식요소 — 부사절
  ('~한다면')
- I[S] can tell[V] (from their looks) **if** my kids are disappointed or not[O]. ▶ 동사의 목적어 — 명사절
  ('~인지 아닌지(=whether)')

Check it 각 문장을 주절과 종속절로 구분하고(/), 종속절을 우리말로 해석하시오.

1 My apartment is a mess since I have no time to clean it. ____________________

2 We sang a song for Dad while the candles were glowing on the cake. ____________________

3 He forgot to bring the book with him even though I reminded him several times. ____________________

4 One of us has to remain home until the groceries are delivered. ____________________

5 Unless you are trying to lose weight to please yourself, it's hard to stay motivated. ____________________

A 슈퍼에 있던 아이가 엄마가 자기를 찾을 때까지 계속 울었다. B 사고 소식이 들어오자마자 병원에서 앰뷸런스를 보냈다. C Pete는 보는 것마다 전부 혹평을 늘어놓기 때문에 나는 그와 영화 보러 가는 것을 몹시 싫어한다. D 네가 지금 바로 오지 않으면 우리는 너 빼고 갈 거야. E 우리 중고차는 모두 보기에는 꽤 낡아 보여도 완벽하게 잘 달립니다.

Into the Grammar

정답 및 해설 p. 65

A

빈칸에 공통으로 들어갈 말을 써넣으시오.

1) The red symbols ______________ are placed above a dish show how spicy the food is.

2) The girl's typical excuse for being late is ______________ the bus got stuck in traffic.

3) We thought the new student was unfriendly, but it turns out ______________ he's just very shy.

B

괄호 안에서 알맞은 것을 고르시오.

1 After school, Mark helps his father in the shop, so he has (little / a little) time to hang around with his friends.

2 "It's a good story, Bess," said the teacher, "but you've included a lot of (important / unimportant) details."

3 After completing the 10-mile walk for charity, we felt exhausted (and / but) happy.

C

각 문장에서 어법상 틀린 부분을 찾아 맞게 고치시오.

1 Control your emotions, and they will control you.

2 The job requires either sensitivity and creativity.

3 Our vacation was a disaster: not only was the food terrible, nor the weather was also awful.

D

각 문장의 빈칸에 문맥에 알맞은 종속접속사를 써넣으시오.

1 ______________ excited at starting a new life, Kevin felt sorrow for all his friends he was leaving behind.

2 The end of the movie is unsatisfactory ______________ it doesn't show what happened to the hero.

3 I knew that ______________ I did not bring my ID card, I would not be admitted to the hall.

Read it #1

1

다음 글의 요지로 가장 적절한 것은?

We often hear, "Stay open-minded **while talking with others.**" During the course of your conversations, however, you will almost certainly end up disagreeing with the person you are conversing with. Try to understand their viewpoint. This does not mean **that you need to agree with everything you hear**. This would be foolish. However, a sensible man does not reject someone based on a disagreement. Actually, all the arguments poured out during the debate help you to develop your own point of view. During the whole process, try to stay calm. Don't be quick to anger. For example, don't start talking louder **because someone has angered you**. Simply react calmly and try to resolve the issue. Of course you don't necessarily need to disguise your emotions. You might be angry, **but don't let that feeling affect the way you behave**.

① 감정을 드러내지 않아야 논쟁에서 주도권을 쥘 수 있다.
② 상대방의 감정을 이해해야 논쟁을 유익하게 이끌 수 있다.
③ 현명한 사람은 논쟁에서 큰소리를 삼가고 말을 최소한으로 한다.
④ 논쟁 중에 감정에 휘둘리지 말고 쟁점에 집중해야 한다.
⑤ 논쟁은 대개 서로 간의 갈등으로 끝나기 마련이다.

open-minded 마음이 열린, 마음이 탁 트인 **end up v-ing** (결국) ~하는 것으로 끝나다 **disagree with** ~와 의견이 안 맞다, 부딪치다 *cf.* **disagreement** 의견 충돌, 불일치 **converse** 대화를 나누다 *cf.* **conversation** 대화 **viewpoint** 관점, 시각(= point of view) **sensible** 현명한, 지각 있는 **reject** 거부하다 **based on** ~에 기반하여 **pour** (액체를) 쏟다; (말 등이) 거침없이 쏟아져 나오다 **debate** 논쟁 **calm** 침착한 **anger** 화; 화나게 하다 **not ~ because** ...라고 해서 ~하지 않다 **loud** 큰소리로 **resolve** (문제를) 해결하다 **issue** 논쟁점, 이슈 **necessarily** 꼭, 반드시 **disguise** 숨기다, 위장하다 **affect** 영향을 끼치다

정답 및 해설 p. 66

2

다음 글의 빈칸에 들어갈 말로 가장 적절한 것은?

It is said **that some people only apply for jobs for which they feel they are a 100 percent match**; however, others do so **even when they meet no more than 60 percent of the requirements**. Why do certain people apply for a job that they were only 60 percent qualified for? "Yeah, **if it's something I'm interested in**, I can figure it out **as I go along**. Where better to learn than on the job?" This is the way my husband thinks **when facing a new job opportunity**. And **what's interesting** is, nine times out of ten, he's gotten the job. And he's done great work every time. This made me think long and hard. How many times have I missed an opportunity **because I felt unworthy**? "It's better not to waste my time trying than getting everything ready for the job application only to be disappointed in the end." This ______________________ thinking keeps us from the jobs we would love to try but feel unqualified for, the friendships we'd like to pursue, and the projects we want to tackle.

① first-come first-served
② what is done cannot be undone
③ all-or-nothing
④ the end justifies the means
⑤ never say never

apply for[to] ~에 지원하다, 신청하다 **match** 딱 맞는[어울리는] 것 **meet** 충족시키다 **no more than** 고작 ~인, ~에 불과한 **requirement** 필수조건 **qualified for** ~에 자격이 있는, 조건을 갖춘 **figure out** 알아내다 **go along** 진행하다, 계속해나가다 **on the job** 실무에서, 현장에서 **face** ~을 마주하다, 직면하다 **nine times out of ten** 열에 아홉은, 십중팔구는 **unworthy** 자격이 없는(= unqualified) **application** 지원, 신청 *cf.* **apply** 지원[신청]하다 **in the end** 결국엔, 끝에 가서 **pursue** 추구하다 **tackle** (문제를) 다루다; ~와 논쟁하다
[선택지 어휘] **serve** 대접하다, 시중들다 **undo** 원상태로 돌리다, 없었던 것으로 만들다 **end** 목적; 끝 **justify** 정당화하다 **means** 수단

Read it #2

[3~4] 다음 글을 읽고, 물음에 답하시오.

The secret to happiness is being able to love whatever you do in life. And what does this all have to do with choosing the right course for you? It all starts here. **Find** the right course, at the right university or college, **and** you will be inspired to succeed. So how do you make the right ___(A)___? The first step to do so is to ask yourself **how you like to learn**. Most of you have been students for almost ten years. Hopefully you have some idea by now of **how you prefer to learn**. Some people prefer big exams like mid-term and final exams, **while others like regular assignments to keep them busy throughout the year**. Some like theory, others like practical hands-on application; some like to work in groups, others like to work individually. Some like to present their assignments verbally, others prefer to create written reports. **Choose** a course that ___(B)___ your learning style, **and** you will be more confident in your success. Or, do you want to challenge yourself? Then choose a course **that will take you out of your comfort zone***!

*comfort zone: 안전지대(낮은 수준의 걱정과 스트레스를 느끼며 꾸준한 수준의 수행이 가능한 영역)

3 **빈칸 (A), (B)에 들어갈 말이 알맞게 짝지어진 것은?**

① decision — opposes
② choice — suits
③ recall — supports
④ choice — opposes
⑤ step — contradicts

4 **각 항목에 대비되는 개념을 윗글에서 찾아 쓰시오.** (어형 변화 가능)

1) mid-term and final exams ↔ ______________ ______________

2) ______________ ↔ practical application

3) presenting assignments verbally ↔ ____________ ____________ ____________

4) ______________ ______________ ↔ staying in my comfort zone

whatever ~은 뭐든지 have A to do with ~와 A의 관련이 있다 course 강좌, 과정 inspire 영감을 주다 hopefully 바라건대, 희망컨대 by now 이제쯤 mid-term 중간의 final 기말의; 최종의 throughout ~ 동안 내내 theory 이론 practical 실질적인 hands-on 직접 해보는, 체험의 application 적용, 응용 individually 개별적으로, 제각각 present (생각, 의견 등을) 제시하다, 내놓다 verbally 말로, 구두로 confident 자신감 있는 challenge 도전장을 던지다
[선택지 어휘] oppose ~에 맞서다, 반대하다 recall 기억(하다), 회상(하다) contradict 어긋나다, 모순되다

[5~6] 다음 글을 읽고, 물음에 답하시오.

When picking a career, young people prefer to do something that is both enjoyable and well-paying. It's important ① to be informed at a young age about job-related findings. Medicine-related careers are still seen as the most ② promising jobs, and jobs within the tech industry are becoming even more in demand now.

Nurse practitioner: Do you enjoy working with people and ③ helping them? **If so**, becoming a nurse practitioner might be just the career for you. You have to obtain at least a bachelor's degree from a certified medical institution within the country **if you wish to apply for a position**. Generally, the studies and their length are much less demanding than ④ that required to become a physician.

Software engineering manager: Smaller companies usually fuse the roles of a software engineer and software development manager. This means **that you can also find a job in the IT field that ⑤ requires only a bachelor's degree or official certificates on top of a high school diploma**. Unlike development managers, software engineering managers focus more on the maintenance of programs and solutions. They explore ways to increase energy efficiency and prevent any unexpected malfunctions.

5 위에 소개된 두 직업에 대한 설명으로 맞지 않은 것은?

① 타인을 돕는 데서 기쁨을 느끼는 사람에게 간호 일이 잘 맞을 수 있다.
② 국내외 의료훈련기관에서 관련 학사학위 취득 후 임상 간호사로 취업할 수 있다.
③ 소프트웨어 공학 관리자는 소프트웨어 개발 관리자보다 자격 기준이 덜 엄격하다.
④ 고교 졸업자도 관련 자격증 취득 후 소프트웨어 공학 관리자가 될 수 있다.
⑤ 소프트웨어 공학 관리자는 프로그램의 문제 해결과 유지 관리 업무를 주로 맡는다.

6 밑줄 친 ①~⑤ 중 어법상 틀린 것을 찾아 맞게 고치시오.

enjoyable 즐거운 well-paying 보수가 좋은 inform 정보를 주다, 알리다 -related ~와 관련된 finding (연구, 조사) 결과 promising 유망한, 장래성 있는 tech 과학기술(= technology) industry 산업 in demand 수요가 있는 nurse practitioner 임상 간호사 (의사가 하는 일의 많은 부분을 훈련받은 간호사) obtain (노력 끝에) 얻다, 손에 넣다 bachelor's degree 학사 학위 certified 공인된, 보증된 institution (학교 등의) 공공기관, 협회 length 길이 demanding 부담이 큰, 힘든 required 필요한 physician (내과)의사 fuse A and B A를 B와 결합시키다[합치다] IT 정보과학(= information technology) official 공식적인 certificate 자격증, 증서 on top of ~의 위에, ~에 더해 diploma 학위 maintenance 유지 explore 탐구하다 efficiency 효율 malfunction 고장, 오작동

Mark your level of interest for each activity shown. Do not worry about whether you have the skills or training to do the activity. Simply think about whether you would enjoy doing it or not.

	Dislike	Neutral	Like
Doing scientific experiments			
Planning a marketing strategy for a new company			
Repairing an electric fan			
Illustrating a children's book			
Helping a disabled person with their daily routine			
Working in a chemistry lab			
Designing magazine ads			
Writing a script for a television show			
Counseling a person with depression			
Editing a movie			
Planning educational games for preschool children			
Taking apart a car engine			
Doing laboratory tests to diagnose diseases			
Composing a song			
Giving a speech in front of many people			

SUMMARY

등위접속사

a *small* **and** *trivial* problem — A, B는 순접관계
a *small* **but** *important* decision in your life — A, B는 역접관계
Which do you prefer: *fried* **or** *barbecued* chicken? — A, B는 선택사항
The cookie tasted good, **so** I ate more and more. — A(원인)–B(결과)
I want to have my own computer, **for** sharing something means trouble. — B는 진술 A의 근거, 이유

상관접속사

Both my boyfriend **and** I bought the green color. — both A and B: A와 B 둘 다
We can take **either** the bus **or** the subway to get there. — either A or B: A와 B 둘 중 하나
Neither a latte **nor** an Americano *has* sugar in it. [× have] [× doesn't have] — neither A nor B: A와 B 둘 다 아닌
She studied **not** in Canada **but** in Australia. — not A but B: A가 아니라 B
Not only my sister **but also** *my cousins* are graduates of the school. — not only A but also B: A뿐 아니라 B도
My cousins **as well as** my sister are graduates of the school. — B as well as A: A뿐 아니라 B도

종속접속사

I believe **that** he can solve it. — S+V+that+S′+V′
I wonder **if** he can solve it (**or not**) in time. — S+V+if[whether]+S′+V′(+or not)
I'll ask him **how** he solved it. — S+V+의문사+S′+V′
What is *the first thing* **that** you do **when** you face a problem? — 명사+관계대명사+S′+V′+[when+S″+V″]

부사절의 종속접속사

You can use any facility of our hotel **while** you stay here. — when, while, until, as soon as ... <시간>
An exit sign should be bright **because** it should guide people in an emergency. — because, since, as ... <이유>
If you buy this product, you can get one more for free. — if, unless, as long as ... <조건>
Though the shirt has a button missing, I'll take it. — though, although, even though <양보>

CHAPTER

13

형용사 수식어 (2): 관계대명사

종류도 많고 예외도 많고
한 가지 확실한 건
긴 이야기도 명사를 꾸밀 뿐이라는 것

UNIT 1

두 가지 쟁점: 절에서의 역할, 선행사의 성격

미리보기 예시와 같이 밑줄 친 backpack을 묘사하는 요소에 괄호 치시오.

예 Anna carries schoolbooks in a (purple) backpack.

1 Anna carries schoolbooks in a backpack decorated with letters.

2 Anna carries schoolbooks in the backpack that she bought at the school bazaar.

◆◆ 주어-동사를 갖춘 절이 명사를 꾸며 형용사 기능을 할 때 <명사+[관계대명사(주격)+V/관계대명사(목적격)+S+V]>의 구조를 띤다. 이 명사(선행사)의 종류와 관계사절 내의 관계대명사의 역할에 따라, 관계대명사는 who, which, whom, whose의 다양한 모양을 띤다. 사람을 받는 who(m)와 사물을 받는 which 대신 that을 쓸 수 있다. B

A That big dog in the junkyard growls at everyone [**who** *goes by*].

B The potential extinction of whales is a problem [**that** *deserves* worldwide attention].

C Positive thinking reduces the amount of stress [(***which***) you experience in your life].

D The sweater [**whose** color goes well with my skin tone] is my favorite.

E The man [(***who***(***m***)) the witness is pointing *to*] will be investigated.

Grammar PLUS

① 관계대명사의 주격·목적격·소유격: who·whom·whose

- I saw *a girl* [who looked^V just like your sister]. ▶ who+V (S)
- I saw *the actress* [(*who*(*m*)) you^S admired^V ● so much]. ▶ (who(m))+S+V: 목적격 관계대명사는 생략 가능 (O)
  [✕ whom you admired **her** ~]
- We have *a girl* in our class [*whose name* is^V the same as yours]. ▶ whose+명사+V (S)

② what vs. which[that]: 명사절 vs. 형용사절

- Be appreciative of **what you have**^O. ▶ what(~하는 것) = the things which[that]
  ×Be appreciative of *which* you have.
- Be appreciative of **the things [(*that*/*which*) you have]**^O. ▶ the thing(s) [(*that*/*which*) S+V]

Check it 다음 괄호 안에서 알맞은 하나를 고르시오.

1 Be willing to invest in things (that / what) matter.

2 From (which / what) I have observed so far, he is critical about everything.

3 The student gave the very answer the interviewers were (looking / looking for).

4 The posters that are displayed in the hall ⓐ (was / were) all designed by the participants of the festival which ⓑ (is / are) held every year on Art Day.

A 쓰레기 처리장의 저 큰 개는 지나가는 사람 누구에게든 짖는다. B 고래의 잠재적인 멸종은 전 세계의 주목을 받을 만한 문제이다. C 긍정적인 사고는 당신이 삶에서 경험하는 스트레스의 양을 줄인다. D 내 피부색과 어울리는 색의 그 스웨터는 내가 가장 좋아하는 것이다. E 목격자가 가리키고 있는 그 남자가 조사받을 것이다.

UNIT 2

관계부사=전치사+관계대명사: 명사 아닌 부사

미리보기 둘 중 빈칸에 알맞은 것에 ✓표하시오.

	which	where
1 Is this the building ________ was completed last month?	☐	☐
2 Is this the place ________ we can buy all kinds of flowers?	☐	☐
3 Is this the building ________ I have saved all my money for?	☐	☐

◆◆ 문장에서 <전치사+A>가 부사 요소로 쓰이듯 <전치사+관계대명사>도 부사 요소로, 이 중 '장소, 시간, 이유, 방법/양태'는 특히 where, when, why, how의 관계부사로 나타낼 수 있다. 관계사절 내에서 부사라는 점이 관계대명사와 다르며, 부사이므로 중요 문장 성분은 빠짐없이 갖춰진 <명사+[관계부사+S+V]>의 구조를 띤다. 관계부사는 that으로도 쓰이고 생략도 가능하다.

A October is the month **in which** we expect quite a few holidays.

B People in the countries **where** I stayed during my business trip were kind.

C Is that the reason **for which** you decided to live alone?

D Modern inventions such as the TV and cell phone have brought about changes in **the way** we spend our time.

E The runners in the race soon reached a point **where** it was hard just to breathe.

Grammar PLUS

① 관계대명사와 관계부사: 명사 vs. 부사

- Is this *the building* [(which) you^{S} built^{V} ●]? ▶ You built the building^{O}: 동사의 목적어—명사
- Is this *the building* [(in which) you^{S} live^{V}]? ▶ You live (in the building): 장소 정보—부사

② the way vs. how

- I like **the way** he makes me laugh. ▶ how는 생략
- I like **how** he makes me laugh. ▶ the way는 생략
- I like **the way that** he makes me laugh. ▶ [× the way how]

③ <전치사+관계대명사>의 다양한 양상

- These are the people **(whom/who/that)** I spent my glorious days **with** ●. ▶ 목적격/주격/that

  → These are the people **with whom** I spent my glorious days. ▶ [× with who] / [× with that]

Check it 괄호 안 단어가 들어가기 적절한 곳에 ✓표하시오.

1 Keep recording the dates you didn't have a bad dream overnight. (when)

2 The reason I got that phone so cheap is that it's not a brand-new one. (why)

3 I still don't understand the mechanism cars operate. (by which)

4 Show me you chop onions and carrots again. (the way)

A 10월은 우리가 꽤 많은 휴일을 기대하는 달이다. B 출장 중 내가 머물렀던 나라들의 사람들은 친절했다. C 그게 네가 혼자 살기로 결심한 이유야? D TV나 휴대폰 같은 현대적 발명품들은 우리가 시간을 보내는 방식에 변화를 가져왔다. E 경주의 주자들은 곧 숨 쉬는 것만도 힘든 지점에 이르렀다.

UNIT 3

주의해야 할 관계사 구조들

미리보기 다음 중 자연스러운 문장을 모두 고르시오.

1) I spent the whole night playing video games, that made Mom upset.
2) I spent the whole night playing video games, and it made Mom upset.
3) I spent the whole night playing video games, which made Mom upset.

◆◆ 멀리 떨어진 명사를 관계사절이 수식하는 경우A, 관계사절이 두 개의 절로 이뤄진 경우B, 선행사가 5형식 구조의 관계사절의 목적어에 해당하는 경우C, 앞말을 <콤마(,)+관계대명사>로 보충 설명하는 경우D, 삽입절로 인해 관계사절의 구조가 복잡한 경우D E, 목적격 관계대명사가 동사의 목적어가 아니라 전치사의 목적어인 경우E 등에 유의하자.

A I've found *a cafe* in our neighborhood **where** I can do my work.

B The floor is made of a material **that** *looks* like wood but *isn't*.

C This is *a book* **which** you'll *find hard* to quit once you start.

D I have a friend **who** *I believe* is always on my side.

E To find your purpose in life, think about a talent **that** you were born *with*; something **that** you enjoy doing and *you feel* would benefit the world by *doing*.

Grammar PLUS

① 한정적 용법 vs. 계속적 용법(콤마(,)+which)

- You need to get *a job* [**which** gives you satisfaction]. ▶ 어떤 job인지 한정(=that)
- I've got *a new job*, **which** gives me satisfaction. [×that] ▶ a new job에 대한 추가적인 설명(= *and it* gives ~)

② 계속적 용법의 특징

- I love *to sit next to the driver's seat*, **which** promises a good view. ▶ (= *for it* promises ~)
- *He told small and big lies before*, **which** kept me from trusting him fully. ▶ (= *and it* kept ~)
- Unlike *his brother*, **who moved to the city,** Gary wants to stay in his hometown. ▶ 삽입 구문
- I have *many international friends*, some of **whom** love Korean food. ▶ (= *and some of them* love ~)

Check it 밑줄 친 부분이 문장에 필요하면 O, 그렇지 않으면 X표하시오.

1 The painting he is working on now is a scene of the Sun setting behind the sea.
2 Music may be one way to express the feelings artists find them hard to reveal in everyday life.
3 The first ten weeks after birth is what scientists think is the critical period of a baby's development.
4 We Koreans share many values, and most of which are handed down generation by generation.

A 나는 작업할 수 있는 동네 카페를 하나 찾아냈다. B 마룻바닥이 목재로 보이지만 목재가 아닌 소재로 만들어져 있다. C 이 책은 일단 시작하면 관두기 힘들다고 느끼게 될 책이다. D 나는 내가 믿기로 항상 내 편인 한 친구가 있다. E 인생의 목표를 찾기 위해서는 네가 갖고 태어난 재능, 즉 네가 즐겨 하며 (네가) 함으로써 세상을 이롭게 하겠다고 느껴지는 것에 대해 생각해보라.

Into the Grammar

정답 및 해설 p. 71

A

다음 문장의 빈칸에 that이 들어갈 수 없는 것을 고르시오.

1) Today's game will be proof of the plays ______________ the team practiced all summer.

2) People inquired about the hours ______________ the clothing store is open.

3) ______________ we picked when we came last time is not on the menu today.

4) The reasons ______________ the great team hasn't won a game are unclear to experts as well as to fans.

B

각 문장의 밑줄 부분에서 틀린 것을 찾아 맞게 고치시오.

1 The bird should live in a forest which it flies freely to seek its own food.

2 I thought for days about the mistakes I made them in the presentation.

3 September is the month during that we expect sales to increase.

4 The wall is decorated with handprints of foreign movie stars that has visited our country.

5 When the player scored the goal that wins the championship, the fans went wild.

6 The song, that was the first single of Rogers' album, *Eyes That See in the Dark*, soared to No. 1 on the Billboard Hot 100.

C

주어진 단어를 알맞게 배열하여 빈칸 (A), (B)를 완성하시오.

A successful man is one (A) ______________________________ with the
(foundation / who / firm / lay / a / can)
bricks others (B) ______________________________.
(thrown / him / at / have)

Read it #1

1

다음 글의 제목으로 가장 적절한 것은?

Clinical trials provide information about whether a drug is safe to use and can effectively treat or prevent a disease. People may have many reasons for participating in clinical trials. In addition to contributing to medical knowledge, some people participate in clinical trials because there is no treatment for their disease, treatments **they tried** have not worked, or they are not able to tolerate the current treatments. For such people, The Right to Try Act (or the Trickett Wendler, Frank Mongiello, Jordan McLinn, and Matthew Bellina Right to Try Act) was signed into law on May 30, 2018. This law is one more precious chance for patients **who have been diagnosed with life-threatening diseases or conditions, who have tried all the other approved treatment options** and **who are unable to participate in a clinical trial to access certain unapproved treatments**.

① Gap Between Medical Theory and Clinical Trials
② Current Treatments for Terminal Patients
③ Approved Treatments Are Not the Solution for Some
④ A New Act Offers an Opportunity for the Sick
⑤ Efforts of the Medical Field to Pass a New Act

clinical trial 임상 실험 treat 치료하다, 처치하다 *cf.* treatment 치료(제) prevent 예방하다 disease 질병 participate in ~에 참여하다 in addition to ~ 이외에, ~에 더하여 contribute to ~에 기여하다 medical 의학적인, 의학의 knowledge 지식 work (약 등이) 듣다, 효과가 있다 tolerate 견디다 current 현재의 right 권리 act 법률, 법령 sign (서명하여) 승인하다, 조인하다 diagnose 진단하다 life-threatening 생명을 위협하는 condition (몸의) 상태; 질환 approve 승인[인가]하다, 괜찮다고 허가하다(↔ unapproved 허가가 안 난) option 선택(사항) access 접근(하다), 이용(하다)
[선택지 어휘] gap 격차; 틈 theory 이론 terminal 말기의, 종점의

정답 및 해설 p. 72

2

글의 흐름으로 보아, 주어진 문장이 들어가기에 가장 적절한 곳을 고르시오.

> But what if your client wants you to look after him while he goes running in a park **where everyone is a potential attacker?**

Who hires bodyguards and for what? It may be a celebrity wanting protection. Or it may be a political leader **that has a genuine threat against him**. (①) According to "stereotypes" of bodyguards, they should wear suits and sunglasses at all times. (②) They should at least have a large muscular shape **that stands out and is noticed by all around**. (③) Then you need to be physically fit enough to be able to do this task and should not be someone **who will start lagging behind*, thus unable to react properly in case something occurs on the way**. (④) A more important quality required for a prospective bodyguard is good situational awareness: a sharp eye **with which you constantly scan the surroundings**. (⑤) It is this quality that may identify and stop a would-be attacker before an attack begins.

*lag behind 뒤처지다

client 고객 **look after** ~을 돌보다[살피다] **potential** 잠재적인; 잠재력 **attacker** 공격자 **hire** 고용하다 **celebrity** 유명인 **protection** 보호 **genuine** 진짜의, 진정한 **threat** 위협 **stereotype** 고정관념, 전형, 표준 **muscular** 근육질의, 근육이 발달한 **stand out** 두드러지다, 눈에 띄다 **notice** 주목하다 **physically** 신체적으로; 물리적으로 **fit** (몸이) 건강한, 탄탄한 **properly** 적절하게 **in case** ~의 경우에 **on the way** 도중에 **quality** 자질 **prospective** 장래의; 유망한 **awareness** 인식, 자각 **surroundings** 주변, 환경 **identify** 정체를 파악하다, 알아내다 **would-be** ~가 되려고 하는, ~ 지망의

Read it #2

[3~6] 다음 글을 읽고, 물음에 답하시오.

Jo Cameron, 71, has a mutation in a previously unknown gene **which** __________ (~에 중대한 역할을 하는 것으로 과학자들이 믿고 있는) __________ **pain signaling, mood and memory**. The discovery has boosted hopes of new treatments for chronic pain **which affects millions of people globally**. Cameron, a former teacher **who lives in Inverness**, has experienced broken limbs, cuts and burns, childbirth and numerous surgical operations with little or no need for pain relief. But it is not only an ① ability to sense pain that makes Cameron stand out: she also never panics. Two notable mutations were found through the investigation. Together, they ② suppress pain and anxiety while boosting happiness, forgetfulness and wound healing.

The first mutation **the scientists spotted** is common in the general population. It weakens the activity of a gene called FAAH*. The gene makes an enzyme* **that breaks down anandamide***, a chemical in the body **that weakens pain sensation and boosts mood and memory**. In the mutation, anandamide is not weakened as observed in normal people. The second mutation was a missing chunk of DNA. The "deletion" occurred in another gene **the scientists later named FAAH-OUT**. The researchers think this new gene works like a volume control on the FAAH gene. Disable it with a mutation like the one **Cameron has** and FAAH falls ③ silent. Then what happens? Anandamide, a natural painkiller, ④ builds up in the system. Cameron has twice as much anandamide as those in the general population. When the researchers explained the mutations to Cameron, a lot of her past—that her multiple cuts and burns healed so swiftly—made ⑤ more sense. "I was quite amused when I found out," Cameron said. "I suppose it's good in lots of ways."

*FAAH(Fatty Acid Amide Hydrolase): 유전자의 종류. 아난다미드 분해 효소 생성에 관여.
*enzyme: 효소
*anandamide: 아난다미드(뇌 전달 물질의 하나)

mutation 돌연변이 gene 유전자 mood 기분; 분위기 boost 신장하다, 북돋우다 chronic 만성적인 limb 팔다리, 사지 cut 베인 상처, 자상 burn 화상 childbirth 출산, 분만 numerous 수많은 surgical 외과의, 수술의 operation 수술 relief 완화, 경감 *cf.* relieve (고통을) 덜어주다 sense 느끼다, 지각하다 *cf.* sensation 느낌, 감각 panic 겁에 질리다 notable 주목할 만한, 눈에 띄는 investigation 조사 suppress 억누르다 anxiety 불안, 근심 forgetfulness 망각, 건망증 wound 상처 spot 발견하다, 찾다 general population 일반 대중 break down 분해하다 chemical 화학물질 chunk 덩어리, 조각 deletion 삭제, 결손 name 이름 짓다, ~라고 부르다 disable 장애를 입히다, 망가뜨리다 painkiller 진통제 build up 쌓이다, 점점 많아지다 multiple 다수의 swiftly 신속히, 빨리 make sense 의미가 통하다, 이해가 되다 amused 즐거운, 재미있는

정답 및 해설 p. 73

3
서술형

첫 문장에 주어진 우리말과 같은 뜻이 되도록 아래 단어들을 알맞게 배열하여 빈칸을 완성하시오.

____

(believe / in / play / scientists / must / major / role / a)

4

①~⑤ 중 문맥상 어휘의 쓰임이 적절하지 않은 하나를 골라 맞게 고치시오.

____________________ → ____________________

5
서술형

What's going on inside Cameron? Fill in the blanks ⓐ~ⓓ.

<table>
<tr><td>FAAH
: a gene that quickens the breakdown of anandamide
Anandamide
: a ⓐ c________ that reduces pain sensation
FAAH-OUT
: volume controller of FAAH</td><td>Mutation 1
: weakened FAAH

Mutation 2
: missing chunk in FAAH-OUT</td><td>➡</td><td>Anandamide breaks down ⓑ l________.</td><td>➡</td><td>More anandamide ⓒ r________ in the body.</td><td>➡</td><td>Effects on the Body
: relieves pain and ⓓ b________ happiness</td></tr>
</table>

6

Cameron의 상황을 설명하는 가장 적절한 표현을 고르시오.

① No pain, no gain.
② After a storm comes a calm.
③ A blessing in disguise.
④ Ignorance is bliss.
⑤ He who laughs last, laughs best.

[선택지 어휘] play a role in ~에서 역할을 하다 quicken 촉진하다 gain 이득; 얻다 blessing 축복, 은총 disguise 위장, 변장 ignorance 무지, 무식 bliss 축복

JAMES COX, A RESEARCHER ON THE STUDY, SAID OF CAMERON:

“There’s an awful lot we can learn from her. Once we understand how the mutation works, we can think about gene therapies that mimic the effects we see in her. There are millions of people living in pain and we definitely need new painkillers for them. Patients like this can give us real insights into the pain system.”

SUMMARY

관계대명사의 역할

주격	I bought *a bag* **which** has a pocket on every side.
목적격	*The online store* **that** I *visit* ● often has a variety of goods.
목적격(전치사의 목적어)	Is this *the site* **that** you talked *about* ● the other day?
소유격	I have *a friend* **whose** tips always work.
<S+[관계대명사절]+V+O/C> 구조	The person [**who** runs the site] is a teenager. The man [**who**(**m**) I danced with at the party] was a prince. = The man *with whom* I danced at the party ~
선행사를 포함하는 관계대명사(‘~하는 것’)	**What**’s interesting about the movie is the music.

관계부사=전치사+관계대명사

전치사+관계대명사 [×in that]	This is the diary **in which** I recorded all my childhood stories.
시간 명사+when <시간>	It records *the exact time* **when** you arrive at and leave your workplace.
장소 명사+where <장소>	I can’t find *the place* **where** I hid the treasure.
the reason+why <이유>	*The reason* **why** K-pop is popular around the world is clear.
the way (how) <방법, 방식> = (the way) how	**The way** the insect carries its food is unique.

주의해야 할 관계사 구조들

멀리 떨어진 선행사	I met *a boy* in my English class **who** lived in several countries.
삽입절	The diamond is the jewel **which** *people believe* is a woman’s favorite.
명사+(관계사+V1+and+V2)	What’s the insect **that** shines in the dark *and* is used as medicine?
계속적 용법	The star has many international fans**, who** support him in every step he makes. (= and they)

CHAPTER

14

문장의 확장: 접속사 (2)

절 안의 절, 또 절
겹겹이 나오는 절들
양파 속같이, 마트료시카 인형같이

UNIT 1

접속사와 전치사: 같은 의미, 다른 구조

미리보기 괄호 부분에 접속사가 있으면 동그라미 치시오.

1 (By November), many trees have bare branches.
2 (Despite the heavy rain), we got home safely.
3 (Once he arrives), we can start.

◆◆ 접속사 뒤에는 주어-동사가 이어지고, 전치사 뒤에는 명사(구)가 이어진다. after, before, until처럼 접속사와 전치사 둘 다로 쓰이는 어구가 있고A, 우리말 의미는 같지만 접속사(because, while, though) 따로, 전치사(because of, during, despite) 따로의 쌍이 있다.B D 전형적인 접속사는 아니지만 접속사 역할을 하는 표현들에도 주목한다.C

A **After** a few minutes of playing with the hose, we all were soaked.

B **Despite** an outcry from the passengers, the bus driver went past the stop.

C **Once** I got used to the new seat, I could focus on studying.

D It is better to make a mistake **while** learning something new than to remain in ignorance **due to** the fear of embarrassing oneself.

Grammar PLUS

① **구 vs. 절**

- The minister resigned **because of** the tax scandal. ▶ because of+명사(구)
- The minister resigned **because** he[S] did[V] something illegal[O]. ▶ because+S+V

② **by vs. until**

- You're supposed to *pay off* the whole loan **by** 2045. ▶ by: 어떤 시점까지의 <완료>
- I'm afraid we *cannot meet* **until** December. ▶ until: 어떤 시점까지의 <계속>
- The police stopped traffic **until** the fallen tree[S] was removed[V] from the road. ▶ 접속사 until

③ **접속사 대용어구**

- every time ~할 때는 언제나
- on ~하자마자
- given that ~을 감안하면
- by the time ~할 때까지는
- providing that ~한다면(= if)
- in case ~의 경우를 대비해
- once 일단 ~하면
- as long as ~하는 한

Check it 다음 괄호 안에서 알맞은 것을 고르시오.

1 We had a good time (during / while) our stay in Hawaii.
2 I think she's tired after (she / her) drove four hours without stopping.
3 George kept getting taller (until / by the time) he was nearly twenty.
4 (Despite / Although) they now live far apart, their friendship has endured for decades.

A 호스를 가지고 몇 분 논 후에, 우리는 모두 흠뻑 젖었다. B 승객들이 외치는 소리에도 불구하고 버스 운전사는 정거장을 지나쳐버렸다. C 새 자리에 일단 익숙해지자 나는 공부에 집중할 수 있었다. D 창피할까 봐 두려워 모르는 채로 가만있는 것보다 뭔가 새로운 것을 배우면서 실수하는 게 더 낫다.

UNIT 2

혼동하기 쉬운 접속사

미리보기 각 문장을 둘로 나눈 뒤(/), 뒷부분을 우리말로 해석하시오.

1 Put on your helmet so that you don't get hurt.

2 The patient was so weak that he could not sit up.

◆◆ 같은 접속사가 문맥에 따라 다른 뜻으로 쓰이고 A B C 비슷해 보이지만 전혀 다른 뜻으로 쓰이는 접속사들 C D 이 있다.

A Mom prefers to stay indoors, **while** Dad likes to go out whenever possible.

B **Since** you have played the game before, you have an advantage over me.

C I have been **so** busy **since** I became the class leader **that** I can seldom find time to hang out with my friends.

D I can peel an apple **so** (**that**) the skin curls off in one long piece.

Grammar PLUS

① 접속사들의 다양한 의미

- while ~하는 동안<때, 시간>; ~하는 반면<비교, 대조>
- since ~ 이래로; ~ 때문에
- so ~ that ... 너무 ~해서 ...하다 <정도 및 결과> vs. so (that) ~하도록 <목적>

② 다양한 as

- The train swayed a bit **as** it crossed the rough track. ▶ ~하면서 <때>
- **As** the dragonfly has no wings, it cannot fly away. ▶ ~때문에 <이유>
- We don't see things **as** they are—we see things **as** we think. ▶ ~대로
- He is more famous **as** a singer than **as** a movie star. ▶ ~로서 <전치사>
- **As** popular **as** he is, the president does not always have his own way. ▶ ~지만
- **Just as** the French love their wine, **so** the German love their beer. ▶ ~인 것과 꼭 마찬가지로 ...이다

③ now that vs. in that

- **Now that** everyone's here, we can start the meeting. ▶ ~이므로 <이유>
- I'm lucky **in that** I have a sister to do many things with. ▶ ~라는 점에서 <앞 진술에 대한 근거>

Check it

다음 괄호 안에서 알맞은 것을 모두 고르시오.

1 (Since / As / While) it was so late, the host encouraged us to stay for supper.

2 The stage lighting is very bright (so / so that / that) everyone can see the musicians.

3 I've been lucky (so that / in that) I have never had to worry about money.

4 (Now that / In that) I can walk on my own, I don't need crutches any more.

A 엄마는 실내에 있는 걸 더 좋아하는 데 반해 아빠는 가능하면 언제든지 밖으로 나가는 걸 좋아한다. B 너는 그 게임을 전에 해봤으니까 나보다 유리하다. C 나는 반장이 된 이후로 너무 바빠서 친구들과 어울릴 시간을 내기가 좀처럼 어렵다. D 나는 사과를 껍질이 긴 한 줄로 말려 떨어지게 깎을 수 있다.

UNIT 3

복합 구조 파악하기: 절 안의 절

미리보기 다음 문장을 읽고 물음에 답하시오.

The kids ⓐ became discouraged when they ⓑ found that all the ice cream bars they ⓒ wanted ⓓ were sold out.

1 밑줄 친 동사 ⓐ~ⓓ의 주어에 동그라미 치시오.
2 문장을 두 부분으로 나누고(//), 두 번째 부분을 다시 세 부분(/)으로 나누시오.

◆◆ 두 개의 절이 등위접속사로 대등하게 연결되는 구조A에서부터 주절-종속절 구조에서 종속절이 다시 주절-종속절로 나뉘거나B C E, 주절이 다시 주절-종속절로 나뉘는 등D 다양한 양상의 문장 구조를 접하게 된다. 이때 주된 것(주절)에 무게 중심을 두고 부수적인 것(종속절)을 파악하는 방식으로 읽어 나간다. 목적어절을 이끄는 that은 생략되는 경우가 많으니A C 절의 위계 구조 파악에 유의한다.

A I think (*that*) Peter has done me wrong, **but** he refuses to apologize.

B I learned quickly **that** *when* I made others laugh, they liked me.

C You may feel (***that***) you get blamed for things *that* your brothers and sisters did.

D **Since** Nancy broke up with Jay, he acts in an awkward way *whenever* they meet.

E **What** surprised us the most was **that** he hardly ever had his car repaired *since* he bought it.

Grammar PLUS

명사절·형용사절·부사절 복합구조

• *Anyone*^S [who thinks^V' / that he cannot believe^V'' / what is not seen^O''] / would sympathize^V // when he^S' hears^V' the saying "To see is to believe."

[관계대명사절] 명사절(that절): thinks의 목적어 명사절(what절): believe의 목적어 부사절(when절): 언제 ~?

Check it 예시와 같이 밑줄 친 각 접속사가 이끄는 절의 범위가 큰 것에서 작은 것 순으로 번호 매기시오.

예 The bank had already closed when he realized that he needed some cash.
(when: 1, that: 2)

1 Many people believe that the use of animals for scientific research is necessary, but many other people often think that it is immoral.
2 Ted says that he quit the swimming team because he felt that he was not talented in swimming.
3 He appreciated what the neighbors had done for him when he was in trouble.
4 I hope that you know that I am here for you whenever you need me.

A 나는 Peter가 내게 잘못한 거로 생각하는데 그는 사과하기를 거부한다. B 나는 내가 다른 사람을 웃게 만들 때 그들이 나를 좋아한다는 것을 재빨리 배웠다. C 너는 형제자매가 한 일들에 대해 네가 비난받는다는 기분이 들 수 있다. D Nancy와 Jay가 헤어져서 그는 둘이 만날 때마다 어색하게 행동한다. E 우리를 가장 놀라게 한 것은 그가 차를 산 이후로 차 수리를 받은 적이 거의 한 번도 없었다는 점이다.

Into the Grammar

정답 및 해설 p. 77

A 빈칸에 공통으로 들어갈 말을 써넣으시오.

1 1) ______________ a parent, I feel that more should be done to protect our children.

2) I saw Peter ______________ I was getting off the bus.

3) ______________ she is big for her age, she can wear her mother's old coat.

2 1) Now ______________ I live near a park, I'll enjoy some of my free time there.

2) Rebecca knew ______________ if she practiced hard she'd achieve a place on the team.

3) One reason ______________ she is a good speaker is ______________ she stays cool under pressure.

B 각 문장에서 어법상 틀린 부분을 찾아 맞게 고치시오.

1 Mom trims the extra fat from the steak before she cooking it.

2 I think we developed language because our deep inner need to complain.

3 Mom and I tied several bundles of newspapers with string so that we can take them to the recycling center.

4 World War II continued by the time the defeat of Germany and Japan in 1945.

5 Even though all the efforts our government made in the international society, it failed to produce good results in the talk.

C 주어진 우리말에 맞게 어구를 알맞게 배열하여 문장을 완성하시오.

감독이 우리에게 다음 게임이 얼마나 중요한지 얘기할 때마다 나의 불안은 더 악화된다.

→ ____

my anxiety gets worse.

(us / the coach / how / is / every time / important / tells / this next game)

Read it #1

1

글의 흐름상 빈칸에 가장 적절한 말을 고르시오.

To some people, mingling at a party or talking in a crowded room is a nightmare. Why are some of us hardwired to be shy? "We think of shyness **as** a temperamental trait and temperament is like a precursor* to personality," a professor of developmental behavioral genetics says. "**When** very young children are starting to engage with other people, you see variation in **how comfortable** they are in speaking to an adult **that** they don't know." She says **that** as much as 70% of shyness traits are not genetic, but instead a reaction to our environment. **What**'s interesting about genetics, however, is **that** it drives us to select aspects of the environment **that** match our actual predispositions. For example, shy children may be more likely to ______________________ in a playground and watch everybody else rather than trying to mingle. That then makes them feel more comfortable being on their own **because** that becomes their common experience.

*precursor: 전조

① lead others
② imitate others
③ find more fun
④ isolate themselves
⑤ be active

mingle 섞이다, 어우러지다 crowded 붐비는, 혼잡한 nightmare 악몽(과 같은 일) hardwired 타고나는; 하드웨어에 내장된[설치된] think of A as B A를 B로 여기다 shyness 수줍음 temperamental 기질적인 *cf.* temperament 기질 trait 특성, 특징 personality 성격 developmental 발달의 behavioral 행동의 genetics 유전학 *cf.* genetic 유전적인 engage 관계를 맺다 variation 차이, 변화, 증감 reaction 반응 drive 이끌다; 몰아넣다 select 선별하다 aspect (사물의) 점; 측면 match 맞아떨어지다 predisposition 기질, 성향 be likely to-v ~할 가능성이 크다 A rather than B B하기보다는 A
[선택지 어휘] imitate 모방하다, 흉내내다 isolate 고립시키다, 소외시키다

정답 및 해설 p. 78

2

(A), (B), (C)의 각 네모 안에서 문맥에 맞는 낱말로 가장 적절한 것은?

Over the course of a year we give a great variety of gifts on special occasions, like birthdays, Christmas day, and wedding days. The range of possible Christmas gifts is "nearly infinite" **whereas** other occasions involve more (A) [universal / distinctive] patterns of gift giving. Weddings are unique gift occasions, **for** they are the only time **when** a single gift type—money—accounts for the majority of giving. Gift giving on other occasions is (B) [broader / finite], **but** some gifts are relatively more important than others—that is, at least one gift type is (C) [sufficiently / hardly] popular **that** it accounts for one-quarter or more of the gifts given. Those occasions are Easter* (candy is 48 percent of gifts given), Mother's Day (decorative vegetation is 33 percent), a birthday (clothing is 34 percent), Valentine's Day (candy is 45 percent), weddings (money is 65 percent), and times for expressing sympathy (decorative vegetation is 43 percent).

*Easter: 부활절(예수의 부활을 기념하는 축일)

	(A)		(B)		(C)
①	universal	……	broader	……	sufficiently
②	universal	……	broader	……	hardly
③	universal	……	finite	……	sufficiently
④	distinctive	……	finite	……	hardly
⑤	distinctive	……	broader	……	sufficiently

over the course of ~ 동안 a variety of 다양한 ~ occasion 때, 경우; 행사 range 범위, 폭 infinite 무한한(↔ finite 유한한) whereas 반면, 이에 반하여 involve 수반하다, ~가 따르다 universal 일반적인, 보편적인 distinctive 독특한, 특징적인 single 단 하나의, 단일의 account for ~을 차지하다 majority 다수, 대부분 broad 폭넓은 that is 즉, 다시 말해 at least 적어도 sufficiently 충분히(↔ insufficiently 부족하게) quarter 1/4(사분의 일) decorative vegetation 장식용 식물[초목] sympathy 공감, 연민

Read it #2

[3~5] 다음 글을 읽고, 물음에 답하시오.

From the most dramatic moment in life—the day of your birth—to your first steps, first words, and first food, most of us can't remember anything of our first few years. But interestingly, some people can remember events from **when** they were just two years old, **while** others may have no ⓐ recollection of anything **that** has happened to them for seven or eight years. **What**'s still more interesting is, this ⓑ gap in forgetting has also been observed from country to country, **where** the average onset of our earliest memories can vary by up to two years.

Could this offer some clues to explain the ⓒ blank beforehand? To find out, psychologist Qi Wang at Cornell University collected hundreds of memories from Chinese and American college students. **As** the national stereotypes would predict, American stories were longer, more elaborate and egocentric*. Chinese stories, on the other hand, were briefer and more ⓓ factual. Also, Americans seemed to remember the past more than the Chinese.

Those with more detailed, self-focused memories seem to be ⓔ harder to recall **since** developing your own perspective helps add more meaning to the events. "It is the difference between thinking 'There were tigers at the zoo' **and** 'I saw tigers at the zoo and **even though** they were scary, I had a lot of fun,'" says Robyn Fivush, a psychologist at Emory University.

*egocentric: 자기중심의

dramatic 극적인 recollection 기억, 회고 still 더욱 더 gap 격차, 틈 observe 관찰하다 average 평균(적인) onset 공격, 엄습; 시작 vary 다르다, 변화하다 offer 제공하다; 제안하다 clue 실마리, 단서 blank 공백 beforehand 이전의; 사전에 psychologist 심리학자 national 국가적 stereotype 고정관념, 선입견 elaborate 정교한; 상세한 brief 간단한, 짧은 factual 사실에 입각한 detailed 자세한, 세부적인 recall 기억해내다, 회상하다 perspective 관점, 시각

3 **글의 제목으로 가장 적절한 것을 고르시오.**

① The Problem of Memory Decline in Later Life
② Different Styles of Storytelling in Different Cultures
③ The Secret of Memories: We Select What We Want to Recall
④ Can Culture Determine Our Ability to Recall?
⑤ Special Events Boosts Memories More

4 **밑줄 친 ⓐ~ⓔ 중에서 문맥상 낱말의 쓰임이 적절하지 않은 것은?**

① ⓐ ② ⓑ ③ ⓒ ④ ⓓ ⑤ ⓔ

5 서술형 **빈칸에 알맞은 말을 넣어 글의 요약문을 완성하시오.** (주어진 철자로 시작할 것)

According to the passage, the Chinese are l____________ likely to recall things that happened in their early years because their memories of themselves have not been s____________ in their memory system in a more detailed, self-centered way.

[선택지 어휘] decline 저하(되다), 쇠퇴(하다) later life 만년, 인생의 후반 determine 결정하다 boost 북돋우다, 드높이다

Wang's first memory is of hiking in the mountains around her family home in Chongqing, China, with her mother and her sister. She was about six. The thing is, until she moved to the US, she'd never been asked about the hike. "In Eastern cultures, childhood memories aren't important. People are like 'why do you care?'" she says. "If society is telling you those memories are important to you, you'll hold on to them," says Wang. The record for the earliest memories goes to Maori New Zealanders, whose culture includes a strong emphasis on the past. Many can recall events which happened when they were just two-and-a-half.

SUMMARY

접속사	전치사
after/before/until	after/before/until
though[although, even though] ~에도 불구하고	despite[in spite of] ~에도 불구하고
because[since, as] ~ 때문에	because of[due to] ~ 때문에
while ~하는 동안	during ~동안
by the time ~할 때까지는	by ~까지

접속사 대용어구

- every time ~할 때는 언제나
- on ~하자마자
- given that ~을 감안하면
- by the time ~할 때까지는
- providing that ~한다면
- in case ~의 경우를 대비해
- once 일단 ~하면
- as long as ~하는 한

하나의 접속사, 여러 뜻

while ~하는 동안 <때, 시간> My son sets the table **while** I prepare dinner.	**while** ~하는 반면 <비교, 대조> My son is talkative, **while** my daughter seldom talks at home.
since ~ 이래로 <때, 시간> Mike has been volunteering here **since** he retired.	**since** ~ 때문에 <이유> I bought a bouquet of flowers **since** it is Jenny's birthday.

다양한 as

You didn't do **as** I told you to. (~대로)
As the chart shows, the economy has been recovering since September. (~하듯이)
Just **as** adults have problems, **so** we teens have our own problems. (~와 마찬가지로 ...하다)

혼동 주의 접속사

so ~ that ... 너무 ~해서 ...하다 <정도, 결과> He is **so** serious in everything **that** he seldom smiles.	**so (that) ~** ~하도록 <목적> Put some visuals in your presentation **so that** they understand it better.
now that ~이므로 <이유> **Now that** you mention his name, I remember how he looked in our schooldays.	**in that** ~라는 점에서 <앞 진술에 대한 근거> Supper is different from dinner **in that** it is a lighter and simpler evening meal.

복합구조: 절 안의 절

I watched the whole movie, // **but** my boyfriend left / **when** it got scary.
X-rays will reveal **whether** the old man broke any bones // **when** he fell.
A great many people think ***(that)*** they are thinking // **when** they are simply rearranging prejudices.
My mother always tells my father **how good-looking** he is // **because** she knows ***(that)*** it makes him feel good.

CHAPTER

15

비교구문

무엇 무엇이 비교되는지,
어떤 점이 비교되는지,
더하고 덜한지, 같은 정도인지

UNIT 1

비교구문의 구성: 비교 대상과 비교 내용

미리보기 괄호 안에서 알맞은 것을 고르고, 비교하는 두 대상을 찾아 동그라미 치시오.

1 The watermelon is as big (as / than) a soccer ball.
2 A watermelon is usually bigger (as / than) a pumpkin.
3 A watermelon is (cheap / cheaper) in summer than in winter.

◆◆ 형용사와 부사를 원급(as ~ as)A, 비교급(-er/more ~ than)B C, 최상급(the -est/most ~ in[of]+A)D의 다양한 틀로 비교하는 비교구문에서 눈여겨봐야 할 것은 비교 대상 A와 B, 그리고 비교하는 점이 무엇인가이다.

A Most people are **about as** happy **as** they make up their minds to be.

B After forty years at the post office, Mr. Robinson works **faster** and **more efficiently than** people half his age.

C It will cost **less** to buy a new computer **than** to upgrade the old one.

D Teenagers are **the largest** consumer group **in** the game industry.

Grammar PLUS

① not as[so] ~ as

- You are **not as[so]** forgetful **as** me. ▶ A is not as[so] ~ as B (A는 B만큼 ~한 것은 아니다)
  = I'm **more** forgetful **than** you. ▶ B is more ~ than A
  = You are **less** forgetful **than** me. ▶ A is less ~ than B

② 다양한 비교대상과 비교대상의 생략

- Andy's hair is a bit curlier **than** Jack's. [× Jack] ▶ Jack's = Jack's hair
- We spend **more** money *on snacks* **than** *on books*. ▶ on snacks vs. on books
- *The price of the skirt* is **higher than** *I expected*. ▶ 실제 가격 vs. 예상 가격 ((the price) I expected)
- *Larger cars* have **bigger** capacity engines. ▶ than+비교대상 생략 (than *small cars*)

Check it 괄호 안에서 알맞은 것을 고르시오.

1 I picked the gray kitten because it was the (livelier / liveliest) of the four.
2 I have to admit your make-up is funnier than (me / mine).
3 The new employee is doing the task as (good / well) as his predecessor.
4 Some people find e-books (more convenient / more conveniently) than paper books.
5 It takes less time to do something right now (as / than) to try to make an excuse for not doing it.

A 대부분의 사람은 거의 마음먹는 만큼 행복하다. B 우체국에서 40년을 근무한 후 Robinson 씨는 그의 나이의 절반인 사람보다 더 빨리 그리고 더 능률적으로 일한다. C 쓰던 컴퓨터를 업그레이드하는 것보다 새 컴퓨터를 사는 게 비용이 덜 들 것이다. D 십 대는 게임 산업에서 가장 큰 소비자층이다.

UNIT 2

비교구문의 단골: that[those], 대동사, 비교급 강조, 배수사, 차이의 by

미리보기 밑줄 친 much가 나머지와 다른 하나는?

1) You don't need to sprinkle that much pepper on it.
2) After adding salt, the stew tastes much better.
3) The dough feels much stickier this time.

◆◆ 비교 대상 A, B의 어구 반복을 피하기 위해 that[those], 대동사가 자주 쓰인다.A B 비교급을 강조하는 어구들C, A, B의 차이를 구체적으로 밝히는 배수사 표현D, 격차 정도를 보여주는 전치사 by의 쓰임E에 주목한다.

A The tickets for finals are more in demand than **those** for other matches.
= the tickets

B My kids comprehend computer programs better than I **do**.
= comprehend computer programs

C Medical knowledge a century ago was **much inferior to** what it is today.

D The Earth is almost **twice as** big **as** Mars.

E He runs the one-hundred-meter dash faster than John **by** 2 seconds.

Grammar PLUS

① than이 아닌 to를 쓰는 표현

- superior to ~보다 우수한
- inferior to ~보다 못한
- prefer A to B B보다 A를 좋아하다
- senior to ~보다 나이 든[손위의]
- junior to ~보다 어린[손아래의]

② 비교급 강조 표현

- **a lot** easier 훨씬 더 쉬운
- **far** more difficult 훨씬 더 어려운
- **even** more slowly 훨씬 더 천천히
- **much** bigger 훨씬 더 큰
- **still** more popular 훨씬 더 인기 있는

③ 배수사 표현

- A human lives about **four times longer than** a dog. ▶ A ~ times 비교급 than B
  = A human lives about **four times as long as** a dog. ▶ A ~ times as 원급 as B
  cf. twice as 원급 as: 두 배 더 ~하다
  = A human's lifespan is about **four times that of** a dog. ▶ A ~ times 명사 (of) B

Check it 각 문장에서 틀린 곳을 찾아 맞게 고치시오.

1 Workers in professional fields prefer suits than casual wear, especially when attending a meeting.
2 The condition of the town grew much bad when two more factories closed.
3 People are more convinced by reasons they discovered themselves than by that found by others.
4 He looks more energetic than he does a month ago.
5 The worldwide birthrate decades ago was five times high than that of today.

A 결승전 입장권은 다른 경기 것보다 수요가 더 많다. B 우리 아이들이 나보다 컴퓨터 프로그램을 더 잘 이해한다. C 한 세기 전의 의학 지식은 오늘날보다 훨씬 더 수준이 떨어졌다. D 지구는 화성의 거의 두 배이다. E 그는 John보다 백 미터 달리기가 2초 더 빠르다.

UNIT 3

숨은 의미를 읽어야 하는 비교 표현들

미리보기 예시처럼 빈칸을 완성하시오.

예 The younger a kid is, the more curious he is.	**a kid** : young	→ **he** : curious
1 The busier I am, the more stressed I feel.	**I** : busy	→ **I** : feel ________
2 The bigger a car is, the more gas it needs.	**a car** : ________	→ **it** : needs ________ gas

◆◆ 부정 표현을 이용한 비교구문A, <the+비교급 ~, the+비교급 ...> 구문을 포함한 관용 표현들C D E이 있다. 원급, 비교급, 최상급 틀을 이용해 표면적인 것과는 다른 의도를 전달하는 비교 표현들의 의미 파악에 주의한다.A B

A **No other** member of our group sings **better than** she.

B My brother finishes his meal **earlier than any other** member of our family.

C The rescue team responded **as** quickly **as possible** to the emergency.

D Creativity is **not less** important **than** hard work in this field.

E **The better** you treat your body, **the longer** it will stay healthy.

Grammar PLUS

① 부정 주어로 시작하는 비교 표현

- **No** other ride in this park is **more thrilling than** this. ▶ No (other)+명사 ... 비교급 than A
- = **No** other ride in this park is **as thrilling as** this. ▶ No (other)+명사 ... as 원급 as A
- = This is **more thrilling than any other** ride in this park. ▶ A ... 비교급 than any other+명사
- = This is **the most thrilling** ride **in** this park. ▶ A ... the 최상급 in+범위/of+구성원

② 관용적 비교 표현

- as many as ~만큼 많은 <수>
- as much as ~만큼 많은 <양>
- as ~ as possible 가능한 ~하게[최대한 ~하게]
- at most 최대한
- at least 최소한
- get 비교급 and 비교급 점점 더 ~해지다
- more or less 다소, 약간
- more and more 점점 더 많은
- to make matters worse 설상가상으로
- what's worse 더 나쁜 것은
- A not more[less] than B A가 B보다 더[덜] ~하지 않다

Check it 각 문장을 굵은 부분에 유의하여 우리말로 해석하시오.

1 **No one** cares **more** about you **than** your family.
아무도 네 가족보다 너에 대해 ________________________.

2 **The more** one judges, **the less** one loves.
________________________ 사랑하는 마음은 줄어든다.

3 In a presentation, how you deliver is **not less** important **than** what you deliver.
프레젠테이션에서는 어떻게 전달하느냐가 ________________________.

4 Students are **getting busier and busier** as they go up the ladder of school grades.
학생들은 학년의 사다리를 올라가면서 ________________________.

A 우리 그룹의 다른 어떤 멤버도 그녀보다 노래를 잘하지 못한다. B 나의 오빠는 다른 어떤 식구보다 식사를 빨리 마친다. C 구조팀은 긴급사태에 최대한 신속히 대응했다. D 이 분야에서는 창의성이 열심히 하는 것보다 덜 중요하지 않다[열심히 하는 것만큼이나 중요하다]. E 너의 몸을 잘 대할수록 그것은 더 오래 건강을 유지할 것이다.

Into the Grammar

정답 및 해설 p. 83

A

각 문장에서 비교대상을 찾아 밑줄 치고 등장 순으로 A, B 표시한 후, 비교되는 성질에 대한 우위를 부등호 (> 또는 <)로 표시하시오.

1 Some people adapt to change more quickly than others. A ☐ B

2 The quality of their new product line is supposedly superior to that of their previous models. A ☐ B

3 Even more valuable than the silver prize cup is the pride in his talent that the player has gained. A ☐ B

4 After the tension of waiting for the audition, the applicant felt that actually performing was easier. A ☐ B

B

각 문장에서 어법상 틀린 곳을 찾아 맞게 고치시오.

1 My memories about the accident are as vividly as photographs.

2 The new stadium can accommodate three times many people as the old one.

3 His most recent book is much interesting than his other books.

4 The energy consumption of the electric vehicle is significantly lower than those of traditional gasoline-powered cars.

5 The more early you get up, the more time you have to do something.

C

주어진 단어를 알맞게 배열하여 비교급 문장을 완성하시오.

1 Mom says this budget shampoo is as good ______________________.
(more / brands / as / expensive)

2 I will give you ______________________________.
(offered / as / money / they / twice / much / as)

3 The more real a character of a drama is, the more ______________________
______________________________.
(is / it / popular / become / to / likely)

Read it #1

1

다음 글의 밑줄 친 부분 중, 어법상 틀린 것은?

The accomplishments of the Greeks and Romans form the foundations of Western civilization. But ① what each of them pursued was different. It was the Greeks that investigated the aims of life, and it was the Romans that governed and administered. The Greeks thought **more** of harmony and proportion, ② while the Romans' priority was given to utility. Greek education favored the intellectual development of males; Roman education stressed male rights, duties, and obligations, particularly of the father. He ruled the family with absolute authority. Roman women were generally **more** ③ **highly** regarded in their role of wife and mother **than** their Greek counterparts. However, they were not permitted to be citizens of Rome. The great importance of family life and the enormous authority of the Roman father, ④ who included even the power of life and death over both wife and children, led a woman's education ⑤ to be largely a function of her home life.

accomplishment 업적, 성취 the Greeks[Romans] 그리스[로마] 사람들 form 형성하다 foundation 토대, 기초 Western civilization 서구 문명 pursue 추구하다 investigate 조사하다, 파고들다 aim 목표(하다) govern 통치하다, 다스리다 administer (조직, 국가 등을) 운영[관리]하다 proportion 균형, 조화; 비율 priority 우선순위 utility 효용, 유용(성) favor 호의를 보이다, 편애하다 intellectual 지적인; 지식인 stress 역점을 두다, 강조하다 obligation (법적, 도덕적) 책무, 의무 particularly 특히 rule 다스리다 absolute 절대적인 authority 권위, 권력 highly 크게, 매우 regard 여기다, 간주하다 counterpart 상응하는 사람[것], 대응물 permit 허가하다 citizen 시민 enormous 막대한, 엄청나게 큰 include 포함하다 lead 이끌다 largely 주로, 대부분 function 기능

정답 및 해설 p. 84

2

다음 빈칸에 들어갈 말로 가장 적절한 것을 고르시오.

A few decades ago, world leaders believed that they could hasten economic progress in poor countries with extensive aid and investment programs. They encouraged private companies to invest as well. Much of the money that was poured into those countries, however, went into grandiose but unproductive projects, supporting over-valued currencies and enriching corrupt officials. After failures in Latin America, Africa, and southern Asia, the political will in much of the West has moved increasingly to the opposite strategy of ______________.
More and more analysts now say that economic freedom—the ability of people of a society to take economic actions, on the foundation of free markets* and free trade—is the main driver of economic development. They claim that **those countries with the most economic freedom** have **higher** rates of economic development **than those with less economic freedom**, and that poor countries can stand on their feet only by winning economic freedom through adoption of the free market system.

*free market: 공급과 수요 관계에서 공급, 수요, 가격의 어느 것도 규제받지 않고 가격이 자유롭게 형성되는 시장

① forcing rich countries to give a bigger hand to poor countries
② stressing the importance of economic cooperation between nations
③ stopping aid to countries holding a different political posture
④ turning their back on international society
⑤ letting poor countries fix themselves

hasten 서두르다, 진척시키다 extensive 광범위한, 폭넓은 aid 원조, 구조 investment 투자 private 사적인, 개인의 as well ~도 또한 pour 쏟아 붓다 grandiose 거창한, 웅대한 unproductive 비생산적인 overvalue 과대평가하다 currency 통화, 화폐 enrich 부유하게 만들다, 풍부하게 하다 corrupt 부패한 official 관리; 공직의 increasingly 점차 opposite 정반대의 strategy 전략, 작전 analyst 분석가 take action 행동[조치]를 취하다 driver 동인(변화에 작용하는 직접적 원인), 추진력 *cf.* drive (~하게) 몰다 stand on one's feet 자립하다 adoption 채택; 입양 *cf.* adopt 채택[입양]하다
[선택지 어휘] force 강제하다 posture 입장, 자세 fix 해결하다, 고치다

Read it #2

3 다음 글을 읽고, 글의 내용에 맞게 아래 대화를 완성하시오.

서술형

The rate of return to schooling appears to be nearly two percentage points **greater** for females **than** for males despite the fact that females tend to earn **less**. A survey reveals that a **higher** return to schooling for females appears to be the norm. One of possible explanations is the harmful impact of discrimination. Other factors that cause women to accept wage offers that undervalue their characteristics could have contributed to the data. It is hypothesized **the better educated** a woman is, **the more able and willing** she is to overcome her handicaps and compete with men in the labor market. The tendency that women choose to work in sectors where education is relatively highly valued could explain the higher female return rate for schooling.

A Hi, I heard your sister quit her job.

B Yes, she'll go to school ⓐ i____________ of getting a new job. She decided to pursue higher education to gain valuable skills.

A It can't have been an easy decision. Now that she is an adult, she cannot depend on your parents any more for all the expenses.

B That's why she had a hard time ⓑ m____________ the decision. At her past jobs, she was not paid enough. Her plan is to invest some money and time for her future. She'll go into a professional field this time.

A Then she'll likely get paid ⓒ m____________ better, and the job itself will be more stable than ⓓ t____________ she has had so far.

B I hope so.

schooling 학교교육 appear ~처럼 보이다, ~인 것 같다 nearly 약 ~, 거의 ~ percentage point 퍼센트포인트(두 백분율 간의 차이를 나타내는 단위) despite the fact that ~의 사실에도 불구하고 tend to-v ~하는 경향이 있다 *cf.* tendency 경향 norm 표준, 전형; 규범 impact 영향 discrimination 차별 factor 요인 wage 임금 undervalue 과소평가하다 characteristic 특징, 특성 contribute to ~에 기여하다 hypothesize 가설을 세우다, 추정하다 willing 기꺼이 하는 *cf.* be willing to-v 기꺼이 ~하다 overcome 극복하다 handicap 단점, 결점 compete with ~와 경쟁하다 labor market 노동시장 sector 부문 relatively 상대적으로 value 가치 있게 보다
[문제 어휘] pursue 추구하다, 쫓다 expense 비용 professional 전문적인 stable 안정적인 so far 지금까지

정답 및 해설 p. 85

[4~5] 다음 글을 읽고, 물음에 답하시오.

The work-from-home job force is rapidly expanding with an increasing number of people kissing the dreaded commute to the workplace goodbye. Thanks to ever-evolving technologies like cloud computing*—not to mention texting and email—it's no longer necessary to be physically in an office to be a productive member of the team. In fact, many kinds of work ________________________ as when they are done in the office. ① As appealing as remote work is to employees, it wouldn't be such a strong trend if employers didn't also recognize benefits from their side of the desk. ② According to a survey, companies that have implemented virtual workplaces appreciate the cost savings on office facilities, estimated to be as much as $10,000 a year per employee. ③ The money is mostly spent providing more spacious offices for the employees. ④ Virtual workplaces create **greater employee productivity, fewer missed workdays** due to illness or commuting problems, and a **much bigger pool** of potential workers to choose from. ⑤ Also, in the event of a natural or manmade disaster, a distributed workforce is **in a better position** to keep operations running.

*cloud computing: 클라우드 컴퓨팅(정보를 자신의 컴퓨터가 아닌 클라우드(인터넷)에 연결된 다른 컴퓨터로 처리하는 기술)

4 ①~⑤ 중 전체 흐름과 관계<u>없는</u> 문장은?

5 주어진 표현을 알맞게 배열하여 빈칸 문장을 완성하시오.

서술형

→ ________________________

(effectively / a home office / be done / as / from / just / can)

job force 노동력, 인력(= workforce) expand 확장되다 kiss A goodbye A에게 작별을 고하다, 더는 A하지 않다 dread 두려워하다; 두려움 commute 통근(하다) workplace 직장, 일터, 작업공간 ever-evolving 점점 진화하는, 늘 발전하는 not to mention ~은 말할 것도 없고 texting 문자 주고받기 physically 신체적으로 productive 생산성 있는 *cf.* productivity 생산성 appealing 매력적인 remote work 원격 근무 *cf.* remote 멀리 떨어진 employee 직원 *cf.* employer 고용주 trend 경향 implement 시행하다, 이행하다 virtual (컴퓨터를 이용한) 가상의 appreciate 진가를 알다; 감사히 여기다 facility 편의시설 estimate (수치를) 추정하다 spacious 널찍한 missed workday 결근일 illness 질병 pool 이용 가능 인력; 공동 기금 potential 잠재적인 in the event of ~할 경우에, ~의 발생시 natural disaster 자연재해 manmade disaster 인재(人災) distributed 널리 분포된[분산된] operation 가동; 작전; 수술

CHECKLIST FOR A WORK-FROM-HOME ENVIRONMENT

1 **Do you have a suitable workspace?**
A workspace will help people get in a work mode—whether it's a dining room table or a home office.

2 **Are you less productive, equally productive, or more productive than when working in the office?**
If employees are productive and hitting deadlines, remote working could be a long-term possibility if many employees enjoy it.

3 **Do you have a healthy work-life balance when working from home?**
It's important to get fresh air — whether it's a lunchtime walk, a break in the garden or exercise after work.

4 **Do you have all the equipment needed to fulfill your role?**
This is crucial. We employees need the same equipment as we would in the office; otherwise, our performance may suffer and our stress can increase.

원급, 비교급, 최상급

Fall is **as short as** spring. Fall is **shorter than** winter. Winter is **the longest** season *of all*.	• A as+원급+as B: A는 B만큼 ~하다 • A 비교급+than B: A는 B보다 더 ~하다 • A the+최상급 of+총원[in+범위]: A는 ... 중에서[...에서] 가장 ~하다
Summer nights are **not as[so]** hot **as** summer days. Summer nights are **less** hot **than** summer days.	• A not as[so]+원급+as B: A는 B만큼 ~하지 않다 • 열등 비교: A는 B보다 덜 ~하다

비교급 추가 학습

The flavor of an orange is different from **that** of a mandarin. *The names of children* these days are more creative than **those** in the past.	• 비교대상 병렬구조(the flavor—that) (the names—those)
You *spoke* more clearly than I **did**.	• 대동사 병렬구조(spoke—did)
Winter nights are **much** longer than summer nights.	• 비교급 강조 표현: much, a lot, even, still(훨씬 더 ~)
LTE is **superior to** 3G in speed.	• than 대신 to를 쓰는 표현: superior, inferior, senior, junior, prefer
KTX is almost **two times faster than** a regular train. = KTX is almost **twice as fast as** a regular train. = The KTX's speed is almost **two times the speed of** a regular train.	• A ~ times 비교급 than B (A는 B의 몇 배 ~하다) = A ~ times[twice] as 원급 as B = A ~ times the+명사 (of) B
Our team is leading **by** three points. There's only one minute left.	• 격차의 by(~의 차이로, ~만큼)

숨은 의미를 읽어야 하는 비교 표현들

No other star in the night sky is **as bright as** the North Star. = **No other** star in the night sky is **brighter than** the North Star. = The North Star is **brighter than any other** star in the night sky. = The North Star is **the brightest** star **in** the night sky.	• No other ... as 원급 as A (부정주어 최상급) = No other ... 비교급 than A = A 비교급 than any other ... = A the+최상급 in+범위[of+총원]
The closer a star is, **the brighter** it is.	• The+비교급 ~, the+비교급 ...: ~하면 할수록 더 ...하다

CHAPTER

16

특수구문

표준을 벗어난 변칙,
변칙을 통한 강조,
효율을 위한 생략과 줄임,
같고도 다른, 작지만 중요한 것들 다 모여

UNIT 1

병렬, 생략, 대동사

미리보기 각 문장에서 어법상 틀린 곳을 찾아 맞게 고치시오.

1 My dream is not as big as you.
2 The interviewee responded with a carefully and detailed explanation.
3 She picks up a book and started to read it.

◆◆ and, but, or 등으로 이어지는 병렬구조에서 열거되는 각 요소는 같은 형태를 취한다.A 이때 중복되는 부분은 일부 생략되기도 한다.B C 대구를 이루는 구조에서 중복 부분 생략D E과 대동사[대명사, 대부정사] 등으로의 치환F도 문장에서 군더더기를 덜어낸다.

A All cruelty springs from **hard-heartedness** *and* **weakness**.

B It's time for you **to stop** being shy *and* (**to**) **tell** him that you like him.

C If you are stressed by anything external, the pain is not **due to** the thing itself, *but* **to** your estimate of it.

D The women *were* in one room, **the men in another**.

E I prefer visiting historical places **when traveling** abroad.

F He seldom *tells his story*, but he's very serious when he **does**.

Grammar PLUS

① 중복을 피하는 다양한 장치들

- A curious mind is an intelligent **one**. ▶ 부정대명사(= mind)
- Fold the paper in half as I **do**. ▶ 대동사(= fold the paper)
- You can borrow my notebook if you want **to**. ▶ 대부정사(= to borrow it)

② 병렬구조 파악하기

- All are supposed **to get** here *and* **register** for the seminar before it starts. (A: to get here, B: register for the seminar) ▶ to부정사 병렬
- Part of the happiness of life consists *not* **in fighting** battles *but* **in avoiding** them. (A: fighting battles, B: avoiding them) ▶ 동명사 병렬(consist in의 목적어)

Check it 괄호 안에서 알맞은 것을 모두 고르시오.

1 The old man was shaken by his fall, but (not injuring / not injured / was not injured).
2 I saw the crowd gather from nowhere and (start / started / starting) to dance together.
3 This new model is much better than (them / those / the ones) we have used.
4 Do not leave the building unless you are permitted (to / to do / to do so).
5 (When we enter / When we entering / When entering) the grounds of the air force base, we are asked to show proof of identity.

A 모든 잔인함은 무정한 마음씨와 약점에서 솟아난다. B 네가 수줍어하는 걸 그만하고 그에게 좋아한다고 말할 때이다. C 네가 외적인 어떤 것으로 스트레스를 받는다면 그 고통은 그것 자체 때문이 아니라 그것에 대한 너의 추정치[체감도] 때문이다. D 여자들은 한 방에, 남자들은 다른 방에 있었다. E 나는 해외여행 할 때는 역사적 장소에 가는 것을 선호한다. F 그는 좀처럼 자기 얘기를 하지 않지만 할 때는 매우 진지하다.

UNIT 2

강조, 도치, 부정

미리보기 괄호 안 내용에 해당하는 부분을 찾아 동그라미 치시오.

1 Have you ever seen a celebrity? (강조어)

2 Never have I imagined such a thing would happen. (전체 문장의 주어)

◆◆ 문장의 곳곳에 강조를 위한 장치들(only, just, even, such, ever, on earth(도대체), much+비교급, 강조의 조동사, 강조의 재귀대명사, not A but B 등의 상관접속사)이 등장할 수 있다. 또한 특정 어구를 강조하는 강조구문 패턴(It is ... that ~)A, 강조어구로 인한 주어-동사의 도치 패턴B, 부정어가 포함된 문장의 정확한 의미 파악에 주의한다.C D

A **It is** the short battery life **that** I don't like about my cell phone.

B *Under no circumstances* **will they reveal** who their boss is.

C I'm afraid I do**n't** get what you're saying **fully**.

D **No one** can make us feel inferior **without** our consent.

Grammar PLUS

① 강조구문 It is ~ that ...

- **It is** *the lyrics of their songs* **that** attract the public. ▶ 주어가 강조됨.
- **It is** *on this stage* **that** they made a debut. ▶ 부사구가 강조됨.
- **It was** *not until I woke up* **that** I knew I had fallen asleep. ▶ not until I woke up이 강조됨.
  [← I did*n't* know I had fallen asleep *until I woke up*.]

② 강조와 도치, 생략과 도치

- **Not only** *did* the politician *hide* the truth, but he also lied to the public. ▶ 부사구(not only) 강조
  [← He *not only* hid the truth, *but also* lied to the public.]
- **Never** *have we expected* such an overwhelming victory! ▶ 부정어(never) 강조
  [← We have *never* expected such an overwhelming victory!]
- **Were it** not for the bank, we would feel insecure about our money. ▶ 가정법에서 If의 생략 (→ CH 07)
  [← **If** *it were not* for the bank, we would feel insecure about our money.]

③ 해석에 주의해야 할 부정어 구문

- You can listen to another's beliefs **without necessarily** accepting them. ▶ 부분부정(반드시[꼭] ...하지 않고도)
- After the fire, **not one** article of furniture was **undamaged**.
  ▶ 이중부정(...하지 않은 것은 하나도 없다) → 강한 긍정(모든 ~이 다 ...하다)

Check it 각 문장의 굵게 표시된 부분을 해석하시오.

1 What **on earth** have you done to my new clothes? ______

2 It is **not necessary** for you to attend **all the meetings**. ______

3 **Not only did the president give** us a celebration call, but he also sent flowers. ______

4 **It is on Christmas morning that** kids know what gifts they'll get. ______

A 내 휴대폰에 관해 맘에 안 드는 점은 바로 짧은 배터리 수명이다. B 어떤 상황에서도 그들은 자기들 두목이 누구인지 누설하지 않을 것이다. C 전 당신이 말씀하고 계신 내용을 완전히 다 이해하지는 못하고 있는 것 같아요. D 아무도 우리의 동의 없이는 우리가 열등하다고 느끼게 할 수 없다.

UNIT 3

동격, 삽입, 부연

미리보기 다음 밑줄 친 that 중 생략될 수 있는 하나는?

1) It is a good idea that you spend some time deciding on a future career.
2) All agreed with the idea that each of us bring food for the party.
3) Everyone likes the idea that you suggested about our field trip.

◆◆ <명사(idea, news, rumor, fact, ...)+of>나 <명사+that> 뒤, 앞뒤 콤마로 앞 명사의 구체적인 내용이 이어지면 동격구문이다. A B C 콤마, 콜론(:), 세미콜론(;), 대시(—) 등의 문장부호와 that is(즉), in other words(다시 말해), or(즉, 다시 말하면) 등의 연결어도 부연 설명을 유도하는 장치이다. D E 말하는 사람의 의도나 톤을 더 잘 알려주는 삽입된 어구도 놓치지 않도록 유의하자. F

A Isn't there any possibility **of** our personal information being stolen?

B The first red and yellow leaves are a sign **that** summer is over.

C The girl depends on her guide dog, Scout, to take her everywhere.

D The woman, **who buys things in large quantities**, is an economical shopper.

E Dad sorted his CDs into three categories: **wonderful, good, and OK**.

F There's very limited evidence, **if any**, that is favorable to the suspect.

Grammar PLUS

다양한 that

- The rumor **that** the couple broke up spread fast online. ▶ the rumor = the couple ~ <동격의 that>
- **It is** a map application **that** will help you when you get lost. ▶ a map application을 강조 <강조구문>
- Don't trust me too much. My memory is not **that** good. ▶ 형용사(good)를 수식하는 부사 <지시사>
- I didn't notice **that** my girlfriend changed her hairstyle. ▶ 동사(notice)의 목적어절을 이끎. <접속사>

Check it 각 문장에서 굵게 표시된 부분이 가리키는 바를 찾아 밑줄 치시오.

1 Many girls think Leo, **the captain of the team**, is awfully handsome.
2 **The fact** that he was driven out of the company he himself founded is an irony.
3 Their new album, **which was released today**, is just a clone of their last one.
4 Recently I've created **my new motto**: Be yourself, not anybody else.
5 Do you know endorphins—**chemicals that help make you happy**—are released in your brain when you feel extreme happiness?

A 우리의 개인 정보가 도난당할 가능성은 없나요? B 최초의 붉고 노란 나뭇잎은 여름이 끝났다는 징조이다. C 그 소녀는 안내견인 Scout가 자기를 어디든 데려가 줄 것으로 의존한다. D 그 여자는, 물건을 대량으로 사니까, 알뜰한 쇼핑객이다. E 아빠는 CD를 훌륭함, 좋음, 괜찮음의 세 범주로 분류했다. F 용의자에게 유리한 증거가, 설사 있다 하더라도, 극히 제한적일 뿐이다[극히 조금밖에 없다].

Into the Grammar

정답 및 해설 p. 89

A 다음 괄호 안에서 알맞은 것을 고르시오.

1 A bee sting produces pain and (swell / swelling).

2 Teens today are more informed than we (did / were) at their age.

3 Mom says old strawberries are better than new (one / ones) for making jam.

4 Our team achieved record performance this year and (predicted / is predicted) to show even better performance next year.

B 다음 밑줄 친 ⓐ~ⓒ 중 병렬구조로 묶이지 않는 하나를 고르시오.

1 For the science project, all teams are required to send(ⓐ) one person to the weekly meeting and to make(ⓑ) suggestions to save(ⓒ) energy.

2 The view of the sea was amazing(ⓐ) with birds flying(ⓑ) in the sky and the sun setting(ⓒ) behind.

3 I hope(ⓐ) I welcome(ⓑ) every new day and live(ⓒ) each day to the fullest.

C 주어진 단어를 알맞게 배열하여 문장을 완성하시오.

1 ______________________ in hitting the button, he would have failed to buy the ticket!
(he / late / second / been / a / had / just)

2 It ______________________ I found my cell phone.
(that / bed / under / was / the)

3 Never ______________________ like that in my life.
(had / have / an / moment / such / I / embarrassing)

Read it #1

1 **다음 글의 밑줄 친 부분 중, 어법상 틀린 것은?**

A workshop for learning how to calm down ourselves and others was designed to prepare people for a variety of emergency and stressful situations. The first session of the day was run by a police officer, who offered instructions on how best to calm down a heated situation. ① What it comes down to is empathy and a calm attitude. "To de-escalate the emotions of another person, ② that person has to be willing to communicate," Jane Farrell, **Northeastern Police Department staff and a guest speaker of the Security Awareness Training event held by Northeastern University**, said. "The best thing we can do is to listen, and listen attentively." "Nonverbal cues communicate so much in these situations," she said, instructing those in the workshop ③ to be mindful of their facial expressions, **standing** in a nonthreatening way, **and giving** the upset person enough space so that he or she doesn't feel caged. "**Only after addressing the situation calmly in a nonverbal way should you consider** ④ speaking," she said. "Speak **slowly, deliberately, and clearly**. And start with **the idea that** the person in front of you has **equal and intrinsic** value as everyone else ⑤ is." she added.

workshop 워크숍(참가자 연수를 위한 합동 연구 방식의 모임), 수련회 calm 진정시키다; 침착한 *cf.* calmly 침착하게, 차분하게 design 고안하다, 계획하다 emergency 비상사태 session (전체 회의, 강습회 등의) 일부 시간[기간] run 운영하다. instruction 설명, 교육; 지시 *cf.* instruct 가르치다; 지시하다 heated 격앙된, 흥분된 come down to (한마디로) 요약되다, 설명되다 empathy 감정이입, 공감 de-escalate 확대를 막다(de- 비[탈]-) *cf.* escalate 확대하다, 악화시키다 be willing to-v 기꺼이 ~하다 department (조직의) 부서, 학과 speaker 연설자, 연사 security 안전, 보안 awareness 인식, 의식 attentively 주의를 기울여, 유심히 nonverbal 비언어적 cue 신호, 단서 be mindful of ~을 유념하다 facial expression 얼굴 표정 nonthreatening 위협적이지 않은 cage 우리(에 가두다) address 다루다, 대처하다 deliberately 신중하게, 심사숙고하여; 고의로 intrinsic 고유한, 내재적인

정답 및 해설 p. 90

2 다음 글의 목적으로 가장 적절한 것은?

At TRY—**a social purpose organization** established in 1883 in order to provide positive adult role models for disadvantaged and vulnerable young people facing barriers to education and employment—we know firsthand that mentoring changes lives! TRY Mentoring successfully **connects** at-risk and vulnerable young people aged 7-20 with a positive adult role model **and supports** volunteers **to empower, guide and listen to** young people as a fully trained mentor. Sometimes, we all need someone **to help** us see the possibilities ahead **and to put** us on a path for success. We believe it is incredibly important **to empower, support, and listen to** the voices of young people **and provide** opportunities for those wanting to try, but who have not had the chance. By intervening positively in a young person's life, we change outcomes for a community.

① 청소년의 직업 체험 프로그램을 소개하려고
② 청소년에게 멘토링 프로그램 신청을 권유하려고
③ 청소년기에 롤모델을 갖는 것의 중요성을 설명하려고
④ 멘토링의 중요성과 멘토링 참여를 촉구하려고
⑤ 청소년의 목소리가 지역사회 발전에 중요함을 알리려고

positive 긍정적인; 적극적인 **disadvantaged** 사회적으로 혜택 받지 못한, 불리한 **vulnerable** 취약한, 상처받기 쉬운 **barrier** 장애, 장벽 **employment** 고용 **firsthand** 직접 체험으로, 몸소 **mentor** 경험 있는 조언자(가 이끌어주다) **connect A with B** A와 B를 이어[연결해]주다 **at-risk** 위기에 처한 **aged** 나이가 ~인 **empower** 힘을 실어주다, 권능을 부여하다 **path** (사람이 나아가는) 길, 행로 **incredibly** 믿기지 않을 정도로, 엄청나게 **intervene** 개입하다, 관여하다 **outcome** 결과, 성과

Read it #2

3

서술형

주어진 어구를 알맞게 배열하여 글의 요약문을 완성하시오.

What is addiction? What **on earth** is it? There is still a major divide between the public understanding of addiction and the expert view. It's common to hear people casually call an activity "addictive" **just because** it's fun. Some people continue to see addiction **not as** a medical condition **but as** a moral failure, contrary to what major public health and medical organizations have said for decades now. There are still **misconceptions that** physical dependence is decisive proof of addiction. Under the expert view, however, addiction doesn't **even** require a physical dependence component. "We long ago moved away from thinking about addiction as a **physical or physiological** need for a drug," Robert West, **editor in chief for the scientific journal** *Addiction*, said. "In most cases, **it's** not the physiological dependence **that**'s causing the problem, because you can quite easily get people over that—through, **say**, supervised detoxification*. Addiction is basically a behavioral problem. It's when a person compulsively* does something even though he knows doing so would lead to negative outcomes."

*detoxification: 중독 치료, 해독
*compulsively: 강박적으로

Contrary to what is believed by many, addiction is ______________________________
____.

(rather than / that / can be solved / one / a behavioral problem / by medication)

addiction 중독 *cf.* addictive 중독성의 on earth 도대체 divide 차이점; 나누다 casually 별생각 없이, 간편하게 moral 도덕적인 misconception 오해, 잘못된 생각 physical 신체적인 dependence 의존 decisive 결정적인 component 구성요소 physiological 생리적인 drug 약물, 마약 editor in chief 편집장 *cf.* editor 편집자 get over ~를 극복하다 supervise 감독하다 behavioral 행동의, 행동에 관한 lead to ~의 결과를 가져오다, ~를 야기하다
[문제 어휘] medication 약[약물](치료)

다음 기사를 읽고, <보기>의 사건 a)~d)를 일어난 순서대로 정렬하시오.

The Joplin Humane Society, **a shelter for abandoned pets**, says **it was** the previous owners **that** stole a dog from the shelter on Tuesday. According to them, Lillie was scheduled to go to her new family today. On Jan. 14, the shelter posted on Facebook, asking for help in identifying two men in a photo. The post read, "They stole a dog right at closing time yesterday. We are very concerned for our dog's safety! Please contact us if you have any information." Today, shelter officials commented on their post, saying they found out who took the dog. "We have deleted our original post as we have found out **it was** the previous owners **that came in and stole** the dog. Thank you to everyone for sharing. We are in the process of having the police contact these people so we can get Lillie back to the shelter."

<보기>
a) Lillie was scheduled to go to her new family.
b) Lillie was found on the street and taken to a shelter, the Joplin Humane Society.
c) The shelter reported the crime to the police and posted a photo with a message asking for help.
d) Two men broke into the shelter and took Lillie away.

__________ → __________ → __________ → __________

humane 인도적인, 인간미가 있는　society 협회, 단체　shelter 피난처, 보호소　abandon 버리다, 유기하다　be scheduled to-v ~하기로 일정이 잡혀 있다　post (글을) 게시하다; 게시물　identify 정체를 알아내다　be concerned 염려되다　official (기관의) 관계자; 공무원　comment 견해(를 밝히다), 논평(하다)
[문제 어휘] crime 범죄　break into 침입하다　take away 가져가다, 치우다

QUOTES ABOUT CALMING DOWN

"You don't have to control your thoughts. You just have to stop letting them control you."

– Dan Millman -

"Nothing can bring you peace but yourself."

– Ralph Waldo Emerson -

"The greatest weapon against stress is our ability to choose one thought over another."

– William James -

"Never in the history of calming down has anyone calmed down by being told to calm down."

– Anonymous -

"Keep calm because pain makes you stronger, fear makes you braver and heartbreak makes you wiser."

– Ritu Ghatourey -

SUMMARY

병렬	Every applicant is supposed **to arrive** at least before 10 minutes before the audition *and* **(*to*) be prepared**.	중복되는 to부정사 생략
생략	I've *gathered* three cards so far; Lory and Gary, ● two and six each.	중복되는 동사 생략
대동사	All the candidates *look nervous* as I **did** when I was in my first audition.	중복되는 동사부 대신 쓰이는 대동사
강조	The teacher pointed out small and big mistakes in my report, **even** the punctuation errors. **It was** a boy in the street **that** helped the old woman find her daughter's house.	• 강조어를 통한 강조: only, just, even, such, ever, on earth, 강조의 조동사, much(비교급 강조), not A but B • <It is A that ~> 강조구문: ~인 것은 바로 A이다
도치	I swear! *Never* **did I hide** the truth from you. **Had I changed** my mind then, everything *would have changed*.	• 부정어[강조어] 도치: never, nor, only, not only ... • if 생략에 의한 도치: ← If I had changed ~
부정	I have**n't** finished the homework **completely**. There was **not** a single day that I did**n't** regret what I said and did.	• 부분부정: not+always[all] (항상 ~인 것은 아니다) not+both, every, fully, completely, necessarily, ... • 강한 긍정: 부정+부정 (~하지 않는 것은 하나도 없다)
동격	I don't like *the idea* **of** destroying old things for something new. There's *a myth* **that** people with type B blood have a relatively free way of thinking. My nickname, **Pooh**, was given because of my physical and personality characteristics**:** big and slow but friendly to everyone.	• 동격의 of • 동격의 that과 자주 쓰이는 명사: idea, news, rumor, fact, belief, myth, proof, sign, finding ... • 동격 및 부연 설명을 암시하는 문장부호: 앞뒤 콤마(,), 콜론(:), 세미콜론(;), 대시(—)
부연 및 삽입	The new model, **which will add improved comfort to your driving**, will be released next week. Find spelling or grammatical errors, **if any**, that would degrade your paper.	• 계속적 용법의 관계대명사: 선행사에 대한 부연 설명을 제공 • 앞뒤 콤마로 부연

1 구문 판매 1위 '천일문' 콘텐츠를 활용하여 정확하고 다양한 구문 학습

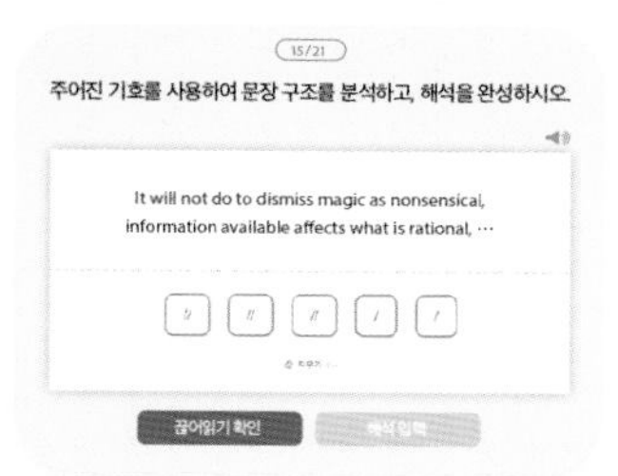

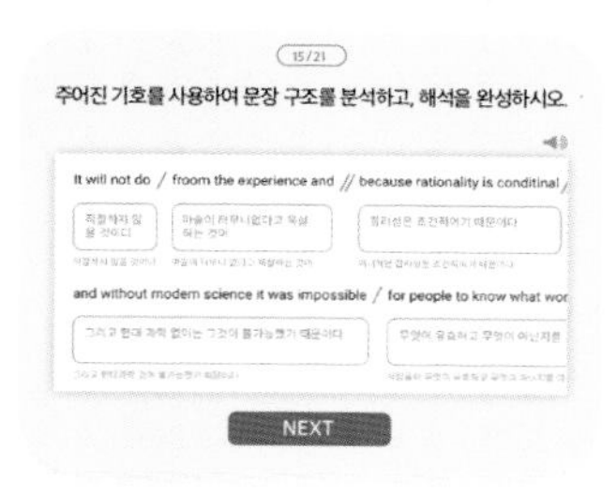

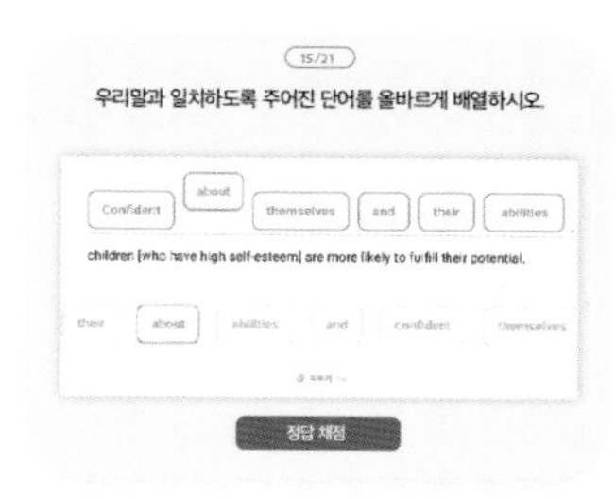

끊어읽기 해석하기 문장 구조 분석 해설·해석 제공 단어 스크램블링 영작하기

2 문법·서술형 쎄듀의 모든 문법 문항을 활용하여 내신까지 해결하는 정교한 문법 유형 제공

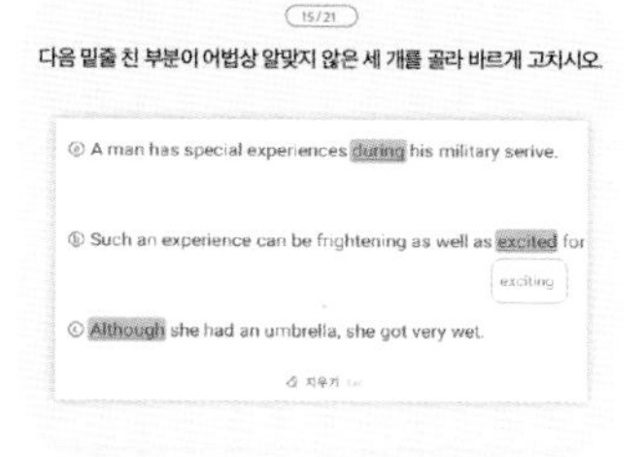

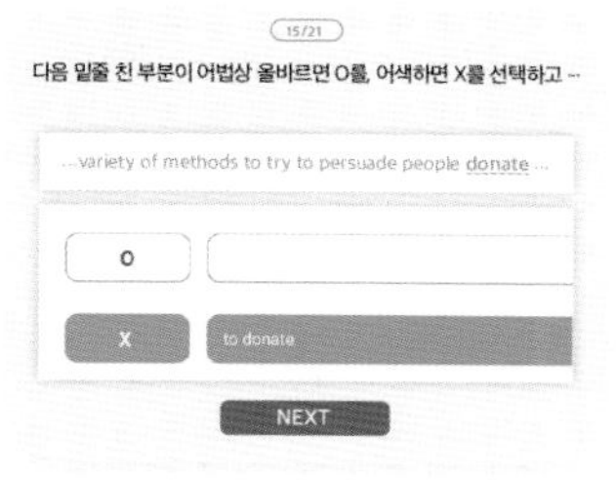

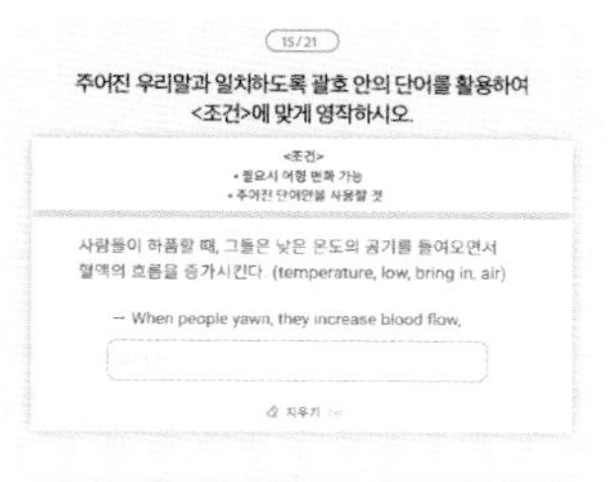

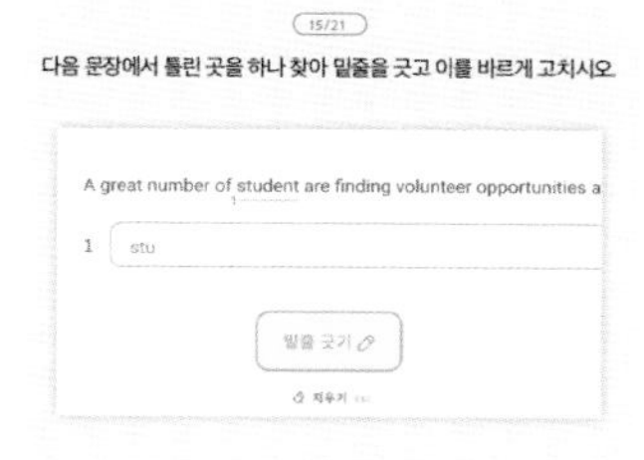

객관식과 주관식의 결합 문법 포인트별 학습 보기를 활용한 집합 문항 내신대비 서술형 어법+서술형 문제

3 어휘 초·중·고·공무원까지 방대한 어휘량을 제공하며 오프라인 TEST 인쇄도 가능

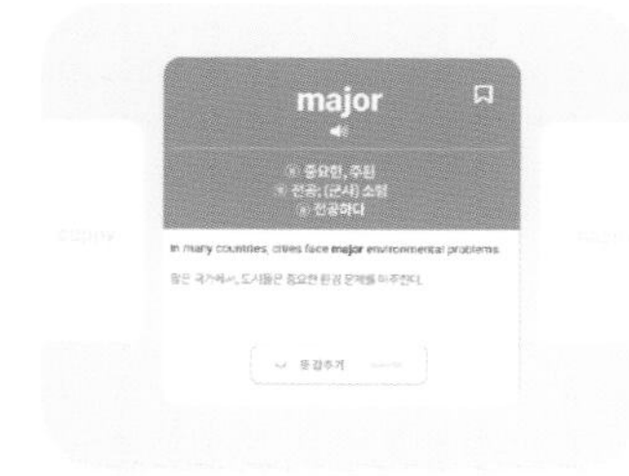

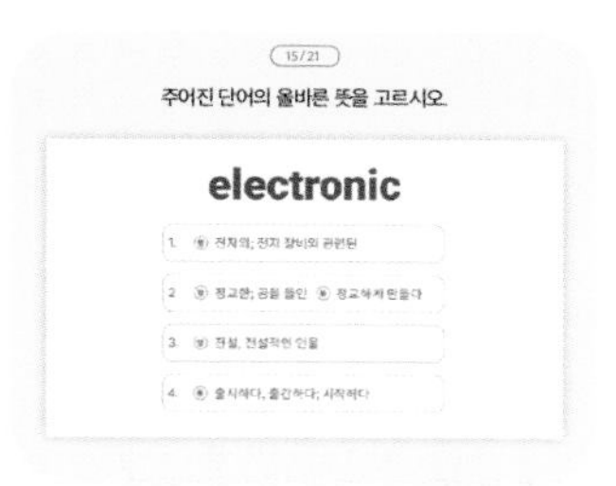

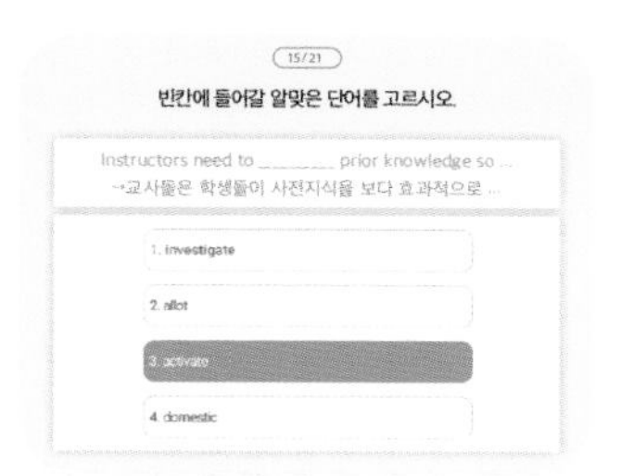

영단어 카드 학습 단어 ↔ 뜻 유형 예문 활용 유형 단어 매칭 게임

4 선생님 보유 문항 이용

Online Test OMR Test

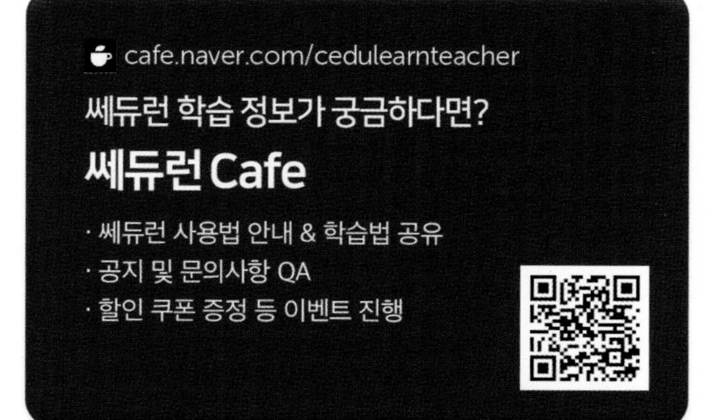

수능 독해의 유형잡고

모의고사로 적용하고

기본 다지는
첫단추

1 유형의 기본을 이해하는
첫단추 독해유형편

2 기본실력을 점검하는
첫단추 독해실전편 모의고사 12회

실력 올리는
파워업

3 유형별 전략을 탄탄히 하는
파워업 독해유형편

4 독해실력을 끌어올리는
파워업 독해실전편 모의고사 15회

* 위 교재들은 최신 개정판으로 21번 함의추론 신유형이 모두 반영되었습니다.

문법을
알아야
독해가 된다

정답 및 해설

문법을 알아야 독해가 된다

정답 및 해설

UNIT 1 목적어인가 보어인가

p. 10

• 미리보기

1 **c)** | 이 집은 차가 두 대 들어가는 차고가 있다. 해설 has(~을 갖고 있다) 뒤이므로 목적어가 필요하다.

2 **a)** | 그 개는 때로 난폭해진다. 해설 The dog의 상태를 설명해주는 주격보어로 형용사 violent가 적절하다.

3 **b)** | 그 일은 훌륭한 의사소통 능력을 필요로 한다. 해설 일이 요구하는 자질에 해당하는 good communication skills가 목적어로 알맞다.

어휘 1 garage 차고 2 violent 난폭한, 폭력적인 3 require ~을 필요로 하다

• 대표 예문

어휘 B by mistake 실수로, 우연히 C mature 성숙한 E by-product 부산물, 부수적으로 생기는 것

Grammar PLUS

나는 좋은 이어폰을 갖고 있다/봤다/샀다/잃어버렸다/찾았다.

그 음료는 차갑다/차가워졌다(got, became)/차갑게 변한다/차가워 보인다/차갑게 남아있었다.

Check it

1 **보어** | 일상생활에서 타인에게 친절해라. 해설 명령문의 생략된 주어 you=friendly의 관계이므로 보어.

2 **목적어** | 새 정책을 우리에게 설명해줄 수 있나요?

3 **목적어** | 그는 일주일에 백 달러씩 번다.

4 **보어** | 몸집이 작은 동물은 포식 동물에 대비해 늘 경계하고 있어야 한다. 해설 remain[stay, keep]+C: ~인 채로 있다, 죽 ~의 상태이다

5 **ⓐ 목적어, ⓑ 보어** | 나는 안경을 끼지 않으면 큰 간판도 흐릿해 보인다. 해설 look+C: ~해 보이다

6 **ⓐ 목적어, ⓑ 보어** | 게임에 진 것에 대해 Jon을 놀렸더니 그는 이제 내게 화가 나 있다.

어휘 1 friendly 친절한 others 타인, 다른 사람들 2 policy 정책 3 earn 벌다, 얻다 4 alert 경계하는, 망보는 predator 포식 동물 5 sign 간판, 표지판 fuzzy 흐릿한, 어렴풋한 6 tease (말로) 놀리다 mad 화가 난; 미친

UNIT 2 간접목적어와 직접목적어, 목적격보어와 주격보어

p. 11

• 미리보기

예 그들은 아기를 Sarah라고 불렀다.

1 **him/alone, 그를 혼자 남겨뒀다** | 그날 밤 소년의 부모는 그를 혼자 남겨뒀다. 해설 him=alone(목적어=목적격보어)

2 **him/a lot of money, 그에게 많은 돈을 남겼다** | 소년의 할아버지는 그에게 많은 돈을 남겼다. 해설 him(그에게: IO)+a lot of money(많은 돈을: DO)

• 대표 예문

어휘 B still 가만히 있는 C alive 살아 있는 D destroy 쳐부수다, 파괴하다 enemy 적 E fortune 운, 행운; 큰돈 fate 운명

Grammar PLUS

① 내게 네 전화번호를 줘. = 네 전화번호를 (내게) 줘. / 엄마는 내게 치킨을 사주셨다. = 엄마는 치킨을 (내게) 사주셨다.

Check it

1 **cozy** | 따뜻한 난롯불이 방을 아늑하게 만들었다. 해설 명사를 보충 설명할 수 있는 것은 부사가 아니라 형용사(the room=cozy)

2 **the company** | 그 디자이너는 회사에 신모델의 디자인을 보여주었다. 해설 괄호 뒤에 직접목적어(a design for the new model)가 이어지므로 문장은 <show+IO+DO>의 구조. 간접목적어 앞에 전치사 to는 필요 없다.

3 **made** | 두통이 나를 좀 예민하게 만들었네. 용서해줘. 해설 <me=sensitive>의 관계이므로 <give+IO+DO(명사)>의 패턴이 될 수 없다.

4 **to a woman** | 그 남자는 그림을 새집에 미술품이 필요한 여자에게 팔았다. 해설 sell은 간접목적어가 뒤로 갈 때 전치사 to와 함께 쓰인다(sell+O(+to+A)).

5 **me great stress** | 다가오는 기말시험이 내게 커다란 스트레스를 주었다. 해설 cause+IO+DO: ~에게 ...을 일으키다

어휘 1 cozy 아늑한 3 sensitive 예민한, 민감한 4 artwork 미술품 5 upcoming 다가오는, 곧 있을

UNIT 3 혼자로도 충분한 동사, 그리고 수식어들

p. 12

• 미리보기

예 많은 꽃들이 봄에 핀다.

1 **아주 빨리** | 이 복사기는 아주 빨리 작동한다.

2 **한 시간 반 동안** | 퍼레이드는 한 시간 반 동안 계속되었다.

어휘 예 blossom 꽃이 피다 1 photocopier 복사기 2 parade 퍼레이드, 가장행렬

• 대표 예문

어휘 A enormous 엄청난, 막대한 B rapidly 급속히 C emergency 비상사태, 긴급 상황 occur 일어나다, 발생하다 D vary 달라지다, 변하다

Grammar PLUS

① 고치 안에서 유충은 나비로 변한다. / 우리 언니는 매달 머리 모양을 바꾼다. / 항공편 707은 정시에 착륙했다. 조종사가 비행기를 3번 활주로에 착륙시켰다.

② 교육의 비밀은 학생을 존중하는 데 있다. / 아이 엄마는 극장에서 아이를 무릎에 앉혔다. / 해가 산 위로 떠올랐다. / 우리는 그 문제를 학급 회의에서 논의할 것이다.

어휘 ① cocoon 고치; 보호막 caterpillar 유충, 애벌레 flight 비행편 runway 활주로 ② lie in ~에 있다

Check it

1 increases / (a lot) (during exposure to nature) | 아이의 창의성은 자연에 노출되는 동안 많이 커진다.

2 overheard / (on the bus) (this morning) | 나는 오늘 아침 버스에서 재미난 대화를 엿들었다.

3 remained / (during the whole funeral) | 사람들이 장례식 내내 침묵하고 있었다.

4 gave / (to the students) (about low-fat diets) | 전문가가 학생들에게 저지방 식단에 대해 강의했다.

어휘 1 creativity 창의성 increase 커지다, 증가하다 exposure 노출 2 overhear 우연히 듣다 3 funeral 장례식 4 expert 전문가 give a lecture 강의하다 low-fat 저지방의 diet 식단

Into the Grammar

p. 13

A

1 at | 소녀는 거대한 형체의 그림자를 보고는 비명 질렀다. 해설 scream은 '~에게'에 해당하는 대상이 뒤에 올 때는 전치사와 함께 쓰는 자동사이다.

2 ✕ | 우리는 거기에 한동안 서 있었다. 해설 stand가 자동사로 쓰일 때(서다, 서 있다)는 뒤에 부사 수식어들이 이어질 수 있다. there는 명사가 아니고 부사 수식어이므로 전치사가 따로 필요 없다.

3 ✕ | 그들은 산꼭대기에 도달했을 때 흥분되었다. 해설 reach ~에 닿다, 이르다(=arrive at, get to)

4 in | 반 아이들 모두가 토론에 적극적으로 참여했다. 해설 participate in ~에 참여[참가]하다

5 ✕ | 관리자는 본사 세미나에 참석하기 위해 열흘간 사무실에 없을 겁니다. 해설 attend ~에 참석하다, 출석하다

어휘 1 scream at ~에게 비명을 지르다, 소리치다 figure 형체, 형상 4 actively 적극적으로 5 be away 없다, 부재중이다 head office 본사

B

1 detailed information | Jon은 Wikipedia에서 자세한 정보를 얻었다.

2 talented | 그는 그 오디션에서 재능 있음이 드러났다. 해설 prove+C: C임이 드러나다

3 dull | 나는 그 게임이 재미없어서 그냥 나왔다[그만했다]. 해설 find+O+OC: O가 OC한 것을 알다

4 allies | 캐나다와 미국은 제2차 세계대전 동안 동맹국이었다. 해설 Canada and the United States = allies

5 money | Tom이 매일 학교 동아리 기금을 조성했다. 해설 raise+O: O(기금, 돈)을 조성하다

6 precise instructions on how to start the car | 아빠가 내게 차를 어떻게 출발시키는지에 대해 자세한 설명을 해주셨다. 해설 give+IO+DO

어휘 1 detailed 자세한, 상세한 2 prove ~임이 입증되다 talented 재능 있는 4 ally 동맹국 5 raise money[fund] 기금을 조성하다 6 precise 자세한, 정확한 instruction 설명, 지시, 가르침

C

1 (A) a plan (B) steps (C) your goal (D) Be | 계획을 세우고 목표에 도달하기 위해 단계를 밟아나가라. 일상생활에서, 또 장기적인 목표에 있어서 과감해라. 해설 (A) make+O, (B) take+O, (C) reach+O, (D) be+C

어휘 decisive 과감성 있는, 결단력 있는 daily life 일상생활 long-term 장기적인

Read it #1

p. 14

1 ⑤

해설 사람들과 어울리는 상황에서 웃음을 유발하고 즐거운 환경을 조성하는, 즉 어울리기 좋은 사람이 되는 법에 대한 글이므로 ⑤가 적절하다.

해석 당신은 사교 상황을 어떻게 하면 더 재미있게 만들 수 있는지 통 모르고 있는 것 같은가? 당신 주변의 재미있는 사람들이 뭘 하는지 관찰해보라. 재미난 사람들은 자기 자신을 편안하게 느끼고 자기 경험이나 생각을 사람들과 기쁘게 나누는 사람이다. 스스로 우스갯거리가 되었던 때의 얘기는 보통 웃음을 유발하고 주변의 냉랭한 기운을 날려버린다. 당신이 마음을 열면 주변 사람들도 마음을 열기 십상이고 그러면 더 재미있고 환영하는 분위기를 자아낼 것이다. 그밖에 뭘 해야 하는가? 휴대전화를 갖고 논다거나 딴 데 정신이 팔린 것처럼 보이는 대신 사람들에게 온전한 관심을 기울이라. 사람들에게 재미있거나 흥을 돋우는 질문을 하고 남들과 더불어 있을 때 명랑하고 긍정적이 되려고 최선을 다하라. 또한 안전지대 밖으로 기꺼이 걸어 나와 활기 있는 분위기가 이어지도록 즉흥적으로 활동을 하거나 제안하라.

선택지 해석

① 재미있는 사람들과 어울리는 법

② 토론 시 가만히 있기보다는 적극적이 돼라

③ 사람들 사이에서 두드러지는 법
④ 사람들에게 들려주기 좋은 개인적인 이야기
⑤ 함께 있기 재미있어지는 법

구문 [1행] Do you feel *(that)* you just don't know **how to make** a social situation more entertaining?

▸ that절이 feel의 목적어, <의문사+to-v>가 know의 목적어에 해당된다.
▸ make+O+OC: O가 OC되게 하다

[3~5행] *A story* (of *a time* [**when** one made a fool of oneself]) usually **leads** to laughter and **blows** away a chilly atmosphere.

▸ when절이 a time을 꾸며주고, a time ~이 A story를 꾸며주는 구조.
▸ 2개의 동사부가 and로 연결됨.

[7~8행] Give people your undivided attention **instead of playing** on your phone or appearing distracted.

▸ instead of의 목적어인 동명사구 A와 B가 or로 연결된 구조.

[8~9행] **Ask people** ***fun*** or ***entertaining*** **questions** and do your best **to be** *lighthearted* and *positive* around others.

▸ ask+IO+DO: IO에게 DO를 묻다
▸ 두 개의 명령문(Ask ~, do ~)이 and로 연결되고, 두 개의 형용사(fun, entertaining)가 or로 연결되어 명사(questions)를 공통으로 수식하고, '목적'을 나타내는 to부정사 to be의 형용사 보어(lighthearted, positive)가 and로 연결되어 있는 구조이다.

[9~11행] Also, **be** willing to step outside of your comfort zone and **do** or **suggest** spontaneous activities (to **keep things lively**).

▸ and로 연결된 두 개의 명령문이 각각 <(S+)V+C: C이어라>, <(S+)V+O: O를 V해라>의 구조를 띠고 있다.
▸ '목적'을 나타내는 to부정사구가 <keep+O+C: O가 죽 C하다>의 구조를 띠고 있다.

2 ③

해설 (A) 목적어(skilled management professionals)를 보충 설명해 주는 목적격보어로 문맥상 hard at work(열심히 일하는)가 알맞다. (hard: 열심히, hardly: 좀처럼 ~ 않다)
(B) the business aspects (of the industry)이므로 복수 주어(aspects)에 맞게 동사의 복수형 play가 되어야 한다.
(C) individuals가 교육하는(educate) 입장이 아니라 받는 입장이므로 수동의 educated가 알맞다.

해석 모든 스포츠 시합이나 선수권 대회의 이면에는, 지역 규모든 세계 규모든, 숙련된 관리 전문가들이 열심히 일하고 있음을 알게 될 것이다. 직업 선수들이 주연 배우요 스포츠 조직의 얼굴이긴 하지만, 무대 뒤에서 스포츠가 하나의 비즈니스로서 돌아가게 하는 이는 바로 매니저들이다. 대부분의 사람들은 스포츠 산업을 시합, 직업 운동선수의 삶이나 이력의 측면에서 생각하지만 다른 어떤 사업에서와 마찬가지로 마케팅, 후원, 브랜드화, 경제성을 포함한 그 산업의 사업적인 측면들이 대단히 중요한 역할을 한다. 대학에서 스포츠 경영을 공부하고 싶은 학생은 단지 고등학교에서 스포츠를 했다는 이유만으로는 이 산업에 진입할 수 없음을 이해해야 한다. 오늘날의 스포츠 세계는 매우 상업적이어서 이로 인해 관리직 자리에 교육받은 이들이 들어와야 한다는 수요가 크게 일고 있다.

구문 [1~2행] (Behind every sports tournament and championship), [whether local or worldwide], you will **find skilled** management professionals **hard at work**.

▸ 수식어구가 두 개 나온 다음 문장이 시작되는 구조.
▸ find+O+OC: O가 OC임을 알게 되다

[3~4행] Athletes are the stars and the face of sports organizations, but **it is** *the managers (behind the scenes)* **who keep sports running** as a business.

▸ <it is A who ~>에서 A가 강조되고 있는 구조.
▸ keep+O+OC: O가 계속 OC하게 하다

[10~11행] Today's sporting world(S) is(V) highly commercial(C), and this creates *a strong demand*(명사) (**for** *educated individuals*(의미상주어) **to** *fill management positions*(형용사적 용법)).

▸ to부정사가 뒤에서 명사를 수식하는 구조. 의미상주어가 to부정사 앞에 삽입되었다.

Read it #2

p. 16

3

ⓐ **to get higher[better, more] education** 해설 두 번째 단락 I had dreams of going to the United States for higher studies.에 미국에 건너간 목적이 있다. <for(~을 위해)+명사구(higher studies)>는 동사 get을 사용하면 '목적'을 나타내는 to부정사(to get)로, education은 studies를 대신해 쓸 수 있다.

ⓑ **borrowed it** 해설 borrow는 뒤에 목적어가 이어지는 동사. the money는 대명사 it으로 받는다.

ⓒ **sending their family** 해설 동사 send가 주어졌고, 빈칸 뒤에 직접목적어(some of the money they earn there)가 이어지므로 <send+IO+DO> 구조로 완성한다. 전치사(of) 뒤에서 동사는 동명사 형태로 변형해 써야 하는 데(send → sending) 주의한다.

4 ④

해설 마지막 문단에서 이제 돈을 보낼 일은 없지만, I send money home to friends, ~ just to feel like I'm still there, to stay connected라고 했으므로 작가는 고국과 연결되어 있다고 느끼기를 원해서 돈을 보내는 것을 알 수 있다.

3~4

해석 나는 워싱턴 D.C에 살고 있지만 인도의 한 작은 마을에서 컸다. 내 아버지는 정부 관리였다. 어머니는 글을 읽거나 쓸 줄 몰랐지만 내게 "왕은 자기 왕국에서만 숭배를 받지만 시인은 어디서나 존경받는단다."라고 말씀해 주시곤 했다. 그래서 나는 크면 시인이 되고 싶었다. 하지만 친척 아주머니 한 분이 내게 재정적인 도움을 제공해 주시기 전까지 대학에 간다는 건 꿈도 꾸지 않았다.

나는 그 지역에서 제일 큰 마을인 Sambalpur에 공부하러 갔는데, 그곳에서 TV를 난생처음 보고는 완전히 다른 세상이 있음을 알게 되었다. 나는 고등 교육을 위해 미국에 가는 꿈을 꾸었다. 기회가 찾아왔을 때 나는 비행기표 값으로 빌린 돈과 호주머니에 20달러짜리 지폐 한 장만 가지고 두 개의 대양을 건넜다. 미국에서 나는 연구센터에서 시간제로 일하면서 경제학 석사과정을 밟았다. 그리고 내가 버는 적은 돈으로 내게 필요한 돈을 대고 고국에 있는 내 동생과 아버지께 돈을 보내드리곤 했다.

내 이야기는 (세상의) 유일한 이야기가 아니다. 해마다 (다른 나라로) 이주하는 사람이 수백만이다. 가족의 도움으로 그들은 대양을, 사막을, 강을, 산맥을 건넌다. 그들은 꿈을 이루기 위해 목숨을 걸며, 그 꿈이라는 것이 집에 돈을 보내 가족을 도울 수 있게 어딘가에서 번듯한 일자리 하나 구하는 것 정도로 소박하기 그지없다.

내 경우를 보자면, 이제 인도를 떠나 산 지 20년이 되었다. 내 아내는 베네수엘라인이고 아이들은 미국인이다. 점점 더, 나는 마치 세계 시민이 된 것 같다. 그런데도 내가 태어난 나라에 대한 향수가 점점 커지고 있다. 나는 인도와 미국에 동시에 있으면 좋겠다. 내 부모님은 더 이상 그곳에 계시지 않다. 내 형제자매들도 다 이주했다. 이제는 내가 고향에 돈을 보내야 하는 정말 급한 일도 없다. 하지만 가끔씩 나는 고향의 친구와 친척, 고향 마을에 돈을 보내는데, 아직 내가 그곳에 있는 것처럼 느끼기 위해, 연결돼 있기 위해서이고 그것이 나의 정체성의 일부이다. 그리고 열심히 일하는 이민자들과 (되풀이되는) 빈곤의 순환에서 벗어나고자 하는 그들의 분투를 (응원하기) 위해 나는 여전히 시인이 되고자 애쓰고 있다.

-Dilip Ratha(인도 경제학자이자 이민 관련 전 세계 지식 중추 단체 KNOMAD의 수장)가 한 연설에서

3 해석 Q: 왜 미국으로 옮겨갔나?

A: 고등[더 좋은, 더 많은] 교육을 받기 위해 미국으로 옮겨갔다.

Q: 항공요금을 위한 돈은 어디서 났나?

A: 그냥 그것(그 돈)을 빌렸다.

Q: 외국에서 일자리를 얻으려 하는 대부분의 이민자의 꿈은 뭔가?

A: 그들은 그곳에서 그들이 버는 돈의 일부를 가족들에게 보내는 것을 꿈꾼다.

4 선택지 해석

글에 따르면, 작가가 지금까지도 고향에 돈을 보내는 이유는 ________ 이다.

① 가족에게서 빌린 돈을 갚기 위해서
② 형제가 좋은 교육을 받는 것을 지원하기 위해서
③ 고국에 자금을 대는 데 기여하기 위해서
④ 고국과 연결되어 있다고 느끼기 위해서
⑤ 고국에 자기 돈을 투자하기 위해서

구문 [4~5행] But I did**n't** even **dream of** *going to college* **until** an aunt offered(V) me(IO) financial help(DO).

▸ not ~ until ...: ...할 때까지는 ~ 않다, ...해서야 비로소 ~하다
▸ dream of+동명사구: ~하는 것을 꿈꾸다

[10~11행] In the U.S., I worked in a research center part-time while (I was) **taking** graduate classes in economics.

S V S′ V′ O′

▸ while(~하는 동안에, ~하면서)절에서 <주어+be동사>가 함께 생략된 구조.

[11~12행] ~, I would finance myself [and] (would) send money home / to my brother and my father.

V1 O1 V2 O2 부사

[15~16행] ~ and that dream is **as** simple **as** having a decent job somewhere / **so *(that)*** they **can** send money home and help their family.

S V C

▸ 얼마나 simple한지를 <A as ~ as B: B만큼 A한>의 비교구문을 이용해 표현하고 있다.

▸ so (that) S can ~: S가 ~할 수 있도록

[18~19행] I**'m growing nostalgic** about my country of birth.

S V C

▸ grow+C: C해지다. 동사가 진행형으로 쓰여(am growing: ~해지고 있다) 상태의 변화를 나타내는 grow의 뜻(~해지다)이 더 강조되고 있다.

[21행] There is no real *urgency* (**for** me **to** send money home now).

▸ <for+의미상주어>가 to부정사 앞에 온 구조.

사람들 사이에서 어색함을 느끼는 사람들을 위한 전문가 조언

당신의 진정한 성격을 받아들이라. 새 사교 기술을 익히는 것이 중요하긴 하지만 그저 재미있는 사람이 되기 위해 당신의 전체 성격을 바꿔야 한다고 생각해서는 안 된다. 예를 들어, 당신이 제대로 알지 못하는 사람에게 마음을 터놓기에는 너무 수줍은 성격이라면 다른 기술, 즉 친구와 새로운 경험을 해보기와 같은 것을 시도하면 된다. 명심하라. 이 세상에는 온갖 종류의 사람들을 위한 공간이 있다!

SUMMARY 해석

나는 요즘 자주 **꿈꾼다**. / 내 꿈은 수수께끼**이다**. / 나는 어제 이상한 꿈을 **꾸었다**. / 그녀는 내게 함박웃음을 **줬다**. / 그녀는 내 인생을 멋지게 **만들었다**. / 우리는 그들을 영웅이라 **부른다**.

CHAPTER 02 다양한 주어: 문장의 주인공들

UNIT 1 명사구, 명사절

p. 20

• 미리보기

1 Walking / 걷는 것 | 걷는 것은 모든 연령대의 사람들에게 훌륭한 운동이다. 해설 동명사 주어이므로 '~하는 것'으로 해석.

2 Who to send to the angry king / 성난 왕에게 누구를 보낼 것인가 | 성난 왕에게 누구를 보낼지가 문제이다. 해설 <의문사+to부정사>가 문장의 주어. Who는 send whom to the angry king에서 목적어인 의문사 whom이 첫머리에 오면서 Who로 쓰인 형태이다.

3 That he said sorry to me / 그가 내게 사과했다는 것 | 그가 내게 사과했다는 게 중요하다. 해설 <that+S+V>의 명사절 주어.

• 대표 예문

어휘 A reasonable 합리적인, (가격이) 적정한 B valuable 귀중한, 가치 있는 D on the spot 현장에; 즉석에서 at that time 그때, 당시

Grammar PLUS

① 친구들과 공부하는 것이 더 재미있다. / 건강을 유지하는 것은 많은 노력이 필요하다.

② 우리 과학 과제로 뭘 해야 할지 먼저 결정돼야 한다.

Check it

1 Wearing | 안전 장비를 착용하는 것이 실험실에서 매우 중요하다. 해설 주어 자리이므로 명사 개념인 동명사 Wearing이 알맞다.

2 That | 그가 다른 선수들보다 그저 살짝 먼저 출발했다는 것이 문제였다. 해설 '언제'에 대한 정보(just a second ahead of ~)는 이미 나와 있으므로 When은 올 수 없다. 사실 자체(~했다는 것)를 말하므로 <that+S+V>의 명사절이 알맞다.

3 requires | 비행기를 조종하는 일은 고도의 능력을 요한다. 해설 to부정사 주어는 추상적인 개념이므로 복수가 아닌 단수 개념. 따라서 requires가 동사로 알맞다.

4 is | 글자를 읽는 법을 배우는 것이 언어를 배우는 첫걸음이다. 해설 바로 앞의 복수명사 characters가 아닌 동명사구(Learning to read characters)가 주어이므로 단수개념, 따라서 is가 동사로 알맞다.

어휘 1 safety equipment 안전 장비 laboratory 실험실 2 ahead of ~에 앞서, ~보다 먼저 3 pilot 조종하다; 조종사 degree 정도, 수준 competence 능력, 능숙함 4 character 글자

UNIT 2 긴 주어를 불러오는 가주어 it

p. 21

• 미리보기

1 to learn a new language | 새로운 언어를 배우기는 어렵다.

2 to open the windows regularly | 창문을 주기적으로 여는 것이 필요하다.

3 that every effort does not lead to success | 모든 노력이 다 성공으로 이어지는 게 아님은 사실이다. 해설 It = that every effort[S] does not lead[V] to success. <that+S+V>가 진주어.

어휘 2 regularly 규칙적[주기적]으로 3 lead to ~로 이어지다, ~의 결과를 가져오다

• 대표 예문

어휘 D obvious 분명한, 명백한 unique 유일무이한, 독특한

Grammar PLUS

① 눈에 보이는 걸 믿는 건 쉽다. / 어린아이는 달리다가 넘어지기가 쉽다.

② 어른과 다퉈봐야 소용이 없다. / 지구온난화가 악화되고 있다고 한다. / 그가 직접 그것을 했는지 아닌지 의심스럽다. / 그녀가 어떻게 그 정보를 얻었는지 알 수 없는 일이다.

어휘 ② quarrel 말다툼하다 global warming 지구 온난화 get worse 악화되다 doubtful 의심스러운

Check it

1 clear | 수지가 그 파티에서 베스트 드레서인 것은 분명하다. 해설 It = that Suji is the best dresser at the party. 가주어 It이 명사 개념이므로 형용사(clear)로 보충 설명하는 것이 맞다.

2 was it | 집까지 죽 걸어가자는 게 누구의 터무니없는 발상이었나? 해설 의문사 덩어리(Whose crazy idea)로 시작하는 의문문이므로 동사-주어의 어순, 즉 was it이 맞다. 이어지는 to walk ~가 진주어.

3 pays | 정직이 결국에는 보상을 받는다는 것이 나의 믿음이다. 해설 가주어-진주어 구조로, 진주어가 접속사 that으로 시작되므로 <that+주어(honesty)+동사(pays)>으로 이어지는 게 알맞다.

4 for | 노인은 겨울에 따뜻한 모자를 쓰는 것이 중요하다. 해설 뒤에 to부정사(to wear)가 이어지므로 접속사 that은 올 수 없다. 진주어인 to부정사 앞에 의미상주어가 올 수 있는 자리로, to부정사의 의미상주어는 <for+목적격>으로 쓰이므로 전치사 for가 알맞다. <It ~ for A to-v ...> 구조.

5 to | 5분 만에 머리 감는 게 가능해? 해설 진주어가 that절이라면 <that+S(we)+V(wash)>로 이어져야 하는데, that절의 주어가 없으므로 진주어로 that절이 아닌 <to+동사원형>, 즉 to부정사구가 알맞다.

어휘 1 clear 분명한, 명백한 2 all the way 내내, 죽 3 belief 믿음, 신념 honesty 정직 pay 보상을 받다 in the long run 결국에는, 나중에 가서는

UNIT 3 주어와 주어가 아닌 것들

p. 22

• 미리보기

1 Daniel | 화가 나서 Daniel은 편지를 찢어버렸다. 해설 In his anger는 수식어.

2 the car | 적절히 관리해주면 그 차는 여러 해 갈[지속될] 것이다. 해설 With proper care는 수식어.

3 we | 밤을 견뎌내기 위해서 우리는 더 많은 담요가 필요하다. 해설 to부정사구는 주어가 아닌 수식어구(~하기 위하여). 주어는 we이다.

어휘 1 anger 화 tear up 갈기갈기 찢다, 파기하다 2 proper 적절한 last 지속되다 3 survive 살아남다; 견디다, 넘기다 blanket 담요

• 대표 예문

어휘 A refugee 난민, 피난민 B hammer 망치 C contrary to ~에 반하여, ~와 반대로 expectation 기대, 예상 turn out ~인 것이 판명 나다[드러나다] E argument 주장, 논쟁 ignorance 무식, 무지

Grammar PLUS

① 저기 벤치 위에 누워 있는 한 남자가 있다. / 하루 중 이 시간에는 지하철에 많은 사람들이 있다.

② 언덕 위에 큰 나무가 서 있다. / 상자 안에 갓 태어난 귀여운 강아지들이 있었다.

어휘 ② newborn 갓 태어난

Check it

1 medical students | 의과대학에서는 의대생들이 복잡한 인체 체계를 배우고 있다. 해설 <전치사+명사구(In medical school)>는 수식어, 이어지는 명사구(medical students)가 주어이다.

2 we | 충분한 시간과 연구를 쏟으면 우리가 에이즈를 퇴치할 수 있다고 많은 과학자들은 믿고 있다. 해설 that절에서 바로 주어가 시작되지 않고 수식어(with ~)가 먼저 온 경우.

3 a small hut for homeless people | 다리 아래에 집 없는 이들을 위한 작은 오두막이 있었다. 해설 전치사구 수식어가 문장 첫머리에 오고 긴 주어가 동사 뒤로 간 도치 구조. ← A small hut for homeless people^{S} was^{V} under the bridge.

4 all the people in the village | 산꼭대기로 감으로써 마을 사람 전부 그 거대한 쓰나미를 피할 수 있었다. 해설 <By v-ing>의 수식어구 다음에 주어(all the people in the village)가 시작되는 구조.

어휘 1 medical 의학의 complex 복잡한 2 beat 이기다, 쳐부수다 3 hut 오두막 homeless 집 없는 4 escape 달아나다, 피하다 huge 거대한

Into the Grammar

p. 23

A

1 will be / (a total eclipse of the sun) | 수요일에 개기일식이 있겠습니다. 해설 형식적인 주어는 there이지만 실질적인 주어는 동사 뒤에 나오는 a total eclipse of the sun이다.

2 looks, is / (The mountain), (red hot boiling lava) | 그 산이 평화로워 보이지만 안에는 붉고 뜨겁게 끓고 있는 용암이 있다. 해설 look+C / (inside) + is(V)+ red hot boiling lava(S)

3 is, is / (What you will do in the future), (what you do now) | 장차 네가 하게 될 일은 중요하다. 하지만 네가 지금 하는 일이 더 중요하다. 해설 What you will do in the future^{S1} is^{V1} important^{C1}, [but] what you do now^{S2} is^{V2} more important^{C2}.

4 ensures / (respect for each other's rights) | 국가 간에서와 마찬가지로 사람 사이에서도 서로의 권리에 대한 존중이 평화를 보장한다. 해설 (Between people), (as among nations), respect (for each other's rights)^{S} ensures^{V} the peace^{O}.

어휘 1 total 완전한, 전체의 eclipse (일식·월식의) 식; 빛을 잃음 2 peaceful 평화로운 boil 끓다(boiling 끓고 있는) lava 용암 4 nation 국가 right 권리 ensure 보장하다, 확실히 하다

B

1 to, light | 어둠을 탓하기보다는 촛불 하나를 켜는 게 낫다. 해설 가주어 It에 대한 진주어가 와야 한다. 진주어로는 to light와 lighting 둘 다 가능하지만 than 뒤에 나오는 비교 대상이 (to) curse the darkness이므로 빈칸에는 to light가 알맞다.

2 trading | Lucy는 가수의 자필 서명이 들어간 대형 사진과 콘서트 표를 맞바꾸는 것이 괜찮은 거래라고 여기지 않았다. 해설 that절의 주어 자리이므로 명사 개념인 동명사 trading이 되어야 한다. ~ didn't think that trading A [for B]^{S} was^{V} a good deal.^{C}

3 puts | 지금 이 순간 최선을 다하는 것이 다음 순간 당신을 최고의 장소에 데려다 놓는다. 해설 동명사 주어는 단수 개념이므로 3인칭 단수형 puts로 써야 한다. 보편적 진리에 해당하므로 현재시제가 자연스럽다.

어휘 1 light 불을 켜다 curse 저주하다, 탓하다 2 trade 거래하다, 교역하다 autographed 자필 서명이 있는 deal 거래

C

1 hard to believe that they are twins 해설 가주어 It으로 문장이 시작되고 주어진 어구에 to와 that이 있으므로 진주어로 to부정사나 that절이 올 것이다. '믿는(believe)' 내용, 즉 believe의 목적어가 '그들이 쌍둥이라는 것'이므로 <that+S(they)+V(are)+C(twins)>를 완성하면 진주어는 to부정사(to believe that they are twins: 그들이 쌍둥이라는 걸 믿는 것)임이 드러난다.

2 will it be like to live 해설 '어떤 걸까?' 부분을 의문사가 포함된 의문문의 어순에 맞게 배열한 뒤(What will it^{가주어} be like ~) 진주어(to live alone in an isolated area)를 완성한다. it will be like [what] to live ~에서 의문사가 앞으로 나오면서 주어-동사가 의문문 어순인 동사-주어로 바뀐 구조.

어휘 2 isolated 고립된 area 지역

Read it #1

p. 24

1 ③

해설 슬픈 일을 당한 사람을 위로하는 법을 다룬 글로, 예시로 들고 있는 반려동물을 잃었을 때 건넬 말로 반려견 산책 시 주의사항을 얘기하는 ③은 글의 흐름에 어울리지 않는다.

해석 사랑하는 사람을 잃어버린[사별한] 누군가를 위로하는 것은 쉬운 일이 아니다. 그들의 고통을 없앨 수 있는, 당신이 할 수 있는 일은 아무것도 없지만 그것을 줄이는 데 도움이 될 수 있는 몇 가지 방법이 있다. 카드나 편지로 애도를 표현하는 것이 상실로 고통받고 있는 이에게 위안과 마음의 평화를 제공하는 한 방법이다. 그러나 적절한 표현을 찾는 것이 까다롭다. 누군가가 겪고 있는 것이 어떤 것인지 알지 못할 수 있어도 뭔가를 말하는 것이 아무 말 않는 것보다 낫다는 것을 우리는 분명 알고 있다. 당신이 아는 어떤 사람이 반려동물 중 하나를 잃었을 때 당신은 다음과 같이 말할 수 있다. "(반려동물 이름)이 영영 떠났다는 것을 들으니 너무 슬퍼요. 그의 기억은 영원히 우리 가슴에 있을 거예요." ("그렇게 공격적인 개를 마스크도 안 씌우고 산책시킨다는 것은 좋은 생각이 아니에요.") "당신의 반려동물은 함께 있으면 너무 즐거운 존재였어요. (그를) 잃었다니 정말 유감이에요." "우리가 한때 누렸던 것은 결코 잃어버릴 수 없어요. 우리가 깊이 사랑하는 모든 것들이 우리의 일부가 된답니다."

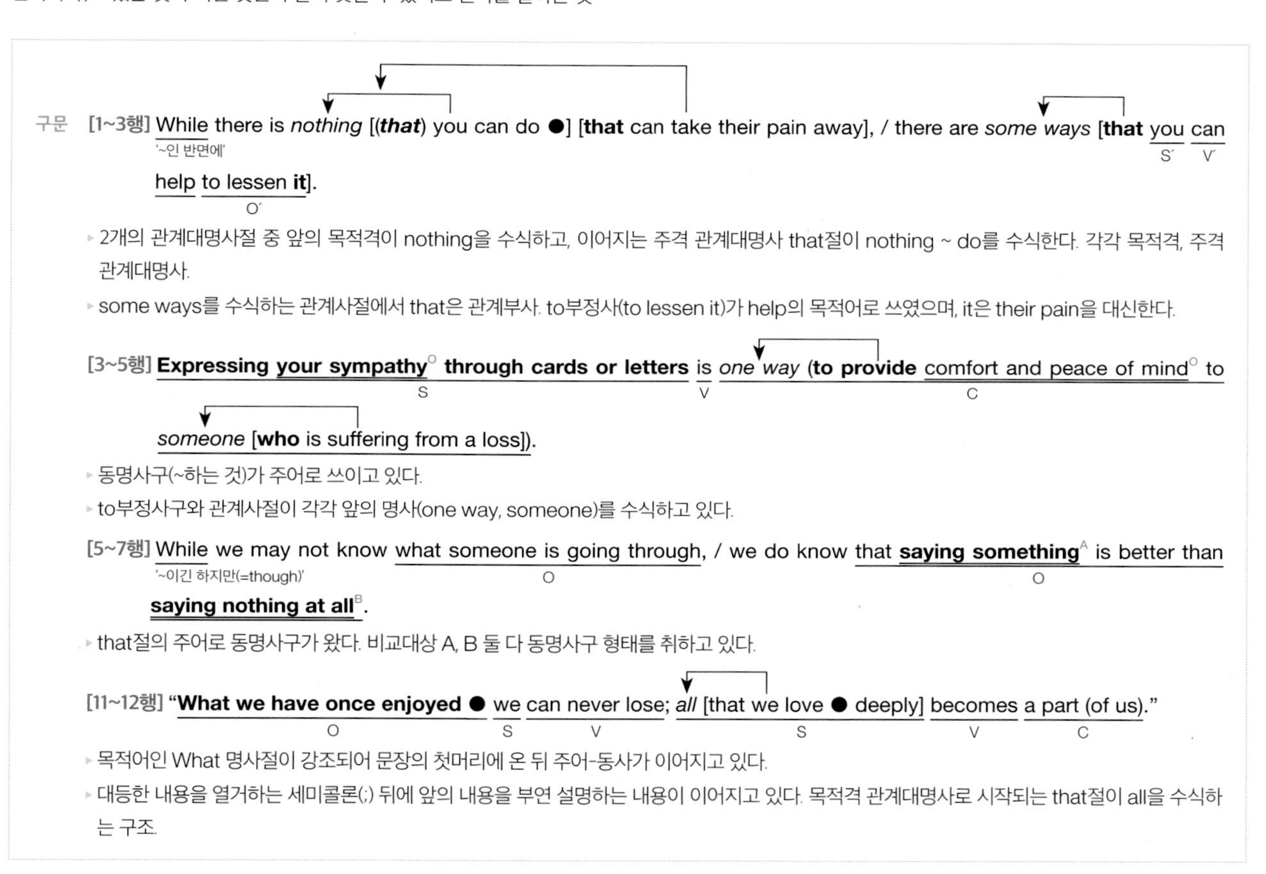
구문 [1~3행] While('~인 반면에') there is *nothing* [(***that***) you can do ●] [**that** can take their pain away], / there are *some ways* [**that** you(S′) can(V′) help to lessen **it**(O′)].

- 2개의 관계대명사절 중 앞의 목적격이 nothing을 수식하고, 이어지는 주격 관계대명사 that절이 nothing ~ do를 수식한다. 각각 목적격, 주격 관계대명사.
- some ways를 수식하는 관계사절에서 that은 관계부사. to부정사(to lessen it)가 help의 목적어로 쓰였으며, it은 their pain을 대신한다.

[3~5행] **Expressing your sympathy**(O) **through cards or letters**(S) is(V) *one way* (**to provide** comfort and peace of mind(O) to *someone* [**who** is suffering from a loss])(C).

- 동명사구(~하는 것)가 주어로 쓰이고 있다.
- to부정사구와 관계사절이 각각 앞의 명사(one way, someone)를 수식하고 있다.

[5~7행] While('~이긴 하지만(=though)') we may not know what someone is going through(O), / we do know that **saying something**(A) is better than **saying nothing at all**(B)(O).

- that절의 주어로 동명사구가 왔다. 비교대상 A, B 둘 다 동명사구 형태를 취하고 있다.

[11~12행] "**What we have once enjoyed ●**(O) we(S) can never lose(V); *all* [that we love ● deeply](S) becomes(V) a part (of us)(C)."

- 목적어인 What 명사절이 강조되어 문장의 첫머리에 온 뒤 주어-동사가 이어지고 있다.
- 대등한 내용을 열거하는 세미콜론(;) 뒤에 앞의 내용을 부연 설명하는 내용이 이어지고 있다. 목적격 관계대명사로 시작되는 that절이 all을 수식하는 구조.

2 ⑤

해설 '전체 사회'에도 이득이 된다는 주어진 문장은 역접의 접속사 However로 시작되고 부사 also가 있는 것으로 보아, 교육이 '여성 자신'에게 이득이 된다는 문장(That women might have the chance of ~) 뒤인 ⑤에 놓이는 것이 알맞다.

해석 교육은 여성에게 힘을 부여하는 가장 중요한 분야 중 하나이다. 그것은 또한 여성이 겪는 차별의 가장 명백한 사례 중 몇몇을 제공하는 분야이기도 하다. 학교에 다니지 않는 아이들 가운데 소녀가 소년의 두 배이며, 글을 읽고 쓸 줄 모르는 성인들 중 여성이 남성의 두 배에 이른다. 소녀들에게 기초적인 교육을 제공하는 것이 그들에게 훨씬 더 큰 힘을 부여하는, 즉 그들이 이끌기를 바라는 삶의 종류들 가운데 진정한 선택을 할 수 있게 해주는 한 가지 확실한 방안이다. 여성이 보다 건강하고 보다 행복한 삶의 기회를 가질 수도 있다는 것이 소녀들의 교육을 증진시킬 충분한 이유가 되어야 한다. 그러나 전체 사회에도 중요한 이점들이 있다. 교육받은 여성은 더 나은 부모, 근로자, 시민이 되는 데 필요한 기술, 정보, 자신감을 갖추고 있고, 그로 인해 긍정적인 방향으로 사회에 기여할 수 있다.

구문 **[4~5행]** (Among *children* (not attending school)) there are **twice as** many girls **as** boys, ~.
- 전치사구 수식어에 이어 there are ~가 이어지는 구조.
- twice as ~ as ...: ...의 2배만큼

[6~8행] **Offering girls**[IO] **basic education**[DO] (S) is (V) *one sure way of* giving them[IO] much greater power[DO] (C) —***of*** enabling them[O] to make[OC] real choices over *the kinds of lives* [(*that*) they wish to lead ●].
- 주어 자리에 동명사구(Offering ~ education)가 왔다.
- 전치사 of 뒤에 동명사구(giving ~ power)가 목적어로 왔으며, 보충 설명하는 대시(—) 뒤 of는 (one sure way) of와 공통 구조.
- enable+O+to-v: O가 ~하게 해주다, O가 ~하는 것을 가능하게 해주다

[8~9행] **That women**[S′] **might have**[V′] ***the chance* (of a healthier and happier life)**[O] (S) should be (V) reason enough for promoting girls' education. (C)
- <that+S′+V′> 구조의 명사절이 전체 문장(S+V+C)의 주어로 쓰였다.

Read it #2

p. 26

3 ④

해설 선물하는 행위 자체와 사람들이 고르는 선물 하나하나가 띠는 사회적 의미를 짚어보는 글이다. 선물에는 사람들의 삶의 중요한 이슈가 반영되어 있고(are reflected), 사람들이 살면서 부딪치는 많은 것들에 큰 영향을 받고 있으므로(be powerfully affected by) 선물을 들여다보면 사람들의 삶이 보인다. 빈칸을 통해 사람들의 삶을 들여다볼 수 있는 것(through ● we can look into ~)이므로 정답은 ④ '창(window)'이다.

선택지 해석

① 규칙 ② 의문 ③ 만족감 ④ 창 ⑤ 등급

4

1 ⓒ | Tom: "나는 큰아이에게 온라인 사전용 기기를 사줬어. 그게 그녀의 영어 공부에 도움이 될 거야." 해설 공부 목적의 선물이므로 '학업적 문제(academic matters)'와 관련된 선물이다.

2 ⓐ | Jane: "내 재정 상황이 요즘 좋지 않아. 올해는 부모님께 더 작은 선물을 준비해야 해." 해설 재정 상황이 선물 규모를 줄이도록 영향을 미치고 있으므로 '경제적 변화(economic change)'가 강력한 요인으로 작용하고 있다.

3 ⓑ | James: "우리 식당의 방문객 각각에게 비타민 음료를 드리는 건 어떨까? 우리가 고객들의 건강과 행복에 얼마나 신경 쓰고 있는지 보여주는 데 도움이 될 거야." 해설 비타민 음료를 선물로 선택한다는 것은 선물 받는 이의 '건강(health)'을 염려하고 있다는 뜻이다.

3~4

해석 누구나 어느 땐가 선물을 하고, 많은 이들에게 있어 선물을 한다는 것은 커다란 즐거움을 이끌어내는 행위이다. 하나의 경제 행위로서 선물하는 행위는 우리 인생에서, 또 소비재 산업 분야에서 중요한 역할을 한다. 또한 이 행위에는 현대의 중요한 이슈 중 많은 것이 반영되어 있음을 깨닫는 것이 중요하다. 선물을 주고받음에 있어 사람들이 어떻게 행동하는지는 사람들이 관계에 대해 어떻게 생각하는지를 보여주는 결과물이다. 또한 선물 관행은 경제 변화와 건강 또는 학업적 문제와 같은 중대한 기로에 직면한 보통 사람들의 희망과 두려움에 강력히 영향 받을 수 있다. 간단히 말해, 선물하기는 다른 어떤 형태의 사회적 행동이 그런 것과 마찬가지로 현대 세계에서 살아남기 위한 투쟁의 일부이다. 적어도, 선물 행위를 연구하는 것은 사람들의 삶을 깊이 들여다볼 수 있는 창[시각]을 우리에게 제공한다.

구문 **[3~4행]** **It** (가주어) is also important **to realize** that (in it) are reflected[V] many (of the important issues (of modern times))[S] (진주어).
- It = to realize that ~
- realize의 목적어인 that절이 수식어로 시작해 주어 동사가 도치된 구조.

[6~8행] ~, gift practices *can be powerfully affected* **by** economic change (A), and **by** the hopes and fears of *ordinary* (B) people (faced with *crises* **such as** *health* or *academic matters*).

- can be affected by A and by B로 <by+명사>가 and로 병렬 구조를 이루고 있다.
- <A such as B or C: B나 C와 같은 A>에서 A에는 B, C의 구체적인 예를 포괄하는 말이 온다.

[8~9행] ~, gift giving(S) is(V) **as much** a part of the struggle for existence in the modern world(C) **as** is(V′) any other form of social behavior(S′).

- A is as much ~ as B: A는 B만큼이나[못지않게] ~이다
- 비교급 문장의 비교 대상 B에서 긴 주어가 뒤로 간 도치 구조.

5 ①, ③

해설 상담 전문가는 게임을 못 하고 있는 것이 처벌로 느껴지지 않게 신경 써야 한다고 조언하고 있다. 또한 게임을 같이 하라는 조언은 언급되지 않았다.

해석 상담 전문가님께: 제게는 다른 무엇보다 비디오 게임하는 걸 좋아하는 두 아들이 있어요. 둘이 중학생인데 밖에 나가 친구들과 시간을 보내는 일이 좀처럼 없어요. 가끔씩 아이들이 거리를 하릴없이 배회하며 다니지 않으니 행복해야 하는 거 아닌가 생각이 들기도 하지만 아이들이 게임에 그토록 푹 빠져 있는 게 제게는 이상해요. 건강해 보이지 않거든요. 어떻게 하면 그들이 거기서 빠져나와 한 번씩 숨 돌리게 만들 수 있을까요?

비디오 게임 중독

비디오 게임 중독님께: 당신은 아들들이 전자기기를 사용해도 되는 시간을 제한할 수도 있고, 그들의 시간을 차지할 다른 활동들을 계획표에 넣어볼 수도 있습니다. 게임하는 게 허용되지 않을 때 그들이 벌 받고 있다고 느끼지 않도록 아이들이 할 다른 것들을 마련하는 게 중요합니다. 그 밖의 어떤 것들이 아이들의 흥미를 돋우는지 알아보세요. 밖으로 나가 탐구하고 싶게 만들지도 모를, 뭔가 아이들의 흥미를 사로잡는 것이 있나요? 어느 박물관이 그들에게 혹 흥미로울 수 있을까요? 스포츠 활동은 어떠한가요?

상담 전문가

구문 **[10~12행]** It(가주어) is important to have *other things* [(*for* them) *to* do ●](진주어) **so that** they(S) **don't** feel(V) like *they are being punished* [when they(S′) are not allowed(V′) to play their games].

- so that ~ not: ~하지 않도록
- 전치사 like의 목적어로 명사절이 왔다.

[12~13행] Does *anything*(S) capture their interest [**that** may **get**(V′) them(O′) *to want* to go out and explore(OC′)]?

- 관계사절이 선행사 뒤에 바로 시작되지 않고 문장의 균형을 위해 뒤에 놓인 구조.
- get+O+to-v: O가 ~하게 하다

왜 비디오 게임은 우리를 행복하거나 슬프게, 또는 좌절감을 맛보게 하는 걸까? 그리고 우리는 왜 그것을 계속하는 걸까?

- 미션을 완료했을 때 밀려오는 승리감
- 해 질 녘 좀비가 우글거리는 도시를 살피며 다닐 때 당신의 가슴을 조여 오는 두려움
- 무자비한 악당 손에 좋아하는 캐릭터를 잃었을 때의 슬픔

이 감정들은 우리가 집의 안전함 속에서 가상의 일을 하고 있다는 걸 알고 있어도 너무나 실제처럼 느껴질 수 있다. 우리는 게임을 끝내기 위해 하는 것이 아니라 마음과 영혼의 여정에 오르기 위해 한다.

SUMMARY 해석

먹을 게 없는 파티는 상상도 할 수 없다. / 숙제하는 것은 인내심을 필요로 한다. / 숙제하는 것은 인내심을 필요로 한다. / 공격을 언제 시작할지가 중요하다. / 싫어하는 파트너와 팀 과제를 함께 하는 것은 많은 스트레스를 뜻한다.

그녀가 그 음식을 직접 했다는 것은 사실이 아니다. / 그녀가 그 음식을 만들었는지 아닌지 분명하지 않다. / 어떤 음식을 어떻게 만들어야 하는지는 요즘 온라인에 있다.

잠을 자지 않고 살아남기는 불가능하다. / 인간이 어떤 (도구의) 도움 없이 하늘을 나는 것은 불가능하다.

여름 캠프에서 너는 친구들과 많은 새로운 경험을 하게 될 것이다. / 과학적 사실을 알아내려고 과학자들은 온 노력을 기울였다. / 나무 아래에 타임캡슐이 묻혀 있었다.

CHAPTER 03 동사에 이어지는 것들

UNIT 1 목적어나 보어로 쓰이는 명사구, 명사절

p. 30

• 미리보기

1 **the key to the room, 그 방 열쇠** | 나는 그 방 열쇠를 찾았다. 해설 명사구가 동사 found의 목적어.

2 **to move to Jeju-do, 제주도로 이사하는 것** | 나는 제주도로 이사하는 것을 계획하고 있다. 해설 to부정사구가 동사의 목적어.

3 **that you should be the team leader, 당신이 팀 리더가 되어야 한다는 것** | 모두들 당신이 팀 리더가 되어야 한다고 말한다. 해설 명사절이 동사의 목적어.

• 대표 예문

어휘 A equal 평등한, 동등한 opportunity 기회 promotion 승진; 홍보[판촉] C reserved 예약된, 따로 둔 party 일행 D mark 특징; 표시 whether or not ~인지 아닌지

Grammar PLUS

① Alex가 무엇을 원하는지 아니? / 나는 그게 진짜였는지 꿈이었는지가 확실치 않다.

② 그게 얼마일 것 같니? / 그게 얼마인지 알아?

Check it

1 **they were** | 나는 우연히 그들이 하고 있던 말을 들었다. 해설 what 이하가 overheard의 목적어로 쓰인 명사절이므로 <주어+동사>의 어순이 되어야 한다.

2 **that** | 뉴스 헤드라인은 산불이 마침내 잡혔다는 것이었다. 해설 주어 The news headline을 보충 설명하는 보어 자리로 that 명사절이 적절.

3 **whether** | 우리는 컴퓨터를 업데이트할지 새것을 살지 의논 중이다. 해설 or를 가운데 두고 두 가지 선택 사항이 나오는 구조이므로 whether A (or B)가 적절.

4 **where the money came from** | 사람들은 그 돈이 어디서 온 건지에 대한 그 정치인의 설명에 의혹을 품었다. 해설 전치사 of의 목적어 자리이므로 <의문사+S+V>의 어순이 적절.

어휘 1 accidentally 우연히, 어쩌다 overhear 우연히 듣다, 엿듣다 2 headline 헤드라인, 주요 뉴스 forest fire 산불 under control 통제되는, 제어되는 4 doubt 의심하다, 미심쩍어하다 politician 정치인 explanation 설명

UNIT 2 동사별 전치사 패턴과 가목적어 it

p. 31

• 미리보기

1 **as** | 나는 창의성을 기술이라고 여긴다. 해설 regard A as B: A를 B라고 여기다[생각하다]

2 **with** | 우리는 사람들에게 더 나은 의료 서비스를 제공하고자 노력하고 있다. 해설 provide A with B: A에게 B를 제공하다

3 **it** | 운전자들은 언제든 전화해서 도움을 받을 수 있는 점을 편리하게 여긴다. 해설 <find+O+OC>에서 목적어 자리에 가목적어 it이 오고 진목적어(to call ~)가 목적격보어(convenient) 뒤에 이어지는 구조.

어휘 1 creativity 창의성

• 대표 예문

어휘 A ahead 앞쪽에, 앞길에 B disease 질병 spread 퍼지다, 확산되다 C presentation 발표 D noodle 국수

Grammar PLUS

② 그가 내 이름을 알고 있는 게 수상해 보인다. / 아무 답이 없는 것이 나는 이상하게 느껴졌다.

Check it

1 **this carpet with something free of dust** | 우리는 이 카펫을 먼지 안 나는 것으로 바꿔야 할 거야. 해설 replace A with B: A를 B로 교체하다

2 **the passengers as the top priority** | 조종사는 승객의 안전을 최우선으로 여긴다. 해설 think of A as B: A를 B로 여기다[간주하다](= regard A as B)

3 **it a rule to check my progress** | 나는 다음 단계로 넘어가기 전에 진척 상황을 확인하는 것을 규칙으로 하고 있다. 해설 make it a rule to-v: ~하는 것을 규칙으로 하다 <it = to check my progress before going to the next stage>의 가목적어-진목적어 구조.

어휘 1 free of ~로부터 자유로운, ~이 없는 dust 먼지 2 priority 우선순위, 우선사항 passenger 승객 3 progress 진척, 진행

UNIT 3 다양한 목적격보어

p. 32

• 미리보기

1 **interesting** | 나는 내 영화를 모든 면에서 흥미롭게 만들겠다. 해설 <make+O+OC> 구조에서 목적어에 대한 보충 설명을 하는 목적격보어로는 부사가 아닌 형용사가 와야 한다.

2 **to leave** | 무엇이 그를 그렇게 일찍 떠나게 했는지[왜 그가 그렇게 일찍 가버렸는지] 모르겠다. 해설 cause+O+to-v: O가 ~하게 하다

3 **wrapped** | 저는 선물이 무늬 없는 종이에 포장되기를 원해요. 해설 <want+O+OC>에서 목적어와 목적격보어 관계가 능동이 아닌 수동이므로 과거분사 wrapped가 목적격보어로 알맞다.

어휘 1 aspect 측면, 점 3 wrap 포장하다 plain 밋밋한, 꾸밈없는

• 대표 예문

어휘 A gorgeous 아주 멋진, 찬란한 E prefer 선호하다

Grammar PLUS

② 나는 그에게 그것을 비밀로 할 것을 약속하게 했다. / 우리는 독수리가 먹이를 향해 뛰어드는 것을 보았다.

③ 문을 열린 채로 두세요. / 나는 고양이가 내 침대 아래에서 자고 있는 것을 발견했다. / 나는 다음번에 내 머리카락을 보라색으로 염색할 것이다.

어휘 ② dive 잠수하다, 뛰어들다 prey 먹이, 사냥감 ③ dye 염색하다

Check it

1 **to get** | 의사가 그에게 충분한 휴식을 취하라고 충고했다. 해설 advise+O+to-v: O에게 ~하라고 충고하다

2 **disappear** | 마술사가 이제 그녀의 조수를 무대에서 사라지게 할 것이다. 해설 make+O+동사원형: O가 ~하게 하다

3 **done** | 그녀는 파티에 늦지 않게 모든 것을 준비시키는 게 어렵다는 걸 깨달았다. 해설 get+O+p.p.: O가 ~되게 하다 (it = to get everything done in time for the party)

4 **to stay** | 우리 가족은 할머니가 우리와 함께 지내시기를 원하지만 할머니는 자신의 집을 갖는 쪽을 선호하신다. 해설 want+O+to-v: O가 ~하는 것을 원하다

어휘 2 assistant 조수; 조력자 disappear 사라지다 3 in time 때맞춰, 늦지 않게

Into the Grammar

p. 33

A

1 **where she got that nice jacket** | 그녀에게 저 멋진 재킷이 어디서 난 건지 물어봐. 해설 <ask+IO+DO> 구조에서 직접목적어가 의문사절이다.

2 **learning how to study better** | 내가 여름학교에서 얻은 가장 큰 이득은 어떻게 하면 공부를 더 잘할 수 있는지 배우게 된 것이다. 해설 *My biggest gain* (from summer school) is learning how to study better. (S: My biggest gain / V: is / C: learning how to study better)

3 **not to buy such colorful shoes** | 나는 엄마에게 그런 화려한 신발은 사지 말라고 했다. 해설 tell+O+not to-v: O에게 ~하지 말라고 하다

어휘 2 gain 이득, 이익

B

2 | 해설 2는 빈칸 뒤가 wonder의 목적어로 여행자가 산을 오르는 것이 그럴 만한 가치가 있는 일인지 아닌지 궁금해하는 상황이므로 빈칸에 접속사 whether(=if)가 알맞다. 나머지는 동사 뒤에 각각 불평의 내용과 믿음의 내용이 이어지므로 접속사 that이 적절하다.

1 학생들은 하루에 많은 단어를 암기하는 것이 그들에게 스트레스를 준다고 불평한다. 해설 동사 complain 뒤에 불평의 내용이 이어지므로 that이 적절하다.

2 그 여행자는 전망이 산을 오르는 노력의 가치가 있을지 궁금해한다. 해설 동사 wonder(궁금해하다) 뒤에는 '~인지 아닌지'의 의미를 띠는 접속사 if(=whether)가 와서 절을 이끄는 것이 자연스럽다.

3 많은 사람들이 경제가 다음 사분기에는 더 나아질 것으로 믿고 있다. 해설 동사 believe 뒤에 믿음의 내용이 이어지므로 that이 적절하다.

어휘 1 memorize 암기하다 2 wonder 궁금해하다 worth ~의 가치가 있는 effort 노력, 수고 3 economy 경제 quarter 1/4; (한 해의) 분기

C

1 **to choose → choose** | 무엇이 당신으로 하여금 우리 학교를 선택하게 했나?[왜 당신은 우리 학교를 선택했나?] 해설 사역동사 make+O+동사원형

2 **when does break time begin → when break time begins** | 쉬는 시간은 언제 시작되는지 물어봐도 될까요? 해설 목적어 자리에 온 when절은 의문문이 아니라 명사절. 따라서 <의문사+S+V> 어순이 되어야 한다.

3 **to → with** | 대부분의 사람들이 이 브랜드를 고품질로 연상한다. 해설 associate A with B: A를 B로 연상하다[와 연관 짓다]

4 **let → to let / staying → stay** | 그는 내게 하룻밤 더 머물게 해달라고 부탁했다. 해설 <ask+O+to-v>의 목적격보어 to-v 안에 <사역동사 let+O+동사원형>이 사용된 구조.

어휘 3 quality 품질

D

1 **to keep him from scratching the furniture** | 해설 keep A from v-ing: A가 ~하지 못하게 하다(= prevent[stop] A from v-ing)

2 **us how much he liked the present** | 해설 <tell+IO+DO> 구조에서 간접목적어(us)를 뺀 나머지는 DO, 즉 직접목적어 요소들이다. <의문사+S+V>의 어순으로 단어를 배열하되, 의문사 요소가 how much('정도'를 나타냄)임에 유의한다.

어휘 1 clip 자르다, 깎다 scratch 긁다, 할퀴다 furniture 가구

Read it #1

p. 34

1 ④

해설 이 글에서는 교육을 일생 계속되는, 마음의 영역을 넓히기 위한 끊임없는 노력으로 정의하고 있다. 배운 사람이란 세상일이나 예술 등에 대한 관심의 끈을 놓지 않고, 관심사가 다른 사람과 대화 나누며 지식의 지평을 넓히는 일을 게을리하지 않는 사람으로 교육은 다양한 형태를 띤다고 했다. 따

라서 정비공도 교수만큼이나 '박식한(knowledgeable)' 사람이라고 여긴다는 사실을 추론할 수 있다.

해석 배운 사람이란 교육이 평생 가는 과정임을 이해하는 사람이다. 따라서 배운 사람이 되려면 마음을 넓히는 일을 끊임없이 할 필요가 있다. 배운 사람이란 글을 읽고 쓸 줄 알며 교양 있고 의식이 깨어 있는 사람이다. 이들은 세상에서 무슨 일이 벌어지고 있는지 알고 있으며 예술의 진가를 알아보며 품위 있게 행동하는 사람이다. 배운 사람에게 보편적으로 발견되는 또 한 가지 특징은 이들이 교육받은 사람들과 또 관심사가 다른 사람들과 얘기할 기회를 찾으려 애쓴다는 것이다. 그들은 학교에서든 직장에서든 인생에 대해 많이 터득한 사람과 대화를 시작하기 위해 애쓴다. 그들은 교육이 다양한 형태를 띨 수 있음을 알고 있어서 자기 차 정비공이 교수님만큼이나 박식할 수 있음을 알고 있다.

선택지 해석

① 부유한 ② 재능 있는 ③ 편견에 사로잡힌
④ 박식한 ⑤ 사교적인

구문 [1~2행] An educated person is *a person* [who comprehends **that education is a lifelong process**].

S' V' O'

▸ <that+S+V>절이 동사 comprehends의 목적어로 온 구조.

[3~5행] He or she **knows** what[S] is happening[V] in the world, **appreciates the arts**, and **behaves in a decent manner**.

A B C

▸ what 의문사절이 동사 knows의 목적어로 온 구조. what이 의문사이자 주어로 쓰이고 있다.

[5~7행] *Another feature* (universally found in educated people) is **that they**[S] **try**[V] **to find** *opportunities* **(to talk to** *people* **[who**[S] **are**[V1] **educated** and **have**[V2] **different interests])**.

S V C

▸ Another feature ~ people(주어) = that they try ~ interests(보어)

▸ 과거분사 수식어, to부정사 수식어, 관계대명사절 수식어의 다양한 형용사 수식어가 명사를 수식하고 있다.

[7~8행] They try to get into conversations with *people* [who have learned, **[whether through school or work,]** a great deal about life].

S' V' M1 M2

▸ whether A or B(A이든 B이든)가 콤마를 앞뒤로 삽입된 구조. 뒤에 수식어 2개가 이어지는데 a great deal(많이)이 about life를 수식하고 있다.

2 ②

해설 (A) 눈이 보이는 사람에게도 같은 색깔이 다 다르게, 즉 주관적으로 보이므로 눈이 안 보이는 사람에게 색깔을 설명하는 일은 더 '주관적인(subjective)' 일이 될 것이다.

(B) 이어지는 예(like grass and leaves)를 대표할 수 있는 말은 subjects(주제; 과목)가 아니라 objects(사물, 물체)이다.

(C) 살아 있는 나뭇잎의 부드럽고 연한 특성을 초록으로 표현하고 있으므로 이와 대조적으로 물기를 잃어 바삭해지고 갈색으로 변한 상태는 나뭇잎이 죽은, 즉 '살아 있지(alive)' 않은 상태일 것이다. 앞에 부정어(aren't)가 있음에 유의해야 한다.

해석 눈이 안 보이는 사람에게 색을 어떻게 묘사하겠는가? 눈이 보이는 사람들도 색을 다 다르게 보는 점을 고려할 때 이 주관적인 일은 어려울 수 있다. 그러나 많은 색이 어떤 냄새, 맛, 소리, 혹은 느낌과 연관 있다는 사실에서 아이디어를 얻을 수 있다. 눈먼 이에게 색을 묘사하기 위해서는 후각, 미각, 촉각 같은 다른 감각을 이용해보라. 예를 들어 그 사람으로 하여금 보통은 한 가지 색인 물체, 풀이나 나뭇잎 같은 것을 손에 쥐게 한 다음 초록은 살아 있는 식물처럼 느껴진다고 설명하라. 그다음엔 나무껍질이나 땅바닥의 흙을 만지게 하고 이것들은 모두 갈색이라고 설명하라. "갈색은 땅처럼 느껴지는 한편 나뭇잎의 부드러움은 초록의 느낌이고 초록은 생명의 느낌이에요. 하지만 나뭇잎이 바삭할 때는 갈색으로 변한 것이고 더는 살아 있는 상태가 아니에요."라고 말하라.

구문 [1~3행] When you consider **that even sighted people**[S] **see**[V] **colors**[O] **differently**, / this subjective task can be difficult.

V O

▸ <that+S+V> 명사절이 동사 consider의 목적어로 온 구조.

[6~7행] ~ **have the person hold** *objects* [that are typically one color, like grass and leaves,] and explain **that** green feels like a living plant.

V1 O1 OC1 V2 O2

▸ have(사역동사)+O+동사원형: O가 ~하게 하다

[7~9행] ~, **have the person touch** the bark of a tree, or **touch** dirt on the ground, and explain **that** these things are all brown.

V1 O1 OC1 OC2 V2 O2

▸ <have+O+OC: O가 ~하게 하다>에서 목적격보어로 두 개의 동사원형이 or로 연결되어 있는 구조.

[10~11행] But when the leaves are crispy, / they **have turned** brown [and] **aren't** alive anymore.
▸ '결과'를 나타내는 현재완료시제로 표현되어(갈색으로 변해버림) 그 결과, 즉 지금의 상태(살아 있는 상태가 아님)는 현재시제로 표현되었다.

Read it #2

p. 36

3 ③

해설 학습자가 온라인 학습 과정 전반에 필요한 일을 해나가는 데 있어서 주도적일 것(take the initiative)을 강조하고 있는 이 글에 '소극적인 자세를 유지하다(maintain a passive posture)'는 모순된다. passive를 active로 고치면 흐름이 자연스럽다.

4 initiative, online

해설 traditional classroom과 대비되는 online learning environment의 특징을 살펴보고, 이런 특징에 비춰 학습자에게 요구되는 태도를 강조하고 있는 글이다.

문제 해석
온라인 학습에서 (자기) 주도적인 것의 중요성

3~4

해석 온라인 강의를 듣는 것은 다른 어떤 학습 경험과도 다르다. 학생이 학습 목표를 완전히 제어한다. 일정을 스스로 잡을 수 있고 전통적인 교실에서보다 보통 더 많은 자유를 갖는다. 그러나 이 점이 많은 학생들에게는 어려운 난제일 수 있다. 온라인 학습 강좌에서 성공적이기 위해서 학습자는 스스로 학습 동기를 부여하고 목표를 설정하고 학습 환경에서 소극적인(→ 적극적인) 태도를 유지하는 일에 있어 주도적이어야 한다. 온라인 학습 환경에서 가장 중요한 점 중 하나가 개인적인 동기를 이해하는 것이다. 대부분의 온라인 대학 학생에게는 전통적인 대학생이 되는 것을 막는 전일제 또는 시간제 일이 있고 가족이 있다. 일상생활의 모든 잠재적인 방해 요소들에도 불구하고 애초에 무엇이 그들을 이 학습 프로그램에 참여하게끔 이끌었는지를 그들은 알고 기억하고 있어야 한다.

구문 [2~3행] ~ and generally have **more** freedom **than** they ***would*** (have) in a traditional classroom.
▸ than 이하에 비교 대상(보통의 교실에서라면 누리게 될 자유의 양)이 나오는 비교급 문장.
▸ '가정'을 전제로 하는 조동사 would(~하게 될 것이다) 뒤에 동사 have가 생략되어 있다.

[4~6행] (**In order to** be successful in an online academic course), learners(S) must take(V) *the initiative* (**to motivate** themselves, **set** goals, [and] **maintain** an active posture in their learning environment).
▸ '목적'을 나타내는 in order to-v(~하기 위해) to부정사구 수식어로 시작된 뒤 주어 동사가 이어진 구조.
▸ the initiative를 수식하는 to motivate, (to) set, (to) maintain이 and로 병렬연결되어 있음.

[6~8행] *One* (of the most important aspects (in the online learning environment))(S) is(V) **understanding personal motivation**(C).
▸ be동사의 보어 자리에 동명사구가 온 구조.(= to understand personal motivation)

[10~11행] ~, they must *know* [and] *remember*(V) **what**[S] **initially attracted**[V] **them**[O] **to be in their program of study**[OC](O).
▸ 의문사 what절이 동사 know와 remember의 공통 목적어로 왔다.
▸ attract+O+to-v: O가 ~하도록 끌어들이다[이끌다]

5

(A) Serve a Silly Snack | 속에 엉뚱한 내용물을 넣은 햄샌드위치를 만들어주라는 장난의 아이디어를 담고 있다.

(B) Secretly Ruin Their Socks | 양말의 발 들어가는 곳을 꿰매두어 기겁하게 만들라고 하고 있다.

(C) Put a Sign in the Front Yard | 집을 팔 사정인 것처럼 꾸며서 놀라게 하자는 제안이다.

해석 아이들이 한 해의 가장 장난기 많은 날에 모든 재미를 차지하게 놔두지 마라. 만우절은 아이들에게 그들의 부모도 아직 만우절 날의 기상을 갖고 있음을 보여줄 기회이다.

(A) 속임수 간식을 만들어주라. | 하루 중 어느 땐가는 당신의 아이들이 "배고파 죽을 것 같아!"라고 외치는 소리를 듣게 될 것이다. 그들에게 햄샌드위치를 만들어주겠다고 하라. 이제, 이 특별한 샌드위치를 준비할 동안 그들이 부엌에 없는 것이 아주 중요하다. 그것은 완벽한 햄샌드위치처럼 보여야 하지만 속에는 상상력을 발휘해 거의 뭐든 넣어도 된다. 물론 대단히 인상적이진 않을 수도 있지만 적어도 양쪽 다 지루한 일상에서 벗어나 유쾌한 순간을 맛보게 해줄 것이다.

(B) 몰래 양말을 망쳐놓아라. | 아침에 아이들을 화들짝 놀라게 하고 싶은가? 양말을 꿰매어 붙여두라. 양말을 꿰매어 닫히게 한 다음 원래 있던 자리에 두라. 아침이 오면 양말이 발에 안 들어가서 그들은 기겁을 할지도 모른

다. 그때가 바로 장난임을 밝혀야 할 때이다. 그들이 미쳐 날뛰지 않도록 다른 좋은 양말을 꼭 준비해두라.

(C) 앞마당에 표지판을 세우라. | 엄청나게 큰일처럼 느껴지는가? 아주 간단한 일이다! '(집) 팝니다'라는 표지판을 상점에서 사서 아이들이 없을 때 마당에 세워두라. 아이들이 너무 둔해서 못 알아본다면? 그럼 그것에 '팔렸음'이라는 표식을 붙이고 아이들이 어떻게 반응하는지 살펴라.

행운을 빈다! 하지만 조심하라. 그들이 아마 당신에게 더 창의적인 장난을 준비 중일지도 모르니!

구문 **[1행]** Don't **let**(V) **youngsters**(O) **have** all the fun^{O} (on the most mischievous day of the year)!(OC)

▸ let+O+동사원형: O가 ~하게 놔두다

[2~3행] April Fools' Day is *your chance* (to show(V′) your kids(IO′) **that** their parents^{S} still possess^{V} that spirit of April Fools' Day^{O}(DO′).

▸ <show+IO+DO: ~에게 ...를 보여주다>에서 간접목적어 자리에 that 명사절이 온 구조.

[6행] Offer(V) **to make**^{V} **them**^{IO} **a ham sandwich**^{DO}(O).

▸ offer to-v(~하겠다고 제안하다)의 명령문이다.

▸ make+IO+DO: ~에게 ...를 만들어주다

[12~13행] You can **sew**(V) **the socks**(O) **shut**(OC) and put them back where they were.

▸ 양말(the socks)이 닫히도록(shut) 꿰매는(sew), 즉 목적어와 목적격보어가 수동관계이므로 과거분사 shut이 목적격보어로 쓰였다.

[14행] That(S) is(V) **when you reveal your prank**(C).

▸ That = when you reveal your prank

[15행] **Be sure**(V) (**to** have^{V} some other pair (of nice socks)^{O} ready^{OC}) **so** they(S′) **won't** be(V′) mad.

▸ Be sure to-v(틀림없이 ~하라)에서 to부정사 부분이 다시 <have+O+C>로 확장된 구조.

▸ so (that) S not ~: S가 ~하지 않도록

[18~19행] They are **too** dull **to** notice that?

▸ too ~ to-v: ...하기에는 너무 ~하다, 너무 ~해서 하지 못하다

[19행] Then **attach**(V1) a "SOLD" sign(O1) **to** it, [and] see(V2) **how they react**(O2).

▸ attach A to B: A를 B에 붙이다

▸ 두 개의 명령이 and로 연결되어 있는 구조. <how+S+V> 명사절이 동사 see의 목적어로 왔다.

눈먼 이에게 색깔을 설명하는 법에 대해 약간 더

색깔	사물	설명
빨강 (열기)	불[화재] 촛불	"햇볕에 타면 피부가 빨갛게 변한다." "창피해서 얼굴이 붉어지면 뺨의 열기가 빨갛게 보인다."
빨강 (긴급)	소방차 경찰차와 구급차의 불빛	"사이렌 소리가 들릴 때 사람들은 위험이 있을지도 모르므로 바로 경계 태세가 된다. 빨강은 그와 같이 다급하고 당신의 주의를 잡아끈다."
회색 (금속/콘크리트)	보도[인도]	"회색은 매우 단단하고 강하다. 발밑의 도로나 기댈 수 있는 벽처럼 견고하게 느껴지지만 살아 있지 않으며 자라거나 감정이 있거나 커지지 않는다."
파랑 (흐르는 물소리)	졸졸 흐르는 개울물 부서지는 대양의 파도	"물소리가 마음을 편안하게 해주듯 파랑은 차분하고 평화롭다."

SUMMARY 해석

그 새는 반짝이는 것을 모으는 것을 좋아한다. / 요리한다는 것은 많은 것을 동시에 처리하는 것이다. / 나는 네가 내 생일에 나를 위해 특별한 음식을 만들어준 것을 기억한다. / 나는 그가 그런 상황에서 나를 도울지 말지 궁금하다. / 내 질문은 당신이 그날 밤 10시부터 12시까지 어디에 있었냐는 것이다. / 우리는 누군가를 면전에서 흠잡는 것을 매너 없다고 여긴다. / 그 여름휴가 사진들은 우리에게 그곳에서의 근사한 시간을 떠올린다. / 엄마는 내가 곧바로 일어나기를 원하신다. / 엄마는 내가 곧바로 일어나도록 만드신다. / 나는 두 남자가 벽 뒤에 숨은[숨어 있는*] 것을 봤다 / 나는 언젠가 아빠가 세차하시는 것을 도왔다. / 선물이 포장되기를 원하시나요?

CHAPTER 04 동사 속으로: 시제

UNIT 1 기본 시제

p. 40

• 미리보기

1 **remained, remain** | 그 나라는 1950년대에도 여전히 매우 빈곤했다. 해설 과거(in the 1950s)의 상태를 말하므로 과거시제(remained)로 쓰였다.

2 **eats, eat** | Chip의 가족은 아침을 일찍 먹는다. 해설 늘 반복되는 일상적인 습관을 나타내므로 현재시제(eats)로 쓰였다.

3 **is lying, lie** | 봐! 개가 현관 위에 누워 있어. 해설 현재 일어나고 있는 동작을 말하므로 현재진행형(is lying)으로 쓰였다.

어휘 1 remain 여전히[계속] ~이다, ~인 채로 있다 3 lie ~에 있다; 눕다 porch 현관

• 대표 예문

어휘 A diverse 다양한, 가지각색의 C field trip 현장학습, 견학 D at full capacity 전면 가동인, 최대한의 능력으로 E strength 힘 confidence 자신감 realize 깨닫다 within 안, 내부 all the time 늘, 항상

Grammar PLUS

① 네가 전화했을 때 난 운전 중이었어. / 날이 덥고 습해서 셔츠가 계속 등에 달라붙었다.

② 사냥꾼은 숲속에 덫을 놓았다. / 그 학교는 선교사에 의해 설립되었다. / 그날 아침 부상을 입은 병사들과 말들이 전장에 누워 있었다.

어휘 ① humid 습한 stick to ~에 달라붙다 ② trap 덫, 함정 missionary 선교사 battlefield 전쟁터, 전장

Check it

1 **판다** | 우리는 하루 평균 20여 개의 핫도그를 판다. 해설 평균적인 하루 판매량을 말하는 현재시제(sell)가 사용되었다.

2 **창립했다** | 누가 구글을 창립했나? — 그것은 두 명의 컴퓨터 과학자에 의해 발명되었다. 해설 found('창립하다'-founded-founded)의 과거형으로 find('발견하다'-found-found)와 무관하다. 두 컴퓨터 과학자에 의해 과거에 발명된, 즉 창립한 것은 과거 일이므로 과거시제(founded)로 쓰였다.

3 **ⓐ 운동을 하지 않았다 ⓑ 고통 받고 있다** | Laura는 운동을 전혀 하지 않았으므로 이제 그 결과를 겪고 있다. 해설 과거에 운동하지 않은 과거 일(didn't exercise)의 결과를 지금 겪고 있음이 현재진행형(is suffering)으로 표현되었다.

4 **누워 있었다** | 바닷새의 사체들이 그날 아침에 유출된 기름 속에 누워 있었다. 해설 과거(that morning)의 일에 대해 이야기하고 있으므로, lie('~에 눕다, ~에 있다'-lay-lain)의 과거형(lay)이 쓰였다.

5 **마실 것이다** | 나는 이 도시의 물이 오염되었다고 생각하기 때문에 병에 든 생수를 마실 것이다. 해설 미래시제로 해석한다.

어휘 1 average 평균적인, 보통의 dozen 10여 개; 12개, 다스 2 found 창립하다, 설립하다 3 not ~ at all 전혀 ~ 않다 suffer ~을 겪다, 고통받다 consequence 결과, 귀결, 영향 4 lifeless 생명이 없는, 죽은 oil spill 유출된 기름 5 bottled water 병에 든 생수 pollute 오염시키다

UNIT 2 완료 시제

p. 41

• 미리보기

1 **hasn't worked(B), dropped(A)** | 내가 떨어뜨린 이후로 이 라디오는 작동이 안 된다. 해설 떨어뜨린(dropped: 과거) 것이 먼저 일어난 일이고 그때 이후로 지금까지 계속 작동이 안 되고 있는(hasn't worked: 현재완료 <계속>) 것이다.

2 **announced(B), had found(A)** | 경찰이 증거를 발견했다고 발표했다. 해설 증거를 찾은 것이 먼저이고(had found: 대과거), 발표는 그 이후에 한 일이다(announced: 과거).

3 **has caught(A), is carrying(B)** | 부엉이가 쥐를 잡아서 자기 새끼들에게 가져가고 있다. 해설 이미 잡은(has caught: 현재완료 <결과>) 쥐를 지금 가져가고 있는 중(is carrying: 현재진행형)이다.

어휘 2 announce 발표하다, 알리다 evidence 증거 3 owl 부엉이, 올빼미

• 대표 예문

어휘 A introduction 도입; 소개 microwave 전자레인지 C have ~ in stock 재고가 있다 D conclude 결론짓다

Grammar PLUS

나는 전에 여기에 와본 적이 없다. / 공룡은 수백만 년 동안 멸종 상태이다[멸종된 지 수백만 년 됐다]. / 멜론이 아직 익지 않았다. / 많은 사람이 경제 불황동안 일자리를 잃었다.

어휘 extinct 멸종된 mature 익다; 성숙하다 economic depression 경제 불황

Check it

1 **don't** | 나는 결심했고, 아무 의혹도 없다. 해설 결심을 완료한 상태(I've made up)이므로 의혹이 없는 시점은 현재시제 don't have로 표현하는 것이 알맞다.

2 **entered** | 그 회사는 새 사업 분야로 진출한 이래로 급격히 성장해오고 있다. 해설 새 사업 분야 진출은 과거의 한 순간, 즉 과거시제 entered로 표현되어야 한다. 새 사업 분야 진출(과거 시점) 이후로 성장이 급속히 이뤄져 오고 있음은 현재완료진행형(has been growing)으로 표현되었다.

3 **had said** | 친구가 자기에 대해 말했던 것을 들었을 때 그녀는 속상했다. 해설 그녀가 들은(heard) 과거 시점보다 친구가 말한 시점이 앞서므로 과거보다 앞선 시점을 말하는 대과거 had said가 알맞다.

4 **you'll have collected** | 스티커 하나만 더 받으면 당신은 기프트 티 상자를 받는 데 필요한 스무 개의 스티커를 다 모으게 될 것이다. 해설 문맥상 스티커를 하나 더 모으게 되는 것은 미래의 일이므로,

미래완료시제 you'll have collected가 알맞다.

5 **have been** | 그 둘은 여러 해 동안 친구로 지내와서 서로를 완전히 신뢰한다. 해설 현재까지 여러 해 동안(for years) 친구로 지내왔으므로 <계속>을 의미하는 현재완료 have been이 알맞다.

어휘 1 make up one's mind 결심하다 doubt 의심, 의혹 2 rapidly 급격히, 신속히 3 upset 속상한, 화난 4 collect 모으다, 수집하다 5 trust 신뢰하다 completely 완전히

UNIT 3 주의해야 할 시제

p. 42

• 미리보기

1 **until she'll return → until she returns** | 나는 그녀가 돌아올 때까지 여기서 기다리겠다. 해설 시간이나 조건의 부사절에서는 미래시제를 쓰지 않고 대신 현재시제로, 즉 until she returns로 써야 한다.

2 **have visited → visited** | 우리는 며칠 전에 여기를 방문했다. 해설 과거 시간 표현(a few days ago)이 있으므로 과거시제 visited로 써야 한다.

3 **has been collected → has been collecting[has collected]** | 우리 단체는 시각장애인을 위한 기금을 모아왔다. 해설 Our organization과 collect는 능동 관계이므로 현재완료의 수동태(has been collected)가 아닌 능동태로 써야 한다. 현재완료진행형(has been collecting) 또는 현재완료(has collected)의 능동태로 쓸 수 있다.

어휘 3 blind 눈이 먼

• 대표 예문

어휘 E urge 촉구하다 take action 조치를 취하다

Grammar PLUS

① 내가 출발할 때 네게 알려줄게. vs. 내가 언제 출발할지를 네게 알려줄게. / 그게 정품이라면 살게요. vs. 나는 그가 그것을 구매할지 궁금하다.

② 나는 그때 그의 비밀을 알았다.

③ 나는 일주일 전에 요리했다. / 너는 마지막으로 언제 요리했니?

어휘 ① original 정품

Check it

1 **×, have you started → did you start** | 영어가 꽤 괜찮군요. 언제 영어를 배우기 시작했나요? 해설 배우기 시작한(start) 시점은 과거 어느 때였을 것이므로 현재까지 지속을 의미하는 현재완료가 아닌 과거시제로 써야 한다. 의문문인 점에 주의한다.

2 **O** | 그녀에게 네 돈을 언제 갚을 건지 물어보지 그래? 해설 <S+V+IO+DO> 구조에서 직접목적어 자리에 when 명사절이 온 경우이다. 돈을 갚는 것은 앞으로의 일이므로 미래시제 will pay로 맞게 쓰였다.

3 **×, has been suffered → has been suffering[has suffered]** | 그 나라는 빈곤 문제에서 형편없는 의료시스템에 이르기까지 많은 사회문제를 겪어오고 있다. 해설 현재완료진행형의 형태는 have been v-ing, 즉 has been suffering으로 써야 한다.

4 **×, will come → comes** | 엄마가 여행에서 돌아오자마자 나는 집안일에서 해방될 거야. 해설 시간의 부사절에서는 미래시제를 쓰지 않고 대신 현재시제를 쓰며 주어(Mom)가 3인칭 단수이므로 comes로 써야 한다.

5 **O** | 우리는 작은 아파트에서 살아왔지만 다음 주에 큰 아파트로 이사한다. 해설 곧 있을 가까운 미래의 일을 나타내므로 현재진행형 are moving이 알맞게 쓰였다.

어휘 4 housework 집안일 5 move 이사하다, 이주하다

Into the Grammar

p. 43

A

1 **for thousands of years** | 사람들은 석탄을 수천 년 동안 채굴해왔다. 해설 문맥상 현재완료 have mined는 <계속>을 나타내므로 since(~ 이후로)나 for(~ 동안)로 시작하는 어구가 어울린다. 보기 중 얼마 동안 채굴해왔는지 기간을 나타내는 for thousands of years가 적절하다.

2 **until she grows up** | 그녀가 성인이 될 때까지 그 비밀은 나만 간직하겠다. 해설 비밀을 간직하는 것은 앞으로의 일, 즉 미래이지만 until이 이끄는 시간의 부사절에서는 현재시제로 미래를 나타낸다.

3 **In the Middle Ages** | 중세시대에는 요리사들이 음식을 금잔화와 장미로 장식했다. 해설 과거시제 decorated가 쓰였으므로 과거 시간 표현이 적절하다.

4 **every day** | 지하철은 매일 수천 명의 승객을 상업지구로 실어 나른다. 해설 현재시제 conveys가 쓰였으므로 현재시간 표현 every day가 적절하다.

5 **since the accident last month** | 그 남자는 지난달의 사고 이후로 3주 넘게 입원해 있다. 해설 과거부터 현재까지 계속된 일의 기간은 이미 나왔으므로(for more than three weeks) 그 뒤에는 시작 시점을 나타내는 since(~이후로)가 쓰인 표현이 올 수 있다.

어휘 1 mine 채굴하다; 광산 coal 석탄 3 decorate 장식하다 marigold 금잔화 4 convey 실어 나르다, 운반하다 passenger 승객 district 지구, 지역

B

1 **was**

a) 나는 뭔가 끔찍한 일이 일어날 것임을 확신했다. 해설 주절의 시제가 과거이므로 that절의 be going to-v(~할 것이다)에서 be는 과거 형태(was)가 되어야 한다.

b) 그 가수는 감기를 앓고 있어서 형편없는 공연을 했다. 해설 과거 공연을 할 당시 감기를 앓고 있었던 상황이므로 과거진행형(was suffering)을 완성하는 was가 와야 한다.

c) 너무 어두워서 나는 아무것도 볼 수 없었다. 해설 that절의 시제(couldn't see)가 과거 일임을 나타내므로 주절도 과거시제로 쓰여야 한다. It은 '명암'을 나타내는 비인칭 주어로 be동사, 즉 was가 빈칸에 알맞다.

어휘 a) feel certain 확신하다 terrible 끔찍한, 무서운 b) performance 공연, 연주; 수행 suffer from ~을 앓다, ~로 고통받다 c) so ~ that ... 너무 ~

해서 …하다

2 **has**

a) 그 모든 불만 사항들이 상품의 질에 심각한 저하가 있었음을 알려준다. 해설 과거에서 현재까지 심각한 저하(a serious drop)가 있었던 것이므로 현재완료 has been을 완성하는 has가 쓰여야 한다.

b) 반복된 시도 후에 그 소년은 마침내 껍질을 깨지 않고 달걀을 삶는 법을 터득했다. 해설 주어가 the boy이고, learned와 함께 동사 모양이 완성되어야 한다. 현재완료의 <결과>를 나타내며 필요한 단어는 has이다.

c) Smith 씨는 이 회사에서 근무하기 시작한 이래로 홍보를 맡아오고 있다. 해설 근무하기 시작했을 때부터 지금까지 여전히 홍보 일을 맡고 있으므로 현재완료진행형(has been v-ing)을 완성하는 has가 쓰여야 한다.

어휘 a) **complaint** 불만 사항; 불만, 불평 **indicate** (간접적으로) 알려주다, 나타내다 **serious** 심각한, 중대한 **quality** (품)질 **product** 상품, 제품 b) **trial** 시도 **boil** 삶다, 끓이다 **shell** 껍질 c) **deal with** ~을 다루다, 처리하다 **public relations** 홍보; (기업 등의) 대인관계

Read it #1

p. 44

1 ⑤

해설 식당이 재정적인 어려움을 겪고 있음을 구체적으로 얘기하면서 도움이 절실히 필요함을 호소하고 있다. 글의 후반부의 다가올 기부에 대한 감사 인사에서 글의 목적이 확인된다.

해석 저희는 지금 몇 년간 겨우 먹고살 만큼만 벌고 있고, 오르는 임대료와 운영비의 전반적인 증가로 저희 가게는 여러분의 지원이 절실히 필요합니다! 저희는 1990년 크리스마스 이틀 전에 뉴욕에 사는 영국인들이 와서 제대로 된 차 한 잔 마실 장소를 마련하겠다는 희망으로 식당을 열었습니다. 1994년에 Carry On Tea & Sympathy가 감자 칩과 비스킷, 초콜릿에 대한 여러분의 모든 갈망을 완화시키기 위해 문을 열었고, 1999년에는 A Salt and Battery가 최상의 피시 앤 칩스를 제공하기 위해 문을 열었습니다. 저희는 이 지역의 모든 가게들이 임대주에게 가게를 내주고 이 지역을 떠나는 것을 지켜봤습니다. 저희는 그 명단에 추가되지 않도록 매우 애쓰고 있습니다. 형편이 되는 얼마의 기부든 대단히 감사합니다. 이 기금은 저희의 대출 상환금을 낮추는 데 보탬이 되도록 쓰일 것입니다. 저희가 이 공동체를 얼마나 사랑하는지는 이루 말로 표현할 수 없습니다.

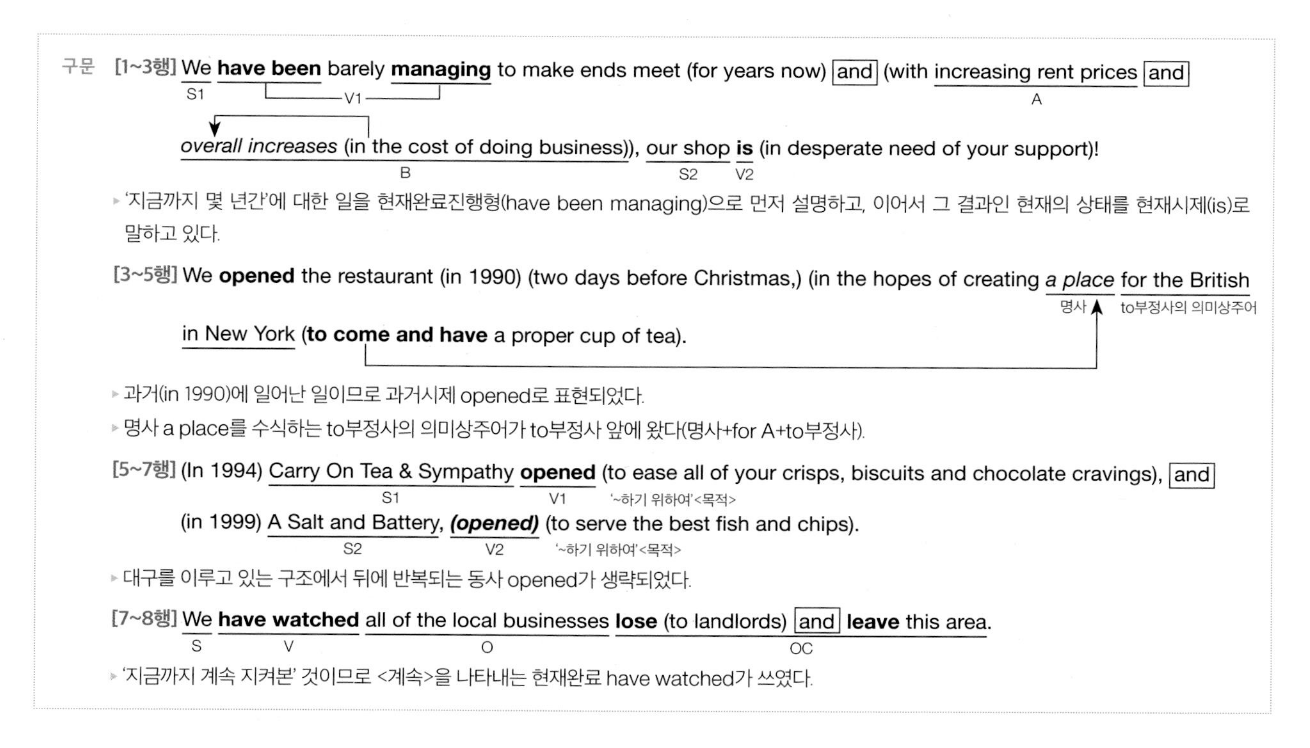

구문 [1~3행] We(S1) **have been** barely **managing**(V1) to make ends meet (for years now) [and] (with increasing rent prices(A) [and] *overall increases* (in the cost of doing business)(B)), our shop(S2) **is**(V2) (in desperate need of your support)!

▸ '지금까지 몇 년간'에 대한 일을 현재완료진행형(have been managing)으로 먼저 설명하고, 이어서 그 결과인 현재의 상태를 현재시제(is)로 말하고 있다.

[3~5행] We **opened** the restaurant (in 1990) (two days before Christmas,) (in the hopes of creating *a place*(명사) for the British in New York(to부정사의 의미상주어) (**to come and have** a proper cup of tea).

▸ 과거(in 1990)에 일어난 일이므로 과거시제 opened로 표현되었다.

▸ 명사 a place를 수식하는 to부정사의 의미상주어가 to부정사 앞에 왔다(명사+for A+to부정사).

[5~7행] (In 1994) Carry On Tea & Sympathy(S1) **opened**(V1) (to ease all of your crisps, biscuits and chocolate cravings)('~하기 위하여'<목적>), [and] (in 1999) A Salt and Battery,(S2) ***(opened)***(V2) (to serve the best fish and chips)('~하기 위하여'<목적>).

▸ 대구를 이루고 있는 구조에서 뒤에 반복되는 동사 opened가 생략되었다.

[7~8행] We(S) **have watched**(V) all of the local businesses(O) **lose** (to landlords) [and] **leave** this area(OC).

▸ '지금까지 계속 지켜본' 것이므로 <계속>을 나타내는 현재완료 have watched가 쓰였다.

2 ③

해설 가주어(it)-진주어(to-v) 구조의 밑줄 친 문장에서 beyond our reality는 '현실을 넘어서 있는', 즉 '실현 불가능한'의 의미이지만, 부정어 not이 있으므로 '불가능한 것이 아닌', 즉 '가능한' 일임을 의미한다. 밑줄 문장의 뒤에 이어지는 행진 참가자의 말로부터 마틴 루터 킹은 사회의 변화할 수 있는 능력과 그 변화를 이뤄낼 우리의 힘에 대한 믿음을 선사했다고 했으므로, 더 나은 미래를 꿈꾸는 것이 가능해 보였음을 알 수 있다.

해석 "나는 언젠가 이 나라가 들고 일어나 '우리는 모든 인간이 평등하게 창조됨을 자명한 진실로 간주하고, …'라는 신조의 진정한 의미를 실행할 것이

라는 꿈이 있습니다. 나는 나의 어린 네 아이들이 언젠가 피부색으로가 아니라 인격으로 판단될 나라에서 살게 되리라는 꿈을 갖고 있습니다." 이것은 1963년 8월 28일, 인권을 위한 행진을 앞두고 링컨 기념관에서 마틴 루터 킹 주니어가 한 세계적으로 유명한 연설이다. 그 행진은 미국인들에게 평화적인 시위의 힘을 보여주었다. 1년 후에 그것은 차별을 금지하는 시민 권리에 관한 법의 탄생을 가져왔다. 행진의 한 참가자는 킹의 꿈은 그 당시에 그랬던 만큼이나 오늘날에도 중요하다고 말한다. "그가 준 이미지는 미래에 관한 것이었어요. 그리고 그것이 일어날 수도 있다고 생각하는 것은 비현실적이지 않았습니다. 그가 우리에게 준 그 모든 선물 가운데 가장 위대한 것은 사회의 변화할 수 있는 능력과 그 변화를 이뤄낼 우리 각자가 갖고 있는 힘에 대한 믿음입니다."라고 그녀는 말했다.

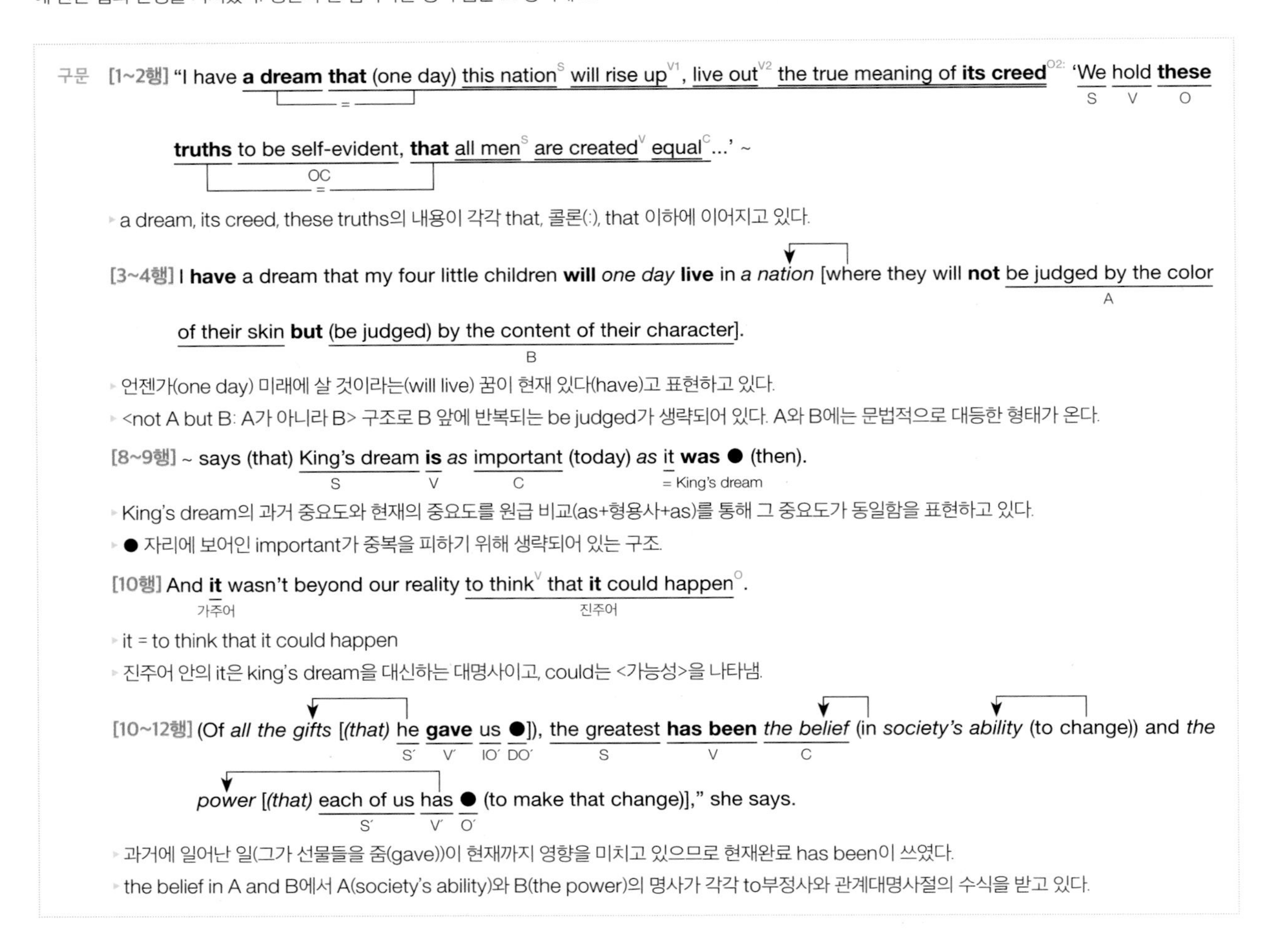

구문 [1~2행] "I have **a dream that** (one day) this nation[S] will rise up[V1], live out[V2] the true meaning of **its creed**[O2]: 'We hold **these truths** to be self-evident, **that** all men[S] are created[V] equal[C]...' ~

- a dream, its creed, these truths의 내용이 각각 that, 콜론(:), that 이하에 이어지고 있다.

[3~4행] I **have** a dream that my four little children **will** *one day* **live** in *a nation* [where they will **not** be judged by the color of their skin (A) **but** (be judged) by the content of their character (B)].

- 언젠가(one day) 미래에 살 것이라는(will live) 꿈이 현재 있다(have)고 표현하고 있다.
- <not A but B: A가 아니라 B> 구조로 B 앞에 반복되는 be judged가 생략되어 있다. A와 B에는 문법적으로 대등한 형태가 온다.

[8~9행] ~ says (that) King's dream (S) **is** (V) *as* important (C) (today) *as* it (= King's dream) **was** ● (then).

- King's dream의 과거 중요도와 현재의 중요도를 원급 비교(as+형용사+as)를 통해 그 중요도가 동일함을 표현하고 있다.
- ● 자리에 보어인 important가 중복을 피하기 위해 생략되어 있는 구조.

[10행] And **it** (가주어) wasn't beyond our reality to think[V] that **it** could happen[O] (진주어).

- it = to think that it could happen
- 진주어 안의 it은 king's dream을 대신하는 대명사이고, could는 <가능성>을 나타냄.

[10~12행] (Of *all the gifts* [(*that*) he (S') **gave** (V') us (IO') ● (DO')]), the greatest (S) **has been** (V) *the belief* (C) (in *society's ability* (to change)) and *the power* [(*that*) each of us (S') has (V') ● (O') (to make that change)]," she says.

- 과거에 일어난 일(그가 선물들을 줌(gave))이 현재까지 영향을 미치고 있으므로 현재완료 has been이 쓰였다.
- the belief in A and B에서 A(society's ability)와 B(the power)의 명사가 각각 to부정사와 관계대명사절의 수식을 받고 있다.

Read it #2

p. 46

3

(A) animals 해설 과학적 발견이라는 영역의 최전방에 섰던 동물들(animals)을 개척자(those pioneers)로 비유했다.

(B) 그 개척자들[동물들]이 임무 수행을 자원하지 않았다는 것 해설 앞 문장 내용, 즉 그 동물들이 임무 수행을 자발적으로 한 것은 아니라는 점을 가리킨다.

(C) her[the] journey 해설 Laika가 Sputnik 2호를 타고 한 우주여행을 가리키므로 her journey 또는 the journey이다.

4

ⓐ universe ⓑ test ⓒ Earth ⓓ died ⓔ saw ⓕ humans
해설 4번 해석 참고

3~4

해석 동물은 오랫동안 과학적 발견의 최전방에 있었다. 그러나 그 개척자들이 그들의 임무에 자원한 것은 아니었다. 그렇다고 그것이 과학 지식에 한 그들의 중대한 기여를 줄이지는 않는다. 좋은 사례 하나가 우주로 보내진 최초의 동물들이다. 60년 전, 인간은 대기권 위로, 달과 행성을 향해 여행하는 상상을 품었다. 하지만 그런 여행에서 누군가가 또는 무엇인가가 살아남을 수 있을까? 1957년 11월 3일, Laika가 답을 제공하기 시작했다. 그것은 무게 11파운드의 모스크바 거리에서 주워진 유기견이었다. (현재 러시아라고 불리는) 소비에트 연방은 그것을 Sputnik 2호에 태워 궤도로 발사했다. 온 세상이 그것이 여행에서 살아남을지 궁금해했다. 그것은 그러지 못했다. 실은, 그것은 그 여행에서 살아남도록 의도된 것이 전혀 아니었다. Sputnik 2호는 재진입 시스템이 없었던 것이다. Laika가 7일 동안 견뎌내게 할 만큼의 먹을 것과 물만 있었고, 그보다 더 많은 것은 없었다. (나중에) 밝혀졌듯이, 그것은 겨우 6시간을 살았다.

더 많은 동물들이 Laika를 쫓아 궤도로 들어가곤 했고, 살아남았다. 미국에서 인류에게 거대한 첫 도약이 Ham이라고 이름 붙여진 네 살짜리 침팬지에 의해 이뤄졌다. 1961년 1월 31일, Ham은 16분의 비행을 위해 우주로 로켓 발사되었다. 그것은 동물이 아주 작은 수성(행) 우주선에서의 여행에서 살아남을 수 있는지를 알아보기 위한 테스트였다. Ham은 우주선 안에서 번쩍이는 불빛에 반응하여 손잡이를 잡아당기도록 훈련받았다. Ham의 여행 중 그 임무의 성공은 우주비행의 스트레스 하에서 작업하는 것이 가능함을 입증했다. Ham은 우주비행사인 Alan Shepard와 Gus Grissom이 나중에 하게 될 것과 같은 여행을 했다. 이 동물들, 그리고 더 많은 동물들은 인간이 우주 탐험이라는 꿈을 이루는 것을 가능하게 하는 데 도움을 줬다. 그들이 지구를 벗어난 여행을 한 최초의 존재였다. 우리는 이 비자발적인 개척자들에게 감사해야 한다[우리의 감사를 빚지고 있다].

4 **해석** A: 너 Laika가 누군지 알아?

B: 우주에 보내졌던 개 아니야?

A: 맞아. 생물체가 거기에서 살아남을 수 있는지 테스트하기 위해 보내졌지.

B: 지구로 돌아왔어?

A: 불행하게도, 궤도의 어느 지점인가에서 우주선 안에서 죽었어.

B: Laika는 인간 탐사 계획의 희생양이었구나. 우리는 그것에게 감사함을 빚졌어(감사해야 해).

A: 우주선에서 임무를 성공적으로 완수한 침팬지가 있었어.

B: 뭘 했는데?

A: 번쩍이는 빛을 볼 때마다 핸들을 잡아당겼어. 과학자들은 인간도 우주에서 작업을 할 수 있다고 결론지었지.

B: 그래서 그게 다 그렇게 시작된 거로구나.

구문 **[4~5행]** *Sixty years ago*, humans **had** visions **of** traveling (above the atmosphere)[A] and (out toward the moon and planets)[B].

- 과거(Sixty years ago)에 일어난 일을 과거시제(had)로 표현하고 있다.
- visions의 구체적인 내용이 of 뒤에 이어진다.(visions = traveling above the atmosphere ~ planets)

[9행] The world (S) wondered (V) if (= whether) she **would** survive her journey (O). She didn't (*survive her journey*).

- if절의 내용은 그때 당시의 미래 일이므로 will이 아닌, 과거형 would로 쓰였다.

[13행] More animals **would** *follow* Laika into orbit — and (***would***) survive.

- 과거의 불규칙적인 습관을 나타내는 조동사 would(~하곤 했다)이다.

[13~14행] (In the U.S.), *the first giant leap* (for mankind) (S) **was made** (V) (by *a 4-year-old chimpanzee* (**named** Ham)).

- 과거에 이뤄진 일이므로 과거시제의 수동태 was made로 표현되었다.
- 수동 관계를 나타내는 과거분사(named: ~라고 불리는)가 a 4-year-old chimpanzee를 수식하는 구조.

[15~16행] It was *a test* (**to see if** an animal could survive *a journey* (in the tiny Mercury spacecraft)) (O).

- a test가 to부정사구(to see ~ spacecraft)의 수식을 받고, a journey가 전치사구(in the tiny Mercury spacecraft)의 수식을 받는 구조.
- see의 목적어로 if(~인지 아닌지)가 이끄는 명사절이 왔다.

[19~21행] These animals, [and] many more, (S) **helped** (V) (***to***) **make**[V] **it**[O] (O) possible[C] (가목적어) *for humans* (의미상 주어) to fulfill their dreams of space exploration (진목적어).

- 사역동사 help의 목적어로 원형부정사(동사원형), to부정사 둘 다 올 수 있다.

[21~22행] We **owe** these involuntary pioneers (IO) our thanks (DO).

- <owe+IO+DO>: IO에게 DO를 빚지다

"나는 그곳에 있었어요."

워싱턴에서의 행진에 참여했던 사람들은 마틴 루터 킹이 평등을 위한 목소리를 높이는 데 있어 군중들을 어떻게 이끌었는지 기억한다.

"그런 건 난생처음이었어요. 공기 중의 격한 감정이 기억나요." *- Joan Baez, 가수*

"우리는 리더십을 구하고 있었고, 그가 그것을 제공해주고 있었죠." *- Rachel Robinson, Jackie Robinson 재단 소속*

"나는 그 순간 결심했어요... 이 나라를 바꾸는 일부가 되겠다고." *- Nan Orrock, 상원 의원*

SUMMARY 해석

현재	나는 매일 요리한다. / 네가 설거지를 하면 내가 네게 요리를 해줄게.
과거	나는 일주일 전에 요리했다. / 너 언제 마지막으로 요리했니?
미래	난 오늘 밤 스파게티를 요리할 거야.
현재완료	나는 가족을 위해 요리를 한 적이 한 번 있다. / 내가 방금 뭔가 새로운 걸 요리했어. / 그 탑이 한 시간 동안 불에 탔다. / 그 화재가 숲속 모든 생명체를 없애버렸다.
대과거	갑자기 밤새 내 고양이를 밖에 뒀다는 걸 깨달았다.
과거완료	할머니가 10년 넘게 벽장에 보관해둔 유리 항아리를 마침내 여셨다.
미래완료	그녀는 내년이면 대학에 입학할 것이다.
현재진행	버스가 아주 느리게 오고 있다. / 버스가 곧 올 거야. 5분만 더 기다리자. / 나는 그때 그의 비밀을 알고 있었다.
과거진행	나는 그때 버스를 기다리고 있었다. / 버스에 올라탈 때 나는 통화중이었다.
현재완료진행	다시 공부[업무]로 돌아가! 거의 30분이나 전화기를 붙잡고 있잖아.
과거완료진행	우리가 극장 앞에서 널 봤을 때 넌 누구를 기다리고 있었니?

CHAPTER 05 동사 속으로: 태

UNIT 1 능동태와 수동태

p. 50

• 미리보기

1 (the secret agent) | 대화는 비밀 요원에 의해 기록[녹음]되었다. 해설 수동태(was recorded)에서 행위자는 by 뒤에 나온다.

2 **Is (the old man) walking the dog, or is (the dog) walking the man?** | 노인이 개를 산책시키고 있는 거야, 개가 노인을 산책시키고 있는 거야? 해설 동사 뒤에 목적어(the dog, the man)가 이어지고 있는 현재진행형(is walking)의 의문문 문장이다. 능동태이므로 '주어'가 목적어를 산책시키는(walk) 관계이다.

3 (The pilots) | 조종사들이 비행 쇼에서 곡예비행으로 군중을 짜릿하게 만들었다. 해설 목적어(the crowd)를 전율시킨(thrill) 행위자는 The pilots로 능동태 문장이다.

어휘 1 record 기록하다, 녹음[녹화]하다 secret agent 비밀 요원, 정보원 2 walk 산책시키다; 걷다 3 thrill 전율(시키다) stunt 곡예, 아슬아슬한 재주

• 대표 예문

어휘 A mark 자국, 표 B guard 호위[경호]하다 sturdy 건장한, 튼튼한 C require ~을 요구하다 glasswork 유리 제품[세공] E philosophy 철학

Grammar PLUS

① 사람들은 해마다 그 특별한 날을 기린다. / 그 특별한 날은 해마다 (사람들에 의해) 기념된다.

② 그 경주는 우천에도 불구하고 열렸다. / 태양이 수평선 위로 솟아올랐다.

어휘 ② race 경주 take place 일어나다, 열리다 in spite of ~에도 불구하고 above ~ 위로 horizon 수평선, 지평선

Check it

1 **decorated** | 디자이너가 모자를 온갖 종류의 단추로 장식했다. 해설 뒤에 목적어(the hat)가 있으므로 능동태가 맞다.

2 **what should be done** | 두 팀이 대기오염 관련해 무엇이 행해져야 하는지 토론을 벌일 것이다. 해설 문맥상 '무엇이 행해져야 할지'가 되어야 하므로 수동태 what should be done이 맞다.

3 **include** | 채굴의 위험 요소는 지면 붕괴와 폭발을 포함한다. 해설 ground collapses나 explosions는 dangers의 종류에 해당하는 것들로, 주어 dangers가 목적어 ground collapses와 explosions를 포함한다는 의미가 적절하므로 능동태 include가 맞다.

4 **has ruined** | 허리케인이 수천 에이커에 달하는 사탕수수 작물을 망쳐놓았다. 해설 동사 ruin(~을 망치다) 뒤에 오는 것(thousands of ~ crop)이 목적어이므로 능동태의 현재완료형(결과) has ruined가 맞다. (= Thousands of acres of the sugar cane crop have been ruined by the hurricane.)

5 **traveled, were overwhelmed** | 관광객들이 그랜드캐니언으로 여행 가서 그 장엄한 풍경에 압도되었다. 해설 이 문장에서 travel(여행하다)은 목적어 없이 자동사로 쓰였으므로 수동태로 쓸 수 없다. the majestic scenery 앞에 행위자를 나타내는 by가 있고, 이것이 주어 The tourists를 압도한(overwhelmed) 것이므로 The tourists로서는 '압도당한', 즉 수동태(were overwhelmed) 표현이 맞다.

어휘 1 decorate A with B A를 B로 장식하다 2 debate 토론(하다), 논쟁(하다) pollution 오염, 공해 3 mine 채굴하다; 광산 ground 땅바닥, 지면 collapse 붕괴 explosion 폭발 4 hurricane 허리케인, 폭풍우 ruin 망치다 acre 에이커(면적의 단위) sugar cane 사탕수수 crop 농작물, 수확물 5 overwhelm 압도하다 majestic 장엄한 scenery 풍경, 경관

UNIT 2 복잡한 수동태

p. 51

• 미리보기

1 **당분간 누구도 그 건물에 접근하는 것이 허용되지 않는다.**
해설 ← They **allow** no one to approach the building for now.

2 **데이터가 삭제되고 있다. 5분이면 완료될 것이다.**
해설 ← I **am deleting** the data. I **will complete** it in five minutes.

3 **참가자들에게 질문에 답할 기회가 한 번만 주어질 것이다.**
해설 ← We **will give** the contestants only one chance to answer the questions.

어휘 1 be allowed to-v ~하는 것이 허용되다 approach ~에 접근하다, 다가가다 2 delete 삭제하다, 지우다 complete 완료하다, 끝마치다; 완전한 3 contestant 참가자, 경쟁자

• 대표 예문

어휘 A sweet(s) 단것 B immediately 즉시, 곧바로 C ensure 보장하다, 확실히 하다 access 접근; 접속 D raise (기금을) 모으다, 조성하다

Grammar PLUS

② 노숙자들을 위해 담요가 수집되고 있다. / 그 과학자가 이 병이 쥐에 의해 전파된다는 것을 발견해냈다. / 그녀는 지난 20년 동안 적십자 일에 관여해왔다.

어휘 ② rat 쥐(생쥐(mouse)보다 몸집이 크고 꼬리가 긴 쥐) involve 관여시키다, 참여시키다 Red Cross 적십자 decade 10년

Check it

1 **been** | 수많은 다리가 홍수로 파괴되었다. 해설 파괴(destroy)의 행위를 한 것은 by 뒤의 the flood이고, 문장의 주어인 bridges는 '파괴된 상태'(현재의 결과)이므로 현재완료의 수동태(have been destroyed)로 표현되어야 한다.

2 **be** | 다음 달부터 공공장소에서 담배 피우는 사람은 누구든지 백 달러의 벌금이 부과될 것이다. 해설 권위 있는 기관에 의해 Anyone은 벌금을 부과받는(be fined) 입장. 미래시제이므로 will 뒤에 be 동사를 원형 그대로 쓰면 미래시제의 수동태(will be fined)가 완성된다.

3 **are 또는 will be** | 강좌를 듣는 학생은 전원 다음 주 월요일까지 보고서를 제출할 것이 요구된다[요구될 것이다]. 해설 ← S require[will require] all the students in the class to submit ~.

4 **had** | 그녀는 부모님께 지난달에 직장에서 해고되었다고 말하는 게 두려웠다. 해설 fire(해고하다)를 한 것은 회사이고 She는 해고당하는 입장이므로 수동태로 표현되어야 하는데 was afraid보다 해고된 시점이 앞서므로 대과거 수동태(had been fired)가 되어야 한다.

5 **to** | 일요일에 열리기로 예정되었던 행사가 취소되었다. 해설 be scheduled to-v: ~하기로 예정되어 있다

어휘 1 a number of 많은 ~, 다수의 ~ 2 fine (벌금)을 부과하다 3 require ~을 요구하다, ~할 필요가 있다 submit 제출하다 4 fire 해고하다 5 schedule 일정을 잡다, ~로 예정하다 take place 열리다, 행해지다 cancel 취소하다

UNIT 3 수동태 문장 제대로 보기 p. 52

• 미리보기

예 열쇠가 침대 밑에서 발견되었다.

1 **are cleaned, 매일 아침** | 거리는 매일 아침 청소된다.

2 **is said, 그녀는 스파이이다** | 그녀가 스파이라고 말해진다. 해설 that 이하 내용이 전달되고 있다.

• 대표 예문

어휘 A tale 이야기, 설화 supernatural 초자연적인 B be based on ~에 기초하다 C suspect 용의자 D be made up of ~로 구성되다 sacrifice 희생 E be lined with ~이 늘어서 있다 oak tree 떡갈나무

Grammar PLUS

③ 그 괴물이 왕자로 변신하는 게 목격되었다. / 때로 우리는 우리의 의지에 반해 행동하게 된다.

어휘 ③ turn into ~로 변신하다 against ~에 반하여 will 의지

Check it

1 **to stay** | 모든 사람들을 보호자가 등장할 때까지 경찰서에 머물게 했다. 해설 사역동사가 수동태로 쓰이면 목적격보어 자리의 원형부정사는 to부정사가 된다. (make+O+원형부정사 → S be made to-v)

2 **was laid off** | 그 남자는 지난달 직장에서 정리 해고되었으나 곧 다시 고용되기를 바라고 있다. 해설 문맥상 동사는 lay(~에 두다, 놓다)가 아닌 lay off(~을 정리 해고하다)이므로 수동태 be laid off가 맞다. 동사구는 수동태가 되어도 늘 한 덩어리로 움직인다는 점에 유의한다.

3 **with** | 그릇이 다양한 모양의 젤리로 가득 차 있다. 해설 fill A(the bowl) with B(various shapes of jellies)에서 A가 주어로 쓰여 수동태 문장이 된 구조로 이때 전치사는 with를 쓴다.

4 **to** | 아이들이 어른의 상황과 어른의 인생관에 노출되어 있다. 해설 expose A(children) to B(adult situations and adult views of life)에서 A가 주어로 쓰여 수동태 문장이 된 구조.

5 **is believed** | 낮에 자는 15분짜리 낮잠이 하루 종일 정신을 초롱초롱하게 해주는 것으로 믿어진다. 해설 주어(Just a 15-minute nap in the daytime)가 믿는(believe) 주체가 아니라 '~라고 믿어진다'라는 내용이므로 is believed ~가 맞다.

어휘 1 guardian 보호자; 감시자 2 lay off 정리 해고하다 rehire 다시 고용하다 4 view of life 인생관, 인생을 바라보는 관점 5 daytime 낮 시간 alert 정신이 초롱초롱한, 경계하는

Into the Grammar p. 53

A

1 **caused** | 허리케인이 대서양 해안 지역에 대대적인 피해를 일으켰다. 해설 허리케인이 피해를 가져온 주체이므로 수동태가 아닌 능동태 caused가 맞다.

2 **have been suffering** | 나는 오랫동안 두통을 앓아왔다. 해설 '~에 시달리다, 고통받다'의 뜻으로 쓰인 자동사 suffer는 수동태 표현이 불가능하므로 현재완료 수동태(have been suffered)로 쓰일 수 없다. 과거에 시작되어 지금도 계속되고 있는 일을 나타내는 현재완료진행(have been suffering)은 가능하다.

3 **is being considered** | 누가 선발 투수로 고려되고 있나요? 해설 Who가 고려되고 있는 대상이므로, 수동태(is being considered)로 표현되는 것이 맞다.

4 **is composed of** | 태양계는 한 개의 항성, 여덟 개의 행성, 수십 개의 위성, 수천 개의 혜성과 소행성으로 이뤄진다. 해설 compose(~을 구성하다)는 목적어를 갖는 타동사여서 수동태 모양, 즉 be composed of(~로 구성되어 있다)로 쓰이지만 consist(구성되다)는 자동사여서 수동태로 쓰이지 않으며 consist of(~로 구성되어 있다)로 쓰인다.

5 **have called for** | 사람들이 최근의 테러 공격에 대한 철저한 조사를 요구하고 나섰다. 해설 People이 call for(~을 요구하다)하는 입장이므로 능동태로 써야 한다. (= A thorough investigation of the recent terror attack has been called for by people.)

어휘 1 extensive 대대적인, 광범위한 Atlantic 대서양(의) coast 해안 2 suffer from ~을 겪다, ~로 고통받다 3 starting pitcher 선발 투수 4 the solar system 태양계(solar 태양의) dozens of 수십 개의 ~ moon 위성(행성의 인력에 의하여 그 둘레를 도는 천체) comet 혜성 asteroid 소행성 5 call for ~을 요구하다 thorough 철저한 investigation 조사 recent 최근의

B

1 **pay → are[get] paid** | 시간제 직원은 일주일에 한 번 시급으로 급여가 지급된다. 해설 pay하는 주체는 고용주. employees는 지급받는 입장이므로 수동태로 표현되어야 한다.

2 **has carefully designed → has been carefully designed** | 새 모델은 내구성을 향상시키기 위해 신중하게 고안되었다. 해설 동사 design(~을 고안하다) 뒤에 목적어가 없고, 주어(The new model)가 '고안되는' 대상이므로 동사는 수동태(has been carefully designed)가 되어야 한다.

3 **was occurred → occurred** | 내가 영원히 젊지 않을 것이라는 사실이 문득 떠올랐다. 해설 occur는 목적어가 뒤따라오지 않는 자동사이므로 수동태로 쓰일 수 없다.

4 **will be demanded → will demand** | 너의 시간과 에너지를 요구하는 많은 학업이 있을 것이다. 해설 demand(요구하다)의

주체가 that 앞의 a lot of schoolwork이고 목적어가 your time and energy이므로 수동태가 아닌 능동태(will demand)로 써야 한다.

5 **was seen drive → was seen driving[to drive]** | 도둑이 파란색 승합차를 타고 달아나는 것이 목격되었다. 해설 지각동사가 수동태로 쓰이면 원형부정사 대신 to부정사(to drive) 또는 현재분사(driving)가 이어진다.

어휘 1 **part-time** 시간제의 **employee** 직원, 종업원 2 **design** 고안하다, 설계하다 **durability** 내구성 3 **occur to** ~에게 (생각이) 떠오르다 4 **schoolwork** 학업 **demand** 요구하다 5 **thief** 도둑 **drive away** 차로 달아나다 **van** 승합차, 밴

C

1 **is expected to attract** | 다음 달 출시될 예정인 신차 모델은 국내와 국외 바이어 둘 다 마음을 끌 것으로 예상된다. 해설 주어인 The new car model이 expect의 주체가 아닌 대상이므로 수동태 is expected로 시작되어야 한다. 또한 expect 다음에 기대되는 내용이 to-v(~할 것이)로 와야 하는데 빈칸 뒤에 목적어(buyers)가 이어지므로 attract는 능동태로, 즉 is expected to attract로 빈칸을 완성할 수 있다.

The new car model (scheduled to be released next month) **is expected** to attract buyers (*both* at home *and* abroad).
(S / V / C)

2 **want to be known as** | Edgar와 Edwin은 달라지려고 애를 쓰는데, 왜냐하면 그들은 '쌍둥이들'로 알려지는 것을 원치 않기 때문이다. 해설 주어인 they가 원하는 것이므로 want는 능동태로 쓴다. want의 목적어로 to부정사를 쓰되, they가 know의 주체가 아니라 대상이므로 수동형의 to부정사(to be p.p.)와 '자격'을 나타내는 전치사 as(~로(서))를 사용해 be known as로 표현한다.

Edgar and Edwin try (hard) (to be different), / because they don't want **to be known as** "the twins."
(S / V / '~하기 위하여' / S' / V' / O')

어휘 1 **(be) scheduled to-v** ~하기로 예정되어 있는 **release** (신상품을) 출시하다 **abroad** 해외에, 해외로 **expect** 예상하다, 기대하다 **attract** 끌어당기다, ~를 매료하다 2 **be known as** ~로 알려지다

Read it #1

p. 54

1 ③

해설 이 글에 소개된 Stevie라는 로봇은 사람과 상호작용하는 사교 로봇으로, 사람들의 말에 다양하게 반응하며 심지어 농담도 한다고 한다. 따라서 이 글의 제목은 '인간의 친구로서의 로봇'이 적절하다.

해석 병원 복도를 엔진 단 카트처럼 쌩하고 돌아다니는 것들, 인형과 같이 환자에게 위안을 가져다주는 것들을 포함해 많은 다양한 로봇이 의료 분야에서 사용된다. Stevie는 사교 로봇으로 알려진 것이다. 그것은 사람들과 상호작용하도록 고안되었다. Stevie는 (사람들의) 말에 말, 제스처, 움직임으로 반응한다. 예를 들어 Stevie에게 당신이 아프다고 말하면 그것은 얼굴을 찌푸리며 "저런, 어떡해."라고 말한다. Stevie를 칭찬하라, 그러면 로봇의 화면이 미소로 바뀐다. 쉴 때는 그것의 디지털 눈이 명령을 기다리며 깜빡인다. 양로원의 거주자들과 어울리는 시간에 한 거주자가 Stevie에게 농담을 하나 해보라고 했다. "왼쪽 눈이 오른쪽 눈에게 뭐라고 했게?" 웃기는 부분은 "우리 사이에 뭔가 냄새가 나는걸!"이었다. Stevie의 수석 엔지니어인 McGinn에 따르면, 거주자들이 그 로봇에 관해 제일 좋은 점이 뭐냐고 질문받았을 때 "저를 웃고 미소 짓게 해요."라고 말했다고 한다.

선택지 해석
① 로봇 발달의 역사
② 로봇이 인간의 언어를 구사할 수 있나?
③ 인간의 친구로서의 로봇
④ 일상생활에서의 로봇의 용도
⑤ 로봇이 인력을 대체하다

구문 [1~3행] Many different robots **are used** in health care, *including* some [that[S] zip[V] (around hospital hallways) (like motorized carts)] and *some* (like dolls [that[S] bring[V] patients[IO] comfort[DO]]).
(A / B)
▸ '누가 사용하는지'보다 '주어(Many different robots)가 어느 분야에서 쓰이는지'를 전달하고 있는 수동태 문장.

[3행] Stevie is *what*[S]**'s known**[V] (**as** a social robot).
(S / V / C)
▸ 관계대명사 what(~하는 것)이 보어절의 주어.

[3~4행] It **was designed** (*to interact* with people).
'~하기 위해'<목적>

▸ to부정사구가 로봇 Stevie의 용도를 설명하고 있다.

[6행] **Compliment** Stevie, **and** its screen changes to a smile.
V O

▸ 명령문+and: ~하라, 그러면 …할 것이다

[7~8행] At a social hour (with *residents* (in a nursing center)), a resident **had** Stevie *tell* a joke: ~
S V O OC

▸ have+O+원형부정사: O가 ~하게 하다[시키다]

[9~11행] According to McGinn, Stevie's lead engineer, when residents **were asked** *what they liked most about the robot*, they said, "It makes me *laugh* and *smile*."
S' V' S V

▸ ← when we **asked** residents what they liked most about the robot, ~ <4형식의 수동태>
IO DO

2 ④

해설 동사 뒤에 목적어가 열거되고 있으므로(original research, reviews and opinions) 능동태(publish)로 써야 한다.

해석 '유전학의 최전선'은 인간을 비롯하여 식물, 가축과 그 밖의 모델 생물에 이르기까지 온갖 생명 영역에 관련한 유전자와 게놈을 주제로 하는, 동료의 평가를 받는 연구물을 출판한다. 누구나 접근 가능한 이 학술지는 뛰어난 가장 앞서가는 전문가들에 의해 이끌어지며 최근에 진행된 연구를 연구자, 교수, 정책 입안자, 그리고 대중에게 전달하는 선두에 서 있다. 게놈이 다양한 생물학적 과정에 끼치는 영향에 대한 연구가 (이곳에) 잘 기록된다. 그러나 발견의 대다수는 이제부터 올 것이다. 새로운 시대는 게놈의 기능에 있어서의 중대한 발달들을 지켜보고 있다. '유전학의 최전선'은 다양한 부문의 연구 분야를 다루는데, 이 중 '가축의 게놈 연구', '환경과 생물의 상호작용'이 있다. 모든 부문이 누구나 접근 가능하고 최초의 연구, 비평, 그리고 견해를 출간한다. 이는 가장 기초적인 것부터 최고로 임상 응용이 가능한 것까지 유전자 및 게놈 연구의 전 영역으로 구성된다.

구문 [1~3행] *Frontiers in Genetics* publishes *peer-reviewed research* (**on** *genes and genomes* (**relating to** *all the domains of life*, (**from** humans **to** plants **to** livestock and other model organisms)).
S V O

▸ on: ~에 관한, ~을 주제로 하는

▸ from A to B (to C): A에서 B, C에 이르기까지

[5~6행] The study (of **the impact** (**of** the genome **on** various biological processes)) **has been well-documented**.
S V

▸ the impact (of A on B): A가 B에 끼치는 영향 (← A have an impact on B: A가 B에 영향을 끼치다)

▸ 주어는 전치사구의 수식을 받는 The study이므로 동사는 단수형이다.

[7행] However, the majority of discoveries **are** still **to come**.

▸ be to-v는 다양한 의미로 쓰이는데 여기서는 '예정(~할 것이다)'으로 해석된다.

[8~10행] *Frontiers in Genetics* covers *research areas* (in various sections), (among **which**) are "Genome research in farm animals" and "Interactions between environment and organisms."
S V O V' S'

▸ which = research areas in various sections

▸ 부사구(among which)가 문장 앞으로 이동해서 주어와 동사(are)가 도치된 구조.

[11~12행] This **consists of** the full spectrum of genetic and genomic research, ~.

▸ ← This **is composed[made up] of** the full spectrum of genetic and genomic research, ~.

3 busy, happiness

해설 실험의 참가자를 두 그룹으로 나눠 실험해 보았더니 아무것도 하지 않고 다음 할 일을 기다리기만 하는 쪽보다 주어진 시간에 산책이라는 활동을 한(to keep yourself busy) 쪽이 보낸 시간에 대한 만족도, 즉 행복(happiness)도가 높음이 드러났다.

해석 할 일로 늘 바쁜 사람들이 빈둥대는 사람들보다 더 행복한 경향이 있다고 새 연구가 시사한다. 연구자들이 98명의 대학생을 다른 일을 하기 전에 15분 동안 아무것도 하지 않고 보내기나 산책하는 것 중 하나를 할 것을 요하는 실험에 참가하게 했다. 학생들은 자기 학교에 대한 설문지를 작성하도록 지시받았고, 그렇게 하는 동안 그 밖의 다른 것은 할 수 없다는 얘기를 들었다. 첫 번째 설문이 끝난 후 참가자들은 사탕 하나가 그들에게 주어질 거고, 또 다른 설문을 하기 전에 그것을 갖고 둘 중 하나를 할 수 있다는 얘기를 듣게 되는데, 그것은 사탕을 가까운 곳에 떨어뜨리고 계속 아무것도 하지 않거나 사탕을 떨어뜨리러 먼 곳까지 산책하는 것이다. 15분 후 학생들에게 "지난 15분 동안 기분이 어느 정도 좋았나요?"라고 묻는 설문지가 주어졌고, 응답은 1단계 즉 '전혀 안 좋았음'에서 '아주 좋았음'을 시사하는 5단계까지 등급 지어져 있었다. 그 결과 멀리 떨어진 곳까지 걸어간 참가자가 하릴없이 기다리고 있기로 선택한 이들보다 높은 점수를 보고했다고 연구자들이 말한다.

요약문 해석

빈둥거림은 당신을 행복하게 해주지 않는다. 오히려 늘 자신을 바쁘게 하는 것이 행복에 이르는 열쇠이다.

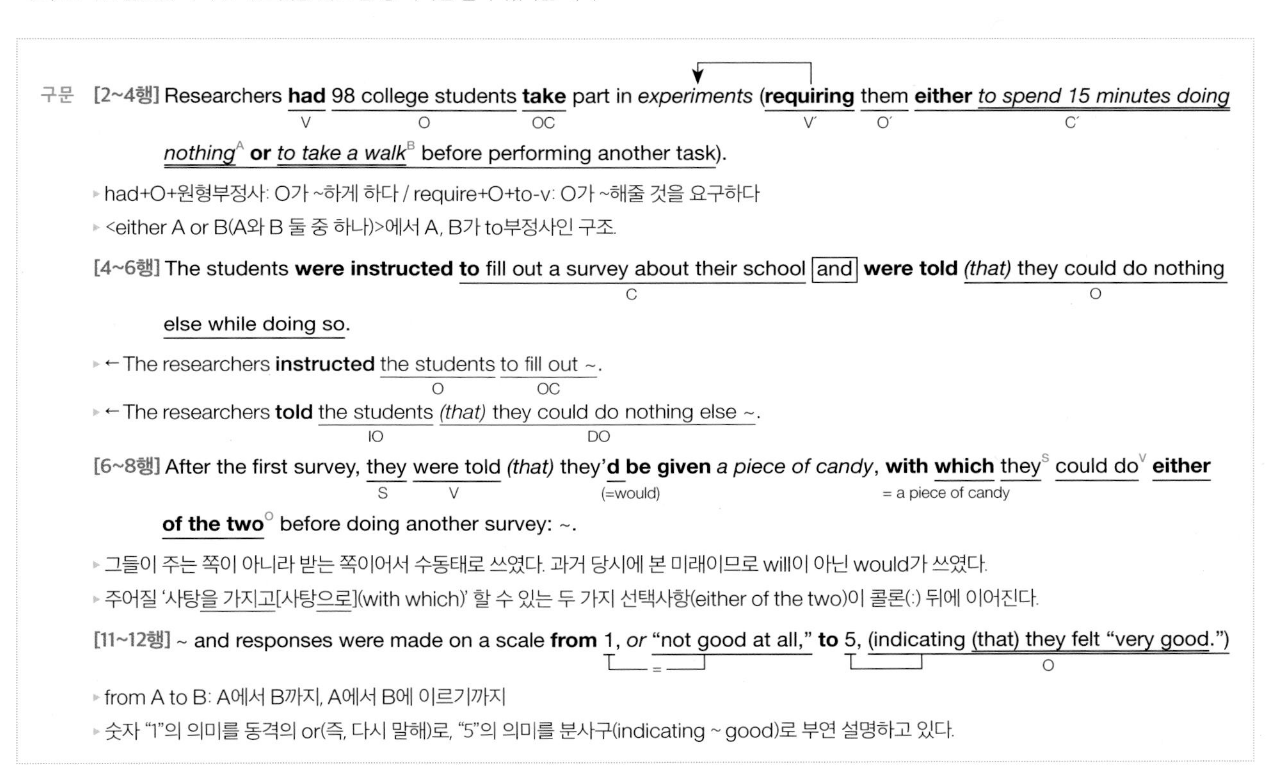

구문 **[2~4행]** Researchers **had** 98 college students **take** part in *experiments* (**requiring** them **either** *to spend 15 minutes doing nothing*[A] **or** *to take a walk*[B] before performing another task).

▸ had+O+원형부정사: O가 ~하게 하다 / require+O+to-v: O가 ~해줄 것을 요구하다

▸ <either A or B(A와 B 둘 중 하나)>에서 A, B가 to부정사인 구조.

[4~6행] The students **were instructed to** fill out a survey about their school and **were told** *(that)* they could do nothing else while doing so.

▸ ← The researchers **instructed** the students to fill out ~.

▸ ← The researchers **told** the students *(that)* they could do nothing else ~.

[6~8행] After the first survey, they were told *(that)* they'**d be given** *a piece of candy*, **with which** they[S] could do[V] **either of the two**[O] before doing another survey: ~.

▸ 그들이 주는 쪽이 아니라 받는 쪽이어서 수동태로 쓰였다. 과거 당시에 본 미래이므로 will이 아닌 would가 쓰였다.

▸ 주어질 '사탕을 가지고[사탕으로](with which)' 할 수 있는 두 가지 선택사항(either of the two)이 콜론(:) 뒤에 이어진다.

[11~12행] ~ and responses were made on a scale **from** 1, *or* "not good at all," **to** 5, (indicating (that) they felt "very good.")

▸ from A to B: A에서 B까지, A에서 B에 이르기까지

▸ 숫자 "1"의 의미를 동격의 or(즉, 다시 말해)로, "5"의 의미를 분사구(indicating ~ good)로 부연 설명하고 있다.

4 (A) fruitless (B) issue (C) field (D) sides (E) Form

해설 (A) 포럼이 열렸다는 내용 뒤에 접속사 but이 이어지므로 빈칸 (A)에는 포럼과 관련된 긍정적인 내용이 아닌 부정적인 내용이 오는 것이 자연스럽다. 이어지는 내용(led to more division)과도 일관성이 있으려면 fruitless(결실 없는)가 문맥상 알맞다.

(B) 인종차별 사건을 포괄할 수 있는 말이어야 한다. 따라서, 당면한 심각한 '문제(issue)'가 어울린다.

(C) 그 '분야'의 전문가를 알아내라는 문맥이 자연스러우므로 field가 알맞다.

(D) 교사, 학생, 학부모 등 모든 '면, 편(side)'에서 협력자를 얻을 수도 있다는 문맥이다. all 뒤에 이어지므로 복수형 (all) sides가 적절하다.

(E) 빈칸 뒤에 목적어가 이어지므로 동사가 올 자리이다. 혼자서 활동하지 말고 같은 편을 찾아 그룹을 '결성하여(Form)' 활동하라는 조언이다.

해석 상담자님께: 제 아들은 국제학교에 다니고 있는데, 최근에 그의 학교에서 몇 번의 인종차별 사건이 발생했음이 밝혀졌습니다. 그리고 그 일은 학생과 교사, 학부모 모두에게 불안감을 줍니다. 그러나 그 점에 관해 별로 이렇다 할 일이 이뤄지고 있는 것 같지 않습니다. 이것이 학생들 간에 쟁점이 되었고, 해결책을 찾기 위한 학생 포럼이 열리곤 했지만 죄다 결실이 없었고, 분열만 더 초래했습니다. 저는 교장 선생님이 이 심각한 문제를 다루기 위해 해결책을 찾아야 한다고 권고하고 싶습니다. 그분을 북돋우려면 제가 뭘 하면 좋을까요? *문제해결자를 꿈꾸는 목소리 드림*

문제해결자를 꿈꾸는 목소리님께: 그 분야의 전문가로 알려진 단체 또는 개인을 검색해 알아내세요. 이 문제 관련하여 적절한 서비스를 제공할 수 있는

다양성 전문가들로 대여섯 선택사항이 든 명단을 작성하세요. 또 학교에서 누가 기꺼이 당신을 지지하며 그 과정을 (함께) 해나갈지 알아내세요. 최상의 시나리오일 때 당신은 모든 편, 즉 교사, 학생, 학부모, 심지어 학교 행정부까지 모두에게서 협력자들을 얻게 될 것입니다. 소규모 그룹을 결성하여 그들에게 당신이 알아낸 것들과 권고하는 것들을 교장 선생님께 전달하는 일을 하는 데 있어서 함께 해달라고 요청하세요.

구문 **[3~4행]** But I don't think (that) much(S') **is being done**(V') about it.

▸ 현재진행형이 수동태로 쓰였다. ← ~ they *are doing* much about it.

[5~6행] ~, and *student forums* (to find a solution)(S) **have been held**(V), but they(= student forums) *were*(V1) all fruitless and *led*(V2) to more division.

▸ 학생 포럼(student forums)은 '개최되는' 것이고, 과거부터 지금까지 계속되는 일을 나타내므로 동사로 현재완료시제의 수동형(have been p.p.)이 쓰였다.

[10~11행] Do your research(A) [and] identify organizations or *individuals* [who **are known as** experts in the field](B).

▸ be known as: ~로 알려져 있다

[13~14행] Also figure out(V) **who**(S) is(V) willing to support you with the process at the school(O).

▸ <의문사(S)+V>의 간접의문문 구조. 의문사가 주어 역할을 하는 경우이다.

[16~17행] **Form**(V1) a small group(O1), [and] **ask**(V2) them(O2) *to work* with you (in presenting your findings and recommendations to the principal)(OC2).

사탕을 떨어뜨리기 위해 멀리까지 가는 것의 만족감의 기저에는 뭐가 있을까?

"사람들은 빈둥거리는 것을 좋아하는가? 절대 그렇지 않다. 우리는 그저 빈둥거리지 않으려고 늘 바쁘게 지내려고 애쓰는 사람들을 종종 본다. 다시 말해, 소위 그들의 활동 이유는 계속 바쁘기 위한 핑계에 불과할 수 있다. 대체로 사람들은 선택이 주어지면 그들을 계속 바쁘게 하는 쪽을 택할 것이다.

사람들이 바쁨에 대한 정당화를 갈망한다는 생각은 사람들이 합리적인 동물이며 이성에 입각해 결정을 내리려고 한다는 과학적 연구 결과에 뿌리를 두고 있다. 즉 목적 없이 무언가에 노력을 쏟아붓는 건 바보 같은 짓이라는 것이다. 사람들은 바쁨이 행복으로 이어진다는 걸 알고 있는 것 같다. 하지만 바쁨의 정당성이 부족하면 그땐 빈둥거림을 택하게 될 것이다. 이는 규칙과 이성에 근거해 결정을 내리고자 하는 사람들의 욕구를 다시 재확인해준다.

SUMMARY 해석

<시제별 수동태>

그 통지는 5분마다 **보내진다**. / 그 통지는 5분 전에 **보내졌다**. / 그 통지는 5분 후에 **보내질 것이다**. / 맨 윗줄이 큰 붓으로 **지워지고 있다**. / 그 프로젝트 관련한 모든 파일들이 **삭제되었다**.

<문장형식별 수동태>

Jerry는 늘 Tom의 **추격을 받는다**. / 우승자는 트로피를 **받을 것이다**. / 트로피가 우승자에게 **주어질 것이다**. / 자기 분야에 박식한 사람은 전문가**라고 불린다**. / 우리는 점심시간에만 점심을 먹는 **것이 허용된다**. / 구름이 서쪽으로 가는 **게 보였다**. / 군대가 어둠 속에서 대기**하도록 지시받았다**.

<주의할 수동태>

경품이 영업하는 사람들에 의해 **배포되고 있었다**. / 모두들 공연에 **감명받았다**. / 초콜릿은 즉각적인 에너지 촉진제로 **알려져 있다**. / 그 가수는 십 대들**에게** 더 잘 **알려져 있다**. / 그는 사라졌다[사라져 버리고 없다]. / 그들이 커플이**라고들 한다**.[그들은 커플인 것으로 **말해진다**.] ← 사람들이 그들을 커플이라고 한다.

CHAPTER 06 동사 속으로: 조동사

UNIT 1 조동사가 말해주는 것들

p. 60

• 미리보기

1) | 해설 1)은 '허가'를 나타내는 반면 2), 3)은 '능력'을 나타낸다.

1) 지금 떠나도 좋다.

2) 너는 그것을 가능하게 할 수 있다.

3) 이 작은 글자들을 읽을 수 있나요?

• 대표 예문

어휘 A hatch 알을 까고 나오다, 부화되다 B have trouble v-ing ~하는 데 어려움이 있다 C apply 적용하다 willing 마음먹는 것, 의지 E material 자료, 재료 related 관련 있는

Grammar PLUS

① 그는 분명 노숙자일 것이다. - 넌 내게 거짓말을 하면 안 돼. / 그는 여전히 미혼일지 몰라. - 좀 더 일찍 와도 좋아. / 그녀가 Small 사이즈일 리가 없어. - 나는 저 호화로운 차를 살 여유가 안 돼.

② 난 어느 영화를 대여할지를 놓고 우리가 투표할 것을 제안해. / 우리는 정부가 공격에 대해 즉각적인 조치를 취할 것을 요구한다. / 그 신발을 신고 학교에 가는 것에 대해 다시 한번 생각해보길 권할게.

어휘 ① homeless 집 없는 single 미혼인 afford (~을 살 금전적) 형편이 되다 luxurious 호화로운, 사치스러운 ② vote 투표하다 demand 요구하다 take action 조치를 취하다 recommend 권장하다, 추천하다

Check it

1 **금지** | 너는 여기 있는 어떤 것도 손대서는 안 돼. 해설 불필요는 don't have to 또는 don't need to로 표현한다.

2 **추측** | Gary가 정말 화났나 보다. 그는 좀처럼 그렇게 불평하지 않는데 말이야. 해설 Gary가 평소와 달리 불평을 많이 하고 있는 이유를 '추측'하고 있다.

3 **불필요** | 인간은 먹을 것을 구하기 위해 자연에 전적으로 의존할 필요가 없다. 해설 must = have to / must not(금지: ~해서는 안 된다) ≠ don't have to(불필요: ~할 필요 없다)

4 **추측** | 엄마 곰이 새끼에게 다가오는 누구든 공격할 수 있다. 해설 새끼를 지키려는 엄마 곰의 보호본능이 발휘될 수 있다는 '추측'을 나타낸다.

5 **제안** | 엄마가 다음번에는 국에 소금을 조금 적게 넣으라고 하셨다. 해설 동사 put은 문맥상 현재의 사실이 아닌 향후의 '제안' 내용이므로, 현재형도 과거형도 아닌 당위의 조동사 should가 생략되어 있는 <(*should*+)동사원형>이다.

어휘 2 seldom 좀처럼 ~ 않다 3 wholly 전적으로, 완전히 depend on ~에 의존하다 4 attack 공격하다 get close to ~에게 다가가다 cub (곰·사자 등의) 새끼

UNIT 2 긴 조동사들

p. 61

• 미리보기

1 a) 네가 비밀번호를 잊어버릴지도 몰라. b) 그는 휴대전화를 **잃어버렸을지도 모른다**. | 해설 <may+동사원형>은 '현재 또는 미래의 추측(~할지도 모른다)'을, <may+have p.p.>는 '과거의 추측(~했을지도 모른다)'을 나타낸다.

2 a) 그것은 속임수일 수도 있어. b) 내가 더 많은 목숨을 **살렸을 수도 있었는데**. | 해설 a) 현재나 미래에 대한 불확실한 가능성이나 추측을 나타낸다. b) <could+have p.p.>는 '과거의 가능성(~했을 수도 있다)'을 나타낸다.

3 a) 그것이 이 근처 어딘가에 있는 게 틀림없어. b) 그는 지금 막 **떠난 것이 틀림없다**. | 해설 <must+동사원형>은 '현재의 강한 추측(~임이 틀림없다)'을, <must+have p.p.>는 '과거의 강한 추측(~했음이 틀림없다)'을 나타낸다.

어휘 2 trap 속임수, 덫 3 somewhere 어딘가에 just now 방금, 막

• 대표 예문

어휘 A speak badly of ~에 대해 험담하다, 나쁘게 말하다 B work out 운동하다 C flat 평평한 square 사각 (모양의) D presentation 발표

Grammar PLUS

② 그녀는 그때 심장마비가 왔음이 틀림없다. / 연료가 샌 것이 폭발을 일으켰을지도 모른다. / 그가 거기 있었을 리가 없다. 그는 우리와 함께 있었다. / 너는 그녀의 태도 변화를 알아챘어야 했다. / 너는 그것을 다르게 표현할 수도 있었을 텐데.

③ Bill이 팀의 대장이 되고 싶으면 (노력으로) 그것을 따내야 할 것이다. / 당신은 안전을 걱정한다면 탑승을 즐길 수 없을지도 모른다.

어휘 ② heart attack 심장마비 leak 샘, 유출 explosion 폭발

Check it

1 **had better** | 너는 그곳에 혼자 가지 않는 것이 낫다. 해설 had better not+동사원형: ~하지 않는 게 좋겠다

2 **would rather** | 출근하려고 그렇게 일찍 일어나느니 차라리 밤을 새우는 게 낫겠다. 해설 stay all night와 wake up so early ~ work의 두 선택사항이 나오고 than으로 비교되고 있다. 둘 중 하나를 택하는 의미 표현으로 <would rather A than B: B보다는 차라리 A>가 알맞다.

3 **should have been watching** | 미안해요, 환자를 지켜보고 있었어야 할 때 잠들어 버렸네요. 해설 Sorry라고 한 것으로 보아 사과할 만한 어떤 일, 즉 맡겨진 일(아픈 사람을 지켜보는 것)을 해내지 못했음을 후회하는 표현인 <should+have p.p.: ~했어야 했는데>로 표현한다. 현재진행형이 결합된 should have been watching이 '과거 일에 대한 후회'의 표현에 알맞다.

4 **can't have said** | 그가 그렇게 말했을 리가 없어. 그건 그의

성격에서 벗어나는[성격에 안 맞는] 일이야. 해설 두 번째 문장의 It은 그가 그렇게 말한 일을 가리키며 그것이 그의 성격에 안 맞는 일(out of character)이라고 했으므로, 그렇게 하지 않았을 거라고 확신하는 <can't+have p.p.: ~했을 리가 없다>가 자연스럽다. <may+have p.p.: ~했을지도 모른다>는 뒤에 이어지는 말과 모순된다.

5 **ⓐ should have handled ⓑ could have lost** | 마른 손으로 플러그를 다뤘어야지. 너는 목숨을 잃었을 수도 있었어. 해설 하마터면 죽을 뻔한 상황이었다고 하는 것으로 보아 마른 손이 아닌 젖은 손으로 플러그를 만졌다는 걸 알 수 있다. '과거의 일을 후회'하는 <should+have p.p.: ~했어야 했는데>가 적절하다. 두 번째 문장에서는 '죽을 뻔했다'라는 의미가 자연스러우므로 '과거의 가능성'을 나타내는 <could+have p.p.: ~할 수도 있었다>가 적절하다.

UNIT 3 혼동하지 말아야 할 조동사 표현들

p. 62

• 미리보기

1 **~에 익숙해 있다** | 학생들은 다양한 학교 공부에 익숙해 있다. 해설 be used to+(동)명사: ~에 익숙해 있다

2 **시사하다[암시하다]** | 소비와 투자 경향이 점진적인 경제 회복을 시사한다. 해설 소비와 투자 경향들로 보건대 경제가 나아지고 있음을 간접적으로 알 수 있다는 얘기이므로 suggest가 '제안하다'가 아닌 '시사하다, 넌지시 보여주다'의 뜻으로 쓰인 경우이다.

어휘 1 a variety of 다양한 ~ schoolwork 학교공부, 학업 2 investment 투자 gradual 점진적인 recovery 회복

• 대표 예문

어휘 A generation 세대 handle 다루다, 취급하다 B witness 목격자 mark 표식, 자국

Grammar PLUS

① 밖에서 기다려주시겠어요? / 나는 너희들과 함께하고 싶어. / 우리는 그냥 재미 삼아 온 마을을 뛰어다니곤 했지. 나는 그 시절이 그리워. / 내가 곤경에 빠질 때 도와준다고 그랬잖아. / 네가 저 옷을 입으면 근사해 보일 텐데. / 오늘은 버스 타기보다는 걸을래.

Check it

1 **is more likely to use** | 데이터는 혼자 사는 사람이 편의점을 이용할 확률이 더 크다는 점을 시사한다. 해설 suggest가 '제안하다'가 아니라 '시사하다'라는 의미로 쓰인 경우, that절의 내용이 향후의 제안이 아닌 시사되는 사실이므로 현재시제가 적절하다.

2 **cannot help avoiding 또는 cannot but avoid** | 나는 그와의 대치를 피하지 않을 수 없다. 그는 우리 중 제일 센 사람이다. 해설 cannot help v-ing: ~하지 않을 수 없다(=cannot but+동사원형)

3 **we (should) come** | 봐! 표가 매진됐어. 그래서 내가 더 일찍 와야 한다고 권한 거야. 해설 문맥상 '~해야 한다고' 권한 것이므로 <(should+)동사원형>으로 써야 한다.

4 **are being used to treat** | 의학 분야에서 마약은 중환자 치료에 사용되고 있다. 해설 현재진행형의 수동태 뒤에 목적을 나타내는 to부정사(~하기 위해)가 올 자리이다. *cf.* be used to+(동)명사: ~에[~하는 데] 익숙해 있다

어휘 1 be likely to-v ~할 확률이 있다; ~하기 쉽다 2 confrontation 대치, 직면 4 seriously 심각하게; 진지하게

Into the Grammar

p. 63

A

1 **c)** | 한 여자가 짐을 기차 선반 위에 놓으려고 애쓰고 있다. 당신이 그녀를 지켜보고 있다가 말한다.—"제가 도와드릴까요?" 해설 도움을 주려는 의도이므로 허가를 구하는(Can I ~?) 표현이 자연스럽다.

2 **b)** | 당신은 상관과 의논할 급한 일이 있는데 그는 통화중이다.—"제가 잠깐만 방해해도 될까요?" 해설 급한 일이 발생해 상대가 하고 있는 일을 중단시켜야 하는 상황이다. Can I interrupt you ~?는 화자가 용건이 있음을 알리는 표현이다.

3 **d)** | 당신은 뭔가 요리를 하고 있다. 너무 맛있어 보인다. 그것을 엄마에게 보여주고 싶다.—"잠깐만 여기 와보실래요?" 해설 요리한 것을 보여주려고 상대에게 가까이 올 것을 요청하는 상황이다. Will you~?는 '부탁, 요청'하는 표현이다.

어휘 1 struggle 애쓰다, 안간힘을 쓰다 luggage (여행자의) 짐, 수하물 give A a hand A를 도움을 주다[거들다] 2 urgent 시급한 issue 일, 사안, 문제 interrupt 방해하다 3 come over 건너오다, 넘어오다

B

1 **can't be** | 해설 추측을 나타내는 조동사를 이용해 <cannot [can't]: ~할 리가 없다>로 표현하는 것이 적절하다.

2 **should have asked for** | 해설 you가 곤란해진 상황인 것으로 보아 you가 실제로 도움을 구하지 않았음을 짐작할 수 있다. 따라서 '과거 일에 대한 후회, 유감'을 나타내는 <should+have p.p.: ~했어야 했는데>로 표현한다.

3 **must have worked** | 해설 그녀가 다시 내게 친절해진 것을 근거로 선물이 효과를 발휘했을 거라는 '과거 일에 대한 강한 추측'을 나타내는 <must+have p.p.: ~했음이 틀림없다>로 표현한다.

어휘 2 ask for ~을 구하다, 청하다 get in trouble 곤란에 처하다

C

1 **had not better → had better not** | 소리 지르지 않는 것이 나아, 그러지 않으면 우리는 곤란해질 거야. 해설 had better의 올바른 부정형은 had better 뒤에 not을 붙인다.

2 **do → did 또는 has done** | 그가 자신은 아무 잘못도 하지 않았다고 주장하는데, 무슨 일이 있었는지 CCTV로 확인할 수 있을까요? 해설 insists 뒤에 주장하는 내용이 나오기는 하나 앞으로의 일을 주장하는 것이 아닌 이미 벌어진 사실, 즉 과거 일을 그대로 말하는 것이므로 do를 insists보다 앞선 시점인 과거시제(did) 또는 현재완료시제(has done)로 써야 한다.

3 **will has to be made → will have to be made** | 어려운 선택이 정부에 의해 이뤄져야 할 것이다. 해설 조동사 뒤이므로 동사원형인 have to가 되어야 한다.

4 **raised → (should) raise** | 영업부장은 회사가 제품 가격을 올려야 한다고 권했다. 해설 sales manager가 요구하는 내용이 앞으로 이뤄져야 할 일이므로 (should) raise로 써야 한다.

5 **is used to go → used to go 또는 is used to going** | 그녀는 매일 아침 공원에서 조깅을 하곤 했다[조깅을 하는 것에 익숙하다]. 해설 be used to는 '~하는 데 사용되다'라는 의미이므로 문맥상 적절하지 않다. '과거의 습관'을 나타내는 조동사 used to(~하곤 했다) 뒤에 동사원형이 온 형태(used to go jogging), 또는 be used to(~에 익숙하다) 뒤에 동명사가 온 형태(is used to going jogging)로 써야 한다.

어휘 2 insist 주장하다, 우기다 3 make a choice 선택하다 4 sales manager 영업부장, 영업부 관리자

Read it #1

p. 64

1 ②

해설 (A) 낮잠을 자는 데 있어 주의할 사항으로 '한 번 넘게 자지 말 것'과 함께 '밤잠 시간에 너무 가깝게(too close) 자지 말 것'이 자연스럽다. closely는 '자세히, 면밀하게'라는 뜻으로 문맥에 맞지 않는다.

(B) 주어 It(=Napping at school)에 대해 설명하는 보어 자리이므로 부사 아닌 형용사가 알맞다.

(C) 뒤에 동사가 나오므로(will help) 주어 역할을 할 수 있는 동명사구가 알맞다. rest ~(휴식하라)는 명령문의 시작을 알리는 동사이므로, 그 뒤에 또 동사가 올 수 없다.

해석 낮잠에 관해 기억해야 할 두 가지가 있는데 '한 번보다 더 많이는 낮잠을 자지 말라.'는 것과 '밤잠 시간에 너무 가깝게 낮잠 자지 말라.'는 것이다. 보통 잠들려고 하는 시간의 적어도 6~7시간 전에 낮잠을 자야 한다. 꽤 늦은 밤에 낮잠을 자야 한다면 짧은 낮잠이 되도록 하라. 학교에서 낮잠 자는 것은 어려울 수 있는데 밤중에 더 초롱초롱한 사람에게는 종종 피할 수 없는 일일지라도 말이다. 학교에서 낮잠 자는 것을 피할 수 없다면, 쉬는 시간에 자고 낮잠이 수업 시간까지 넘어가지 않도록 진동 알람시계를 이용하라. "낮잠을 잘 수 없다면 눈을 10분 정도 감은 채로 조용히 쉬는 것이 도움 될 것이다."라고 캘리포니아의 Redwood 시에 있는 스탠퍼드 대학교 수면 의료 센터의 연구자가 말한다.

구문 **[3~4행]** If you **must** take a nap quite late at night, make(V) it(O) a short time(OC).

- must는 이 문맥에서 '필요'를 나타낸다.

[4~5행] Napping at school(S) **can** be(V) difficult(C), / although('비록 ~이지만') it(S') is(V') often unavoidable(C') (for *those* [who are more alert (at nighttime)]).

- can은 이 문맥에서 '가능성(~일 수도 있다)'을 나타낸다.

[6~7행] **If** you(S') **cannot** avoid(V') taking a nap at school(O'), / **take**(V1) one(O1(= a nap)) (during your break) and **use**(V2) a vibrating alarm clock(O2) (to make sure('틀림없이 ~하도록' <목적>) *(that)* your nap doesn't spill over into your class time(O')).

- cannot은 '능력'을 나타내고 있다.
- 접속사 if가 이끄는 조건절(~라면)의 경우에 유용할 조언이 명령문(동사원형)으로 이어지고 있다.

[8~9행] "If you can't nap, resting quietly (**with** your eyes **closed** (for 10 minutes or so))(S) will help(V)," ~.

- 동명사구('~하는 것') 주어 뒤에 동사가 왔다.
- <with+O+OC: O가 ~한 채로> 구문에서 OC 자리에 분사가 온 경우이다. <O = OC>의 관계에서 OC에 수동을 나타내는 과거분사(p.p.)가 와서 O가 '~된 채로'의 의미를 나타낸다.

2 ①

해설 (A) 글의 앞부분에 언급된 문제가 파이프 노화에서 비롯된 것으로 보아 지금 시간과 비용을 들여서 해야 할 일은 파이프를 '교체하는(replace)' 일이다. (resume (중단된 일을) 재개하다)

(B) 불편을 겪는 주민들은 안전한 물의 이용을 위해 앞으로 같은 일이 다시 일어나지 않도록 보다 '안정적인(stable)' 시스템을 요구할 것이다. (unstable 불안정한)

(C) 주어 It이 의미하는 water crisis는 2014년에도 일어났던 일로, 근본적인 해결이 안 된 채로 여전히 '계속되고 있는(ongoing)' 위기로 표현하는 것이 적절하다. (upcoming 다가오는, 곧 있을)

해석 New Jersey 주 Newark 시의 수돗물에 중대한 문제가 있다. 검사 결과 수돗물에 납 성분이 독성 수준으로 함유되어 있다는 결과가 나왔다. 낡고 마모된 파이프 곳곳으로부터 납 성분이 물속으로 들어갔다. 시의 파이프

를 교체하는 데 2년이 넘는 시간과 1억 2천만 달러의 비용이 들 수 있다. 8월 중반에 Newark 시는 병에 든 생수를 만 5천 가구에 공급하기 시작했다. "이 일은 이 도시에 사는 사람들에게는 (난데없이) 뺨을 한 대 얻어맞은 꼴이죠."라고 한 거주민이 뉴스 방송국에 말했다. 항의자들은 문제가 즉각 해결될 것을 요구하고 있다. "우리는 또한 깨끗하고 안전한 물의 이용을 확실히 보장할 수 있도록 보다 안정적인 시스템이 구축될 것을 요구합니다."라고 그는 덧붙였다. "깨끗하고 안전한 식수를 이용하는 것은 기초적인 권리입니다. 우리는 장기적인 대책을 마련하기 위해 노력 중입니다."라고 New Jersey 주지사가 말했다. 이는 미국의 도시가 유독성 물의 영향을 받은 첫 사례가 아니다. Michigan 주 Flint 시의 물 위기는 2014년에 시작됐다. 그것은 계속되고 있다.

구문 [3~4행] **It** *could* **take** more than two years and $120 million (O) **to replace** the city's pipes.

- It takes+O(시간, 돈)+to-v: ~하는 데 O가 들다
- could는 '약한 가능성(~할 수도 있다)'을 나타낸다.

[6~8행] Protesters (S) have *demanded* (V) that the problem (S') *(should)* **be fixed** (V') immediately. (O) "We also *demand (that)* *a more stable system* (**to ensure** access to *clean* and *safe* water) (S') *(should)* **be established**," (V') ~.

- 동사 demand가 이끄는 that절에서 이뤄져야 하는 주장에 관해 서술하고 있으므로, that절의 동사로 <(should+)동사원형>의 형태가 사용되었다. that절의 주어들(the problem/a more stable system ~ safe water)이 '해결되는/구축되는' 것이므로 수동태 <(should) be p.p.> 형태가 쓰였다.
- to부정사구(to ensure ~ water)의 수식으로 that절의 주어가 길어졌다.

[10~11행] This (S) isn't (V) *the first time* (C) [*(when)* a U.S. city (S') **has been impacted** (V') (by toxic water)].

- 시간을 나타내는 관계부사절이 앞의 명사를 수식하는 구조. 관계부사 when이 생략된 형태이다.
- 현재까지의 '경험'을 나타내는 현재완료가 수동태(have been p.p.)로 쓰였다.

Read it #2

p. 66

3

1) breakfast, breakfast, lunch | 주중 아침 식사 또는 토요일과 일요일 아침 식사와 점심 식사는 예약 가능하지 않다. 해설 2~4행의 요일별, 식사 시간대별 예약 안내(월~금은 점심과 저녁 예약 가능, 토·일요일은 저녁만 예약 가능)에서 주중, 즉 weekdays에는 아침 식사 예약이 안 되고, 토·일요일에는 저녁은 예약이 안 됨을 유추할 수 있다.

2) arrivals, time | 늦게 오는 사람은 좌석에 앉을 수 없다. 예약 시간에 와 있는 일행만이 (좌석에) 앉을 수 있다. 해설 5~6행에 일행이 다 모인 뒤 테이블 배정이 이뤄진다는 점과 예약 시간보다 늦게 오는 일행들은 좌석을 받을 수 없다는 내용이 언급되어 있다.

4

the number of diners, the time of visit | 다음 중 어느 것이 예약 가능한가? (해당하는 것을 모두 고르시오.) 식사할 사람 수 / 선호 좌석 / 주문 음식 / 방문 시간 / 주차 필요 (여부) 해설 예약 표를 보면 날짜와 요일, 시간, 인원 선택만 가능하도록 되어 있다.

3~4

해석 예약

월요일부터 금요일까지는 점심과 저녁 식사 예약을 받고, 토요일과 일요일에는 저녁 식사만 예약받습니다. 주말 저녁 메뉴는 오후 6시에 시작됩니다. 토요일 일요일 아침과 점심 좌석은 예약 없이 내방객만 받습니다.

일행 전원이 다 오신 상태에서 좌석 안내를 받으셔야 하는 점, 늦게 도착하시는 분께는 좌석을 드릴 수 없는 점 유념해주시기 바랍니다.

예약은 전화, 이메일 혹은 아래의 '바로 예약' 링크를 통해서 하실 수 있습니다.

영국식 조식 일체 그리고 애프터눈 티를 포함하여 좋아하시는 영국 요리를 지금 예약하십시오!

1월 13일 월요일 / 오후 7시 / 2인 / 바로 예약하기

구문 [2~3행] We accept reservations (**for** lunch and dinner) (**from** Monday **through** Friday) and (**for** dinner) (*only* **on** *Saturdays and Sundays*).

S V O

[5~6행] Please note *that* your entire party[S] **must** be present[V] before *being seated* and *that* we[S] **cannot** seat[V] late arrivals[O].

O1 O2

▸ '의무'를 나타내는 조동사 must와 불가능한 점을 말하는 cannot을 사용하여 고객에게 필요한 준수사항과 주의사항을 알리는 내용이다. must는 '~해야 한다', cannot은 '~할 수 없다'는 의미로 쓰였다.

▸ seat는 '~을 자리에 앉히다'는 뜻의 타동사로 your entire party, 즉 손님은 '앉혀지는' 쪽이므로 전치사 before 뒤에 동명사의 수동형 being seated가 쓰였다. 한편 we는 식당 측을 의미하므로 동사가 능동태 seat로 쓰였고, 뒤에 목적어가 이어 나왔다.

[7행] Reservations **may** be made (by telephone, email, or via *the Reserve Now link* (below)).

S V

▸ may가 '가능, 허가'를 나타내고 있으며 can보다 격식을 갖춘 표현이다. (← You **may make** reservations by ~.)

5 B, D

해설 B는 4인 일행으로 총 4인분 식사를 주문했으나 테이크아웃(포장용)은 주문으로 포함되지 않는다고 했으므로 2번 규칙에 어긋난다. D의 경우 2인인 일행이 4인용 테이블을 차지하고 있다가 3인 손님을 위해 (작은) 테이블로 옮겨줄 것을 요청받고 있는 상황이다. 4번 규칙에서 다른 손님을 수용하기 위해 테이블을 바꿔줄 것을 요청받을 수 있다 했으므로 요청에 응하지 않으면 식당 측에서 나가달라고 요청할 수 있다. E의 경우 오전 내내 혼자 테이블을 독차지하고 있으나 주변에 다른 손님은 없는, 즉 빈 테이블이 많으므로 6번 규칙에 어긋나지 않는다.

해석 우리의 규칙

#1 예외 없음: 일행이 모두 모일 때까지 밖에서 기다려야 할 것입니다. 늦게 오는 분은 좌석을 못 받습니다.

#2 일행 전원이 (머릿수대로) 식사 주문해야 합니다. (포장해가는 것은 주문으로 포함되지 않습니다.)

#3 죄송하지만 상품권은 받지 않습니다.

#4 가끔 손님 모두를 수용할 수 있도록 테이블을 바꿔 달라는 요청을 받게 될 수도 있습니다.

#5 종업원에게 상냥하게 대해주십시오. 그들은 자기 일을 하고 있을 뿐입니다.

#6 비어 있는 테이블이 많으면 하루 종일 테이블에 계셔도 좋지만, 사람들이 기다리고 있고 손님이 식사를 마친 상태라면 그땐 나가주셔야 할 때입니다. 죄송합니다. 한 분 한 분 다 만족스럽게 해드리려고 애쓰지만, 바쁠 때는 시간제한이 있을 것이고 나가주실 것을 요청받으시게 됩니다. 개인적인 감정은 전혀 아닙니다.

#7 위의 규칙을 존중하지 않는 방문객은 누구든 이 식당을 떠나줄 것을 요청받을 수 있습니다.

문제 해석

규칙에 따르면, 다음 어느 단체 또는 개인이 나가달라고 요청받을 수 있겠는가? (모두 고르시오.)

A 나이든 남자 1인 / 음식과 조리법에 대해 문의하려고 여종업원을 약 10분 동안 테이블에 붙잡고 있음.

B 4인이 일행 / 3인분을 시키고 식사 끝에 포장용으로 1인분을 더 시킴.

C 남자 2인 / (식사) 내내 큰 소리로 얘기하고 있음.

D 여자 2인 / 4인용 테이블 (이용) / 3인 일행을 위해 다른 테이블로 옮기기를 거부하고 있음.

E 창가 좌석 선호자 / 주위에 다른 식사 손님이 없는 가운데 아침 내내 테이블을 차지하고 있음.

구문 [2행] ~: you **will have to** wait (outside) / *until* your entire party **is** present.

▸ 미래의 조동사 will과 의무를 나타내는 조동사 must를 나란히 쓸 수 없으므로 대신 have to가 사용되었다. [✕ will must]

▸ 시간의 부사절(until your entire ~)에서 미래 대신 현재시제(is)가 쓰였다. [✕ will be]

[6~7행] Occasionally, you **may be asked** to change tables / *so that* we **can** accommodate all customers.

▸ '가능, 추측'을 나타내는 조동사 may, '능력'을 나타내는 조동사 can이 쓰였다.

▸ ← Occasionally, we **may ask**[V] you[O] to change tables[OC], ~.

▸ so that+S+can ~: S가 ~할 수 있도록

[9~10행] If there are many open tables, / you **may** stay all day, but if people are waiting and you *have finished* your meal / then it's *time* (to leave).

A B

▸ may는 '허가(~해도 좋다)'를 나타낸다.

▸ 현재완료 have finished는 식사를 다 마친 상태인 현재의 '완료'를 나타내고 있다.

낮잠에 대해 하는 말들

다른 모든 게 뜻대로 안 될 때는 낮잠을 자라.

가능할 땐 늘 낮잠을 자라. 그것은 돈이 안 드는 약이다.

전해지는 바에 따르면, 잠 못 들 때는 다른 사람의 꿈속에 당신이 깨어 있기 때문이다.

나는 애벌레처럼 되고 싶다. 많이 먹고 한동안 잠들었다가 아름답게 깨어나고.

아침: 피곤해서 짜증 나 있고 게으르다. 오후: 낮잠 잘 수 있다. 밤: 잠 못 든다.

CHAPTER 07 동사 속으로: 가정법

UNIT 1 숨은 의미를 읽어내야 하는 가정법 읽기

p. 70

• 미리보기

1 ☑ **People are not angels.** | 사람들이 천사(같은 존재)라면 정부는 전혀 필요하지 않을 것이다. 해설 현재 사실(사람들은 천사가 아님)의 반대를 가정해보는 가정법 과거 문장이다. (← People are not angels, so the government is necessary.)

2 ☑ **My choice wasn't the best.** | 나는 더 나은 선택을 할 수 있었는데. 해설 <조동사 과거형(could)+have p.p.>가 과거 사실을 반대로 가정하며 후회하는 표현. 문맥상 가정의 if절(*e.g.* if had more time, if I had been more careful)이 숨어있다고 볼 수 있다.

• 대표 예문

어휘 D regular 정기적인

Grammar PLUS

① 평일이면 학교가 시끄러울 텐데.(← 평일이 아니어서 학교가 시끄럽지 않다.) / 그가 도중에 그만뒀다면 그는 절대 결승선에 도달하지 못했을 것이다.(← 그가 도중에 그만두지 않았기 때문에 결승선에 도달할 수 있었다.)

② 내가 국가대표 축구팀에 들어간다면 행복할 텐데. (그러지 못해 아쉽다) / 내가 국가대표 축구팀에 들어간다면 행복할 거야.

어휘 ① weekday 평일 on the way 도중에 ② national 국가의; 전국적인

Check it

1 **would** | 내게 여동생[언니]이 있다면 모든 것을 그녀와 나눌 텐데. 해설 If절의 동사가 과거형(had)인 가정법 과거 문장이다. 주절은 <조동사 과거형+동사원형>의 모양이 되어야 하므로 would가 알맞다.

2 **had called** | 네가 내게 전화했다면 내가 바로 왔을 텐데. 해설 주절의 동사(would have come)가 <조동사 과거형+have p.p.> 형태인 것으로 보아, 과거 일의 반대를 가정하는 가정법 과거완료 문장이다. 따라서, if절의 동사는 과거완료형(had called)이 되어야 한다.

3 **were** | 내가 너라면 심리학보다는 영문학 수업을 듣겠다. 해설 현재 사실의 반대(내가 너라면)를 가정하는 가정법 과거 문장으로 이때 if절의 be동사는 주어의 인칭과 수와 관계없이 were이다.

4 **would have prepared** | 오늘 퀴즈 시험이 있는 줄 알았다면 나는 시험 준비를 했을 텐데. 해설 if절에 had known이 쓰인 것으로 보아, 실제로는 과거에 몰랐는데(didn't know) 알았더라면 하고 과거 일의 반대를 가정하는 내용이다. 따라서 가정의 결과인 주절의 동사는 <조동사 과거형+have p.p.>로 쓴다.

5 **would have had** | 네가 우리와 함께했더라면 우리는 더 재미있었을 텐데. 해설 if절의 동사(had joined)가 과거완료형으로 가정법 과거완료 문장이다. 주절의 동사는 <조동사 과거형+have p.p.>의 형태인 would have had가 맞다.

어휘 2 right away 바로, 즉시 3 literature 문학 A rather than B B보다는 (차라리) A psychology 심리(학) 4 prepare for ~을 준비[대비]하다 5 have fun 재미있다

UNIT 2 I wish 가정법과 as if 가정법

p. 71

• 미리보기

예 **nervous in public** | 내가 사람들 앞에서 긴장하지 않으면 좋을 텐데. 해설 I wish(~하면 좋을 텐데) 다음에 과거형(were)이 등장하여 '현재 사실(긴장함)의 반대'를 소망하는 표현이다. 따라서 빈칸(현재 사실)은 not이 없는 nervous ~가 적절하다.

1 **am not dreaming** | 나는 마치 꿈꾸고 있는 것 같다. 해설 as if(마치 ~인 것처럼) 다음에 과거진행형(were v-ing)이므로 '현재 사실(꿈을 꾸고 있지 않음)의 반대'를 가정한다. 따라서 빈칸(현재 사실)은 am not dreaming이 적절하다.

2 **not unique** | 내가 독특한 이름을 갖고 있으면 좋을 텐데. 해설 I wish(~하면 좋을 텐데) 다음에 동사의 과거형(had)이 등장하여 '현재 사실(독특한 이름을 안 갖고 있음)의 반대'를 소망하는 표현이다. My name에 대해 서술하는 빈칸 부분은 not unique가 적절하다.

어휘 예 nervous 긴장한, 초조한 in public 사람들 앞에서

• 대표 예문

어휘 D mayor 시장 be responsible for ~에 책임이 있다

Grammar PLUS

① 네가 수업에서 좀 더 적극적이면 좋을 텐데. / 내가 그녀에게 그 순간 사과했더라면 좋을 텐데. / 그는 수중에 돈이 없는 것처럼 행동했다. / 여주인이 음식을 전부 손수 준비한 것처럼 말한다.

② 나도 너와 함께할 수 있으면 좋을 텐데. / 그는 마치 자기가 계산할 것처럼 점점 더 많은 음식을 시켰다. / 내가 그를 제때 치료했다면 그의 목숨을 혹시 살렸을지도 모르는데.

어휘 ① active 적극적인 hostess (손님을 초대한) 여주인

Check it

1 **were not** | 해설 실제로는 매운데(현재 사실) '맵지 않은' 것처럼 먹고 있으므로 현재 사실의 반대를 가정하는 가정법 과거, 즉 be동사 과거형 were에 not을 보탠 were not으로 완성한다.

2 **had taken** | 해설 다녀온 여행의 사진이 충분히 많지 않아 아쉬워하는 상황임을 짐작할 수 있다. 과거 일(사진을 더 많이 찍지 않았음)의 반대를 소망하고 있으므로 가정법 과거완료 <had+p.p.>를 사용하여 had taken으로 쓰면 된다.

3 **didn't like** | 해설 '그 음식을 안 좋아하시는 것처럼 말씀하시며'에 해당되는 영문으로 as if가 사용되어 사실을 반대로 말한(talked) 문장. 말하는 시점과 말 내용의 시점이 동일하므로 가정법 과거, 즉 didn't

like로 써야 한다.

어휘 3 encourage+O+to-v O가 ~할 것을 권하다[격려하다]

UNIT 3

가정법의 변칙들

p. 72

• 미리보기

1 **네 도움이 없었더라면 난 그것을 할 수 없었을 거야.** | 해설 without (~이 없다면)이 if절을 대신하고 있다. 주절(~할 텐데)의 동사가 가정법 과거완료형이므로 without ~도 가정법 과거완료, 즉 과거 일임을 염두에 두고 해석한다.

2 **빗물이 없다면 어떤 생명체도 살아남지 못할 것이다.** | 해설 <if it were not for A: A가 없다면>의 가정법 표현에서 if가 생략되어 주어-동사가 도치된 모양이므로 가정법 과거, 즉 현재('~가 없다면')로 해석한다.

3 **좀 더 다정한 충고가 그에게 마음을 열게 했을 텐데.[좀 더 다정한 충고였다면 그가 마음을 열었을 텐데.]** | 해설 주어에 가정이 내포되어 있는 구조(= If it had been more friendly advice, it would have made ~.)로, 그에게 주어진 충고가 실은 다정하지 못했음을 암시한다.

• 대표 예문

어휘 C figure 형체, 형상 E emotional 정서적인 support 지지; 후원, 부양

Grammar PLUS

우리에게 눈이 없다면[눈이 없이는] 우리는 눈사람을 못 만들 거야.

Check it

1 **Without** | 여분의 펜이 없었다면 나는 시험을 앞두고 어쩔 줄 몰랐을 것이다. 해설 과거 사실의 반대를 가정하고 있는 가정법 과거완료 문장으로 'A를 준비하지 않았다면'을 대신할 수 있는 한 단어는 전치사 without(~가 없다면, ~ 없이는)이다.

2 **had he been** | 그가 초반에 좀 더 공격적이었다면 게임에서 이길 수 있었을 텐데. 해설 가정법에서 if가 생략되면 주어와 동사가 도치된다. (If S+had p.p. ~ = Had+S+p.p. ~)

3 **hadn't experienced** | 우리는 그때 엄청난 금융 위기를 경험했다. 그 결과 우리의 사업은 여전히 많이 힘들다. = 우리가 그때 엄청난 금융 위기를 경험하지 않았다면 우리 사업이 많이 힘들지 않을 텐데. 해설 금융 위기를 겪은 것은 과거(then)지만 그 결과는 여전히(still) 계속되므로, 주절은 가정법 과거형(wouldn't suffer) 그리고 if절은 가정법 과거완료형(hadn't experienced)으로 써야 한다.

4 **it not** | 전문가의 충고가 없었다면 우리는 큰 실수를 저질렀을 텐데. 해설 주절이 <조동사 과거형+have p.p.>로 가정법 과거완료이므로 Without(~이 없(었)다면)과 같은 의미의 표현인 If it had not been for로 바꿔 쓸 수 있는데, If가 아니라 Had로 시작하는 것으로 보아 if 생략 구문이다. <If S+had p.p. ~ = Had+S+p.p. ~>에 착안해 빈칸을 완성한다.

어휘 1 extra 여분의, 추가의 panic 어쩔 줄 모르다, 공황에 빠지다 2 aggressive 공격적인; 적극적인 3 financial crisis 금융 위기 suffer 시달리다, 고통받다

Into the Grammar

p. 73

A

1 **I were, would call** | 당신의 친구가 스마트폰을 잃어버렸다. 그녀는 언제 마지막으로 썼는지 기억을 못 한다. 당신은 친구를 도와주고 싶다. "내가 너라면 먼저 그 전화로 전화하겠어. 받지 않으면 네 스마트폰 계정에 접속해서 위치를 찾아보겠어." 해설 현재 스마트폰을 잃어버려 곤란한 상황에 대한 조언으로, '내가 너라면, 전화를 걸 것이다'의 문맥이 자연스럽다. 가정법 과거이므로 If절에는 If I were you, 주절에는 I would call이 적절하다.

2 **could enjoy** | 당신은 유튜브에서 멋진 노래를 찾아냈다. 그것은 정말 독특한 노래였다. 그 음악가가 만든 최근 노래를 찾으려 해보지만 다른 것들은 없다. 당신은 그의 노래를 더 많이 즐길 수 없어서 안타깝다. "그의 훌륭한 노래를 더 즐길 수 있다면 좋을 텐데." 해설 마음에 드는 노래를 듣고 음악가의 최근작을 찾아보았으나, 없음을 안타까워하고 있다. 현재 사실(can't enjoy)의 반대를 희망하므로 가정법 과거 형태인 could enjoy로 표현한다.

3 **had been, would[could, might] have opened** | 지난주에 당신은 새 게임 CD를 주문했다. 오늘 아침 소포가 밤 9시까지 도착한다는 것을 알리는 문자가 도착했다. 불행히도 당신이 집에 도착했을 때 상자가 가족 중 하나에 의해 이미 열려 있다. 당신은 너무 실망하여 생각한다. "내가 집에 있었다면 오랫동안 기다려온 소포를 직접 열었을[열 수 있었을, 열었을지도 모를] 텐데." 해설 과거에 집에 없는 동안 주문한 물건이 와서 다른 사람이 박스를 뜯어버리는 일이 발생했고 이에 실망했다고 한 것으로 보아 직접(myself) 열어보고 싶었음을 짐작할 수 있다. 과거 일의 반대를 가정하는 가정법 과거완료 형태(if절: had p.p. / 주절: 조동사 과거형+have p.p.)로 쓴다.

어휘 1 account (사이트 등의) 계정 location 위치 3 inform 알리다, 통보하다 disappointed 실망한 long-awaited 오래 기다린

B

1 **had known how far it was** | 얼마나 먼지 알았다면 나는 그곳에 절대 가지 않았을 거야. 해설 주절의 동사형으로 보아 가정법 과거완료 문장이므로 if절은 had known으로 시작하고, 나머지 had known의 목적어를 의문사가 포함된 간접의문문 <의문사+S+V>의 어순(how far it was)으로 쓴다.

2 **had been informed of** | 우리가 그의 부인의 죽음에 대해 통보받았다면 그녀의 장례식에 갔을 것이다. 해설 부고를 알지 못해 장례식 참석을 못한 과거 사실의 반대를 가정하는 가정법 과거완료 문장. 우리가 '통지받는(informed)' 대상이므로 과거완료 수동태 had been informed로 쓰고 통보 사실은 <of+명사>로 쓴다.

3 **Had it not been for the financial support** | 재정 지원이 없었다면 많은 이들이 희망을 잃었을 것이다. 해설 주절을 통해 가정법 과거완료 문장임을 알 수 있는데, 괄호 안에 if가 주어지지 않았으므로 if가 생략된 가정법이다. 문맥상 '~가 없었다면(if it had not been for ~)'의 표현에서 if가 빠진 주어-동사 도치 어순(Had+S+p.p.), Had it not been for ~로 정렬한다.

어휘 2 inform A of B A에게 B를 알리다[통지하다] funeral 장례식

Read it #1

p. 74

1 ④

해설 다른 사람의 곤경에 늘 반응하고 도움을 주려 애쓰는 필자는 자신의 행동에 만족하기도 하지만 요즘 들어, 종종 나보다 남을 신경 쓰는 것에 지치고 회의를 느끼고 있으며 자신에게 집중하고 싶다고 이야기하고 있다.

해석 누군가가 기분이 처져 있거나 화나 있으면 나는 그 사람에게 다가가서, 무슨 일인지 물어보고, 그의 감정적인 기복의 여정을 동행하며 그의 말을 들어준다. 나는 공공장소에서 사람들을 위해 문을 잡아줘 열려 있게 한다. 어떨 때는 버스에서 하필 차비로 낼 동전이 없는 모르는 사람을 위해 대신 차비를 지불하기까지 한다. 모르는 사람이나 친구를 돕는 것은 괜찮다. 사실 이것들은 나를 한 사람으로서 기분 좋게 느끼게 해주는 간단한 것들이다. 나는 다른 누군가의 삶을 약간 더 낫게 하는 데서 얻는 도취감을 즐긴다. 하지만 요즘에는 나 자신이 아닌 다른 사람들을 위해 뭔가를 하고 있는 내 모습을 발견하는 일이 너무 잦다. 그 모든 원치 않는 의무들, 이것들은 아무도 나더러 하라고 강요하는 것들도 아니어서 습관에 더 가까운데, 나를 지치게 만들었다. 때로 나는 내가 다른 사람이었으면 하고 바란다. 나는 내가 다른 사람들이 필요로 하는 것에 그렇게 신경 안 쓰고 나 자신에게 집중할 수 있으면 진정으로 좋겠다.

구문 **[6행]** I thrive on *the high* [*(that)* I get ● from making someone else's life a little bit better].
V′ O′ OC′

▸ 전치사 from의 목적어인 동명사구가 <V+O+OC>의 5형식 구조를 이루고 있다.

[6~7행] These days, however, too often I find myself doing things *for everyone else*; **not** *for me*.
S V O OC

▸ <A, not B: B가 아니라 A>의 병렬구조.

[10~11행] **I** truly **wish I were not** that attentive to the needs of others [and] **could focus** on myself.

▸ 현재 사실의 반대를 소망하는 I wish 가정법 과거 문장이다. (← I *am too attentive* to ~ and I *cannot focus* on myself.)

2 ⑤

해설 신문사에서 독자들을 대상으로 작성한 글이다. 첫 문장에서 후원을 위해 새해 기부를 요청하였고, 독립적 언론의 중요성을 언급한 후 후반부에서 언론의 독립성 확보에 독자 후원이 얼마나 중요한지 강조하며 다시 한번 기부를 촉구하고 있다. 따라서 글의 목적은 ⑤임을 알 수 있다.

해석 독자분들께
우리는 (독자들의 의견에) 열려 있고 독립적인 우리 신문의 후원을 위해 새해 기부를 해주실 것을 여러분 독자분들께 요청드립니다. 지난 10년은 전 세계에 걸쳐 시위와 집단 이주, 고조되는 기후 위기의 격동의 10년이었습니다. 우리 신문은 전 세계 곳곳을 누비며 우리 시대의 가장 중대한 사건들을 보도해왔습니다. 사실에 입각한 정보가 그 어느 때보다 더 드물고 더 필요한 시대에 우리는 우리 개개인이 정확한 보도에의 접근을 누려 마땅하다고 믿습니다. 우리 신문은 상업적이고 정치적인 편견으로부터 자유롭습니다. 이것이 우리를 다르게 만드는 점입니다. 그것은 우리가 권력을 가진 자들에게 두려움 없이 도전장을 던지고 소외된 이들에게 목소리를 부여할 수 있음을 뜻합니다. 이 중 어떤 것도 우리 독자들의 너그러움 없이는 불가능했을 겁니다. 새로운 10년으로 접어들면서 우리는 양질의 언론을 계속 전달할 수 있도록 여러분의 후원을 필요로 합니다. 독자 한 분 한 분의 기부가 크든 작든 간에 너무나 귀중합니다. 감사합니다.
당신의 친애하는
Fort Collins 신문사 올림

구문 **[6~7행]** At *a time* [when factual information is **both** *scarcer* **and** *more essential than ever*], / we believe that ~.
S′ V′ C′ S V O

▸ 비교급 ~ than ever(그 어느 때보다 ~한, 가장 ~한): 비교급 구조이지만 실제로는 최상급 표현(= both the scarcest and the most essential of all time)이다.

[8~10행] It means (*that*) we *can* **challenge** the powerful° without fear [and] **give** a voice° to *those* (*(who are)* less heard).
S V O

▸ challenge와 give가 can에 공통으로 연결되어 등위접속사 and로 병렬구조를 이루고 있다.

▸ the powerful = powerful people <the+형용사 = 복수보통명사>

[10행] None of this *would have been* possible **without** our readers' generosity.

▸ without(~가 없었다면)이 과거 사실을 반대로 가정하는 가정법 과거완료의 if절의 역할을 하고 있다. (= None of this *would have been* possible **if it had not been for** our readers' generosity. 독자들의 너그러움[후원]이 있었고, 그래서 이것이 가능했다.)

[12행] Every reader's contribution, [**however** ***big*** [or] ***small***], is so valuable.
S '아무리 ~하더라도' V C

▸ 형용사 big과 small이 접속사 or로 연결되어 있으며 'Every reader's contribution이 크든 작든'의 의미로 '액수와 관계없이'를 뜻한다.

3 1) aid 2) currency

해설 1) 원조(금, 물자): 필요는 하지만 스스로 공급할 능력이 없는 사람, 국가, 단체에 제공되는 돈, 장비, 또는 서비스 2) 통화, 화폐: 특정 국가에서 사용되는 돈

4 ③

해설 (A) 앞에서 강물(rivers of foreign currency)이라는 상징적 표현이 나왔으므로 그 흘러들어옴, 유입을 가리키는 flow(흐름, 물결)가 문맥에 알맞다. flaw는 '결함, 결점'의 뜻이다.

(B) 비교 대상이 되고 있는 개발 원조금과는 달리(Unlike development aid money), remittances(송금되는 돈)는 공식 기관을 거칠 필요 없이 필요한 사람들에게 '직접(directly)' 도달하는 돈이다. indirectly는 directly의 반대 개념으로 '간접적으로'의 뜻이다.

(C) 이어지는 문장에서 remittances는 가족들의 삶의 모든 면에서 필요한 것들을 지원하기 위해 이민자들이 보내는 돈으로 설명되고 있으므로, 송금되는 돈은 한마디로 '배려(care)'로 포장된 돈으로 표현될 수 있다. cure는 '치유'의 뜻이다.

5 impact[influence], keeps, financial

해설 송금되는 돈은 계속 당도해(keeps arriving) 당면한 금전적(financial) 문제를 해결하는 데 바로 투입되기 때문에 개발 원조금보다 가족들의 삶에 더 큰 영향(impact[influence])을 미친다.

요약문 해석

글에 따르면, 이민자들에 의해 고향에 보내지는 돈은 개발도상국 사람들의 삶에 더 큰 영향을 미친다. 가족들에게 그것은 개발 원조금보다 나은데, 왜냐하면 그것은 계속 도착하고 그들의 당면한 재정적 문제 해결을 돕기 때문이다.

3~5

해석 전 세계에 2억 3천 2백만 명의 이민자가 있다. 이들은 태어난 나라 말고 다른 나라에 사는 사람들이다. 국제 이민자들로만 구성된 나라가 있다면 그 나라는 인구에 있어서 브라질보다 클 것이다. 경제 규모는 프랑스의 그것보다 클 것이다. 그 이민자의 대부분이 정기적으로 고국에 돈을 보낸다. 그 돈은 송금이라 불린다. 4천 백 3십억 달러가 작년에 이민자들에 의해 개발도상국으로 보내진 송금액 액수이다. 그것은 놀라운 숫자[액수]인데, 왜냐하면 그것은 전 세계 개발원조금 총액의 3배이기 때문이다. 이민자들은 평균 매달 2백 달러를 보낸다. 그건 많은 돈은 아니다. 하지만 매달 반복되고, 수백만 명에 의한 것일 때 돈의 총합들은 결국 외환의 강물이 된다. 실제로 소말리아나 아이티 같은 더 가난한 나라에서는 송금되는 돈들이 생명줄이다.

이 (A) 흘러들어오는 돈들이 경제와 가난한 사람들에게 커다란 영향을 끼치는 것은 당연한 일이다. 그것들은 일종의 보험과 같은 역할을 한다. 가족이 어려운 시기를 맞아 곤궁에 처해 있을 때 송금액은 커진다. 공공기관을 거쳐야 하는 개발 원조금과는 달리 송금하는 돈은 가난한 이들에게, 가족들에게 (B) 직접 도달한다. 송금되는 돈들은 사실상 (C) 배려로 포장된 돈이다. 이민자들은 먹을 것, 필수품 구입, 집짓기, 교육비 자금 대기, 노인들의 의료비 대기, 그리고 사업 투자를 위해 집으로 돈을 보낸다. 이는 모두 친구와 가족을 위해서이다.

구문 **[2~3행]** If there **were** *a country* (made up of only international migrants), it **would be** *larger*, (in population), *than* Brazil.
(S′: a country / it = a country made up of ~)

- 현재 사실(그런 나라는 없음)의 반대를 가정하는 가정법 과거 문장.
- 수동의 의미를 나타내는 과거분사 made up of(~으로 구성된)가 a county를 수식한다.

[5~6행] And 413 billion dollars **was** *the amount* (of *remittances*) ((sent last year)[M1] (by migrants)[M2] (to developing countries)[M3]).
(S: 413 billion dollars / V: was / C: the amount ...)

- 주어가 복수형(dollars)이지만 금액 그 자체로 볼 경우 단수동사(was)로 표현한다.
- 돈이 언제, 누구에 의해, 어디로 보내졌는지에 대한 정보들(M1, M2, M3)이 이어지고 있다.

[7~8행] ~ because that is (**three times**) *the size* (**of** the total of development aid money worldwide).
(S′: that / V′: is / C′: the size)

- ~ three times the size of(~의 세 배 크기)는 배수 표현으로 three times as large as ~ 또는 three times larger than ~으로도 쓸 수 있다.

[12~13행] (It is) No wonder (*that*) these flows **have** huge **impacts on** economies and **on** poor people.
(가주어: It / 진주어: that ~)

- have ~ impact(s) on A and (on) B: A와 B에 ~의 영향을 끼치다

[13~14행] **When** the family is in trouble, / **facing** hard times, // remittances increase.
(S′: the family / V′: is / facing: '~하여, ~로 인해' / S: remittances / V: increase)

- <이유>를 나타내는 분사구문이 <시간>을 나타내는 종속절 내에 들어 있는 구조이다.

[14~15행] **Unlike** *development aid money* [that must go through official agencies], / remittances directly reach the poor—reach families.

S′ V′ S V O

▸ 전치사 Unlike(~와는 달리)로 시작되는 긴 부사구가 문장 앞에 왔다.

개발도상국으로의 자금의 유입

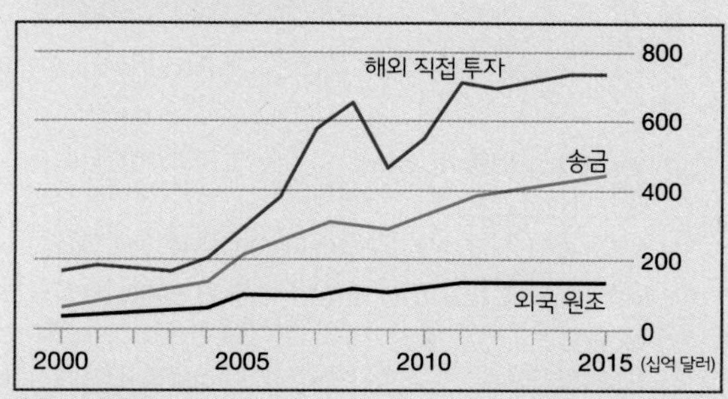

출처: 세계은행

SUMMARY 해석

그녀가 내 친구**면** 나는 행복**할 텐데**. / 내가 그의 콘서트에 **있었다면** 사인을 요청**했을 텐데**.

내가 맨 앞줄 좌석**이면 좋을 텐데**. / 내가 좋아하는 가수를 더 가까이에서 볼 **수 있으면 좋을 텐데**. / 좀 더 일찍 **와서** 맨 앞줄 좌석을 **잡았더라면 좋을 텐데**.

그는 전혀 슬프**지 않은 것처럼** 미소 짓고 있다. / 그는 **마치** 자기 가족이라도 **잃은 것처럼** 운다.

내가 너라면 나는 전문가에게서 도움을 얻겠다. / 수리공**이 없다면** 많은 차들이 훨씬 더 일찍 달리기를 멈출 것이다[고장 날 것이다]. / 당신의 재정적인 도움**이 없었다면** 저는 학업을 성공적으로 끝낼 수 없었을 겁니다.

출발 전에 차 엔진을 **확인했더라면** 지금 도움이 오기를 기다리며 고속도로에 **있지 않을 텐데**.

진심 어린 사과가 그녀가 마음을 바꾸게 할 수 있었을 텐데.

CHAPTER 08 형용사 수식어 (1)

UNIT 1 명사를 꾸미는 것들

p. 80

• 미리보기

예 큰 목소리 | 해설 형용사(loud)가 명사(voice)를 앞에서 수식한다.

1 **(current)** | 당신의 현재 직업이 무엇인가요? 해설 형용사(current)가 명사(occupation)를 수식.

2 **(in the painting)** | 그림 속의 새가 진짜처럼 보인다. 해설 전치사구(in the painting)가 명사(The bird)를 수식, 한정한다.

어휘 1 current 현재의, 지금의 occupation 직업

• 대표 예문

어휘 A fearless 겁 없는 huge 거대한 B favorable 우호적인, 호의적인 C alarm 놀라게 하다, 불안하게 하다 D grade report 성적표 tremble 떨다

Grammar PLUS

① 이것은 그녀에게 완벽한[딱 어울리는] 목걸이다. / 날씨가 소풍 가기에 완벽했다[딱 좋았다].

② 페니실린의 발견은 의학사에서 대단히 중요했다. / 대부분의 강도와 달리 로빈 후드는 부자에게서 훔쳐서 가난한 이들에게 주었다.

어휘 ① perfect 완벽한 necklace 목걸이 ② discovery 발견 penicillin 페니실린(항생 물질의 한 종류) unlike ~와는 달리 robber 강도

Check it

1 **blind / man, 눈이 먼 남자** | 눈이 먼 남자가 안내견에 의해 인도되었다. 해설 형용사(blind)가 명사(man)를 수식.

2 **Her grades / at school, 그녀의 학교 성적** | 그녀의 학교 성적은 우수하다. 해설 전치사구(at school)가 앞의 명사(Her grades)를 수식.

3 **all guests / staying in our hotel, 우리 호텔에 머무르는 모든 손님** | 우리 호텔 숙박객 전원에게 조식이 제공됩니다. 해설 분사구(staying in our hotel)가 앞의 명사(all guests)를 수식.

4 **The ability / to distinguish between right and wrong, 옳고 그름을 분간하는 능력** | 옳고 그름을 분간하는 능력은 도덕이라 불린다. 해설 to부정사구(to distinguish ~)가 명사(The ability)를 수식.

5 **The people / that you've invited, 네가 초대한 사람들** | 네가 초대한 사람들은 모두 유명인이다. 해설 관계사절(that you've invited)이 명사(The people)를 수식.

어휘 2 excellent 우수한, 탁월한 4 distinguish 분간하다, 구별하다 between A and B A와 B 둘 간(에) morality 도덕(성) 5 celebrity 유명인사

UNIT 2 형용사의 수식, 전치사구의 수식

p. 81

• 미리보기

예 마룻바닥에 있는 책을 주워라. | 해설 전치사구(on the floor)가 the book을 수식, 한정한다.

1 **the name (of this flower)** | 너는 이 꽃의 이름을 아니?

해설 전치사구(of this flower)가 명사(the name)를 수식, 한정한다.

2 **the letters (on the top line)** | 난 맨 윗줄에 있는 글자만 읽을 수 있다[보인다]. 해설 전치사구(on the top line)가 명사(the letters)를 수식, 한정한다.

• 대표 예문

어휘 A usual 평상시의, 흔히 하는; 늘 주문하는 것 B afford to-v ~할 형편이 되다 C summarize 요약하다 paper 논문 D cemetery 공동묘지 artificial 인조의, 인공적인 E stadium 경기장, 스타디움 estimate 추정하다 around 약 ~, 대략 ~

Grammar PLUS

① 초과 근무를 좋아하는 사람은 거의 없다. / 약간 아는 것은 위험한 일이다.

② 대부분의 운동선수는 승리를 원한다. / 그 팀 선수 대부분이 그 경기에서 부상을 입었다.

③ 많은 표들이 발매 첫날에 팔렸다. / 외국인 팬용 입장권 수는 약 1만 개다.

어휘 ① overtime 초과 근무, 야근 ② athlete 운동선수 get injured 부상당하다 ③ release 발매; 방출; 석방

Check it

1 **그것은 친절한 단순한 행동의 힘에 관한 얘기이다.** |

해설 *a story* (**about** *the power* (**of** *a simple act* (**of** kindness)))

2 **청중의 대부분이 세 번째 곡이 연주되기 전에 잠들어버렸다.** |

해설 *Most* (**of** the audience), Most가 전치사구의 수식을 받는 명사(대부분)로 쓰였다.

3 **그 섬에서 죽임을 당한 새의 수는 6백만에 가깝다.** |

해설 *The number* (**of** *birds* (**killed** in the island)), 분사구(killed ~ island)가 명사(birds)를 뒤에서 수식하고, 전치사구(of birds killed ~ island)가 다시 명사(The number)를 수식하는 구조. (the number of: ~의 수)

4 **조각은 강력한 끌부터 섬세한 긁개까지 많은 도구를 필요로 한다.** |

해설 (**a number of**) *tools*, 수량형용사 a number of는 '많은~'의 뜻.

5 우리는 정직하지 못한 사람의 도움은 필요 없다. |

해설 *the support* (**of** *someone* (**dishonest**)), 형용사(dishonest)가 명사(the someone)를 뒤에서 수식하고, 전치사구(of someone dishonest)가 다시 명사(the support)를 수식하는 구조. someone도 something과 마찬가지로 형용사가 뒤에서 수식하는 명사이다.

어휘 3 approach ~에 근접하다, 다가가다 4 carve 조각하다 require ~을 요구하다, 필요로 하다 chisel 끌 delicate 섬세한 scraper 긁어내는 도구 *cf.* scrape 긁어내다 5 support 도움, 지원 dishonest 부정직한

UNIT 3 분사의 수식, to부정사의 수식, 관계대명사의 수식

p. 82

• 미리보기

예 끓고 있는 국을 휘저어라. | 해설 <현재분사(v-ing)+명사> 구조.

1 나는 나를 도와줄 사람이 필요해. | 해설 <명사+to부정사> 구조. to부정사(to help me)가 앞의 명사(someone)를 수식한다.

2 유니폼을 입은 사람 누구에게든 도움을 청해라. | 해설 <명사+관계사절> 구조. 관계사절(who's wearing a uniform)이 앞의 명사(anyone)를 수식한다.

어휘 예 stir 휘젓다 2 uniform 유니폼, 제복

• 대표 예문

어휘 B lead a A life A의 삶을 살다 E total 완전한

Grammar PLUS

① 이 책들을 묶을 끈을 가지고 있나요? / 읽을거리 갖고 있나요?

② 이 문장에는 헷갈리는 단어가 몇몇 있다. / 이 문장에는 우리를 혼동시키는 단어가 몇몇 있다.

어휘 ① string 끈, 줄 tie 묶다 stuff 것[일], 물건 ② confuse 헷갈리게 하다, 혼동시키다 sentence 문장

Check it

1 **frightened** | 겁에 질린 사람들이 거대한 파도로부터 달아나기 시작했다. 해설 명사인 people이 겁먹게 하다(frighten)의 대상이므로 수동관계를 나타내는 과거분사 frightened가 알맞다.

2 **to** | 자기 옷을 직접 만들어 입을 수 있는 그녀의 능력은 그녀에게 많은 돈을 절약해주었다. 해설 to부정사(to make)가 명사(Her ability)를 수식하는 구조. 전치사 of는 뒤에 동명사(making)가 와야 하므로 적절하지 않다.

3 **asked** | 파티에서 만난 부부가 사진을 찍어달라고 내게 부탁했다. 해설 관계사절 수식어구를 포함한 긴 주어(The couple [that I met (at the party)]) 다음에 동사(asked)가 올 자리다.

4 **to put these sweets in** | 나는 이 단 것들을 담을 그릇이 필요하다. 해설 put A in a bowl로 쓰이므로 <명사(a bowl)+to부정사(to put ~)+전치사(in)>의 구조가 알맞다.

5 **informing** | 탑승자에게 (운행) 서비스에 변화가 있음을 알리는 안내문이 모든 버스에 (붙어) 있다. 해설 정보를 알리는(inform) 주체가 notices이므로 능동관계를 나타내는 현재분사 informing이 알맞다. 장소를 나타내는 정보(in all the buses)로 인해 명사와 형용사 수식어가 떨어져 있는 구조.

어휘 1 frighten 겁먹게 하다, 놀라게 하다 run away 달아나다, 도망치다 wave 파도, 물결 4 bowl 그릇, 사발 sweet(s) 단 것 5 notice 안내문; 통지 inform A of B A에게 B를 알리다 rider 탑승자, 타는 사람

Into the Grammar

p. 83

A

1 **inspiring** | 너는 영감을 주는 이 음악을 누가 썼는지 아니? 해설 음악이 듣는 사람에게 영감을 불러일으키는(inspire) 것이므로 현재분사(v-ing)로 쓴다.

2 **diving** | 바다 깊숙이 잠수하는 사람은 특수 장비가 필요하다. 해설 주어 Men이 잠수하는(dive) 것이므로 현재분사(v-ing)로 쓴다.

3 **is** | 지금까지 내가 모은 티켓의 수가 스무 개가 넘는다. 해설 주어는 number로 단수이고, 지금까지(so far) 모은 현재의 집계이므로 현재시제 is로 쓴다. (The number (**of** tickets [**that** I've gathered so far]))

4 **bought** | 온라인으로 구매된 유리잔 중 몇몇은 파손된 채로 배달되었다. 해설 glasses는 '구매된' 것이므로 수동을 의미하는 과거분사 bought로 쓴다.

Some (of *the glasses* (bought online)) were delivered damaged.
S / V / C

어휘 1 inspire 영감을 주다[불러일으키다] 2 dive 잠수하다 equipment 장비, 기기 3 so far 지금까지 4 damage 파손하다, 해를 끼치다

B

1 **meaningful something → something meaningful** | 나는 우리 백일 기념일에 너와 뭔가 의미 있는 것을 하고 싶어. 해설 -thing으로 끝난 단어는 명사를 뒤에서 수식하므로 something meaningful로 써야 한다.

2 **rapidly → rapid** | 그 책은 중국의 지난 몇십 년 동안의 급속한 경제 성장을 다룬다. 해설 economic(경제의)을 수식하는 게 아니라 economic growth(경제 성장)라는 명사를 수식하므로 부사가 아닌 형용사로 써야 한다.

3 **a number of → the number of** | 이 도서관은 대출할 수 있는 책의 권수 제한이 있습니다. 해설 대출할 책의 권수, 즉 '~의 수'이므로 the number of가 알맞다. (the number (of books [(that) you can check out])) *cf.* a number of: 많은 ~

4 **developing → developed** | 그 회사에 의해 개발된 새 게임이 시장에서 좋은 평가를 받고 있다. 해설 A new game을 수식하는 분사구로, game이 개발(develop)되었으므로 수동의 과거분사 developed로 고쳐 써야 한다.

5 **who is → who are** | 그 게임은 새것이라면 무엇에든 목말라 하는, 진정으로 모험심이 강한 사람들을 위한 것이다. 해설 the truly adventurous는 <the+형용사>, 즉 truly adventurous people을 뜻한다. who가 the truly adventurous를 수식하는 주격 관계대명사이므로 관계사절의 동사도 복수인 are로 써야 한다. truly는 형용사

adventurous를 꾸미는 부사이다.

6 **few → little** | 엄마는 내가 모은 많은 만화책들이 거의 가치가 없다고 생각한다. 해설 value(가치)가 셀 수 없는 개념의 명사이므로 셀 수 있는 명사에 쓰이는 수량형용사 few 대신, little로 써야 한다.

어휘 1 meaningful 의미 있는 anniversary 기념일 2 rapidly 급속하게 *cf.* rapid 급속한 growth 성장, 발전 past 지난 decade 10년 3 check out (도서를) 대출하다 4 review (사용) 평가, 비평 5 truly 진정으로, 정말 adventurous 모험심이 강한, 모험을 즐기는 thirsty 목마른, 몹시 바라는 6 collection 수집품, 소장품 comic book 만화책 be of value 가치가 있다

C

(A) the biggest issues that people are facing (B) lack of economic opportunity and employment |

해설 *One* (**of** *the biggest issues* [**that** people are facing today]) is *a lack* (**of** economic opportunity [and] (*of*) employment).
S / V / C

어휘 issue 문제, 쟁점 face 맞닥뜨리다 employment 고용 lack 부족, 결핍 opportunity 기회

Read it #1

p. 84

1 ④

해설 글쓴이는 다른 일상생활을 정상적으로 하긴 했지만 누군가에게 마음을 터놓고 지냈던 유일한 곳으로 게임 세계를 언급하고 있고, 그 덕분에 성장기의 고립된 시절이 견딜 만했다고 하고 있다.

해석 소위 말하는 게임 중독자에 대한 우려가 많았다. 최근에 나는 나 자신의 게임, 특히 고교 시절 당시의 게임 하던 양상에 대해 생각해보기 시작했다. 나는 월드 오브 워크래프트를 하는 데 많은 시간을 썼다. 나는 대부분의 중독자가 갖고 있는 문제들은 없었다. 고등학교에서 대개 A 학점을 받았고, 대학에 가서 언론학을 공부했고, 주말엔 친구들과 어울려 놀고, 가족과 시간을 보냈다. 실은, 되돌아보니, 지금 생각해도 월드 오브 워크래프트가 내겐 좋았던 것 같다. 내성적인 십 대로서 그것은 내가 완전히 마음을 터놓을 수 있는 친구 집단을 발견한 유일한 곳이었다. 실제 삶에서 내가 아는 누군가에게 마음을 터놓기 오래전 그들에게 마음을 터놓았던 것이다. 온라인에 안전한 곳을 갖고 있다는 것이 내 초기의 고립된 삶을 훨씬 더 견딜 만하게 해주었다. 하지만 때때로 나는 내가 남들에게 마음을 여는 다른 방법을 시도했어야 했는지 궁금해진다. 그와 상관없이, 지금 나는 내 인생 그 어느 때보다 행복하다.

구문 **[3~4행]** I did not have *the problems* [that **most** *addicts* have]. I *got* **mostly** *A's* in high school, ~.
S / V / O / S′ / V′

▸ most는 형용사로 쓰여('대부분의 ~') 명사를 수식하고 있고, 부사 mostly(대개, 주로)는 got A's를 수식하고 있다.

[6행] In fact, **looking back**, I still think (*that*) World of Warcraft was good for me.

▸ 분사구문 looking back(되돌아보니)으로 시작해 그 당시 그 게임이 자기에게 어떤 의미였는지 평가하고 있다. (= as I look back, ~)

[6~8행] (**As** an introverted *teen*), it was *the one space* [where I found *a group of friends* [(***whom***) I could be totally open **with ●**]].
'~로서' / S / V / C / S′ / V′ / O′ / S″ / V″ / C″

▸ the one space를 where이 이끄는 절이, a group of friends를 whom이 이끄는 절이 수식하는 구조.

▸ 전치사 with의 목적어(a group of friends)를 선행사로 하는 목적격 관계대명사 whom이 생략되어 있다.

[8~9행] I opened up to them **long before** I opened up to *anyone* [(***whom***) I knew ● (in my real life)].
S′ / V′

▸ A long before B: B하기 오래전에 A

▸ 목적격 관계대명사 whom이 생략되어 있다. 동사 knew의 목적어에 해당되는 대상은 선행사 anyone이다.

[9~10행] Having a safe space online made my early **isolated** *life* **a lot** more bearable.
S / V / O / OC

▸ isolate는 '고립시키다'라는 뜻의 동사로, 수동을 나타내는 과거분사(isolated: 고립된, 소외된)가 명사를 수식하고 있다.

▸ a lot은 '훨씬 더'의 뜻으로 비교급(more bearable)을 강조하고 있다.

[10~11행] However, sometimes I wonder if I **should have tried** *other ways* (to open up to others).

▸ <should have p.p.>는 과거의 후회를 나타내는 표현으로 '~했었어야 했다(그런데 하지 않았다)'라는 의미이다.

2 ④

해설 (A) 샴푸를 안 한 채로 보내는 '며칠'을 의미하므로, a few가 알맞다.

(B) tell+O+to-v: O에게 ~하라고 하다[시키다]

(C) 전치사 like(~와 같은) 뒤에 열거되는 전치사의 목적어 A, B, or C 중 C에 해당하는 부분으로, <주어+동사>의 절 구조가 아닌 <명사+형용사 수식어구>의 구조가 되어야 한다. 수식받는 명사 someone이 '사는 주체'이므로 능동을 의미하는 현재분사 living이 알맞다.

해석 얼마나 자주 샴푸를 해야 하나? 아마도 당신이 생각하는 것만큼 자주는 아닐 것이다, 라고 피부과 의사와 (헤어) 스타일리스트가 말한다. 샴푸를 덜 자주 하는 것이 머리카락에는 더 좋다는 얘기를 아마도 들어봤을 것이다. "저는 '샴푸를 며칠 안 하고 지내는 것은 괜찮다.'라고 늘 말해왔습니다."라고 전문 헤어스타일리스트가 말한다. "저는 종종 유분이 보통이고 무게도 중간 정도인 머리카락에 대해서는 고객께 샴푸를 안 하고 최대한 지내보라고 말씀드리죠." 그렇다면 누가 매일 샴푸를 해야 하는가? "가는 머리카락을 지닌 사람들, 운동을 많이 해서 땀이 나는 사람, 또는 아주 후텁지근한 곳에 사는 사람과 같이 소수의 사람들만 매일 샴푸 할 필요가 있습니다."라고 그녀는 말한다. 평균적인 사람에게는 이틀에 한 번 또는 이삼일에 한 번 샴푸하는 것이 일반적으로 좋다. "일괄 추천할[모두에게 다 적용되는] 내용은 없습니다. 머리카락이 눈에 띄게 기름지고, 두피가 가렵거나 먼지 때문에 벗겨지는 게 있으면 그것들이 샴푸할 때가 되었다는 조짐입니다."라고 그녀는 말한다.

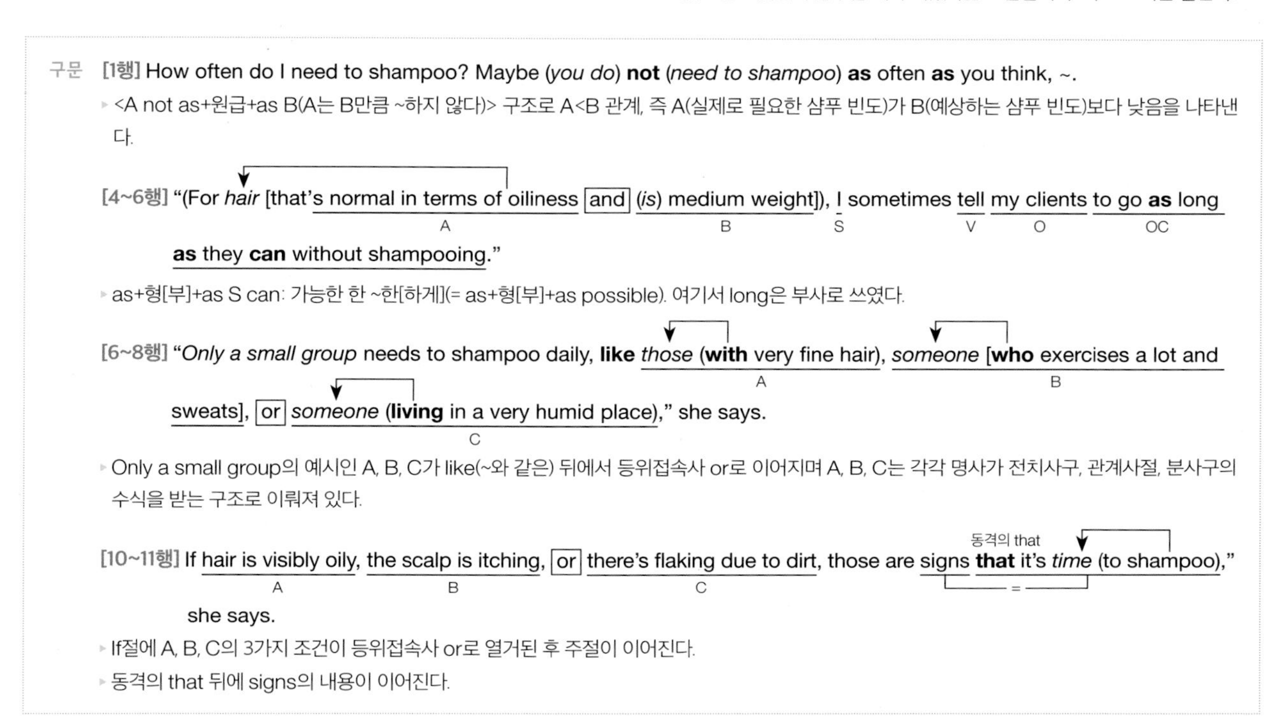

구문 **[1행]** How often do I need to shampoo? Maybe (*you do*) **not** (*need to shampoo*) **as** often **as** you think, ~.

▸ <A not as+원급+as B(A는 B만큼 ~하지 않다)> 구조로 A<B 관계, 즉 A(실제로 필요한 샴푸 빈도)가 B(예상하는 샴푸 빈도)보다 낮음을 나타낸다.

[4~6행] "(For *hair* [that's normal in terms of oiliness [and] (*is*) medium weight]), I sometimes tell my clients to go **as** long **as** they **can** without shampooing."
(A: that's normal in terms of oiliness / B: (is) medium weight / S: I / V: tell / O: my clients / OC: to go as long as they can without shampooing)

▸ as+형[부]+as S can: 가능한 한 ~한[하게](= as+형[부]+as possible). 여기서 long은 부사로 쓰였다.

[6~8행] "*Only a small group* needs to shampoo daily, **like** *those* (**with** very fine hair), *someone* [**who** exercises a lot and sweats], [or] *someone* (**living** in a very humid place)," she says.
(A: those (with very fine hair) / B: someone [who exercises a lot and sweats] / C: someone (living in a very humid place))

▸ Only a small group의 예시인 A, B, C가 like(~와 같은) 뒤에서 등위접속사 or로 이어지며 A, B, C는 각각 명사가 전치사구, 관계사절, 분사구의 수식을 받는 구조로 이뤄져 있다.

[10~11행] If hair is visibly oily, the scalp is itching, [or] there's flaking due to dirt, those are signs **that** it's *time* (to shampoo)," she says.
(A: hair is visibly oily / B: the scalp is itching / C: there's flaking due to dirt / 동격의 that: signs = that it's time (to shampoo))

▸ If절에 A, B, C의 3가지 조건이 등위접속사 or로 열거된 후 주절이 이어진다.

▸ 동격의 that 뒤에 signs의 내용이 이어진다.

Read it #2

p. 86

3

(다음 내용 중 2가지 작성) **정의로운 사회에서 살 권리 / 평등의 권리 / 구성원 모두가 결정에 있어서 발언권을 가질 권리 / 폭군의 지배를 받지 않을 권리** | 해설 인터뷰 첫 질문에서 공동체 관련해 보호되어야 할 권리가 무엇인지 묻고 있고, 보호하려고 애써야 할 인권 항목들이 첫 질문의 답변에 세미콜론(;)으로 나열되어 있다.

문제 해석

우리는 공동체의 구성원으로서 어떤 인권을 갖고 있나? 둘을 언급하시오. (한국어로 대답하시오.)

4

1) join, political

해설 세 번째 질문의 답변에서 시민들이 할 수 있는 일로, 지역 인권 운동 참가와 정직성과 비전을 갖춘 정치 지도자 지지하기가 있다고 했다. participate in(~에 참가하다)과 같은 의미를 띠는 타동사인 join(~에 참가하다, 함께하다)과, politicians와 같은 의미인 political leaders로 문장을 완성할 수 있다.

2) aware

해설 두 번째 질문의 답변에서, 인식을 널리 퍼뜨리는 데 도움이 되도록(to help spread awareness) 인권 침해 사례를 대화의 화제로 삼으라고 했다. 빈칸은 <make+O(citizens)+OC> 구문의 목적격보어 자리이므로 형용사인 aware(인식하는, 각성하는)로 써야 한다.

문제 해석
적절한 단어들로 빈칸을 채우시오.

1) 인권 보호를 위해 우리는 인권을 지지하는 데 기여하는 사회 활동에 참가할 수 있다. 또한 인권 보호에 우선순위를 두는 정치 지도자에게 투표할 수 있다.

2) 우리는 시민들이 문제를 더 많이 인식하도록 대중에게 인권 침해 사례들을 알려야 한다.

3~4

해석 매일 우리는 인권이 위협받고 있는 사례들을 지켜본다. 우리 각자가 존중받는 시민으로서의 우리의 가치를 인식하며 살 수 있는 보다 나은 세상을 만들어나가는 데 도움이 될 실질적인 방법들 관련하여 사회운동 지도자와의 인터뷰가 진행되었다.

질문: 공동체 관련하여 어떤 인권이 보호되어야 할 필요가 있나요?
답변: 정의로운 사회에서 살 권리, 평등의 권리, 구성원 모두가 결정에 있어서 발언권을 가질 권리, 폭군의 지배를 받지 않을 권리입니다.

질문: 인권 침해의 희생자를 제가 어떻게 보호하고 후원할 수 있을까요?
답변: 인권 침해의 희생자에게 무료 법률 지원을 제공하는 단체에 기부하세요. 그리고 (인권) 인식을 확산시키는 데 도움이 될 수 있게 이 침해 사례들에 대해 다른 사람들과 얘기를 나누세요.

질문: 인권이 존중되기 위해서는 무슨 일이 일어나야 할까요?
답변: 시민들이 (인권) 인식 프로그램 만들어야 합니다. 지역에서 열리는 인권 활동에 참여해야 합니다. 정직한 정치인과 비전을 갖춘 지도자들이 더 많은 지지를 받아야 합니다. 사람들이 인권 침해를 믿을 만한 기관에 신고해야 합니다.

구문 **[1행]** Every day we(S) **see**(V) cases of human rights(O) **being threatened**(OC).
- <see+O+being p.p.: O가 ~되고 있는 것을 보다>의 구조로, 목적격보어가 진행(v-ing)과 수동(be p.p.)의 의미가 복합된 being p.p.의 형태를 띠고 있다.

[1~3행] *An interview* (**with** a social movement leader)(S) was conducted(V) / regarding *practical ways* (**to** help (*to*) build *a better world* [**where** every one (of us)(S′) can live(V′) **being**('~하면서') aware of our value **as**('~로서') a respected citizen]).

[5~6행] ~; *the right* ((**for** every member)(의미상주어) **to have** a say in decisions); *the right* (**not to be ruled** by a tyrant).
- to부정사구가 명사(the right)를 수식하는 구조로, to부정사의 의미상주어는 <for+목적격>의 형태로 쓰인다.
- to부정사의 부정형은 to 앞에 not을 붙여 not to-v의 형태로, 수동형은 to be p.p.의 형태로 쓰인다.
- 이어지는 여러 항목을 세미콜론(;)으로 구분하였다.

[8~9행] Donate(V1) to *organizations* [**that**(S′) provide(V′) free legal support(O′(A)) (**to** *victims* (of human rights violations))(B)], and talk(V2) (**with** others)(M1) (**about** these violations)(M2) (**to help**^V (*to*) spread awareness^O)(M3(to부정사구)).
- that으로 시작하는 주격 관계사절이 '어떤' 단체(organizations)에 기부할지 한정해준다. provide A to B: B에게 A를 제공하다
- talk 다음에 이어지는 수식어(M)들 중 M1, M2는 <전치사+A>의 표현이 부사 수식어로 쓰인 경우이다.
- to help는 '~하기 위하여, ~하도록'의 <목적>을 나타내는 부사구 수식어이다. help의 목적어 to부정사에서 to는 생략하기도 한다.

[10행] What(S) needs(V) to happen(O) (**for** human rights)(의미상주어) **to be respected**('~하기 위하여, ~하도록' <목적>)?
- 의문사 What이 문장의 주어이다.
- 의미상주어 human rights가 respect의 대상으로 '존중되는' 것이므로 to부정사의 수동형(to be p.p.)으로 쓰였다.

5 ③

해설 고기가 갈색으로 변할 때까지 요리하라고 했으므로 일치하는 내용은 ③이다. ① 만들기 쉽고 비용이 크게 안 든다고 했다. ② 야채(피망, 양파)는 고기와 함께 볶으라고 했고, 끓는 물에 삶는 것은 마카로니다. ④ 마카로니 등을 넣고 난 뒤에는 볶다가 중간약불로 낮추라고 했다. ⑤ 치즈를 뿌린 후 '1분간 더 가열하라'고 했으므로 치즈 넣고 바로 불 끄는 것은 잘못됐다.

해석 엄마의 야식 굴라시

제공: 4인분 요리시간: 20분

엄마의 야식 굴라시는 (만들기) 엄청 쉽고 비용이 안 들어서 훌륭한 평일 저녁 조리법이 되었습니다! 이 가족 친화적인 저녁 식사는 잘게 간 소고기와 마카로니, 야채 두어 가지, 그리고 여러분의 가족이 좋아하는 스파게티 소스로 만들어집니다.

준비물
마카로니 0.5파운드
간 소고기 1.5파운드
초록색 피망 반 개, 잘게 썬 것
다진 양파 반 컵
스파게티 소스 1병(26온스짜리)
마늘 가루 1/2 티스푼

소금 1/2 티스푼
후추 1/2 티스푼
잘게 조각 난 치즈 한 컵(4온스짜리)

조리법

1 마카로니를 끓는 물에 넣는다. 15분 후 물을 빼고 옆에 치워둔다. 찬물로 헹구지 말 것.

2 그러는 동안 소고기, 피망, 양파를 큰 프라이팬에 요리한다. 센 불에 6~8분간 갈색을 띨 때까지 고기를 휘젓는다.

3 마카로니, 스파게티 소스, 마늘 가루, 소금, 후추를 더하고 잘 섞는다. 불을 중간약불로 줄이고 5~7분 또는 완전히 익을 때까지 요리한다.

4 치즈를 위에 흩뿌리고 1분 더, 또는 치즈가 녹을 때까지 가열한다.

구문 **[3~4행]** Mom's Nighttime Goulash is super easy and budget-friendly, **making** it a great weeknight dinner recipe!
(making: V´, it: O´, a great weeknight dinner recipe: OC´)

▸ making이 이끄는 분사구문은 앞에 등장하는 요리의 특징을 원인으로 한 결과를 나타내는 의미이다.
= and[so] *that* has made *it* a great weeknight dinner recipe
(that: 앞 문장 전체, it: = Mom's Nighttime Goulash)

[8행/9행/15행] 1 1/2 pounds **ground** *beef*
1/2 *green bell pepper*, **chopped**
1 cup (4 ounces) **shredded** *cheese*

▸ 수동관계(~되는)를 나타내는 과거분사 ground, shredded가 각각 명사를 수식한다.
▸ chopped(잘게 썰어진)는 green bell pepper의 상태를 부연 설명한다.

[19~20행] Stir meat (over high heat) (for 6 to 8 minutes) / **until** it becomes brown.
(Stir: V, meat: O, (over high heat): M1, (for 6 to 8 minutes): M2, until: '~할 때까지', it: S´, becomes: V´, brown: C´)

[22행] Reduce heat (to medium-low) [and] cook (5 to 7 minutes) [or] [**until** (*all the ingredients are*) **heated** completely].
(Reduce: V1, heat: O, cook: V2, (5 to 7 minutes): A, [until ... completely]: B)

▸ Reduce ~ medium-low와 cook ~ completely가 등위접속사 and로 연결되어 있고, 뒷부분에서 요리하는(cook) 시간에 대한 두 개 정보가 다시 등위접속사 or로 연결된 구조.
▸ 접속사 until 뒤에 <주어+be동사>가 생략된 구조.

엄마의 야식 굴라시에 대한 평가 및 의견

butterflyAlice 2월 6일
우리 아이들이 이 요리를 매우 좋아해요. 정말 맛있는 식사를 만들어줬다며 제게 고마워했어요! 만들기 아주 쉬워요. 분명히 제 조리법 모음에서 선호하는 것이 될 거예요.

happybunny88 1월 18일
나는 항상 당신의 맛있는 조리법을 즐기고 있어요. 마지막에 마카로니 대신 면을 넣어도 될까요?

ㄴ Kitchen Team 1월 19일
안녕하세요! 조리법에 대해서는, 물론 면을 넣으실 수 있는데 익히지 않은 채, 위에 적힌 모든 재료들과 함께 넣으세요. 당신만의 요리를 즐기시기를 바랍니다!

SUMMARY 해석

<명사를 꾸미는 것들>

멀리 있는 별 / **멀리 있는 별의** 이름 / **하늘에 빛나고 있는** 별 / **최초의 천문학자에 의해 발견된** 별의 이름은 무엇인가? / **별을 보기** 적합한 때는 언제인가? / 별은 대개 **그것을 처음 발견한** 사람의 이름을 따서 붙여진다.

<구분해야 할 것들>

우리 중 그 별의 이름을 알고 있는 사람은 **거의 없을** 것이다. / 그 별에 관한 **몇 가지** 질문 / 나는 그 별에 대한 정보가 **거의 없다[조금 있다]**.
~ **빛나고 있는** 별 / ~**에 의해 발견된** 별
신뢰할 친구 / **함께 시간을 보낼** 친구
많은 과학자들이 그 별에 대한 논문을 썼다. / 지금까지 출간된 그 별에 관한 논문 **수**는 26개이다.
대부분의 교사는 이름을 기억하는 데 능하다. / 나는 내 학생들 이름**의 대부분**을 기억하고 있다.
이 **반짝거리는** 돌을 봐. / **어둠 속에서 빛나는** 저 돌이 보이니? / **어둠 속에서 빛나는** 돌을 찾아라.
거친 목소리 / 그녀의 목소리는 **거칠다**. / 혹독한 연습이 그녀의 목소리를 **거칠게** 만들었다.

<독해에서 중요한 형용사 관련 표현들>

부자들은 **가난한 사람들**을 깔봐서는 안 된다. / 다이아몬드는 허영심이 없는 여자에게는 **가치가** *없다*.

CHAPTER 09 준동사의 이해 (1)

UNIT 1 문장의 주요소인 준동사

p. 90

• 미리보기

1 **차를 운전하는 것** | 차를 운전하는 것은 많은 주의가 필요하다. 해설 주어 자리에 온 동명사구이므로 명사 개념(~하는 것)으로 해석한다.

2 **사람들과 일하는 것** | 나는 사람들과 일하는 것을 즐긴다. 해설 동사(enjoy)의 목적어 자리에 온 동명사구이므로 명사 개념(~하는 것)으로 해석한다.

3 **유명한 사람들의 목소리를 흉내 내는 것** | 그는 유명한 사람들의 목소리를 흉내 내는 것을 잘한다. 해설 전치사의 목적어 자리에 온 동명사구이므로 명사 개념(~하는 것)으로 해석한다.

어휘 1 require ~을 필요로 하다 3 be good at ~을 잘하다, ~에 능숙하다 imitate 흉내 내다, 모방하다

• 대표 예문

어휘 A challenging 도전적인; 어려운 B locker 사물함 C boast 자랑하다, 과시하다 achievement 성취, 업적 D duty 의무, 할 일 set the table 상을 차리다, 식탁을 준비하다

Grammar PLUS

① 내 취미는 만화 캐릭터를 그리는 것이다. / 만화 캐릭터를 그리는 것이 내가 좋아하는 활동 중 하나이다. / 나는 만화 캐릭터를 그리는 것을 좋아한다. / 나는 만화 캐릭터를 그리는 것에 관심 있다.

② 폭우에 우산도 없이 외출하는 것은 미친 짓이다. / 연기는 내가 어디에 있는지 알아내는 것을 불가능하게 했다.

어휘 ① cartoon character 만화 캐릭터 ② smoke 연기 figure out 알아내다

Check it

1 Understanding their employees | 직원들을 이해하는 것이 훌륭한 관리자에게는 꼭 필요하다. 해설 동사(is) 앞에 있는 동명사구(Understanding their employees)가 주어이다.

2 crying | 아이들이 도미노 조각들처럼 차례로 울기 시작했다. 해설 동사(started)의 목적어로 동명사(crying)가 왔다. (start v-ing[to-v]: ~하기 시작하다)

3 playing basketball | 키 큰 사람은 농구 하는 데 유리한 점이 있다. 해설 전치사(in)의 목적어로 동명사구(playing basketball)가 왔다. (have an advantage in+(동)명사: ~에 있어 유리한 점이 있다)

4 growing plants | 나로서는 식물을 키우는 것이 다른 어떤 것보다 더 흥미롭다. 해설 동사(is) 앞에 있는 동명사구(growing plants)가 주어인 문장이다. As for me는 부사 수식어.

5 to become a professional musician | 내 꿈은 직업 음악가가 되는 것이다. 해설 동사(is) 뒤에 주어를 보충 설명하는 주격보어로 to부정사구(to become ~)가 왔다. (My dream = to become a professional musician)

어휘 1 employee 직원 essential 필수적인 manager 관리자, 경영자 2 one by one 하나씩, 차례로 3 advantage 유리한 점, 이점 4 as for ~로서는, ~로 말하자면 5 professional 전문적인, 직업의

UNIT 2 문장의 부요소인 준동사

p. 91

• 미리보기

예 그에게는 그를 도와줄 친구가 없다.

1 the courage (to say the truth) | 나는 진실을 말할 용기가 없다. 해설 to부정사구가 명사를 뒤에서 수식하는 구조.

2 The people (attending at the seminar) | 세미나에 참석 중인 사람들은 유용한 정보를 얻게 될 것이다. 해설 진행의 의미를 나타내는 현재분사구가 명사를 수식하는 구조.

• 대표 예문

어휘 A frightened 겁먹은, 무서워하는 brake (차의) 브레이크 skid (차량이) 미끄러지다 B dig 파다, 캐다 ancient 고대의 native 원주민의 C astronaut 우주비행사 experiment 실험 D heroic 영웅적인, 용감무쌍한 E gather 모이다 congratulate 축하하다 newly 새로 elect 선출하다 F creep 기다, 살금살금 가다

Grammar PLUS

① 그 엄청난 청구서를 지불하는 것은 계획이 필요하다. / 그 엄청난 청구서를 지불하기 위해 나는 밤낮으로 일했다.

② 우리는 불을 끌 뭔가가 필요하다. / 우리는 불을 끄기 위해 최선을 다했다.

어휘 ① bill 청구서, 고지서 ② put out (불을) 끄다

Check it

1 **공격하라는 명령** | 공격하라는 명령이 폭우가 시작되자 취소되었다. 해설 to부정사(to attack)가 명사(The order)를 수식하는 구조.

2 **선생님에 의해 우리 팀에 주어진 과제** | 선생님에 의해 우리 팀에 주어진 과제[선생님이 우리 팀에 주신 과제]가 잘 완료되었다. 해설 과거분사구(given to our team by the teacher)가 명사(The project)를 수식하는 구조. project가 준(give) 것이 아니라 '주어진' 것이므로 수동의 과거분사 given으로 시작한다. 누구에게 주어졌는지(to+A), 누가 줬는지(by+A, 행위의 주체)의 관련 정보가 이어지고 있다.

3 **주민을 보호하기 위해** | 그 출입구는 주민을 보호하기 위해 자정 이후에 닫혔다. 해설 to부정사구가 '목적(~하기 위하여)'을 의미하는 부사적 역할로 앞의 절 전체를 수식하는 구조.

4 **ⓐ 쏟아지는 빗속으로 들어가며 ⓑ 무서운 우르릉 소리** | 쏟아

지는 빗속으로 들어가며 나는 저 위 천둥의 무서운 우르릉 소리를 들었다. 해설 go와 hear의 두 행위가 동시에 일어나고 있으므로 Going ~은 '~하면서'로 해석하면 된다.

(**Going** into the **pouring** rain), I heard the **terrifying** *roar* (of *the thunder* (**above**)).

5 **아이를 입양하는 데 요구되는** | 부부는 아이를 입양하는 데 요구되는 절차를 공부하고[자세히 알아보고] 있다. 해설 분사구(required to adopt a child)가 앞의 명사(the procedure)를 수식하는 구조이므로 형용사처럼 '~한'으로 해석하면 된다.

어휘 1 order 명령; 주문; 질서 recall 취소하다; 상기하다 2 complete 완료[완성]하다 3 gate 출입구, 문 resident 거주민 4 pour (비가) 퍼붓다 terrify 무섭게[겁먹게] 하다 roar 으르렁거림; 으르렁거리다 5 procedure 절차, 수순 adopt 입양하다

UNIT 3 준동사와 동사의 공통분모: 주어, 부정, 태, 시제

p. 92

• 미리보기

1 **You should be careful not to catch a cold.** | 감기 걸리지 않도록 조심해야 한다. 해설 문맥상 감기에 걸리지 '않도록' 조심해야 한다는 의미가 자연스러우므로, not은 <목적>을 나타내는 to catch 앞에 와야 한다.

2 **It's almost time for the bell to ring.** | 벨이 울릴 때가 거의 다 됐다. 해설 to부정사(to ring)의 주체는 the bell로 문장의 주어(It)와 다르므로 to부정사의 의미상주어가 to부정사 앞에 <for+의미상주어>의 형태로 와야 한다.

3 **I am sorry to have kept you waiting.** | 당신을 기다리게 해서 죄송합니다. 해설 미안한 것은 지금, 즉 현재지만(I am sorry) 기다리게 한 것은 그 전, 즉 앞선 시점이므로 to부정사의 완료형(to have p.p.)인 to have kept로 완성돼야 한다.

어휘 1 catch a cold 감기 걸리다 2 almost 거의

• 대표 예문

어휘 A tense 긴장된, 팽팽한 C discourage 단념시키다, 말리다 for the time being 당분간 D autograph 사인, 서명

Grammar PLUS

① 보통 사람이 그 모든 숫자를 얼핏 보고 기억하기란 어렵다. / 동물이 인간처럼 감정을 갖고 있다는 생각은 입증되지 않았다.

② 우산을 들고[쓰고] 있는 한 남자가 눈 속을 걷고 있다. / 큰 개를 보고 짖는 것은 작은 개가 하기에는 위험한 일이다.

어휘 ① at a glance 얼핏 보고, 한눈에 emotion 감정 ② bark 짖다

Check it

1 **two countries separated** | 영국과 미국은 같은 언어로 분리된 두 나라이다. 해설 앞에 동사(are)가 이미 나왔으므로 동사(are separated)가 아닌, 명사(two countries)를 수식하는 준동사로 수동을 의미하는 과거분사구(separated by ~)가 와야 한다.

2 **to want to be liked and respected** | 사람들이 (남들) 맘에 들고 존경받기를 바라는 건 정상적이다. 해설 문맥상 to부정사(to want)의 목적어 두 개(to be liked와 (*to be*) respected)가 접속사 and로 연결된 구조이다. 의미상주어(for people)와 to부정사(to like와 to respect)가 수동관계로, 수동형의 to부정사에서 to be가 생략된 나머지, 즉 과거분사(respected)로 고쳐야 한다.

3 **to have missed** | 그 드라마의 마지막 회를 놓쳐서 아쉬웠다. 해설 아쉬운 건 현재(am sorry), 드라마를 놓친 건 그 전, 즉 시점이 앞서므로 완료형(to have p.p.)인 to have missed로 써야 한다.

4 **The practice of older members of a group training new ones** | 한 집단의 더 나이 많은 구성원이 신입을 훈련시키는 관습은 거의 모든 직업 분야에서 발견된다. 해설 밑줄 친 부분은 문장의 주어부이고 주어는 The practice, 바로 뒤의 of 이하는 주어를 수식하는 형용사구이다. 형용사구 내의 train은 첫 번째 of의 목적어 older members와 의미상 주어-동사 관계로 동명사 training으로 고쳐야 한다.

5 **Copying[To copy] whole pages of the textbook** | 교과서 전 페이지를 베끼는 것은 교과 내용을 공부하는 좋은 방법이 아니다. 해설 밑줄 친 부분은 동사(is)의 주어로 Copy는 준동사 형태의 to부정사(To copy ~) 또는 동명사(Copying ~)로 써야 한다.

어휘 1 separate 분리하다, 나누다 2 normal 정상적인, 보통의 3 episode (연속 방송물의) 1회 방송분, 한 편 4 field 분야 5 whole 전체의

Into the Grammar

p. 93

A

1 **부사** | 패션모델들은 몸매를 유지하기 위해 식단을 조절해야 한다. 해설 <목적: ~하려고, ~하기 위해>을 나타내는 부사 수식어구이다.

2 **형용사** | 우리 아빠는 새 다리에서 통행료를 징수하는 일을 하신다. 해설 현재분사구(collecting ~)가 명사(job)를 수식하고 있으므로 형용사로 쓰였다.

3 **명사** | 시끄러운 음악을 반복해서 듣는 것은 귀에 문제를 일으킬 수 있다. 해설 주어 자리에 쓰인 동명사구이므로 명사 개념이다.

4 **형용사** | 경찰관에게는 사람을 체포할 권위가 있다. 해설 to부정사구(to arrest people)가 명사(authority)를 수식하고 있으므로 형용사로 쓰인 경우이다.

5 **명사** | 집에서 빵을 만드는 내 첫 시도는 그다지 성공적이지 못했다. 해설 전치사(at)의 목적어로 쓰인 동명사구이므로 명사 개념이다.

6 **부사** | 시끄러운 음악을 들으면서 나는 책상 청소를 하기 시작했다. 해설 콤마 뒤에 주어 동사를 갖춘 완전한 절이 이어지므로 Listening ~은 동시에 한 일을 나타내는(~하면서) 분사구문, 즉 부사 수식어이다.

어휘 1 stay in shape 몸매를[건강을] 유지하다 2 collect (세금 등을) 징수하다; 모으다 toll 통행료 4 police officer 경찰관 authority 권위, 권한 arrest 체포하다

B

1 **touching** | 영화의 그 감동적인 장면이 이후로 줄곧 내 마음에 남아 있다. 해설 그 장면(That scene)이 '감동시키는' 것이므로 능동을 의미하는 현재분사(touching)를 써야 한다.

2 **called** | 나는 '금요일 밤을 위한 요리법'이라고 불리는 책을 며칠 전에 샀다. 해설 book 뒤에 책 제목이 이어지므로 수동을 의미하는 과거분사 called(~라고 불리는)로 쓰면 알맞다.

3 **Taking[To take]** | 장애인을 위해 지정된 주차 공간을 차지하는 것은 하기에 비열한 짓이다. 해설 주어 자리이므로 동명사(Taking) 또는 to부정사(To take)로 문장을 완성할 수 있다.

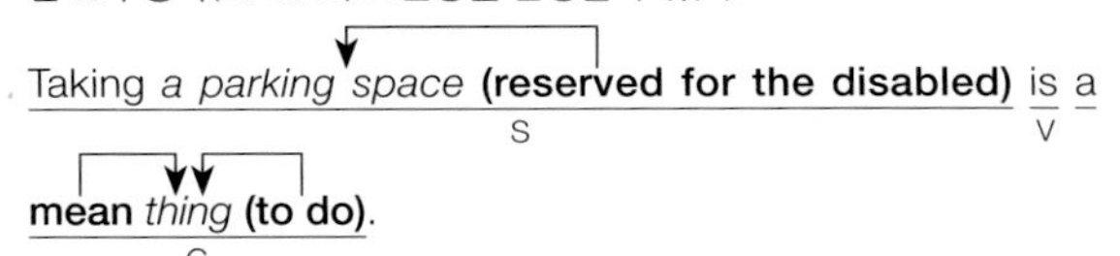

4 **being overheard** | Jin은 (누군가가) 엿듣는 것을 너무 두려워해서 내게 하는 귓속말이 거의 들리지 않았다. 해설 Jin이 '(남에 의해) 엿들음을 당하는' 수동 관계이고 전치사 of의 목적어 자리이므로, 수동형 동명사(being overheard)로 써야 한다.

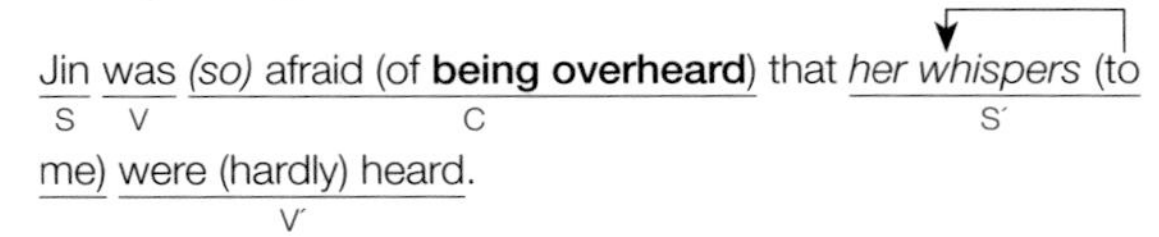

어휘 1 scene 장면 2 the other day 이전에, 며칠 전에 3 reserved 따로 비축된; 지정된 the disabled 장애인 *cf.* disable 장애를 입히다, 장애인으로 만들다 mean 비열한 4 so ~ that ... 너무 ~해서 ...하다 be afraid of ~을 두려워하다 hardly 거의 ~ 않는 overhear 엿듣다

C

1 **A good photographer waits for the right moment to take each picture.** | 훌륭한 사진사는 사진 한 장씩 찍기에 적절한 순간을 기다린다. 해설 문맥상 '(사진 찍는) 순간'을 기다리는 것이므로 to부정사구가 명사(moment)를 뒤에서 수식하는 구조가 되면 자연스럽다.

2 **The sailors complained about the food until the captain threatened not to give them any.** | 선원들은 선장이 아무것도 안 주겠다고 위협할 때까지 음식에 대해 불평했다.[선원들이 계속 음식에 대해 불평하자 급기야 선장이 아무것도 안 주겠다고 위협했다.] 해설 문맥상 '아무것도 안 준다고 위협했다'라고 하는 것이 자연스러우므로 to부정사(to give) 앞에 not을 넣어야 한다.

3 **The report ended by saying that it would be unwise not to conserve our natural resources.** | 그 보고서는 우리의 자연 자원을 보존하지 않는 것은 현명하지 못하다고 얘기하는 것으로 끝났다. 해설 내용상 not to conserve our natural resources가 unwise하다고 표현하는 것이 적절하므로 긴 주어(not to ~ resources)를 대신하는 가주어 it이 would be unwise 앞에 놓여 가주어-진주어 구조가 되어야 한다.

4 **John is weak, so his mother worries about his playing on the soccer team.** | John은 약해서 축구팀에서 (그가) 뛰는 것에 대해 어머니께서 걱정하신다. 해설 his mother worries about playing에서 worries의 주체는 his mother인 반면, playing의 주체는 John이므로, playing 앞에 의미상주어 his를 써주어야 한다.

어휘 1 wait for ~을 기다리다 right 적절한, 알맞은 2 sailor 선원, 뱃사람 captain 선장, 대장 threaten 위협하다, 협박하다 3 conserve 보존하다 natural resource 자연자원 4 worry about ~에 대해 걱정하다

Read it #1

p. 94

1 ⑤ immature → mature

해설 문맥상 충고해주고 좋은 결정을 내리게 도와줄 사람은 '미성숙한' 친구가 아니라 '성숙한' 친구가 되는 것이 자연스러우므로 immature가 아닌 mature가 되어야 한다.

해석 "최고의 삶을 사세요." 오프라 윈프리에 의해 유명해진 이 간단한 네 단어가 행복과 성공을 위해 따라야 할 단 하나의 가르침을 준다. 그 인용구는 그 의미와 간결함에 있어 ① 매우 귀중하지만 많은 이들이 어떻게 따라야 할지 모르는 가르침이다. 최고의 삶을 살기 위해서는 당신에게 성취감을 줄 것들, 가령 음악을 만들거나 ② 덜 운 좋은 사람들을 자원해서 돕기 같은 것들에 대해 생각하는 것으로 시작하라. 그런 것들이 결국 당신이 (인생) ③ 목표를 찾는 데 도움을 줄 것이다. 또한 당신보다 많이 가진 것처럼 보이는 사람들을 ④ 질투하는 대신 좋은 친구나 근사한 집과 같이 당신이 갖고 있는 것에 감사하려고 하라. 또 ⑤ 미성숙한(→ 성숙한) 친구들이나 전문적인 상담가와 같은, 당신에게 충고해주고 좋은 결정을 내리게 도와줄 사람을 구할 수 있다. 그들은 당신이 인생에서 길을 잃지 않게 해줄 것이며, 인생에서 벌어지는 모든 것에 대해 당신이 더 자각하도록 도와줄 것이다.

구문 **[1~2행]** "Live your best life." These four simple words, (**made** famous by Oprah Winfrey), give a single *instruction* (**to follow** (for happiness and success)).
(= / S / V / O)

▸ made ~ Winfrey는 These four simple words("Live your best life.")를 부연 설명하는 삽입구.
(← Oprah Winfrey **made**[V] these four simple words[O] *famous*[OC])

[2~4행] **While** the quote is priceless (in its meaning and simplicity), // it's *an instruction* [*(that)* many[S] don't know[V] how to
(S' V' C' / S V / C)

follow ●[O]].

▸ While이 이끄는 부사절이 '시간(~하는 동안)'이나 '비교·대조(~인 반면, 한편)'의 의미가 아니라 '양보, 역접(~이긴 하지만)'으로 쓰였다.

[4~5행] **To live** your best life, / start (**by thinking** about *the things* [that fulfill you], (**like making** music or **volunteering** to help the less fortunate)).
'~하기 위하여' <목적> V A B

▸ by v-ing: ~함으로써(방법·수단을 나타냄)

▸ the things ~의 구체적인 예 A, B가 전치사 like(~와 같은) 뒤에 동명사구의 형태로 이어지고 있다.

[6~8행] Additionally, try to appreciate[V] what you have[O], (like good friends or a nice home), / **instead of feeling** jealous of *people* [who seem to have more than you].
V O

▸ 전치사구 instead of 다음에 동명사구(feeling jealous of ~ you)가 위치한다.

[10~11행] They will **keep** you (**from getting** lost in life) and **help** you **become**[V] more self-aware[C] (about *everything* [that happens in life]).
V1 O1 V2 O2 OC2

▸ keep A from v-ing: A가 ~하지 못하게 하다

▸ help+O+(to) V: O가 ~하게 돕다

2 ③

해설 주어진 글은 자기소개서의 중요성에 대한 언급으로 시작되므로 그것이 왜 중요한지를 설명하는 (B)로 이어지는 것이 자연스럽다. 그다음, 본격적으로 자기소개서를 쓰는 작업에 들어가서 도입부의 중요성을 강조하는 (C)로 이어지고, 글을 일단 완성한 뒤의 할 일을 설명하는 (A)로 이어지는 것이 자연스러우므로 (B) → (C) → (A)의 순서가 알맞다.

해석 꿈꾸는 대학이나 프로그램에 지원할 때 자기소개서를 쓰라는 요구를 받을 수 있다. 자기소개서는 종종 당신을 다른 모든 지원자들과 구분되게 해야 하는 당신이 가진 유일한 기회이다. (B) 입학 사정관들은 후보자 명단에서 최종 결정을 내리기 위해 그것을 사용한다. 그들은 당신을 특별하게 만드는 게 무엇인지를 알고 싶어한다. 당신은 갖고 있는 열정을 모두 그 제한된 공간에서 전달할 필요가 있다. (C) 무엇보다도 도입부가 읽는 사람의 관심을 끌어야 한다. 상투적인 문구나 장황한 설명을 피하라. 대신에 관심을 자극하고 본론으로 들어가는데, 딱 한 단락 안에서 해라. 도입이 너무 중요하기 때문에 그것을 맨 나중에 쓰고 싶을 수도 있다. 그건 상관없다! (A) 또한, 가능할 땐 언제든, 소개서 쓴 것을 하룻밤 동안 내버려 두었다가 신선한 시각으로 다시 보라. 흐름이 자연스러운지 점검하라. 이제 그것을 다른 사람들에게 보여줄 준비가 되었다. 그들에게 건설적인 피드백을 부탁하라. 두 번째(다른) 관점이 당신의 소개서에 정말 보탬이 될 수 있고, 노력을 들일 가치가 충분히 있다.

구문 [2~3행] A personal statement is (often) *the only opportunity* [***(that)*** you have ●] (**to set** yourself apart from all the other applicants).
S V C

▸ 관계사절과 to부정사가 동시에 명사(the only opportunity)를 수식하는 구조로 둘 다 형용사 수식어이다.

[8행] Admissions officers use it / **to make** their final decision (on *a list* (of candidates)).
S V O

▸ it = a personal statement

▸ to make ~는 <목적: ~하기 위하여>을 나타내는 부사 수식어구.

[9행] They want **to know what**[S] **makes**[V] **you**[O] **unique**[OC].
O

▸ want가 to부정사구를 목적어로 취하고 있고(~하는 것), to know는 명사절(의문사+V)을 목적어로 취하고 있다.

[9~11행] You need **to convey** all your enthusiasm in that limited space.
Above all, your introduction needs **to grab** the reader's attention.

▸ need가 to부정사구를 목적어로 취하고 있다.

3

1) **caused, light(s)** | 암막 커튼이나 눈부심 방지용 스크린은 환하고 깜빡이는 불빛에의 노출로 야기된 두통을 줄이는 데 도움이 된다. 해설 환하고 깜빡이는 빛(light(s))에의 노출로 인해 유발되는(caused) 두통을 줄이는 두 가지 방법을 제시하고 있다. 두통(headaches)이 야기되는(cause), 즉 수동관계이므로 과거분사 형용사(caused by ~)로 표현한다.

2) **Chewing, harm** | 딱딱하거나 우두둑 씹히거나 끈적끈적한 것을 씹는 것(Chewing)은 턱뿐만 아니라 머리에도 해(harm)를 끼칠 수 있다. 해설 턱을 이용해 무언가를 씹는 행위가 두통을 유발할 수 있다는 내용을 요약한 문장이므로, 동사 chew를 이용해 첫 번째 빈칸을 완성한다. 주어 자리이고 빈칸이 하나이므로 동명사(Chewing)로 표현한다. 두 번째 빈칸은 '해를 끼치다'의 do harm 표현을 이용한다.

3) **not, jaw** | 전반적으로 편두통을 피하려면 일상생활에서 강한 빛에 노출되지 않도록 주의하라. 또한 턱에 부정적인 영향을 미칠 수 있는 어떤 것 또는 어떤 습관도 멀리해야 한다. 해설 첫 번째 빈칸 뒤 내용(to be exposed to strong light ~)이 피해야 할 사항이므로 to부정사('~하도록')에 부정의 의미를 보탠 not to-v로 쓰면 된다. 한편, 글의 후반부에서 두통의 원인 및 예방 관련하여 언급된 또 한 가지 사항(Another thing ~)이 Also 이하에 요약되어 있으므로 영향을 미칠 신체 부위는 '턱(jaw)'이다.

해석 두통은 일어난다[일어나게 마련이다]. 좋은 소식은 병원이나 약국에 가는 것을 피하기 위해 당신이 할 수 있는 몇 가지 간단한 것들이 있다는 것이다. 우선 불빛을 어둑하게 하라. 환하거나 깜빡거리는 빛은 컴퓨터 화면에서 나오는 것이더라도 두통을 유발할 수 있다. 그것을 예방하려면 무엇을 할 수 있을까? 낮에 창문을 암막 커튼으로 가려라. 컴퓨터에 눈부심 방지용 스크린을 더해도[장착해도] 될 것이다. 일상생활에서 두통을 방지하기 위해 당신이 할 수 있는 또 한 가지는 턱을 사용하는 것과 관계있다. 껌 씹는 것이 턱에 안 좋을 뿐만 아니라 머리에도 안 좋다. 손톱이나 입술, 혹은 펜과 같은 손쉽게 닿는 것들을 씹는 것도 마찬가지이다. 우두둑 깨물거나 끈적끈적한 음식들을 피하고 반드시 작게 베어 물도록 하라. 밤에 이를 간다면 치과의사에게 마우스 가드에 대해 물어보라. 이것이 이른 아침의 두통을 줄여줄지도 모른다.

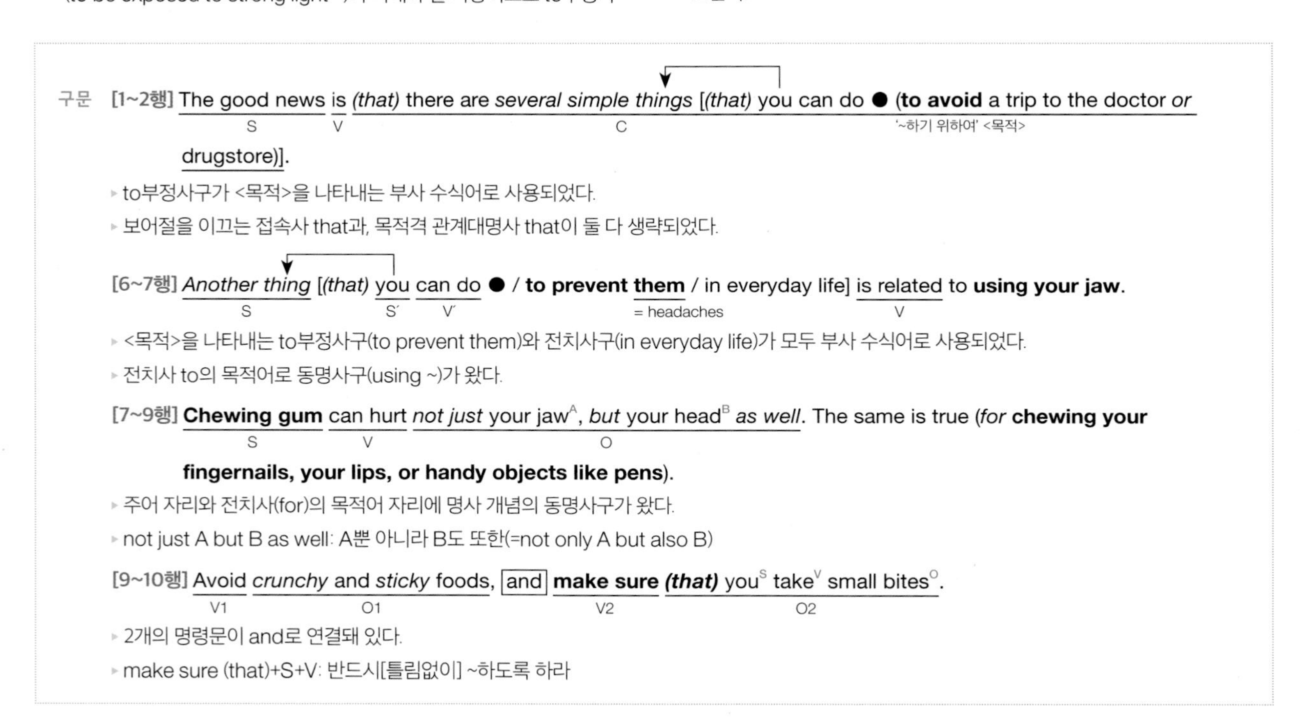
구문 **[1~2행]** The good news(S) is(V) *(that)* there are *several simple things* [*(that)* you can do ● (**to avoid** a trip to the doctor *or* drugstore)](C). ('~하기 위하여' <목적>)

- to부정사구가 <목적>을 나타내는 부사 수식어로 사용되었다.
- 보어절을 이끄는 접속사 that과, 목적격 관계대명사 that이 둘 다 생략되었다.

[6~7행] *Another thing*(S) [*(that)* you(S') can do(V') ● / **to prevent them**(= headaches) / in everyday life] is related(V) to **using your jaw**.

- <목적>을 나타내는 to부정사구(to prevent them)와 전치사구(in everyday life)가 모두 부사 수식어로 사용되었다.
- 전치사 to의 목적어로 동명사구(using ~)가 왔다.

[7~9행] **Chewing gum**(S) can hurt(V) *not just* your jaw[A], *but* your head[B] *as well*(O). The same is true (*for* **chewing your fingernails, your lips, or handy objects like pens**).

- 주어 자리와 전치사(for)의 목적어 자리에 명사 개념의 동명사구가 왔다.
- not just A but B as well: A뿐 아니라 B도 또한(=not only A but also B)

[9~10행] Avoid(V1) *crunchy* and *sticky* foods(O1), and **make sure**(V2) ***(that)*** you[S] take[V] small bites[O](O2).

- 2개의 명령문이 and로 연결돼 있다.
- make sure (that)+S+V: 반드시[틀림없이] ~하도록 하라

4 ④

해설 재정적 삶을 지혜롭게 꾸려나가기 위한 각자의 노하우를 얘기하며 그런 생각을 하게 된 배경, 지금의 재정적 상황, 경험에서 우러나오는 조언 등을 하고 있다. 이들은 모두 '수입의 범위 내에서 가능한 한 조금씩이라도 저축을 하며 알뜰하게 살라'는 조언을 하고 있다.

해석 cool789 1일 전
나는 다들 '유사시를 대비하는' 정신을 공유하는 집안에서 컸다. 아마 이건 어느 정도는 수입이 낮은 계층이어서인지도 모른다. 15살이 될 때까지는 학창 시절 내내 나는 잔디 깎기, 나뭇잎 긁어모으기, 아니면 내가 얻을 수 있는 뭐든 해서 돈을 벌 방법을 늘 찾고 있었고, 15살에는 피자 가게에서 최초의 '진짜' 일을 하기 시작했다. 그 이후로 나는 늘 어떤 종류든 일자리를 유지하며 할 수 있는 한 저축하려 노력했다. 사람들은 목돈이 하루아침에 쌓이는 게 아니라는 걸 알 필요가 있다. 가능할 때는 언제든 가능한 금액을 넣어라.

curious_oldman66 2일 전
나는 몇 달 전에 막 은퇴를 했고, 지금 그것(은퇴 생활)을 즐기고 있어요. 저

는 연금으로 기본 생활비는 다 감당할 수 있어요. (여태껏) 모은 건 건드릴 필요가 없고 불어나게 놔둘 수 있어요. 주의하세요: 적은 금액이라도 시간이 흐르면서 눈처럼 쌓인다는 사실을.

Spot333 5일 전

내 생각에는 행복에 이르는 비결은 '지연된 만족[만족을 미루는 것]'이에요. 수입을 초과해서 살지 마세요. 수입과 지출의 균형을 건드리지[무너뜨리지] 않게 애쓰고, 신용카드는 '매달' 청산하세요. 끝으로, 당신 인생의 운에 행복해하기로 '선택하세요'.

house010 16일 전

저는 평균적인 월급으로 32년간 한 회사에서 일했고 버는 돈의 약 3분의 2로 먹고 살아왔어요. 검소하되 구두쇠는 아닌 것이 제게는 효과가 있었어요.

구문 **[3행]** Maybe this(S) in part was(V) *due to* ('~에 기인하는, ~ 때문인') **being in a lower income class.**

▸ 전치사구 due to 뒤에 동명사구가 목적어로 왔다.

[4~5행] ~, I was always looking for *ways* (**to make money** from cutting grass,(A) raking leaves,(B) [or] *whatever job* ('~하는 어떤 ...든') [(*that*) I could get ●](C)) / until I was 15, // and then ~.

[8행] Put in **what** you can(O) / **whenever** you can.

▸ what(~하는 것)은 선행사를 포함하는 관계대명사로 명사절을 이끌고 있고, whenever(~할 때는 언제든지)는 '때, 시간'을 나타내는 부사절로 쓰이고 있다.

[11~12행] **What** I have saved(O) I do not need to *touch*, ● and I can **let it grow.** (it = what I have saved)

▸ 목적어절이 문장 앞에 온 구조로 touch의 목적어이다.

▸ let+O+동사원형: O가 ~하게 놔두다

[20~21행] **Being** *frugal* [but] *not miserly*(S) has worked(V) well for me.

▸ 동명사 주어가 A but B의 구조로 frugal과 not miserly가 be동사의 보어로 병렬구조를 이루고 있다. 하나의 태도를 말하므로 단수 개념으로 보고 동사가 단수 형태(has worked)를 띠고 있다.

소비 습관을 주시하고 지출을 줄이는 10가지 손쉬운 방법

1. 매주 '돈과의 데이트'를 하라.[한 주간 돈을 어떻게 썼는지 검토하라.]
2. 집에서 커피를 만들라.
3. 각자 먹을 것을 가져오는 파티를 열라.
4. 더 많이 일하라.
5. '구매'(버튼)를 클릭하기 전에 48시간을 기다려라.[이틀은 숙고한 후 '구매'를 결정하라.]
6. 블로그를 이용해 직접 하는 미용 관리법을 배우라.
7. 선물(마련)에 창의적이 되어라.
8. 최신 유행의 사람들을 따르려고 애쓰는 걸 멈춰라.
9. 재정적인 목표를 세우라.
10. 경과를 추적하라.[잘하고 있는지 살펴라.]

SUMMARY 해석

물 없이 매운 음식을 먹는 것은 어렵다. / 나는 오늘 **매운 음식을 먹고** 싶다. / 우리 가족은 **야식 먹는 것을** 즐긴다. / 매운 음식 먹을 때 내 습관은 **귀를 잡아당기는 것**이다. / 음, 난 **매운 음식 먹는 것**을 잘 못하는데.

물 없이 매운 음식 먹는 것은 어렵다. / **내가 물 없이 매운 음식 먹는 것**은 어렵다. / 나는 **매운 음식은 뭐든 먹기 전에 물을 큰 잔에 따르는 것**을 규칙으로 삼고 있다.

튀긴[프라이드] 치킨이 내가 제일 좋아하는 야식이다. / **저쪽에서 음식을 서빙하고 있는** 사람이 우리 삼촌이다. / **햄버거와 같이 마시기** 가장 좋은 음료가 뭐죠?

나는 **차와 사람들로 북적거리는 거리를 내려다보며** 햄버거 먹는 것을 즐긴다. / **이가 얼룩지는 것을 막기 위해** 콜라 마시는 것을 피해야 합니다. / 그는 파티에 초대받지 못한 것에 대해 기분이 상할 것이다. / 그 정치인은 한때 꽤 인기 **있었던 것** 같지만 **그가** 불법적 행동을 지켜본 것이 그의 커리어를 망쳐놓았다.

CHAPTER 10 부사 수식어

UNIT 1 부사가 수식하는 범위

p. 100

• 미리보기

1 부 2 형 3 부 | 그 선생님은 종종 유명인에 대한 이야기로 수업을 시작하신다.

해설 The teacher (often) begins his classes (with *stories* (about famous people)).
(The teacher: S, begins: V, his classes: O)

• 대표 예문

어휘 A unexpectedly 예기치 않게, 뜻밖에 B treatment 치료제 C rush 돌진하다, 서둘러 가다 search for ~을 찾다, 구하다 D bear 견디다 weight 무게 dozens of 수십 개의 F as soon as ~하자마자 timid 겁 많은, 소심한 pup 강아지(= puppy) crawl 기어가다

Grammar PLUS

② 나는 9시 전에 일어나는 일이 좀처럼 없다.

Check it

1 **truly** | 친절한 말은 짧고 말하기 쉽지만 그 울림은 진정 끝이 없다. 해설 형용사(endless)를 꾸밀 수 있는 것은 부사(truly)이다.

2 **anything** | Eddie는 느긋한 성격이어서 뭐에 관해서든 걱정을 좀처럼 않는다. 해설 seldom(좀처럼 ~ 않다)은 부정어이기 때문에 같은 부정어(nothing)와 함께 쓸 수 없다.

3 **highly** | 그 전문가들은 모두 고도로 훈련을 받아서 실수를 거의 하지 않는다. 해설 high는 '높이; 높은'의 뜻으로 동사 are trained와 어울리지 않는다. 훈련의 정도를 나타내는 highly(매우, 고도로)가 문맥에 알맞다.

4 **almost** | 정신없고 바쁜 날이어서 오늘이 내 생일인 것을 거의 까먹을 뻔했다. 해설 almost가 동사 앞에 쓰이면 '거의 ~할 뻔한'의 뜻이다. mostly(대개, 주로)는 문맥에 맞지 않는다.

5 **ⓐ fully ⓑ close** | 내 친구는 집에서 가까운 설비가 완전히 갖춰진 사무실을 세낼 계획이다. 해설 분사형용사인 equipped(장비가 갖춰진)를 수식할 수 있는 것은 같은 형용사(full: 꽉 찬)가 아닌 부사(fully: 완전히)이다. 문맥상 '그의 집과 가까운'이므로 closely(자세히, 면밀히)가 아닌 close(가까운, 가까이 있는)가 알맞다.

6 **pleasantly** | 그 노부부가 파티에 기분 좋게 놀라는 게 느껴졌다. 해설 5형식 구조(found(V)+the old couple(O)+surprised(C))에서 목적격보어인 분사형용사를 수식할 수 있는 것은 같은 형용사(pleasant)가 아니라 부사(pleasantly)이다.

어휘 1 echo 울림, 메아리, 반향 truly 진정으로, 참으로 endless 끝없는, 무한한 2 easygoing 느긋한, 태평한 personality 성격 4 hectic 정신없이 바쁜 5 rent 세내다, 임대하다 full 가득한 *cf.* fully 완전히 equipped 장비를 갖춘 6 pleasantly 즐겁게, 유쾌하게

UNIT 2 부사로 쓰이는 구

p. 101

• 미리보기

1 **After two weeks of camping, ⓐ / to get back, ⓓ / to his own soft bed, ⓑ** | Phil은 2주간의 캠핑 뒤에 자기의 부드러운 침대로 돌아오게 되어 기쁘다. 해설 문장의 핵심 요소인 Phil is glad(S+V+C)를 제외한 나머지 부분이 모두 부사 요소이다. after+A(A 후에), to-v(~하게 되어), to+A(A로)가 각각 '시간', '이유(감정의 원인)', '장소'에 대한 정보를 문장에 더하고 있다.

(**After** *two weeks* (of camping)), Phil is glad (**to get back** (**to** his own soft bed)).
(After ~: 시간 정보(~ 후에), Phil: S, is: V, glad: C, to get back: 감정의 원인(~하게 되어), to his own soft bed: 장소 정보(~로))

• 대표 예문

어휘 B chat 수다 떨다 D engineer 기술자, 공학자 E smoke 연기

Grammar PLUS

① 조종사는 심한 뇌우를 피하기 위해 비행 계획을 변경했다. / 사고에서 아무도 다치지 않았다는 것을 듣고 우리는 마음이 놓였다. / 너와 계속 연락할 수 있으면 좋겠는데. / 그렇게 충실한 팬을 갖고 있다니 그들은 정말 자랑스럽겠다. / 에디슨은 자라서 위대한 과학자이자 사업가가 되었다.

② 그 방문객은 전화 통화를 하면서 경비원에게 신분증을 보여줬다. / 직장에서 꽤 잘하고 있기 때문에 그는 그만둘 이유가 없었다. / 탑승 시간에 늦어서 나는 LA행 마지막 비행편을 놓쳤다. / 그녀의 춤을 보면, 당신은 감동 받을 것이다.

어휘 ① alter 변경하다 flight 비행(편) thunderstorm 뇌우(천둥과 번개를 동반한 비) relieved 마음이 놓이는, 안심한 stay in touch with ~와 계속 연락하고 지내다 loyal 충실한, 충성스러운 ② ID card 신분증(identification card) guard 경비원 quit 관두다 boarding time 탑승시간 impressed 감동 받은

Check it

1 **열쇠를 찾기 위해** | 열쇠를 찾기 위해 나는 가방을 거꾸로 뒤집어 (안에 있는) 모든 것을 침대 위에 쏟아부었다. 해설 가방을 거꾸로 뒤집은 <목적: ~하기 위해>을 to부정사로 나타냈다.

2 **저자의 허가 없이는** | 어떤 창작물도 저자의 허가 없이는 베낄 수 없다. 해설 조건을 의미하는 <without(~ 없이는)+A>의 전치사구로 표현했다.

3 **완전히 숙련되어서 / 높은 줄 위에서** | 완전히 숙련되어서 그 줄타기 곡예사는 높은 줄 위에서 자전거를 탈 수 있다. 해설 높은 줄에서 자전거를 탈 수 있는 <이유: ~해서, ~이기 때문에>를 제공하는 분사구문으로 시작되었다. 자전거를 타는 곳, 즉 장소 정보를 <on(~ 위에서)+A>로 표현했다.

4 **뵙게 되어** | 우리 시대의 가장 위대한 음악가 중 한 분을 뵙게 되어

영광입니다. 해설 내가 영광스럽게 느끼는 <원인: ~하게 되어>을 to부정사로 나타냈다.

5 **우리 차를 찾으려 애쓰며** | 아빠가 우리 차를 찾으려 애쓰며 주차장을 훑어봤다. 해설 두 행위(scan과 try to find)가 동시에 진행됨을 분사구문으로 표현했다.

어휘 1 turn A upside down A를 거꾸로 하다[뒤집어 놓다] pour 마구 쏟아붓다 2 copy 베끼다, 복사하다 permission 허가, 허락 author 저자, 저작자 3 totally 완전히, 전적으로 skilled 숙련된, 기술을 갖춘 tightrope walker 줄타기 곡예사 wire (전깃)줄; 철사 4 honor 영예(롭게 하다) 5 scan 훑어보다, 살피다 parking lot 주차장

UNIT 3 부사로 쓰이는 절

p. 102

• 미리보기

1 **after** | 푹 자고 난 뒤에 나는 상쾌함을 느낀다. 해설 상쾌함을 느끼는 것(A)과 푹 잔 것(B), 두 사건의 순서는 B → A이므로 after(~ 후에)가 알맞다.

2 **while** | 자면서 네가 코 고는 거 알고 있니? 해설 두 행위(sleep, snore)가 동시에 진행되므로 while(~하는 동안에)이 알맞다.

3 **because** | 네가 너무 멀리 떨어져 있어서 너인 줄 몰라봤다. 해설 '네가 너무 멀리 있었음(이유)'—'너를 알아차리지 못했음(결과)'의 관계이므로 이유의 접속사로 연결하는 게 자연스럽다.

어휘 1 refreshed 상쾌한 2 snore 코 골다

• 대표 예문

어휘 C temperature 기온, 온도 chilly 쌀쌀한, 으스스한 D on the contrary 그와는 반대로

Grammar PLUS

① 내 남동생은 등을 켜둘 때 더 잘 잔다. / 나는 낡은 운동화가 너무 편해서 간직하고 싶다. / 귀 기울이고 있지 않다면 배우고 있지 않은 것이다. / 삼촌은 대학에 다니지 않았지만 자기 일에서 큰 성공을 거두었다.

② 렌즈를 자세히 살펴봤을 때[살펴보는 동안, 살펴보다가] 아주 작은 긁힌 자국이 보였다. / 렌즈를 자세히 살펴보면 아주 작은 긁힌 자국이 보일 것이다.

어휘 ① sneakers 운동화 ② examine 자세히 살피다, 점검하다 lens 렌즈 tiny 아주 작은, 미세한 scratch 긁힌 자국; 긁다

Check it

1 **hard** | Jim은 좀처럼 약속을 지키지 않아서 어울리기 힘들다. 해설 부정어 seldom(좀처럼 ~ 않다)이 있으므로 해석에 주의한다. 약속을 지키지 '않으므로' 어울리기 '힘들다(hard)'라는 문맥이 적절하다.

2 **While** | 내가 독감으로 집에 있는 동안에 친구들이 나를 격려하려고 전화해줬다. 해설 '아파서 집에 머문 일'과 '친구들이 전화한 것'을 자연스럽게 이어주는 접속사는 if(조건: ~한다면)가 아닌 while(~하는 동안)이다.

3 **declined** | 국가 전체의 경제 상황이 침체됨에도 불구하고 그 회사는 지난 3년간 지속적으로 성장했다. 해설 역접의 접속사(even though: 비록 ~이지만, ~에도 불구하고)로 연결되어 있으므로 even though 이하의 내용은 회사의 지속적인 발전을 가져올 만한 상황이 아닌, 즉 has declined가 자연스럽다.

4 **If** | 기타 줄이 너무 빡빡하면 끊어질 수 있다. 해설 기타 줄이 끊어지는 조건(~하다면)을 말하는 부분이므로 If가 알맞다.

어휘 1 stick to one's word 약속을 지키다 get along with ~와 어울리다, 잘 지내다 2 flu 독감(= influenza) cheer A up A를 격려하다, A의 용기를 북돋우다 3 continuously 지속적으로 improve 발전시키다 decline 침체되다, 위축되다 4 string 줄, 끈, 현

Into the Grammar

p. 103

A

1 **quickly** | 경찰은 긴급 상황에 신속히 대응했다. 해설 긴급 상황이므로 때맞춰, 즉 '신속히(quickly)' 대처했다는 의미의 부사가 적절하다. 동사(responded)를 수식.

2 **potentially** | 전기는 잠재적으로 위험하다. 해설 전기가 위험하다고(dangerous) 표현됐는데, 위험성을 '잠재적으로(potentially)' 갖고 있다는 문맥이 적절하다. is dangerous를 수식.

3 **deeply** | 청중은 그의 연설에 매우 감동받았다. 해설 동사(was moved)를 꾸밀 부사로 deeply(매우)가 알맞다.

4 **Unfortunately** | 불행히도 그 전문가가 폭탄을 제때 해제하는 데 실패했다. 해설 폭탄 해제에 실패했다는 문맥은 '불행하게도(unfortunately)'가 수식하는 것이 가장 알맞다.

어휘 1 respond to ~에 대응하다 emergency 긴급 상황, 비상사태 2 potentially 잠재적으로 3 move 감동시키다 4 fail to-v ~하는 데 실패하다, ~ 못하다 disable 불구[불능]로 만들다 bomb 폭탄 in time 제때, 시간 맞춰

B

1 **학교 활동에 크게 관여한다** | 이 동네 부모들은 학교 활동에 크게 관여한다. 해설 관여의 정도를 나타내는 부사로 highly(매우, 크게)가 쓰였다.

2 **할인 중인 상품을 사려는 마음이 간절해서** | 할인 중인 상품을 사려는 간절한 마음에 수백 명의 사람이 줄을 섰다. 해설 분사구문에서 Being이 생략되고 형용사만 남은 형태로 <이유: ~해서, ~이기 때문에>를 나타낸다.

3 **아기를 조용해질 때까지 안아줌으로써** | 엄마는 우는 아기를 조용해질 때까지 안아줌으로써 진정시켰다. 해설 방법, 수단을 나타내는 by v-ing는 '~함으로써'로, 시간을 나타내는 접속사 until은 '~할 때까지'로 해석하면 된다.

4 **그를 인터뷰할 기회를 얻기 위해** | 일주일 내내 기자는 후보자를 인터뷰할 기회를 얻기 위해 후보자 집 가까이에 있는 덤불에 몸을 숨기고 있었다. 해설 몸을 숨기고 있었던 목적을 나타내는 부분이므로 '~하기 위해'로 해석하면 된다.

어휘 1 be involved with ~에 관여하다 2 eager to-v (간절히) ~하고 싶은 line up 줄을 서다, 줄을 이루다 3 calm 진정시키다, 차분하게 하다 4 bush 덤불 candidate 후보자 chance 기회

C

1 ⓐ | 그 노부부는 산책하는 동안 서로의 손을 잡고 있었다. 해설 접속사 while은 두 가지 일(손잡기, 산책)이 동시에 일어남을 보여주는

'~하는 동안'으로 쓰였다.

2 ⓐ | 버스를 놓쳤을 때 나는 늦을 거라는 것을 엄마가 아시게 하려고 엄마에게 전화했다. 해설 엄마에게 전화한 <목적: ~하기 위해>을 나타내는 부분이다.

3 ⓑ | 어제 남동생이 자기 빼고 다들 밖에서 재미있게 지내는 동안 숙제하기 위해 혼자 집에 있어야 하는 것 때문에 마음이 상해서 하루 종일 방에서 안 나왔다. 해설 was out과 having fun이 동시에 일어났음을 보여주는 <동시동작: ~하면서>의 분사구문이다.

Yesterday(언제?) my brother(S) didn't leave(V) his room(O) all day(얼마 동안?) // because('~ 때문에'<이유>) he(S′) was(V′) upset(C′) / over staying home alone(어떤 점에 대해?) to do his homework('~하기 위해'<목적>) / while('~하는 동안에'<시간>) everyone else(S″) was out(V″) having fun('~하면서'<동시동작>).

Read it #1

p. 104

1 ③

해설 (A) 빈칸 앞에서는 말이 있고 없음이 병사들의 기동성에 얼마나 큰 차이를 낳는지 얘기하고 있고, 빈칸 뒤에서는 그 기동성이 실제 전투에서 어떻게 유리하게 작용했는지 상세한 설명이 이어지고 있으므로, 빈칸에는 In fact가 올 수 있다.

(B) 군대가 그러하듯 같은 맥락에서 부족 단위로도, 국가 단위로도 말을 가진 쪽이 더 부유하고 번성했다는 점을, 빈칸 뒤에서 이집트의 파라오와 Hyksos 족의 사례로 뒷받침하고 있으므로 For example이 적절하다.

해석 말은 인류에게 기동성, 그리고 그보다 더 많은 것을 가져다주었다. 전차가 일단 발명되자 그것은 전쟁이 치러지는 양상을 바꿔놓았다. 보병을 보유한 장군은 군대가 시간당 2~3마일 이동할 수 있으면 운이 좋았다. 갑옷을 입고 있거나 무거운 무기를 지니고 있으면, 병사의 속도는 꽤 느렸다. 그렇지만 그를 전차에 태우면, 속도는 훌쩍 뛸 수 있다. 실제로 말이 끄는 전차로 움직이는 군대를 가진 나라는 적의 문간에 빨리 도착해 공격하고 재빨리 퇴각하여 또 하루를 살 수 있었다. 마찬가지로 말을 지닌 사람들은 초기의, 말을 소유한 부족들과 같이, 말이 없는 이웃들보다 부유했다. 국가는 훨씬 더 번성했는데, 국가는 말이 없는 이웃을 정복했기 때문이다. 예를 들어 고대 세계의 가장 강력한 통치자들 중 몇몇인 고대 이집트의 파라오들이 Hyksos(고지 사막의 통치자)라고 불리는 민족에게 땅을 잃었는데, 그 이유가 Hyksos가 말이라고 불리는 이상한 동물이 끄는 전차로 그들을 압도했기 때문이었다. 참으로, 고대사에서 힘과 영광을 위한 경주는 말들의 경주였다!

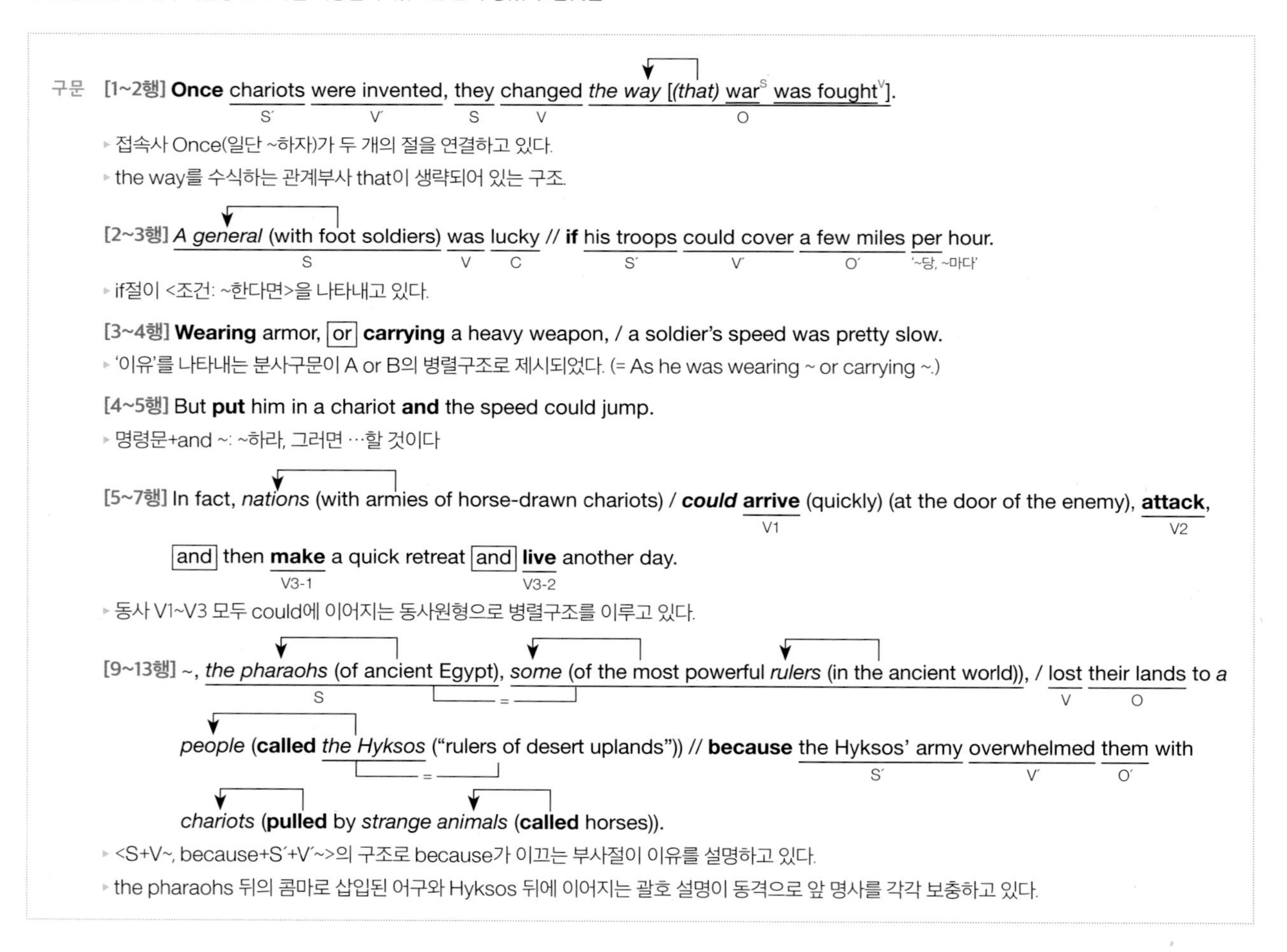

구문 **[1~2행]** **Once** chariots(S′) were invented(V′), they(S) changed(V) *the way* [(that) war(S) was fought(V)](O).

- 접속사 Once(일단 ~하자)가 두 개의 절을 연결하고 있다.
- the way를 수식하는 관계부사 that이 생략되어 있는 구조.

[2~3행] *A general* (with foot soldiers)(S) was(V) lucky(C) // **if** his troops(S′) could cover(V′) a few miles(O′) per('~당, ~마다') hour.

- if절이 <조건: ~한다면>을 나타내고 있다.

[3~4행] **Wearing** armor, [or] **carrying** a heavy weapon, / a soldier's speed was pretty slow.

- '이유'를 나타내는 분사구문이 A or B의 병렬구조로 제시되었다. (= As he was wearing ~ or carrying ~.)

[4~5행] But **put** him in a chariot **and** the speed could jump.

- 명령문+and ~: ~하라, 그러면 …할 것이다

[5~7행] In fact, *nations* (with armies of horse-drawn chariots) / ***could*** **arrive**(V1) (quickly) (at the door of the enemy), **attack**(V2), [and] then **make**(V3-1) a quick retreat [and] **live**(V3-2) another day.

- 동사 V1~V3 모두 could에 이어지는 동사원형으로 병렬구조를 이루고 있다.

[9~13행] ~, *the pharaohs* (of ancient Egypt)(S), *some* (of the most powerful *rulers* (in the ancient world)), / lost(V) their lands(O) to *a people* (**called** *the Hyksos* ("rulers of desert uplands")) // **because** the Hyksos' army(S′) overwhelmed(V′) them(O′) with *chariots* (**pulled** by *strange animals* (**called** horses)).

- <S+V~, because+S′+V′~>의 구조로 because가 이끄는 부사절이 이유를 설명하고 있다.
- the pharaohs 뒤의 콤마로 삽입된 어구와 Hyksos 뒤에 이어지는 괄호 설명이 동격으로 앞 명사를 각각 보충하고 있다.

2 ③

해설 반듯이 앉은 채로(Sitting up straight) 배를 이용해 하는 호흡 운동을 최대 10회 해보라고는 했지만, 앉았다 섰다 반복하라는 이야기는 없으므로, 일치하지 않는 것은 ③이다.

해석 우리들 중 점점 더 많은 이들이 점점 수면량이 줄어들면서 공부하다가 졸릴 때 에너지 음료나 에스프레소에 손을 뻗는 게 유혹적인 일이 된다. 하지만 호흡만으로도 자연히 깨어 있을 수 있다. 깊은 호흡은 체내의 산소 수준을 올린다. 이는 심장박동수를 늦추고 혈압을 낮추며 혈액순환을 개선하며 궁극적으로는 정신 활동과 에너지(발휘)에 도움이 된다. 깊은 호흡 운동이라는 개념은 가슴이 아닌 배로 들이마시는 것이다. 책상에서도 할 수 있다. 반듯이 앉아 이 운동을 최대 10회 해보라. 한 손을 갈비뼈 바로 아래 배에, 나머지 한 손은 가슴팍에 대고 코로 숨을 깊이 들이마신 다음 배가 손을 밀어내게 하라. 가슴은 움직여서는 안 된다. 입술 사이로 휘파람을 부는 것처럼 숨을 내쉬라. 공기를 밖으로 밀어내는 게 용이하게 배 위의 손을 이용해도 된다.

구문 **[1~2행]** **As** more and more of us **are getting** less and less sleep, // it's tempting to reach for an energy drink or an espresso / **when** we feel sleepy / **while** (*we are*) studying.
(As: '~하면서' / more and more of us: S' / are getting: V' / it: 가주어 / to reach ~ espresso: 진주어 / when: '~할 때' / we: S' / feel: V' / while: '~하는 동안, ~하다가')

[4~5행] This slows your heart rate, lowers blood pressure, and improves circulation, / ultimately **aiding** mental performance and energy.
(slows your heart rate: A / lowers blood pressure: B / improves circulation: C)

▸ ultimately aiding 이하는 A, B, and C가 모두 합쳐져 궁극적으로 발생하는 결과를 의미하는 분사구문이다.
(= ~ and ultimately aids mental performance and energy.)

[7~9행] **With** one hand on *your belly* (just below your ribs) and the other on your chest, / inhale deeply (through your nose) and let your belly push your hand° out.
(one hand: O'1 / on your belly (just below your ribs): OC'1 / the other: O'2 / on your chest: OC'2 / inhale: V1 / let: V2 / your belly: O2 / push your hand out: OC2)

▸ <with+O+OC: O가 OC한 채로> 구문이 and로 병렬 연결되었으며, 두 개의 지시내용(inhale ~ nose/let ~ out)도 마찬가지로 and로 병렬 연결되었다.

▸ let+O+원형부정사: O가 ~하게 하다

[10행] Breathe out through lips // **as if** you *were* whistling.
(Breathe out: V)

▸ 실제의 반대를 가정하는 as if 가정법(마치 ~인 것처럼)이 쓰였다.

[10~11행] You can use *the hand* (on your belly) / to help (***to***) **push**^V air° out.
(the hand (on your belly): O / to help: '~하기 위해')

▸ 사역동사 help의 목적어로 to가 생략된 원형부정사가 쓰였다.

Read it #2

p. 106

3 ④

해설 집단 결속이라는 명분하에 타고난 도덕감에 위배되는 집단 충성심을 강요받는 상황에서 개인이 고유하게 갖추고 있는 명예감을 잃지 않도록 다시 상기하자는 요지의 글이다.

선택지 해석

① 자신과 집단 간에 균형을 유지하는 법
② 이름이 붙여지지 않고서는 무언가가 될 수 있는 건 아무것도 없다
③ 집단 충성심: 개인을 뭉치게 하는 것
④ 집단 도덕에 패배한 진정한 명예감 회복하기
⑤ 무엇이 더 중요한가: 집단 통합인가 개인의 자유인가?

4 ③

해설 (A) 스트레스의 원인이 되는 상황이므로 부정적인 개념의 말인 '긴장(tension)', '갈등(conflict)'을 고려할 수 있다.

(B) they가 앞 문장의 some groups of people, 즉 자기의 비판적 사고를 포기하고 맹목적인 충성심을 택하도록 설득된 사람들을 가리키므로 충성심이 양심을 '억누르는(suppress)', '음소거하는(mute)', '침묵시키는(silence)' 선택지들을 고려할 수 있다.

선택지 해석

① 유사점 - 경쟁하다
② 긴장감 - 이끌다
③ 갈등 - 억누르다
④ 균형 - 음소거하다
⑤ 유사점 - 침묵시키다

5 ourselves of what it means to honor

해설 remind A of B(A에게 B를 상기시키다)의 동사 패턴에서 A, B에 각각 어떤 내용이 들어가야 할지 생각해보면, 잃어버린 명예감을 '스스로에게' 상기시켜야 할 때이므로 우선 A에는 ourselves가 적절하다. 남은 요소를 살펴보면 it, to에서 가주어-진주어 구성을 생각해볼 수 있다. 전치사 of의 목적어이므로 what 이하를 간접의문문 어순(의문사+S+V)으로 정리하면 what it means to honor로 가주어-진주어 구조의 B를 완성할 수 있다.

문제 해석
우리는 스스로를 명예롭게 하는 게 무엇을 뜻하는지 스스로에게 상기시킬 필요가 있다.

3~5

해석 명예란 파악하기 쉬운 개념이 아니다. '명예', '불명예', 그리고 '명예로운'이라는 말들은 우리 각자에게, 또 우리가 속한 각 집단 또는 문화에 서로 다른 것을 뜻할 수 있다. 명예는 우리가 누구[어떤 사람]이며, 어떤 사람이 되고자 하는지, 우리가 어떻게 선택을 내리는지의 중심에 있다. 어려운 결정을 내릴 때 우리는 왜 더 스트레스를 느끼는가? 그 스트레스가 혹 우리의 이기적인 욕망과 다른 욕구 간의 (A) 갈등에서 비롯되는 것은 아닐까? 우리 자신의 고유한 명예감은 어떻게 생겨나고 유지되는 걸까? 우리로 하여금 명예롭게 행동할 것을 촉구하는 내적 목소리인 우리의 양심에 귀 기울이는 방식에 우리 사회는 얼마만큼의 영향을 끼치는 걸까? 학생들을 그룹으로 나눠 '간수'나 '죄수'로 이름 붙인 다음 사람들의 행동을 살펴본 유명한 실험은 양심의 소리를 무시하는 게 얼마나 쉬운지를 보여주었다. 명백히 사회적 상황은 우리의 양심을 침묵시킬 수 있다. 우리가 속한 집단에 의해 역할을 하도록 강요받을 때 우리는 우리가 누구인지 잊어버린다. 같은 종류의 실험을 명예심이 지극히 강한 사람에게 한다면 어떻게 될까? 그들도 자기에게 붙여진 '이름표'에 맞게 행동하도록 (마찬가지로) 쉽게 영향받을까?

우리 사회의 모든 조직은 구성원들의 (소속) 집단에의 충성심을 쌓고 유지하기 위해 명예를 강조하는 경향이 있다. 조직의 행동 코드는 구성원들로 하여금 집단의 목표를 위해 자기를 희생할 것을 요구한다. 그것에는 양심의 소리를 죽이는 것도 포함된다. 어떤 그룹의 사람들은 자기의 비판적인 사고 기술을 포기하고 맹목적인 충성심을 받아들이도록 쉽게 설득된다는 점이 자주 발견된다. 그들은 충성심이 양심의 목소리를 (B) 억누르게 놔두기로 선택한 걸까? 그들은 갑자기 명예가 자신에게 무엇을 의미하는지 깡그리 잊어버린 걸까? 사회가 감수해야 하는 장기적 대가는 무엇인가?

우리 자신을 명예롭게 한다는 진정한 생각을 되가져오자. 사람들이 자기 양심을 정의, 공정, 평등, 자유의 정신으로 다시 통합하도록 격려하자. 우리는 스스로를 명예롭게 하는 게 무엇을 뜻하는지 스스로에게 상기시킬 필요가 있다.

구문 **[3~4행]** Honor lies / at the center of who we are(A); who we want to be(B); how we make choices(C).

▸ 세미콜론(;)으로 연결된 A, B, C는 의문사가 이끄는 명사구로 전치사 of의 목적어 역할을 한다.

[6~8행] How much does our society influence how we listen to our conscience, *the inner voice* [that **urges** us **to behave** honorably]? (동격 ― = ―)

▸ urge+O+to-v: O가 ~하도록 촉구하다[다그치다]

[8~10행] *A famous experiment*(S) [**where** the behavior of people(S) was studied(V) / **after** they(S) *were* grouped(V1) and labeled(V2) **either** *as* "prison guards" **or** "prisoners"] showed(V) how easy **it**(S) **is**(V) **to ignore** the voice of your conscience(O).

▸ 실험의 내용을 설명하는 관계부사절이 다시 주절(S′+V′)과 종속절(after+S″+V″)로 나눠진 구조.

▸ label A as B: A를 B라고 칭하다. / either A or B: A 아니면 B.

(← after the experimenter grouped them and **labeled** them either **as** "prison guards" or **as** "prisoners")

▸ showed의 목적어절이 <how easy(의문사)+it(가주어)+is+to-v(진주어)>의 구조를 띠고 있다.

[12~14행] **What if**('~한다면 어떻게 될까?') we did the same kind of experiment with *people* [who have an **extremely**(부사) strong(형용사) sense of honor(명사)]? **Would** they **be** *as* easily(부사) influenced(동사) to behave according to their "labels" (*as we*)?

▸ 조동사 과거형으로 시작하는 Would they be ~는 What if ~의 내용을 '가정'했을 때 벌어질 결과 부분에 해당하며 '~하게 될까?'로 해석된다.

▸ 비교 대상이 생략되어 있는 원급 비교(as ~ as) 문장이다.

[16~17행] Its code of conduct **requires**(V) the members(O) **to sacrifice**(C) *themselves*, **for the sake of** the goals of *the group*).

▸ require+O+to-v: O가 ~할 것을 요구하다

▸ for the sake of: ~을 위하여. themselves와 the group의 대비 구조.

[18~19행] **It**(가주어) is often found **that**(진주어) some groups of people **are** easily **persuaded to** give up(A) their critical thinking skills, and accept(B) blind loyalty.

▸ <It = that절>의 가주어-진주어 구조.

▸ are persuaded to give up ~ and (to) embrace ~의 to부정사 병렬 구조.

[19~20행] Have they chosen **to let** their sense of loyalty^O **suppress** the voice of their conscience^OC?
V O

▸ <choose to-v: ~하기로 선택하다>의 to부정사 목적어 자리에 <let+O+원형부정사: O가 ~하게 두다>가 온 구조.

[23~25행] Let's **encourage** people **to *reintegrate*** their conscience ***with*** *the spirit* (of justice, fairness, equality, and freedom).
V O OC

▸ <encourage+O+to-v: O가 ~하게 격려하다[북돋우다]>의 to부정사 목적격보어가 <reintegrate A with B: A를 B와 통합하다>의 동사패턴을 보인다.

명예에 대한 생각들

"진정성과 명예 없이는 모든 것을 지녔다는 게 아무 의미 없다." - *Robin Sharma*
"너의 명예를 수호하라." - *Lois Mcmaster Bujold*
"명예란 주어지는 게 아니라 획득해내는 것이다." - *작자 미상*
"옳은 것 편에 서라. 그것이 홀로 서 있는 것을 뜻할지라도." - *작자 미상*
"위대한 것은 모두 단순하며 많은 것들이 자유, 명예, 의무, 자비, 희망과 같이 단 하나의 단어로 표현될 수 있다." - *처칠 수상*
"나는 내가 어떤 사람인지를 중히 여기므로 나의 자존감은 높다." - *Louise Hat*

SUMMARY 해석

<부사 수식어의 수식 범위>

나는 **오늘 아침에** 숙제를 **완전히** 끝낼 수도 있었다. / 숙제는 **꽤** 간단해 보였고, 나는 시작을 **꽤** 잘 했다. / **불행하게도** 내 남동생이 **내가 없는 동안** 거기에 뭔가를 그렸다.

<다양한 의미를 더하는 부사 수식어>

나는 **인터넷에서 관련된 정보를 찾아** 검색했다. / 프린트한 자료를 **나중에 쓰려고** 치워두었다. / 나는 **내가 해둔 메모가 전부 망쳐진 것을 보고는** 경악했다. / 나는 **내 불운을 슬퍼하며** 종일 펑펑 울었다.

<주의해야 할 부사 표현>

나는 내 눈을 믿을 수가 **없었다**. / 나는 그를 내 방에 들인 것을 **몹시** 후회했다.

CHAPTER 11 준동사의 이해 (2)

UNIT 1 to부정사와 동명사

p. 110

• 미리보기

1 (living with others), 남들과 사는 일 | 기숙사 생활이 시작되자 나는 남들과 사는 일에 적응했다. 해설 동명사구(living with others)가 전치사 to의 목적어.

2 ⓐ(to play with the dog), 개와 노는 것
ⓑ(doing house chores), 집안일 하기 | 그는 집안일을 하는 것을 끝내고 개와 놀기 시작했다. 해설 to부정사구(to play with the dog)가 started의 목적어. 동명사(doing house chores)가 finished의 목적어.

어휘 1 adapt to ~에 적응하다 dormitory 기숙사(의) 2 house chore 집안일

• 대표 예문

어휘 A hire 고용하다 B sip 홀짝거리다, 조금씩 마시다 C lead to ~을 일으키다, ~로 이어지다 D calm 진정시키다 E end up v-ing 결국 ~하는 것으로 끝나다, 결국 ~되고 말다 dump (쓰레기) 버리다; (애인을) 차다

Grammar PLUS

① 나는 언젠가 아프리카로 여행을 가고 싶다. / 엄마는 휴일 동안은 요리하는 것을 즐기지 않으신다. / 열이 줄자 그녀는 몸이 나아진 것을 느끼기 시작했다. / 내게 새 신발을 약속했던 것을 기억하나요? / 비밀번호를 주기적으로 바꿀 것을 기억하라. / 나는 네게 욕했던 게 후회된다. / 당신이 기회를 놓치게 됐음을 말씀드리게 되어 유감입니다. / 장갑을 벗고 버튼을 눌러봐. / 세 남자가 그 바위를 옮기려고 애썼다.

어휘 ① go on a journey 여행을 떠나다 fever 열, 열기 regularly 주기적으로

Check it

1 **understanding** | 그 남자는 감정을 표현하고 이해하는 일에 능숙하지 않다. 해설 expressing과 understanding의 두 개의 동명사가 전치사 at의 목적어로 온 구조. emotions를 공통 목적어로 취하고 있다.

2 **to give** | 그 판매자는 내게 두 개를 사면 할인을 해주겠다고 제안했다. 해설 offer는 동명사가 아닌 to부정사를 목적어로 취하는 동사이다.

3 **visiting** | 그곳을 방문했던 것을 결코 잊을 수 없을 거야. 너무 멋졌거든. 해설 가본 소감을 말하고 있으므로(It was so amazing.) 이미 했던 일, 즉 forget v-ing(~했던 것을 잊어버리다)로 표현하는 것이 알맞다. *cf.* forget to-v: ~해야 하는 것(앞으로 해야 할 일)을 잊어버리다

4 ⓐ **running** ⓑ **staying** | 아이들이 이리저리 뛰어다니는 것을 그만하지 않으면 가족분들이 여기 머무는 데 어려움이 있을 겁니다. 해설 ⓐ 지금 하고 있는 일을 그만두게 하려는 경고이므로 stop v-ing(~하는 것을 그만두다)로 표현하는 것이 알맞다. *cf.* stop to-v: ~하기 위해 멈춰서다 ⓑ '~하는 데 어려움을 겪다'라는 의미는 동명사를 이용하여 have difficulty[trouble] v-ing로 표현할 수 있다.

어휘 1 be good at ~에 우수하다, ~을 잘하다 4 run around 이리저리 뛰어다니다

UNIT 2 to부정사, 분사, 분사구문의 확장

p. 111

• 미리보기

예 그 청중은 감명시키기 쉽지 않아 보인다.

1 (shy) | Jeff는 합창단을 해보기에는 너무 수줍었다.

2 (large) | 그 상자가 이 모든 오래된 물건을 다 담기에 충분히 크다.

해설 예 The audience doesn't look *easy* (to impress).
S V C

1. Jeff was too *shy* (to try out for the chorus).
S V C

2. The box is *large* (enough to contain all this old stuff).
S V C

어휘 예 impress 감명시키다, 깊은 인상을 주다 1 try out 시험 삼아 해보다 chorus 합창단 2 stuff 물건, 것, 잡동사니

• 대표 예문

어휘 A sharp (사람이) 똑똑한; (사물이) 날카로운 handle 다루다, 처리하다 B embarrass 창피하게 하다 reject 뿌리치다, 거부하다 D shorts 반바지 mosquito 모기 bite 물린 상처; 물다

Grammar PLUS

① 소녀는 그 큰 개를 돌보기에는 너무 작아 보인다. / 내가 그들이 잘못이라고 그들에게 말해줄 만큼 용감하면 좋을 텐데.

② 나는 나뭇잎들이 바람에 들어 올려져 하늘에서 소용돌이치며 계속 도는 모습을 보았다. / 스탈린은 수백만 명을 죽게 한 잔혹한 독재자였다.

③ 벽이 담쟁이덩굴로 덮인 그 집이 내가 좋아하는 것이다. / 소포가 이름(발신인)이 안 적힌 채 도착했다.

어휘 ② whirl 소용돌이치다, 빙그르르 돌다 harsh 가혹한, 냉혹한 dictator 독재자 ③ ivy 담쟁이덩굴 parcel 소포, 꾸러미

Check it

1 **dark, ✓ by** | 나는 일몰에 감탄하여 어두워질 때까지 그곳에 미동도 하지 않고 서 있었다. 해설 수동의 과거분사 amazed(놀란, 감탄한)는 내가 그곳에 서 있었던 '이유'를 나타내는 분사로, 감탄한 대상에 해당하는 by(~에 의해) 앞에 오는 것이 알맞다.

2 **straw, ✓ feathers** | 그 바구니는 깃털과 구슬을 사이사이에 넣어 섞은, 꼬인 풀로 만들어졌다. 해설 재료(is made of+A(twisted straw): A로 만들어지다)와 함께 장식 상태를 <with+O(feathers and

beads)+C(worked in)>의 표현을 이용해 묘사하고 있다.

3 **detailed ✓ to** | 그 책의 거리 묘사는 우리가 마치 그곳에 있는 것처럼 느끼게 만들 정도로 충분히 자세하다. 해설 보어 detailed의 정도를 <A+enough to-v(~할 정도로 A한)>로 표현할 수 있으므로 형용사 detailed 뒤가 enough 자리로 알맞다.

4 **is ✓ big** | 테니스 라켓이 든 그 스포츠 가방은 사물함에 들어가기에는 너무 크다. 해설 <too ~ to-v: …하기에는 너무 ~하다>의 표현으로 가방이 사물함에 들어가기에는 '너무(too)' 큼을 too big으로 완성하면 된다.

5 **need ✓ join** | 이것이 네가 산악 등반팀에 들어가는 데 필요한 모든 장비니? 해설 join ~ team이 '~하기 위하여'라는 의미가 되려면 to join으로 써야 한다.

Is this *all the equipment* [you need ●] **to** join the mountain climbing team?
'~하기 위하여'

어휘 1 **motionless** 움직이지 않는 **sunset** 일몰, 해 질 녘 2 **be made of** (재료) ~로 만들어지다 **twist** 꼬다, 비틀다 **bead** 구슬, 알 **work in** (다른 재료를 넣어) 섞다 3 **description** 묘사, 설명 **detailed** 자세한, 상세한

UNIT 3 많은 것을 담고 있는 준동사 p. 112

• 미리보기

그가 연방수사국에서 일했을 가능성에 대해 생각해본 사람은 아무도 없다.

1 (his) | 해설 having worked의 주체, 즉 의미상주어가 그 앞에 소유격(his)의 형태로 나와 있다. work의 주체는 문장의 주어(No one)가 아니므로 동명사 앞에 의미상주어를 밝혀 써준 형태이다.

2 (worked) | 해설 그의 FBI 근무(his having worked for the FBI)가 완료형(having p.p.)으로 표현되어 있으므로 사람들의 그에 대한 생각(thought) 이전에 이뤄진 일이다.

어휘 **possibility** 가능성 **FBI** 연방수사국(Federal Bureau of Investigation)

• 대표 예문

어휘 A **stranger** 낯선 사람 B **untruthful** 부정직한, 거짓말하는 **tend to-v** ~하는 경향이 있다 D **prejudice** 편견 **reason** 이성; 이유 **judgement** 판단, 판결 **argument** 주장, 논쟁 **trace** 추적하다, 거슬러 올라가다

Grammar PLUS

웨이터가 주문받기 전 당신의 음식 알레르기에 관해 물어보는 것이 중요하다. / 주문을 받기 전에 내 음식 알레르기에 관해 물어보다니 당신은 참 사려 깊군요.

어휘 **allergy** 알레르기 **order** 주문 **considerate** 사려 깊은, 신중한

Check it

1 **for → of** | 유사시를 대비해 약간의 돈을 모아뒀다니 너는 현명했구나. 해설 유사시에 대비해 저축해둔 점에 대해 현명하다고 you의 '성격, 품성'을 평가하므로 의미상주어를 for가 아닌 of로 써야 한다.

2 **them → for them** | 교사는 그 반에 학생들이 바로잡을 여섯 개의 오류가 들어 있는 편지를 주었다. 해설 to correct의 의미상주어는 <for+목적격>으로 써야 하므로 for them이 되어야 한다.

3 **to be → to have been** | 유라시안이 말을 길들이고 탄 최초의 존재였던 것으로 믿어진다. 해설 사람들이 믿고 있는 시점(are believed)은 현재지만 유라시안들이 말을 다룬 것은 과거, 즉 시점이 다르므로 to부정사의 완료형(to have p.p.)으로 표현되어야 한다.

4 **from tearing down → from being torn down** | 이 지역에 사는 사람들은 그들의 집이 철거되는 것을 막기 위해 거리 시위를 계획하고 있다. 해설 their houses가 철거(tear down)되는 것이므로 수동의 동명사형(being torn down)으로 써야 한다.

어휘 1 **rainy day** 유사시, 만약의 경우; 비 오는 날 3 **Eurasian** 유럽과 아시아인의 혼혈 *cf.* **Eurasia** 유럽과 아시아를 아울러 이르는 말 **tame** 길들이다; 길들인 4 **demonstration** 시위 **prevent A from v-ing** A가 ~ 못하게 막다 **tear down** 철거하다, 허물다

Into the Grammar p. 113

A

1 **strong** | 이 오두막의 지붕이 무거운 눈을 받치고 있을 정도로 튼튼하지 않다. 해설 동사부가 isn't로 부정문이므로 isn't strong enough to-v(~할 정도로 충분히 튼튼하지 않다)가 문맥에 알맞다. 형[부]+enough to-v: ~할 정도로 …한[하게]

2 **useless** | 그와 언쟁하는 것은 소용없다. 그는 그가 틀렸을 때도 패배를 절대로 인정하지 않는다. 해설 이어지는 문장에서 그는 절대로 자기 잘못을 인정하지 않는 사람임이 드러나므로 언쟁해봤자 유익한 결과를 기대하기 어렵다는 의미인 useless(소용없는)가 문맥에 어울린다.

3 **careless** | 자전거를 공공장소에 자물쇠 없이 두다니 너 정말 조심성이 없었구나. 해설 의미상주어로 <of+목적격>을 쓴 것으로 보아 일어난 일에 대해 그 사람의 성격을 말하는 careless(조심성이 없는)가 어법상 문맥상 알맞다.

4 **promised** | Joe는 곤란한 상황에 처해 있는데, 동시에 두 개의 파티에 가기로 약속해두었기 때문이다. 해설 동사의 목적어가 to부정사구(to go to ~ time)이므로 동명사만 목적어로 취하고 to부정사는 목적어로 취하지 않는 consider는 어법상 맞지 않는다.

어휘 1 **cabin** 오두막; 객실, 선실 2 **argue** 언쟁하다, 말다툼하다 **admit** 인정하다 **defeat** 패배 3 **unlocked** 자물쇠가 잠기지 않은 4 **awkward** 곤란한, 어색한

B

1 ⓒ | 빗물에 흠뻑 젖어서 나는 마른 옷을 갈아입게 되어 기뻤다. 해설 비가 나를 흠뻑 젖게 한 것이므로 문장의 주어 I의 입장에서는 수동으로 표현된 Getting soaked나 Having been 또는 Being이 생략된 Soaked는 자연스러우나, Having soaked는 능동형이므로 어색하다. (= As I was[had been] soaked from the rain, ~.)

2 ⓑ | 상사는 그가 아이의 피아노 발표회 날 일찍 퇴근하게 해주는 것을 거절했다[계획했다]. 해설 ⓐ는 refuse to-v(~하기를 거절하다), ⓒ는 plan to-v(~할 것을 계획하다)로 둘 다 가능하지만 minded는 동명사만 목적어로 취하므로 어법상 빈칸에 들어갈 수 없다.

어휘 1 **put on** (옷을) 입다 **soak** 흠뻑 적시다 2 **recital** 발표회, 연주회

C

1 **Having been sold for** | 만 4천 달러에 팔려서 그 그림이 오늘 팔린 가장 비싼 품목이다. 해설 접속사가 없으므로 콤마 앞은 분사구문, 즉 v-ing로 시작될 것이다. the painting은 파는(sell) 것이 아니라 팔리는 것이므로 수동형으로 써야 하며, 괄호 안의 Having으로 보아 완료형의 수동형(having been p.p.)을 사용해야 하므로 having been sold for가 알맞다.

2 **it can to satisfy the customers** | 그 가게는 고객을 만족시키기 위해서 할 수 있는 무엇이든 하겠다고 약속한다. 해설 의미상 연결되는 것끼리 모으면 '목적(~하기 위해)'을 나타내는 to부정사구(to-v(to satisfy)+목적어(the customers))와 선행사에 이어지는 관계사절(anything [(*that*) it(= the store) can])로 묶을 수 있다.

3 **were too tired to do** | 차고의 절반을 싹 치우고 나서 쌍둥이들은 더 이상 일하기에는 너무 피곤하다고 결정 내렸다. 해설 주어진 단어들에서 too ~ to-v(...하기에는 너무 ~하다)의 패턴을 찾아냈다면, 우선 to부정사 조합(to do)을 완성하고, 남은 단어들로 they에 이어지는 술부(were too tired)를 완성한다. 이어지는 any more work는 do의 목적어이다.

4 **with it exposed to** | 퍼붓는 비에 가방이 노출된 채로 줄곧 달려서 내 학교 가방이 몽땅 젖었다. 해설 my school bag에 해당하는 it을 목적어로 하고 수동의 과거분사 exposed를 보어로 하여 <with+O+OC: O가 ~인 채로>의 어순을 완성한다.

어휘 2 satisfy 만족시키다 4 pour 퍼붓다, 쏟다 expose 노출시키다

Read it #1

p. 114

1 ③

해설 새로 등장한 바이오 숯이 토양의 생명력과 비옥도를 높일 뿐 아니라 화학 약품 중독으로 고통받는 농부들의 건강에도 좋은 영향을 미치는 등 공중 보건에도 기여를 한다는 내용의 글이다. 따라서 적절한 제목은 ③이다.

해석 인공 비료의 친환경 대체재가 최근에 Warm Heart에 의해 도입되었다. 바이오 숯으로 농부들은 구매된 화학비료 없이도 수확량을 늘릴 수 있고, 돈도 절약하고 환경 보호도 할 수 있다. 밭에 쓰이면, 바이오 숯은 토양의 수명을 늘리고 토양 비옥도를 향상시킨다. 그것은 또한 농작물을 병충해로부터 보호한다. Warm Heart의 현장 테스트는 바이오 숯 흙이 논에서 합성 비료보다 10% 이상 더 나은 결과를 냄을 입증해 보인다. 바이오 숯의 사용은 공중 보건에도 큰 혜택이 된다. 합성 비료는 농부들이 들판에서 일하는 것에 대한 걱정의 주요한 원인이었던 것으로 여겨지기 때문에, 화학약품이 들어가지 않은 대체제의 도입은 농부와 환경보호주의자 모두에게 좋은 소식이다. 제초제 사용이나 오염된 땅을 경작하는 데서 비롯되는 화학 물질 중독으로 고통받는 농부들이 바이오 숯의 주된 수혜자가 될 것이다. 시간이 흐르면서 토양에 바이오 숯을 대규모로 사용하는 것은 흐르는 물에서 오염물질을 제거하고 먹이사슬에서 독성물질을 제거하여 궁극적으로 공중 보건에 큰 혜택을 가져올 것이다.

선택지 해석
① 인공 비료: 토양과 농부의 생명에의 위협
② 합성 비료: 양날의 칼
③ 바이오 숯: 토양과 인간의 희망
④ 시골 생활의 계속 증가하는 위험
⑤ 바이오 숯 제조의 비밀

구문 [2~3행] With biochar, farmers(S) could increase(V) their yields(O) (without **purchased** *chemical fertilizers*), (**saving money** and **protecting the environment**).
- 수동을 나타내는 과거분사 형용사(purchased)가 명사(chemical fertilizers)를 꾸미는 구조.
- 절약(saving money)과 환경 보호(protecting the environment)도 동시에 이뤄짐을 나타내는 분사구문 구조.

[3~4행] ((Being) **Applied to fields**), biochar(S) encourages(V1) soil life and improves(V2) soil fertility.
- '조건'의 의미와 수동을 나타내는 분사구문 Being applied to ~에서 Being이 생략되어 있는 구조. (= If it is applied to fields, ~.)

[10~12행] *Farmers*(S) [who suffered from *chemical poisoning* (**from** pesticide use or **from** farming contaminated *land*)] will be(V) the primary beneficiaries of biochar(C).
- '원인'을 나타내는 <from+목적어> 2개가 or로 연결되어 있으며 두 번째 목적어는 동명사구로 표현되었다. 명사(land)와 수식하는 과거분사 형용사(contaminated)가 수동관계이다.

[12~14행] Over time, *the large-scale use* (**of** biochar) (**in** soil)(S) will decontaminate(V1) water flows and remove(V2) *toxins* (**from** the food chain), / eventually **bringing** about major public health benefits.
- '결과'를 나타내는 분사구문이 왔다. (= and eventually it will bring ~.)

2 ②

해설 대학 생활을 의욕적이고(motivated) 열정적으로(enthusiasm) 시작했던 내가 일과 학업 둘 다를 병행하면서 처음에는 스스로 대견해했던 마음(proud)이 현실적인 어려움에 부딪히면서 좌절감을 느끼는(frustrated) 상태가 되었음을 사례를 들어 이야기하고 있다.

해석 내가 캠퍼스에 첫발을 내디딘 순간이 잊히지 않는다. 주위는 젊은 기운으로 가득 차 있었고, 나는 내 생애 그 어느 때보다 의욕에 넘쳤다. 나는 내 공부와 이제 막 시작한 어른의 삶에 대한 열정으로 가득 찬 채로 대학 생활을 시작했다. 시간제 일을 끝내고 늦게 집으로 오는 것에 대해 나는 나 자신이 자랑스러웠다. 하지만 나의 대학에서의 첫 학기는 일하는 학생이 학교에서도 직장에서도 문제에 직면한다는 것을 보여줬다. 특히 이른 아침 강의가 있을 때는 하루를 시작하기에 그냥 너무 피곤했고, 그것이 일터에서도 같은 문제를 유발했다. 가끔 너무 피곤한 상태로 일하러 왔는데, 그것이 모든 것을 망쳐버렸다. 충분한 잠을 못 잘 때 나는 동료 직원에게 무례해지곤 했는데, 그러면 그 무례함이 나를 곤란에 빠뜨렸다. 동료가 나를 감독자에게 보고했던 그날이 기억난다. 그녀는 내 태도가 너무 공격적이었다고 느꼈던 게 분명하다. 무슨 일이 있었냐고? 그녀는 나의 업무 능력에 대해 30분 동안 불평을 해댔다. 자제력이 점점 떨어진다고 느끼면서 거기 계속 서 있다가 나는 폭발해버리고 말았다. 물론 그날 밤 나는 (근무하지 말고) 나가달라고 요청받았다. 다시는 그 시절로 돌아가고 싶지 않다.

선택지 해석

① 동기부여가 된 → 자랑스러운
② 신이 난 → 좌절감을 느끼는
③ 후회스러운 → 화난
④ 스트레스를 느끼는 → 만족스러운
⑤ 두려워하는 → 희망에 찬

구문 [2~3행] I started my college life / (being) **filled** with *enthusiasm* (for my studies and for *my adult life* [(*that*) I **had** just **started**]).
A: for my studies / B: for my adult life [(that) I had just started]

- 수동의 분사구문에서 being이 생략된 형태로 '동시동작(~하면서)'을 나타내고 있다.
- 대학 생활을 시작한 때(started my college life)보다 앞선 시점을 나타내는 과거완료 시제가 쓰였다. just(이제 막)와 함께 쓰여 완료를 나타낸다.

[6~7행] I was just **too** tired **to** begin the day / especially when I had an early morning class, ~.
(I: S, was: V, tired: C)

- too ~ to-v: …하기에는 너무 ~하다, 너무 ~해서 …할 수 없다

[10~11행] I remember *one particular time* [(***when***) a co-worker reported me to my supervisor].
(a co-worker: S´, reported: V´, me: O´)

- <시간을 나타내는 명사+관계부사 when절> 구조. when은 that으로 바꿔 쓸 수도 있고, 생략할 수도 있다.

[11행] She **must have felt** my attitude was too aggressive.

- must have p.p.: ~했음이 틀림없다

[11~12행] She **spent** half an hour **complaining** about my job performance.

- spend+O(시간, 돈)+v-ing: ~하는 데 O를 쓰다

[12~13행] **Having stood** there all the while / **feeling** *(that)* I was losing control of myself, // I exploded.
('~해서' <이유> / '~하면서' <동시동작>)

- 앞선 시점을 나타내는 완료형 분사구문(having p.p.)이 쓰였다. (= As I had stood there all the while feeling ~, I exploded.)

Read it #2

p. 116

3 ⓐ fire ⓑ hunting ⓒ victims ⓓ harvest ⓔ villagers

해석 1) 목요일 베네수엘라 서부 Cagua의 한 사탕수수밭에서 화재가 있었다.
2) 목격자들은 수확물이 태워지고 있던 대규모 농장에서 강한 바람이 불의 방향을 바꿨다고 말했다.
3) 희생자들은 농장에서 토끼 사냥을 하고 있던 아이들이었다.
4) 짙은 연기구름이 아이들의 시야를 차단했다.
5) 당국이 화재가 우연에 의한 것인지 방화인지 조사 중이다.
6) 농부들은 추수기인 한 해의 이맘때쯤 들판을 태우는 일이 잦고, 마을 사람들은 동물들이 불길을 피해 땅속에서 나올 때 잡으려고 한다.
7) 그 동물들은 베네수엘라의 가난한 사람들에게 주된 식량원이다.

관례적인 불길이 비극으로 끝나다

베네수엘라 서부의, 농부들이 사탕수수 농작물을 막 잘라내려고 하고 있던 농장에서 강풍은 불이 삽시간에 번지게 했다. 짙은 연기가 토끼를 사냥하던 한 무리의 아이들이 이 지역을 즉시 떠나는 것을 불가능하게 만들어 그들의 죽음을 가져왔다. 주지사는 희생자들이 모두 10~18세 사이라고 말했다. 베네수엘라 Cagua의 농장은 사탕수수를 (효과적으로) 수확하기 위해 사탕수수 농장 일꾼들이 불을 놓았다. 마을 사람들이 농장을 찾아, 땅속에서 나와 잡히면 식용으로 쓰이는 토끼를 사냥하는 것은 30년 된 전통이다.

구문 [7행] Authorities are investigating **if** the fire[S] was[V] accidental **or** arson[C].
S V O

▸ if A or B = A인지 B인지(whether A or B)

[8~10행] Farmers often burn the fields this time of year / during harvest, and villagers try to catch animals // **as** they come up from underground / to escape the flames.
S1 V1 O1 S2 V2 O2 '~할 때' S′ V′ '~하기 위해'

[13~14행] Strong winds **caused** a fire **to spread** quickly / at *a plantation* (in western Venezuela) [**where** farmers were about to cut sugar cane crops].
V O C S′ V′ O′

▸ cause+O+to-v: O가 ~하게 하다[~의 원인이다]

▸ 형용사구(in western Venezuela), 형용사절(where farmers were about to ~)이 a plantation을 공통 수식하는 구조.

[14~16행] Heavy smoke made **it** impossible (**for** *a group of children* (**hunting** for rabbits)) **to** immediately **leave** this area, **causing** their deaths.
V O(가목적어) OC 의미상주어 진목적어 분사구문 <연속동작>

▸ <make it impossible for A to-v: A가 ~하는 것을 불가능하게 하다>의 가목적어-진목적어 구조.

▸ causing their deaths = and it(= heavy smoke) caused their deaths.

[19~21행] **It** is a 30-year-old tradition (**for** villagers) **to visit**[A] the plantation and (**to**) **hunt**[B] for *rabbits* [**that** come out from underground and (**when** *(they are)* caught) are used for **cooked** meals].
가주어 의미상주어 진주어 S′ V′1 삽입절 V′2

▸ <It ~+for 의미상 주어+to-v> 구조에서 to부정사구가 A and B의 구조를 이루고 있다.

▸ 관계사절의 관계대명사는 주격으로 두 개의 동사(V1 and V2)로 이어지고 있다. 시간의 부사절이 <주어+be동사>가 생략된 형태로 삽입된 구조.

4

(A) confused | 해설 엉덩이나 발가락으로 숨쉬라는 지시를 받으면 '혼란스러워질' 것이므로 동사 confuse의 과거분사 형태인 confused(혼란스러운)가 알맞다.

(B) awareness | 해설 문맥상 '그 부위에 당신의 (B)를 불러오도록 돕는 시각화'이므로 주어진 어휘 중 aware(인식하다)를 활용해야 한다. 소유격 뒤에서 aware를 명사형(awareness)으로 써야 하는 데 주의한다. the area는 left hip, little toe 등을 가리킨다.

(C) picture | 해설 바로 앞에서 답변자는 그런 지시가 주어질 때 신체 부위를 상상하려 한다고 하며 조언을 이어가고 있으므로, 동사 picture가 (C)에 오는 게 문맥상 적절하다. picture가 명사(그림) 외에 동사로도 쓰일 수 있다. 병렬구조를 이루는 뒷부분인 and 다음에 명령문의 동사(relax)가 이어지는 것으로 보아 (C)도 명령문의 동사형태가 와야 한다.

(D) sending | 해설 에너지를 '보내다'라는 문맥으로, 목적어 energy 앞에 동사가 올 자리인데 앞에 be(You're)가 있으므로 현재진행형(be+v-ing)으로 써야 한다. <send A to B: A를 B로 보내다>의 동사 패턴이다.

5 ④

해설 요가 수업 강사의 지시 내용이 혼란스러워 그것이 무엇을 의미하는지 물어보고 있다.

4~5

해석 **질문:** 최근에 제가 좋아하는 요가 수업을 받고 있었는데 선생님이 "좋아요, 친구들, 이제 왼쪽 엉덩이에 숨을 불어넣으세요. 새끼발가락까지 쭉 숨을 불어넣습니다."라고 말씀하셨어요. 이런 지시의 변형들을 많이 들어보긴 했지만 이번에는 전에 없이 더 알쏭달쏭한 거예요. 이것이 실제로 도대체 뭘 의미하는 건가요? 정확히 어떻게 발가락에 숨을 불어넣죠?

답변: 저 자신이 요가 수련자이기 때문에 그 지시를 받았을 때의 당신의 (A) 혼란스러운 얼굴이 그려집니다. 그 지시를 제가 이해하는 방식은 이것을 그저 그 부위에 (B) 각성을 불러오는 데 도움을 주는 시각화라고 생각하는 것입니다. 실제로 폐 말고는 신체 부위에 '숨을 불어넣을' 수 있는 곳은 없죠. 맞습니다. 하지만 그런 지시가 주어질 때 저는 그 부위를 '상상하려고', 즉 그 신체 부위에 집중하려 애씁니다. 그냥 그 신체 부위를 (C) 마음속에 그리고 그 주변 근육의 긴장을 풀어보세요. 그러면 그곳에 에너지를 (D) 보내고 있는 듯한 느낌이 들 겁니다.

구문 [5~6행] **As** I am a yoga student myself, // I can picture your **confused** *face* / **when** *(you were)* given the instruction.
'~이기 때문에' <이유>

[6~7행] *My way* (of understanding the cue) is **thinking of** it / **as** just *a visualization* (to **help** *(to)* bring my awareness to the area[O]).
S V C

▸ 보어로 쓰이는 동명사 thinking은 <think of A as B: A를 B라고 생각하다> 표현이 사용되었다. 즉 it = a visualization ~ the area이다.
▸ help는 원형부정사, to부정사 둘 다 목적어로 취할 수 있다.

[8~9행] ~, but I try to 'imagine'—focus on—that part of my body / **when** *(I'm)* **given** a *cue* (like that).
S V O

▸ 대시(—)를 사용하여 imagine을 부연 설명(focus on)하고 있다. that은 단순히 명사 part를 꾸미는 형용사로 쓰였다.
▸ when 부사절에서 주절의 주어와 같은 I와 수동태의 be가 함께 생략된 구조.

바이오 숯을 쓰는 농부와의 인터뷰에서

▸ 질문: 화학비료를 써보니 어떠셨나요?
답변: 화학비료를 아주 오래 쓰면 흙이 딱딱해질 거라는 사실을 다들 알고 있어요. 그래서 우리는 유기질 비료로 바꾸는 것에 대해 알아보려고 협동조합에 갔어요.
▸ 질문: 바이오 숯 테스트에 참여하신 이유는요?
답변: 제 땅의 흙이 개선되어 다시 폭신폭신하고 벌레로 가득한 것을 보고 싶어서요. 저는 산성이나 알칼리성을 띠는 나쁜 흙을 원치 않아요.
▸ 질문: (화학비료와 유기질 비료를 각각 쓰는) 두 밭의 차이는 뭔가요?
답변: 바이오 숯을 쓰는 땅에서는 식물 잎사귀가 초록빛이 났고 튼튼했어요. 화학비료를 쓰는 땅은 식물이 빨리 자라기는 하는데, 잠깐 자라고 말죠. 비료 쓰는 것을 중단하면 식물이 잘 자라질 않으니 더 많이 써야 했어요.

SUMMARY 해석

<목적어로 쓰이는 to부정사와 동명사>
나는 너의 사업에 **투자하는 것을 원한다**. / 엄마는 요즘 **요리하는 것을 즐기지** 않으신다. / 기차가 **움직이기 시작했다**. / 그 작가가 내 책에 **사인해주는 것을 깜빡했다**. / 나는 예전에 **보낸 것을 깜빡하고**는 돈을 또 보냈다.

<동명사 관용표현>
나는 그 제안에 네라고 **하지 않을 수 없었다**. / 우리는 승자를 **결정하는 데 어려움이 있었다**.

<to부정사, 분사, 분사구문의 확장>
그녀는 너의 파트너가 되**기에는 너무** 아름답지 않아? — 아니, 난 그녀의 파트너가 되**기에 충분히** 훌륭하지. / 오늘 아침에 내 방이 **청소되게 했는데** 전혀 깨끗하지 않아요. — 죄송합니다. 다른 청소부가 방을 다시 **청소하도록 시키겠습니다**. / 그 소년들은 **개미가** 먹을 것을 개미집으로 **나르고 있는 것을 지켜보고** 있다. / **다리가 꼬인 채로** [다리를 꼬고] 앉지 마라.

<준동사의 동사적 성질>
같은 실수를 다시 **하지 않는 것**이 중요하다. / **십 대들이** 세상에서 무슨 일이 일어나고 있는지 아는 것은 필요하다. / 그 큰 기회를 놓치다니 **그는** 얼마나 바보 같은가! / 그는 이 주제를 깊이 **연구한 것**처럼 보인다. / 너무 많은 방문객들의 **방문을 받아서** 그 장소는 회복이 힘들 정도로 오염되었다.

UNIT 1 종속절을 이끄는 접속사: 명사절, 형용사절, 부사절

p. 120

• 미리보기

1 that dinner's ready / dinner(S), is(V) | 너희 누나에게 저녁이 준비됐다고 해라. 해설 <tell+IO+DO> 구문에서 알리는 내용, 즉 직접목적어(DO) 자리에 <that+S+V>의 절이 왔다.

2 when the bell rings / the bell(S), rings(V) | 종이 울릴 때 교실에서 나갈 수 있다. 해설 '때'를 나타내는 부사절 <when+S+V>가 '언제'에 해당하는 정보를 주고 있다.

3 any song she hears / she(S), hears(V) | 내 친구는 연습을 안 하고도 들은 노래는 어떤 것이든 연주할 수 있다. 해설 동사(play)의 목적어가 관계대명사절의 수식으로 길어진 구조이다(any song (that) she hears).

• 대표 예문

어휘 A declare 선언하다 negotiate 협상하다 terrorist 테러리스트 B astronaut 우주비행사 concern 관심사, 우려 D snore 코 골다 E spill (액체 등을) 쏟다, 엎지르다

Grammar PLUS

① 나는 네가 내 친구라고 믿었다. / 네가 내 친구인지 (아닌지) 모르겠다. / 네가 왜 내게 거짓말했는지 이해가 안 된다.

② ...라고 생각한다 / ...인 줄 깨닫지 못했다 / 많은 이들이 ...라고 믿고 있다 / 아무도 ...임을 알아채지 못했다 / 결과가 ...임을 보여준다
그 문제는 ...이다 / 중요한 것은 ...이다 / ...일 가능성이 있다[...일 확률이 상당하다]
...라고들 한다 / ...인 건 분명하다 / ...인 것 같다 / ~인 것은 틀림없다

어휘 ① wonder 의아히 여기다, 궁금하다 lie 거짓말하다

Check it

1 I asked Mom whether my friend could stay for supper. | 나는 엄마에게 친구가 저녁 먹게 (더) 있어도 되냐고 여쭤봤다. 해설 <ask+IO+DO> 구조에서 직접목적어 자리에 <주어(my friend)+동사(could stay)>가 보이므로 그 앞에 접속사가 와야 한다. whether(~인지 아닌지)로 Yes/No를 물어보는 상황이다.

2 The nurse comforted the kid's parents by saying that the burn was minor. | 간호사가 화상이 경미하다고 말하며 아이의 부모를 위로했다. 해설 saying 뒤에 전달하는 내용(that+S+V)이 이어지는 것이 자연스럽다.

3 The kids are doing an experiment to see how strong their magnets are. | 아이들이 그들의 자석이 얼마나 센지 알아보려고 실험을 하고 있다. 해설 see 뒤에 주어-동사(their magnets-are) 형태가 보인다. 문맥상 실험의 목적은 '자석이 얼마나 센지' 알아보는 것이므로 <의문사+S+V> 어순으로 완성하면 된다.

4 Our worry about Bill's safety turned to anger when he walked in idly two hours later. | Bill이 두 시간 뒤에 한가하게 걸어 들어왔을 때 그의 안전에 대한 우리의 걱정은 화로 바뀌었다. 해설 <주어(Our worry ~ safety)+동사(turned)> 형태 뒤에 다시 주어-동사(he-walked)가 이어지는데 문맥상 he 앞에 접속사 when이 오는 것이 알맞다.

5 A benefit of taking a DIY class is that you can save money by making simple things yourself. | DIY (Do It Yourself) 수업을 듣는 이점은 간단한 것을 직접 만듦으로써 돈을 절약할 수 있다는 것이다. 해설 동사(is) 뒤에 다시 주어-동사(you-can save)가 이어지므로 접속사 that은 보어 역할을 하는 명사절이 시작되는 you 앞에 와야 한다.

어휘 2 comfort 위로하다, 위안을 주다 minor 작은, 가벼운 3 do an experiment 실험하다 magnet 자석 4 safety 안전 anger 화, 분노 idly 한가하게, 하릴없이 5 benefit 이점, 혜택 take a class 수업[강좌]을 듣다

UNIT 2 등위접속사와 상관접속사

p. 121

• 미리보기

2) | 해설 2)번 해설 참고

1) 그 집은 작지만 쾌적했다. 해설 small과 pleasant의 의미는 서로 상반되므로 접속사 but이 어울린다.

2) 춥고 축축할 수 있으니 여분의 옷가지를 챙겨라. 해설 cold와 wet은 이 문장에서 둘 다 부정적인 의미이므로 and로 연결하는 게 자연스럽다.

3) 그 신입생은 경제학 강의를 들었지만 아무것도 이해하지 못했다. 해설 열심히 들었지만, 하나도 이해하지 못했다는 상반된 흐름이 자연스러우므로 but이 어울린다.

어휘 1) pleasant 기분 좋은, 쾌적한 2) extra 여분의 3) freshman 신입생 economics 경제학

• 대표 예문

어휘 A cold 냉담한, 차가운 thoughtless 경솔한, 배려심 없는 B stare at ~을 노려보다, 빤히 쳐다보다 chant 연호하다 treat 맛있는 것, 간식 C domestic 국내의, 내수의 D junkyard 쓰레기 처리장 E repeatedly 반복적으로 excellence 탁월함, 뛰어남

Grammar PLUS

① 더 크게 말하라, 그러면 그들이 네 소리를 들을 것이다. / 더 크게 말하라, 그러지 않으면 그들이 네 소리를 못 들을 것이다.

② 이 요리에는 샐러드와 빵 둘 다 나온다. / 저 남자나 이 소년들 중 한쪽이 거짓말하고 있다. / 계획 A도 B도 내게는 좋게 들리지 않는다. / 아이뿐 아니라 부모님들도 아침 8시까지 오셔야 합니다.

어휘 ① loud 크게 ② serve (음식을) 내다

Check it

1 **not only** | 그 일을 다루는 것은 책임감뿐 아니라 의사소통 기술도 필요로 한다. 해설 not only A but also B: A뿐 아니라 B도

2 **but** | 많은 이들이 환경을 보존하길 원하지만 그들이 무엇을 할 수 있는지 모르고 있다. 해설 환경 보존을 바라는 마음이 있지만, 실천 방법을 모른다는 흐름이 자연스러우므로 but이 알맞다.

3 **or** | 감독이 그 연습에 대해 더는 불평의 소리를 내지 말라며, 그러지 않으면 2마일 달리기로 연습이 시작될 거라고 한다. 해설 <명령문+or: ~하라, 그러지 않으면 ...할 것이다>가 변형된 형태로 감독의 경고(no more complaining about practice)에 이어 경고를 어길 경우의 처벌 내용(it will start with a two-mile run)이 이어지고 있다.

4 **either** | 내가 장담하건대 뒷줄의 작은 얼굴은 분명 Alex 아니면 Ray이다. 해설 뒤에 or로 이어지므로 neither는 올 수 없다. either A or B: A와 B 둘 중 하나 *cf.* neither A nor B: A와 B 둘 다 아닌

어휘 1 handle 다루다, 대처하다 require ~을 요하다 2 conserve 보존하다 4 bet ~임을 장담하다, 분명 ~이다 row 줄, 열

UNIT 3 문장에 다양한 의미를 보태는 부사절: 시간, 이유, 조건, 양보

p. 122

• 미리보기

1 **Though** | 같은 집에 살지만 그들은 좀처럼 서로에게 말 걸지 않는다. 해설 '같은 집에 사는 것-좀처럼 말을 나누지 않는 것'은 상반되는 흐름이므로 역접의 though(~이지만, ~일지라도)가 알맞다. Although, Even though도 가능.

2 **because** | Jin이 재미있어서 나는 그와 시간 보내는 것을 좋아한다. 해설 'Jin과 함께 시간 보내는 것을 좋아함-그는 재미있음'은 <결과-이유>의 관계이므로 이유를 나타내는 접속사 because가 알맞다. as, since도 가능.

3 **If** | 지출을 줄이지 않으면 너는 돈 모으기를 기대할 수 없다. 해설 지출을 줄이지 않으면(조건) 저축은 힘들 것(결과)이라는 경고를 하고 있으므로 조건의 if가 알맞다.

어휘 1 seldom 좀처럼 ~ 않다 2 amusing 재미있는, (사람을) 즐겁게 하는 3 spending 지출

• 대표 예문

어휘 B ambulance 앰뷸런스, 구급차 C criticize 비판하다, 흠을 잡다 E used 중고의, 쓰던

Grammar PLUS

당신이 가족여행을 취소하면 아이들이 실망할 것이다. / 나는 아이들이 실망했는지 아닌지 표정으로 알 수 있다.

어휘 cancel 취소하다 looks 표정; 생김새

Check it

1 **My apartment is a mess / since I have no time to clean it.** | 내가 청소할 시간이 없어서 내 아파트는 엉망진창이다. 해설 '이유'를 나타내는 since(~이기 때문에)

2 **We sang a song for Dad / while the candles were glowing on the cake.** | 초가 케이크 위에서 은은히 빛나는 동안 우리는 아빠에게 노래를 불러드렸다. 해설 '때'를 나타내는 while(~하는 동안)

3 **He forgot to bring the book with him / even though I reminded him several times.** | 내가 여러 번 상기시켰는데도 그는 책 가져오는 것을 까먹었다. 해설 '양보'를 나타내는 even though(비록 ~일지라도)

4 **One of us has to remain home / until the groceries are delivered.** | 식료품이 배달될 때까지 우리 중 하나는 집에 남아 있어야 한다. 해설 '때'를 나타내는 until(~할 때까지)

5 **Unless you are trying to lose weight to please yourself, / it's hard to stay motivated.** | 자신을 기쁘게 할 목적으로 체중을 줄이려 하지 않으면 의욕을 유지하기가 힘들다. 해설 '조건'을 나타내는 unless(~하지 않으면(=if ~ not))

어휘 1 mess 엉망(인 상태) 2 candle 초 glow (불빛 등이) 은은하게 빛나다 3 remind 상기시키다 4 groceries 식료품, 잔거리 5 lose weight 체중을 줄이다, 살 빼다 please 기쁘게 하다 stay motivated 의욕을 유지하다[잃지 않다]

Into the Grammar

p. 123

A

that

1) **요리 위에 있는 그 빨간 기호들이 그 음식이 얼마나 매운지 보여준다.** | 해설 <명사(The red symbols)(+관계대명사(S)+V(are placed) ~)> 구조. 앞의 명사가 사물이므로 which 또는 that이 올 수 있다.

2) **늦은 것에 대한 그 소녀의 늘 하는 핑계는 버스가 교통 체증에 걸렸다는 것이다.** | 해설 <excuse(주어) = that the bus got stuck in traffic(보어)> 구조. 보어인 명사절을 이끄는 접속사 that이 와야 한다.

3) **우리는 전학생이 쌀쌀맞다고 생각했는데, 알고 보니 그냥 너무 수줍은 것뿐이었다.** | 해설 <it(가주어) = that he's just very shy(진주어)> 구조. 진주어인 명사절을 이끄는 접속사 that이 와야 한다.

어휘 1) symbol 기호, 상징 2) typical 늘 하는 식의; 전형적인 excuse 핑계, 변명 get stuck in traffic 교통 체증을 겪다 3) unfriendly 쌀쌀맞은, 비우호적인 turn out ~임이 드러나다

B

1 **little** | 방과 후에 Mark는 가게에서 아빠를 돕는다. 그래서 그는 친구들과 어울릴 시간이 별로 없다. 해설 앞의 절과 접속사 so로 연결되어 있으므로 친구들과 놀 시간이 '별로 없다(little)'는 내용이 와야 한다.

2 **unimportant** | "좋은 이야기로구나, Bess. 그런데 중요하지 않은 세부 사항이 많이 들어갔구나." 하고 선생님이 말씀하셨다. 해설 앞이 칭찬의 내용(a good story)이므로 but 이하는 그와는 달리 부족한 점의 지적일 것이다. 따라서 괄호에는 '중요하지 않은(unimportant)' 세부 사항이 자연스럽다.

3 **but** | 자선 행사를 위한 10마일 걷기를 마친 후에 우리는 지쳤지만 행복했다. 해설 '지친(exhausted)'과 '행복한(happy)'은 접속사 but

으로 연결하는 것이 알맞다.

어휘 1 hang around with ~와 어울려 다니다 2 include 포함하다, 들어가다 detail 세부 사항 3 complete 완료하다 charity 자선 (단체) exhausted 지친, 기진맥진한

C

1 **and → or** | 네 감정을 통제하라. 그러지 않으면 그것들이 너를 통제할 것이다. 해설 감정을 통제하지 '않으면' 거꾸로 감정에 의해 통제받을 것이므로 <명령문+or: ~하라, 그러지 않으면 ...할 것이다>로 이어지는 것이 자연스럽다.

2 **and → or** | 그 일은 감수성 또는 창의력을 필요로 한다. 해설 <either A or B: A 또는 B>

3 **nor → but** | 우리의 휴가는 실패작이었다. 음식이 형편없었을 뿐만 아니라 날씨도 궂었다. 해설 <not only A but (also) B: A뿐만 아니라 B도>. not only가 문장 앞에 옴으로써 주어(the food), 동사(was)가 도치된 구조.

어휘 2 sensitivity 감수성 3 disaster 실패(작); 재난 awful 끔찍한, 지독한

D

1 **Though[Although, Even though]** | 새로운 삶을 시작하는 것에 흥분되었지만 Kevin은 두고 온 모든 친구들 때문에 슬펐다. 해설 'excited(흥분된)-sorrow(슬픔)'의 상반되는 감정을 이어줄 접속사는 though(비록 ~이지만)이다.

2 **because[since, as]** | 주인공에게 무슨 일이 일어났는지 보여주지 않아서 그 영화의 결말은 만족스럽지 못하다. 해설 종속절은 주절의 unsatisfactory라는 평가에 대한 '이유'에 해당하므로 because가 알맞다.

3 **if** | 나는 신분증을 안 갖고 가면 홀에 입장이 안 되리라는 것을 알고 있었다. 해설 홀에 입장이 안 되는 '조건'을 말하는 절이므로 if가 알맞다.

어휘 1 sorrow 슬픔 leave behind 두고 오다 2 unsatisfactory 만족스럽지 못한 hero (영화의) 주인공; 영웅 3 ID card 신분증(identification card) admit (입장, 입학을) 허가하다; 시인하다 hall 홀, 넓은 방

Read it #1

p. 124

1 ④

해설 논쟁 중에는 필연적으로 상대방과의 의견 불일치를 경험하게 되는데, 이때 주의할 사항을 조목조목 들고 있다. 특히 격해진 자기감정에 휘둘리지 말고 침착하게 논쟁에 임할 것을 강조하는 글이므로 적절한 글의 요지는 ④이다.

해석 우리는 종종 "다른 사람과 얘기 나눌 때 열린 마음을 유지하라."라는 말을 듣는다. 하지만 대화를 나누는 동안에 당신은 거의 틀림없이 얘기 나누는 상대방과 의견이 틀어지며 끝나기 마련이다. 상대방의 관점을 이해하려 애써라. 이것이 당신이 듣는 모든 말에 동의해야 함을 뜻하는 것은 아니다. 이건 바보 같은 일일 것이다. 하지만 현명한 사람은 의견이 안 맞는다는 이유로 누군가를 거부하지는 않는다. 실은 논쟁 동안에 쏟아져 나오는 모든 주장들은 당신의 견해를 발전시키는 데 도움이 된다. 진행 과정 내내 침착하게 있으려고 애써라. 성급하게 화내지 마라. 예를 들어, 누군가 당신을 화나게 했다고 해서 더 큰소리로 이야기를 시작하지 마라. 그냥 차분하게 반응하고 논쟁점을 해결하려 애써라. 물론 당신의 감정을 꼭 숨길 필요는 없다. 화가 날 수도 있겠지만 그 감정이 당신의 행동 방식에 영향을 끼치게 두지는 마라.

구문 **[1행]** ~, "Stay open-minded **while talking with others.**"
▸ while 이하는 while (we are) talking ~의 의미로 주어, 동사가 생략된 형태이다.

[1~3행] During the course of your conversations, however, / you will almost certainly end up disagreeing with *the person* [(*whom*) you are conversing **with ●**].
▸ the person은 전치사 with의 목적어로 관계사절의 수식을 받고 있다.

[3~4행] This(S) does not mean(V) **that** you(S) need(V) to agree with *everything* [(*that*[*which*]) you hear](O).(O)
▸ that절이 동사(does not mean)의 목적어이며, that절의 동사 need의 목적어는 to부정사구(to agree ~ hear)이다.

[6~7행] Actually, *all the arguments* (poured out during the debate) **help** you **to develop** your own point of view.
▸ help+O+(to) v: O가 ~하게 돕다

[10~11행] You might be angry, **but** don't let(V) that feeling(O) affect *the way* [you behave](OC).
▸ let+O+원형부정사: O가 ~하게 놔두다

2 ③

해설 새 직업에 도전하는 데 있어서 약간의 관심과 자신감만으로도 일단 시작하고 보는 남편과 달리, 충분히 준비되지 않았다고 느끼고 헛수고만 하고 결국 실패로 끝날까 봐 시도 자체를 꺼리는 화자의 태도를 대변할 수 있는 말을 찾는다.

해석 어떤 사람들은 100퍼센트 자기와 맞는다고 느끼는 일에만 지원하지만 또 다른 이들은 필수조건의 60퍼센트만 충족할 때에도 그렇게 한다고들 한다. 왜 어떤 사람들은 60퍼센트만 자격을 갖춘 일자리에 지원하는가? "그러니까, 내가 관심이 있는 일이면 하면서 알아볼 수 있으니까. 실무에서 배우는 것보다 배우기 더 좋은 데가 어디 있겠어?" 이것이 나의 남편이 새 일자리 기회를 만날 때 사고하는 방식이다. 그리고 흥미로운 것은 열에 아홉은 일자리를 얻었다는 것이다. 그리고 언제나 일을 잘 해냈다. 이것이 나를 오래 그리고 열심히 생각해보게 했다. 내가 자격이 없다고 느껴서 얼마나 많은 기회를 놓쳤던가? "그 일자리 지원을 위해 다 준비했다가 결국 실망하느니 애쓰느라 시간 낭비 안 하는 게 낫지." 이 전부 아니면 말고의 사고가 우리가 정말 해보고 싶은데 자격이 안 된다고 느껴지는 일자리, 추구하고 싶은 우정, 맡아서 해보고 싶은 프로젝트로부터 우리를 떼어놓는다.

선택지 해석

① 먼저 온 사람이 먼저 대접받는다(선착순)
② 이미 행해진 일은 되돌릴 수 없다
③ 전부 다거나 아무것도 아니거나
④ 목적이 수단을 정당화한다
⑤ 안 된다는 말은 결코 하지 마라(불가능은 없다)

구문 **[1~3행]** **It** is said **that** some people only apply for *jobs* [**for which** (they feel) they are a 100 percent match]; however, others **do so** / **even when** they meet **no more than** 60 percent ~.
(삽입절: they feel / S′: they / V′: are / C′: a 100 percent match; do so = apply for jobs; no more than: 고작 ~, ~에 불과한(= only))

- <It = that절>의 가주어-진주어 구조.
- 관계사절 내에 they feel이 삽입되어 있는 구조. (← they(=some people) feel (that) they are a 100 percent match (for the jobs)
- even(~조차도)은 when절을 강조. (even when: ~할 때에도)

[4~5행] "Yeah, **if** it's *something* [I'm interested in ●], // I can figure it out / **as** I go along. Where **better** to learn **than** on the job?"
(if: ~이라면 / as: ~하면서 / A: Where / B: on the job)

- 비교급(A, B가 비교 대상)의 모양을 띠고 있으나 실제 의도는 on the job을 강조하는 최상급. (= You can learn something on the job *best*.)

[5~6행] This is *the way* [(***that***) my husband thinks / **when facing** a new job opportunity].

- the way를 선행사로 하는 관계사절 안의 부사절 when facing 이하는 when (my husband is) facing ~의 의미로 주어, 동사가 생략된 형태이다.

[6~7행] And **what**'s interesting is, (nine times out of ten), (***that***) he[S]'s gotten[V] the job[O].
(S: what's interesting / V: is / C: (that) he's gotten the job)

- 주어(What+S+V+C)와 보어(that+S+V+O) 모두 명사절로 이루어져 있다.

[9~10행] "**It**'s better **not to waste** my time **trying** than **getting**[V] everything[O] ready[C] for the job application / **only to be** disappointed in the end."
(가주어: It / 진주어(A): not to waste my time trying / B: getting everything ready ~ in the end)

- 가주어-진주어 구조로 진주어인 A(not to waste ~ trying)와 B(getting everything ready ~ end)가 than으로 비교되고 있다.
- waste+시간+v-ing: ~하느라 시간을 낭비하다
- ~ only to-v ...: ~했으나 결국 …로 끝나다 <결과>

[10~13행] This all-or-nothing thinking keeps us from *the jobs* [*(that)* we would love **to try** but feel unqualified **for**], *the friendships* [*(that)* we'd like to pursue], and *the projects* [*(that)* we want to tackle].

- the jobs는 to try와 전치사 for의 공통 목적어.
- A(the jobs ~), B(the friendships ~), and C(the projects ~)의 병렬구조. 각각의 명사는 관계대명사가 생략된 절의 수식을 받고 있다.

3 ②

해설 (A) 자기가 하는 일을 사랑하는 것이 행복의 비결이라고 하며 자신에게 맞는 학과, 수업, 학교 등을 올바로 선택(choice) 또는 결정(decision)하는 법에 대해 얘기하고 있다. (B) 자기의 학습 스타일에 맞는(suits), 또는 도움이 되는(supports) 수업을 정해 들으라고 하고 있다.

4

1) regular assignments

2) theory

3) creating written reports

4) challenging myself

해설 3) 4) 주어진 표현이 동명사로 제시되었으므로 대비되는 개념도 같은 형태를 취해야 하는 데 주의한다.

문제 해석

1) 중간고사와 기말고사 ↔ 정기적인 과제

2) 이론 ↔ 실질적인 적용

3) 과제를 말로 표현하는 것 ↔ 서면 보고서 작성하는 것

4) 스스로에게 도전하기 ↔ 안전지대에 머물기

3~4

해석 행복에 이르는 비결은 네가 인생에서 무엇을 하든지 간에 그것을 사랑할 수 있는 것이다. 이 모든 게 네게 딱 맞는 길을 선택하는 것과 무슨 상관이 있는가? 그 모든 게 여기서 출발한다. 네게 맞는 대학 혹은 단과대에서 네게 맞는 강좌를 찾아라. 그러면 성공에 대한 영감을 얻게 될 것이다. 그럼 알맞은 (A) 선택은 어떻게 하는가? 그렇게 하는 첫걸음은 어떤 식으로 학습하는 것을 좋아하는지 스스로에게 물어보는 것이다. 여러분 대부분은 거의 10년째 학생으로 지내왔다. 바라건대 이제쯤 어떤 식으로 공부하기를 선호하는지에 대한 생각이 있을 것이다. 어떤 사람은 중간고사와 기말고사 같은 큰 시험을 더 좋아하고, 반면 어떤 사람은 일 년 내내 바쁘게 지내게 만드는 정기적인 과제를 좋아한다. 어떤 이는 이론을, 어떤 이는 실질적인 직접 적용해보는 일을 좋아하고, 어떤 이는 사람들 속에서 일하는 것을 좋아하고, 어떤 이는 혼자서 하는 것을 좋아한다. 어떤 이는 과제를 말로 발표하는 것을 좋아하고 어떤 이는 서면 보고서를 작성하는 것을 더 좋아한다. 너의 학습 방식에 (B) 맞는 강좌[수업]를 선택하라. 그러면 성공에 대한 자신감이 더 생길 것이다. 아니면 스스로에게 도전장을 던지기를 원하는가? 그렇다면 너의 안전지대에서 나오게 해줄 강좌를 선택하라!

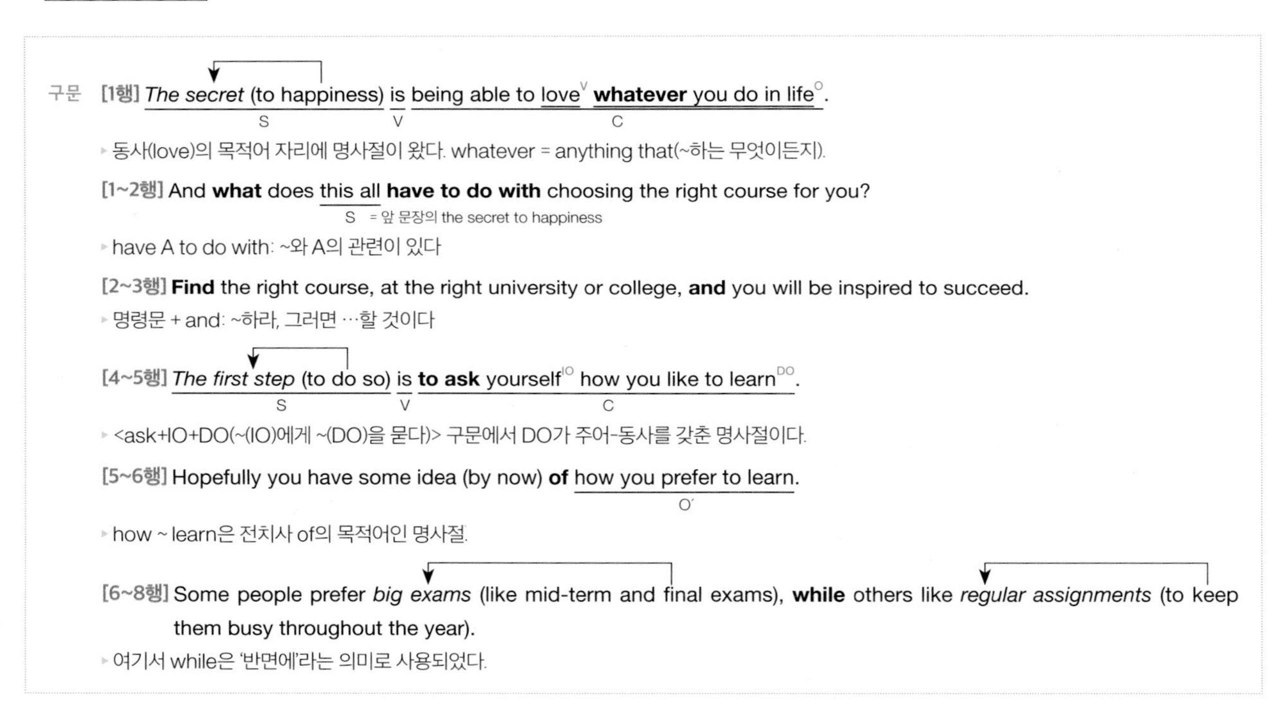

구문 [1행] *The secret* (to happiness) is being able to love[V] **whatever** you do in life[O].
S V C

▸ 동사(love)의 목적어 자리에 명사절이 왔다. whatever = anything that(~하는 무엇이든지).

[1~2행] And **what** does this all **have to do with** choosing the right course for you?
S = 앞 문장의 the secret to happiness

▸ have A to do with: ~와 A의 관련이 있다

[2~3행] **Find** the right course, at the right university or college, **and** you will be inspired to succeed.

▸ 명령문 + and: ~하라, 그러면 …할 것이다

[4~5행] *The first step* (to do so) is **to ask** yourself[IO] how you like to learn[DO].
S V C

▸ <ask+IO+DO(~(IO)에게 ~(DO)을 묻다)> 구문에서 DO가 주어-동사를 갖춘 명사절이다.

[5~6행] Hopefully you have some idea (by now) **of** how you prefer to learn.
O′

▸ how ~ learn은 전치사 of의 목적어인 명사절.

[6~8행] Some people prefer *big exams* (like mid-term and final exams), **while** others like *regular assignments* (to keep them busy throughout the year).

▸ 여기서 while은 '반면에'라는 의미로 사용되었다.

5 ②

해설 두 번째 단락에서 의료 훈련 기관 학사학위 조건은 맞지만 국내라고 했으니(a bachelor's degree from a certified medical institution within the country) 국외 기관 졸업자는 간호사 지원 자격이 없다.

6 ④ → those

해설 the studies and their length를 대신하는 대명사로 복수형(those)을 써야 한다. (→ 구문해설 참조)

① at a young age에 이르는 이들에게 '정보가 알려지게 되는' 것이므로 수동형(to be informed)이 맞게 쓰였다.

② promising(미래를 약속하는, 전도유망한)은 promise(약속하다)에서 만

들어진 분사형용사로, 뒤에 수식하는 jobs와 능동관계이므로 v-ing형으로 맞게 쓰였다.
③ enjoy의 목적어인 working ~과 병렬구조이므로 동명사(helping ~)로 맞게 쓰였다.
⑤ 선행사가 a job이므로 a job-requires의 능동관계, 단수동사형으로 맞게 쓰였다. (→ 구문해설 참조)

5~6

해석 **직업을 고를 때** 젊은이들은 즐거우면서도 보수가 좋은 것을 선호한다. 직업 관련한 (연구조사) 결과들에 대해 어린 나이에 알고 있는 것이 중요하다. 의학 관련 직업이 여전히 가장 유망한 직업으로 여겨지고 있으며, 과학 기술 분야의 직업이 현재 수요가 훨씬 더 많아지고 있다.

임상 간호사: 사람들과 더불어 일하며 그들을 돕는 것을 즐기는가? 만약 그렇다면 임상 간호사가 되는 것이 당신에게 딱 맞는 일일지도 모른다. 그 자리에 지원하고 싶다면 국내의 인증된 의료 교육 기관에서 최소 학사학위를 따야 한다. 보통 공부 내용과 공부 기간이 의사가 되는 데 필요한 것보다 훨씬 덜 힘들다.

소프트웨어 공학 관리자: 작은 기업은 대개 소프트웨어 기술자의 역할과 소프트웨어 개발 관리자의 역할을 결합한다. 이는 학사학위만을, 또는 고교 졸업장에 공인 자격증을 요구하는 일자리를 정보과학기술 분야에서 구할 수 있음을 뜻한다. 개발 관리자와는 달리 소프트웨어 공학 관리자는 프로그램의 유지와 문제해결에 더 초점을 둔다. 그들은 에너지 효율을 높이고 뜻밖의 고장을 예방하는 방법을 모색한다.

구문 **[3~4행]** Medicine-related careers **are** still **seen as** the most promising jobs, and *jobs* (within the tech industry) are becoming **even more in demand** now.

- <see A as B (A를 B로 여기다)>에서 A가 주어인 수동태 문장 (← People still *see* medicine-related careers *as* the most promising jobs.)
- even(훨씬, 더욱)이 비교급(more in demand)을 강조하여 쓰였다.

[6~8행] You have to obtain at least *a bachelor's degree* (from *a certified medical institution* (within the country)) / if you wish to apply for a position.

[8~9행] Generally, the studies and their length (A) are much **less** demanding **than** *those* (**required** to become a physician) (B). (하기 위해 <목적>)

- those = the studies and their length. A(nurse practitioner가 되기 위한 공부와 공부 기간)와 B(physician이 되는 데 필요한 공부와 공부 기간)를 비교.

[11~13행] This means that you can also find *a job* in the IT field [**that** (S′) requires (V′) only a bachelor's degree (O1′) or official certificates (O2′) **on top of** a high school diploma].

- 관계대명사절이 멀리 있는 선행사(a job)를 수식하고 있는 구조이다.

제시된 각 활동에 대한 당신의 관심도를 표시하라. 그 활동을 하는 데 필요한 기술을 갖고 있는지, (필요한) 훈련을 받았는지에 대해서는 신경 쓰지 마라. 그냥 그것을 하는 게 즐거울지 아닐지에 대해서만 생각하라.

싫어함 / 중립(보통) / 좋아함

과학 실험하기 / 새 회사의 마케팅 전략 기획하기 / 선풍기 고치기 / 아동도서의 삽화 그리기 / 장애인의 일상생활 돕기 /
화학 실험실에서 연구하기 / 잡지 광고 디자인하기 / 텔레비전 프로그램의 대본 쓰기 / 우울감을 갖고 있는 사람 상담하기 / 영화 편집하기 /
미취학 아동을 위한 교육용 게임 구상하기 / 자동차 엔진 분해하기 / 질병 진단을 위해 실험실 시험하기 / 작곡하기 / 많은 사람들 앞에서 연설하기

SUMMARY 해석

<등위접속사>

작**고** 사소한 문제 / 당신의 인생에서의 작지**만** 중요한 결정 / 튀긴 **아니면** 바비큐 치킨, 어느 것을 더 좋아해? / 쿠키가 맛있**어서** 나는 계속해서 먹었다. / 나만의 컴퓨터를 갖고 싶은데, **왜냐하면** 뭔가를 공유하는 것은 문제가 생긴다는 의미이기 때문이다.

<상관접속사>

남자 친구**도** 나**도** 녹색으로 샀다. / 거기까지 가기 위해 우리는 버스나 지하철 **둘 중 하나**를 탈 수 있다. / 라떼**도** 아메리카노**도** 안에 설탕이 들어있지 **않다**. / 그녀는 캐나다**가 아니라** 호주**에서** 공부했다. / 우리 언니**뿐 아니라** 내 사촌들**도** 그 학교 졸업생이다.

<종속접속사>

나는 그가 그것을 풀 수 있으리**라고** 믿는다. / 그가 제시간에 그것을 풀 수 있**을지** (없**을지**) 나는 궁금하다. / 나는 그에게 그것을 **어떻게** 풀었는지 물어볼 거야. / 당신은 문제에 부딪혔**을 때** 하는 첫 번째 일이 무엇인가요?

<부사절의 종속접속사>

여기 머무시**는 동안** 우리 호텔의 어떤 편의시설도 이용하실 수 있습니다. / 출구 표지판은 비상시 사람들을 인도해야 **하기 때문에** 빛이 나야 한다. / 이 상품을 구매**하시면** 한 개 더 무료로 받으실 수 있습니다. / 그 셔츠에 단추가 하나 없**긴 하지만** 그것을 살게요.

UNIT 1 두 가지 쟁점: 절에서의 역할, 선행사의 성격 p. 130

• 미리보기

예 **Anna는 자주색 배낭에 교과서를 넣어 다닌다.** | 해설 <형용사+명사> 구조. purple로 backpack의 색상을 명시했다.

1 **(decorated with letters)** | Anna는 글자로 장식된 배낭에 교과서를 넣어 다닌다. 해설 <명사+과거분사구> 구조로 '글자로 장식된' 배낭임을 명시했다.

2 **(that she bought at the school bazaar)** | Anna는 학교 바자회에서 산 배낭에 교과서를 넣어 다닌다. 해설 선행사 backpack 뒤에 목적격 관계대명사절이 와서 '어디서 난' 배낭인지를 명시하고 있다.

어휘 2 bazaar 바자회(공공 또는 사회사업의 자금을 모으기 위하여 벌이는 시장)

• 대표 예문

어휘 A junkyard 쓰레기 처리장 growl 으르렁거리다 go by 지나가다, (시간이) 흐르다 B potential 잠재적인 extinction 멸종, 소멸 deserve ~을 받을 만하다 C positive 긍정적인 D go well with ~와 어울리다 E witness 목격자 investigate 조사하다

Grammar PLUS

① 나는 네 언니[여동생]와 똑같이 생긴 여자애를 봤어. / 나는 네가 그렇게 많이 동경하는 그 여배우를 봤어. / 우리 반에 너와 이름이 같은 여자애가 있어.

② 네가 가진 것에 감사하라.

어휘 ① actress 여배우 admire 동경하다; 감탄하며 바라보다 ② appreciative 감사하는

Check it

1 **that** | 중요한 것에 기꺼이 투자하라. 해설 앞에 명사(things)가 있으므로 명사절의 시작을 알리는 what(~하는 것)은 올 수 없다.

2 **what** | 내가 지금까지 관찰한 바로는 그는 모든 것에 비판적이다. 해설 전치사(From) 뒤에 명사절(what I have observed so far)은 목적어로 올 수 있다. 형용사절(which ~)은 전치사의 목적어로 올 수 없다.

3 **looking for** | 학생은 질문자들이 찾고 있던 바로 그 답을 내놓았다. 해설 look은 바로 목적어로 이어지지 않는 동사로, 전치사 for가 <전치사+A>의 형태로 목적어를 가질 수 있다. (look for: ~을 찾고 있다) 선행사 the very answer 다음에 생략된 목적격 관계대명사는 전치사 for의 목적어이다.(~ the very answer (*that*) the interviewers were looking for ● ← the interviewers **were looking for** *the answer*)

4 ⓐ **were** ⓑ **is** | 홀에 전시되어 있는 포스터들은 해마다 예술의 날에 열리는 축제 참가자들이 모두 디자인한 것이다. 해설 that의 선행사는 복수(The posters), which의 선행사는 단수(the festival)이므로 각각 그에 수 일치된 were, is가 맞다.

어휘 1 be willing to-v 기꺼이 ~하다 invest 투자하다 matter 중요하다 2 observe 관찰하다; 준수하다, 지키다 so far 지금까지 critical 비판적인; 중요한 3 the very 바로 그 ~

UNIT 2 관계부사 = 전치사+관계대명사: 명사 아닌 부사 p. 131

• 미리보기

1 **which** | 이것이 지난달에 완공된 건물인가요? 해설 동사(was completed) 앞이므로 둘 중 주어로 쓰일 수 있는 관계대명사(which)가 알맞다.

2 **where** | 이곳이 우리가 온갖 종류의 꽃을 살 수 있는 곳인가요? 해설 이어지는 절에 필수적인 문장 요소는 다 있다(we(S) can buy(V) all kinds of flowers(O)). 장소를 나타내는 명사(the place)에 대한 설명이므로 장소의 관계부사(where)가 올 수 있다.

3 **which** | 이것이 내 모든 돈을 모아 사려고 했던 건물인가? 해설 이어지는 절에서 전치사(for)의 목적어가 될 수 있는 것은 관계대명사(which)이다. (← I have saved all my money **for** *the building*.)

• 대표 예문

어휘 B business trip 출장 D bring about (결과를) 가져오다, 초래하다 E reach 도달하다, 이르다 breathe 숨 쉬다

Grammar PLUS

① 이것이 당신이 지은 건물인가요? / 이것이 당신이 살고 있는 건물인가요?

② 나는 그가 나를 웃게 만드는 방식이 맘에 든다.

③ 이들이 내가 영광스러운 날들을 함께 보낸 사람들이다.

어휘 ③ glorious 영광스러운

Check it

1 **Keep recording the dates <u>when</u> you didn't have a bad dream overnight.** | 간밤에 나쁜 꿈을 꾸지 않았던 날을 계속 기록하세요. 해설 시간을 나타내는 명사(the dates)와 명사를 한정하는 내용(간밤에 악몽을 꾸지 않은)을 이어주는 곳이 관계부사 when(~하는)의 자리이다.

2 **The reason <u>why</u> I got that phone so cheap is that it's not a brand-new one.** | 내가 저 전화기를 그렇게 싼값에 갖게 된 이유는 그것이 신상이 아니기 때문이다. 해설 이유를 나타내는 관계부사 why의 자리는 The reason 뒤이다.

3 **I still don't understand the mechanism <u>by which</u> cars operate.** | 나는 차가 어떻게 작동하는지 그 작동 원리가 여전히 이해 안 된다. 해설 <전치사+관계대명사>의 자리는 명사와 새

로 시작되는 절(주어+동사) 사이이다. (← I still don't understand *the mechanism*. + Cars operate *by the mechanism*.)

4 **Show me the way you chop the onions and carrots again.** | 당신이 양파와 당근 써는 법을 내게 다시 보여주세요. 해설 간접목적어 me 다음에 the way를 넣어 직접목적어 the way [(*how/that*) you chop ~ carrots again]을 완성할 수 있다. 방법을 나타내는 관계부사절은 <the way+S+V> 또는 <how+S+V>로 표현하고 the way how+S+V로는 쓰지 않는다.

어휘 2 brand-new 새로 나온, 신품의 3 mechanism (사물의) 작동 원리 operate (기계가) 작동하다 4 chop 썰다, 자르다

UNIT 3 주의해야 할 관계사 구조들

p. 132

• 미리보기

2), 3) | 나는 밤새도록 비디오 게임을 하면서 보냈는데, 그것이 엄마를 화나게 만들었다. 해설 두 개의 절을 한 문장으로 쓸 때는 접속사 혹은 관계사를 이용해 표현한다. 2)번 문장은 두 개의 절을 접속사(and)로 연결하였다.(it = I spent the whole night playing video games) 3)번 문장은 <접속사+대명사>의 역할을 하는 관계대명사(, which)로 연결하였다. 하지만 1)처럼 관계대명사 that은 <콤마+관계대명사> 형태로 쓸 수 없음에 유의한다. 지시사로 봐도 접속사 없이 불가하다.

• 대표 예문

어휘 A neighborhood 동네, 근방 B be made of ~로 만들어지다, 소재가 ~이다 material 재료, 소재 wood 목재 E talent 재능 benefit 이롭게 하다; 혜택

Grammar PLUS

① 너는 네게 만족감을 주는 직업을 구할 필요가 있다. / 나는 새 직업을 구했는데, 그것은 내게 만족감을 준다.

② 나는 운전자 옆 좌석에 앉는 것을 매우 좋아하는데, 그것은 좋은 전망을 약속해주기 때문이다[그렇게 되면 전망이 확실히 좋기 때문이다]. / 그는 이전에 크고 작은 거짓말을 해서, 그 점이 내가 그를 전적으로 믿지 못하게 했다. / 도시로 이주한 그의 형[동생]과는 달리 Gary는 고향에 머물기를 원한다. / 나는 많은 외국인 친구를 갖고 있는데, 그중 몇몇은 한국 음식을 매우 좋아한다.

어휘 ① satisfaction 만족 ② international 국제적인, 외국의

Check it

1 ○ | 그가 현재 작업 중인 그림은 바다 너머로 지고 있는 해 장면이다. 해설 he is working on은 관계사절로 선행사 The painting은 관계사절 내에서 전치사 on의 목적어 역할을 하므로, 전치사 on은 필요하다.

2 × | 음악은 예술가가 일상생활에서는 드러내기 힘든 감정을 표현하는 한 방법일지도 모른다. 해설 feelings 뒤에 목적격 관계대명사가 생략된 구조. 5형식 구조(S+V+O+C: artists find ● hard to reveal ~)의 관계대명사절의 목적어 feelings가 현재의 선행사에 해당한다. 즉 목적어를 관계사절 내에 중복해서 사용할 수 없으므로 them은 없어야 한다.

3 ○ | 생후 첫 10주가 과학자들이 생각하기로 아기의 발달에 가장 중요한 시기이다. 해설 관계사절 내에 scientists think는 삽입절에 불과하고, 주격 관계사절의 주어 역할인 what 다음에 동사 자리인 is는 필요하다.

The first ten weeks after birth (S) is (V) what[S] (scientists think) is[V] (C) the critical period of a baby's development[C].

4 × | 우리 한국인은 많은 가치를 공유하고 있는데, 그것들 대부분이 대대로 이어져 내려온 것들이다. 해설 관계대명사 which가 두 절을 이어주는 접속사 역할까지 하므로 접속사 and는 없어야 어법에 맞다.

We Koreans share *many values*, / most (of **which**) (S′, = many values) are handed down (V′) generation by generation.

어휘 1 scene 장면 set (해 · 달이) 지다 2 reveal 드러내다, 표출하다 3 critical 중요한; 비판적인 period 시기, 기간 development 발달 4 hand down 전수하다 generation by generation 대대로 *cf.* generation 세대

Into the Grammar

p. 133

A

3) | 해설 아래 3)번 해설 참조

1) 오늘 경기는 팀이 여름 내내 훈련한 연습들의 입증이 될 것이다. 해설 빈칸 뒤에 practiced의 목적어가 없고, 앞의 선행사 the plays가 그 목적어에 해당하므로 빈칸에는 목적격 관계대명사 that이 쓰일 수 있다.(← the team practiced *the plays* all summer)

2) 사람들이 옷 가게의 문이 열려 있는 시간을 문의했다. 해설 뒤에 문장 성분이 완전한 절이 오므로 the hours를 수식하는 시간의 관계부사 when 또는 이를 대신하는 that이 쓰일 수 있다.(the hours when[that] ~)

3) 지난번 왔을 때 우리가 골랐던 것이 오늘 메뉴에 없다. 해설 선행사가 없고 동사(picked)의 목적어가 없으므로, 목적어 역할을 하는 명사를 포함하는 관계대명사 What(~하는 것)이 빈칸에 알맞다.

4) 그 위대한 팀이 이제껏 1승도 이뤄내지 못한 이유들은 팬들에게는 물론 전문가들에게도 불분명하다. 해설 뒤에 문장 성분이 완전한 절(the great team hasn't won a game)이 오므로 The reasons를 수식하는 이유의 관계부사 why 또는 이를 대신하는 that이 쓰일 수 있다.(the reasons why[that] ~)

어휘 1 proof 입증하는 것, 증거 2 inquire 문의하다

B

1 **which → where[in which]** | 그 새는 먹을 것을 찾아 자유롭게 날아다니는 숲에서 살아야 한다. 해설 이어지는 절이 선행사(a forest)가 들어갈 곳 없이 완전하므로 관계대명사(which)가 올 수 없다. 장소의 관계부사 where 또는 in which로 고쳐 써야 한다.

2 **I made them in ~ → I made in ~ (them 삭제)** | 나는 발표 때 내가 한 실수에 대해 여러 날 동안 생각해보았다. 해설 the mistakes를 뒤의 관계사절이 수식하는 구조로, 목적격 관계대명사가 생략되어 있다. 즉 관계사절 내의 made의 목적어는 앞의 the mistakes이므로 목적어 them을 중복해서 쓸 수 없다.

3 **during that → when 또는 during which** | 9월은 판매가 증가할 것으로 우리가 기대하는 달이다. 해설 관계대명사 that은 전치사와 함께 쓸 수 없으므로 that을 <전치사+관계대명사> during which

또는 관계부사 when으로 고쳐 써야 한다.

4 **has visited → have visited** | 벽이 우리나라를 방문한 외국 영화배우의 핸드프린팅들로 장식되어 있다. 해설 선행사가 복수(foreign movie stars)이므로 주격 관계대명사에 이어지는 동사도 복수형(have visited)이 되어야 한다.

5 **wins → won** | 선수가 우승을 거둬낼 골을 득점했을 때 팬들은 흥분했다. 해설 과거에 있었던 일이므로 관계사절의 동사도 시제를 맞춰 과거(won)로 써야 한다.

6 **that → which** | Roger의 앨범 <어둠 속에서 쳐다보는 눈>의 첫 번째 싱글인 그 노래는 빌보드 인기곡 100 차트에서 1위로 급부상하였다. 해설 The song에 대한 정보를 제공하는 콤마 이후 관계대명사절, 즉 계속적 용법의 관계사절에서는 that을 쓸 수 없으므로 which로 고쳐 써야 한다. 앞뒤 콤마로 삽입된 관계사절이 The song에 대해 부연 설명하고 있다.

The song, / **which** was the first single of Rogers' album, *Eyes That See in the Dark*, / soared to No.1 on the Billboard Hot 100.
(The song: S / which ~ Dark: 부연 설명 / Rogers' album = Eyes That See in the Dark / soared: V)

어휘 1 seek 구하다, 추구하다 2 make mistakes 실수하다 presentation 발표 4 be decorated with ~로 장식되어 있다 handprint 핸드프린팅, 손바닥 자국 5 championship 우승, 챔피언의 지위 wild 흥분한, 야생의 6 single 싱글 음반(한두 곡의 노래를 묶거나 디지털 음원으로 발표한 것) soar 솟아오르다; 급상승하다 Billboard 빌보드(미국의 음악잡지) Hot 인기 있는

C

(A) who can lay a firm foundation (B) have thrown at him | 성공한 사람은 남이 그에게 던진 벽돌을 가지고 단단한 기반을 다질 수 있는 사람이다. 해설 (A) one을 선행사로 하는 주격 관계대명사 뒤에 <동사(can lay)+동사의 목적어(a firm foundation)>가 와야 한다. 형용사 firm은 foundation을 앞에서 수식한다. (B) the bricks에 대한 내용이 이어지는 부분인데 주어진 단어에 관계대명사가 없고 관계사절이 others(주어)로 시작하므로, the bricks가 관계사절의 목적어에 해당하는 목적격 관계대명사가 생략된 절이다. 빈칸은 <동사+목적어>의 어순으로 이어져야 한다.(~ with the bricks [(*that*) others[S] have thrown[V] ● at him])

어휘 lay a foundation 기반을 다지다, 기초를 쌓다 firm 단단한, 확고한

Read it #1

p. 134

1 ④

해설 절박한 환자들에게 신약 승인이 나기 전 임상 실험에 참가할 수 있는 합법적인 길을 열어준 법령을 소개하는 글이다.

해석 임상 실험은 약물이 사용하기에 안전한지, 질병을 효과적으로 치료하거나 예방할 수 있는지에 대한 정보를 제공한다. 사람들이 임상 실험에 참가하는 이유는 많을 수 있다. 의학 지식에 기여하는 것 외에 어떤 사람들은 자기 병에 대한 치료법이 없어서, 시도했던 치료법이 듣지 않아서, 또는 현재의 치료법을 견딜 수 없어서 임상 실험에 참여한다. 그런 사람들을 위해 시권법(일명 Trickett Wendler, Frank Mongiello, Jordan McLinn, Matthew Bellina 법)이 2018년 5월 30일에 승인돼 법제화되었다. 이 법은 생명을 위협하는 질병 또는 질환의 진단을 받은 환자로서 승인된 나머지 치료법은 모두 써보았고 인가되지 않은 어떤 치료법에 접근하기 위해 임상 실험에 참여할 수 없었던 환자에게 또 한 번의 소중한 기회이다.

선택지 해석
① 의학 이론과 임상 실험 간의 격차
② 말기 환자를 위한 현재의 치료법
③ 승인된 치료법이 어떤 이에게는 해결책이 안 된다
④ 새 법령이 아픈 이들에게 기회를 제공하다
⑤ 새 법령을 통과시키기 위한 의학계의 노력

구문 **[1~2행]** Clinical trials provide information **about** whether a drug is[V1] safe to use [and] can effectively treat[V2-1] [or] prevent[V2-2] *a disease*.(a disease: O')
▸ 전치사의 목적어로 whether(~인지 아닌지)절이 왔다.
▸ treat와 prevent가 a disease를 공통 목적어로 취하고 있는 구조.

[3~6행] **In addition to** contributing to medical knowledge, / some people participate in clinical trials / **because** there is no treatment for their disease(A), *treatments* [(*that*) they tried] have not worked(B), [or] they are not able to tolerate the current treatments(C).
▸ in addition to(~에 더하여)에 이어지는 동명사구(contributing to ~)로 사람들이 임상실험에 참가하는 이유를 기술하고 있다.
▸ because로 시작하는 부사절에서 또 다른 임상실험 참가 이유를 등위접속사 or로 병렬 연결하여 A, B, or C로 열거해 설명하고 있다.

[8~11행] This law is one more precious chance for *patients* [**who** have been diagnosed with life-threatening diseases or conditions, **who** have tried all the other approved treatment options [and] **who** are unable to participate in a clinical trial to access certain unapproved treatments].
▸ 선행사 뒤에 3개의 수식하는 관계사절이 접속사 and로 병렬 연결되어 구조. 법령의 수혜를 받게 될 patients의 조건을 말해주고 있다.

2 ③

해설 주어진 문장은 what if(~라면?)로 시작하여 고객의 요구가 특수한 상황을 가정하며 묻고 있으므로, 그 질문을 받고(Then) 그에 대한 답변이 이어지는(you need to ~) 문장 앞인 ③에 들어가기에 적절하다.

해석 누가 보디가드를 고용하고 왜 고용하는가? 보호를 원하는 유명인일 수도 있다. 혹은 진짜 위협이 가해지는 정치 지도자일 수도 있다. 보디가드의 '고정관념'에 따르면 보디가드는 늘 정장에 선글라스를 착용하고 있어야 한다. 적어도 눈에 띄고 주변의 모든 사람들에게 주목될 큰 근육질의 체격을 갖추고 있어야 한다. 하지만 당신의 고객이 모두가 잠재적 공격자인 공원에서 달리기를 하러 가고 있는 동안 당신이 자기를 보살피기를 원한다면? 그러면 이 일을 할 수 있을 만큼 충분히 신체적으로 건강해야 하고, 뒤처지기 시작해 결국 도중에 무슨 일이 벌어질 경우 적절하게 대응할 수 없을 그런 사람이어서는 안 된다. 보디가드가 될 수도 있는 사람에게 요구되는 한 가지 더 중요한 자질은 뛰어난 상황 인식 능력, 즉 주변을 끊임없이 살피는 날카로운 눈이다. 공격하려는 자를 공격이 시작되기 전에 알아보고 멈추게 할 수도 있는 것은 바로 이 자질이다.

구문 **[1~2행]** But what if your client(S′) wants(V′) you(O′) to look after him // **while** he goes running in *a park* [**where** everyone(S) is(V) a potential attacker(C)]?(OC′)

- to부정사구 목적격보어가 while절(~하는 동안에)로 길어진 구조이다.

[3~4행] It may be *a celebrity* (**wanting** protection). Or it may be *a political leader* [**that**(S) has(V) a genuine threat against him(O).]

- 분사구와 주격 관계대명사가 이끄는 관계대명사절이 각각 앞의 명사를 수식하고 있다.

[6~7행] They should at least have *a large muscular shape* [**that** stands out(V1′) and is noticed by all around(V2′)].

[7~9행] Then you need(V1) to be *physically fit* [**enough to** be able to do this task] and should not be(V2) *someone* [**who** will start lagging behind, // thus (**being**) unable to react properly / **in case** something occurs on the way].

'~의 경우에'

- ~ enough to-v: …하기에 충분히 ~한
- thus 이후는 being이 생략된 형태의 분사구문으로, 뒤처지기 시작하는 것(start lagging ~)에 대해 적절한 대응을 못 하는 것(unable to react ~)으로 이어지는 '결과'를 이야기하고 있다.

[10~11행] ~ good situational awareness: *a sharp eye* [**with which** you(S) constantly scan(V) the surroundings(O)].

- 관계사 with which 이후에 절의 구성에 필요한 요소가 모두 있고, 관계대명사가 <전치사+A>의 형태로 부사적 역할을 하고 있다. 선행사 a sharp eye는 의미상 with의 목적어에 해당한다.
  (← you (constantly) scan the surroundings (*with* a sharp eye))

Read it #2

p. 136

3 scientists believe must play a major role in

해설 선행사는 which 앞의 a previously unknown gene이고, 이를 수식하는 주격 관계사절의 동사 must play, 목적어 a major role이 이어진다. 전치사 in이 빈칸 뒤에 등장하는 pain signaling, mood and memory와 <전치사+A>의 구조로 연결되므로 빈칸의 맨 끝에 와야 한다. 남은 scientists believe는 삽입절로 관계사절의 which 다음에 위치시킨다.

4 ① ability → inability

해설 진통제를 쓸 상황에서도 진통제가 필요 없다는(with little or no need for pain relief) 것은 고통을 감지하는 '능력이 없음(inability)'을 뜻하므로 ability를 inability(무능력)로 고쳐야 문맥이 통한다.

5 ⓐ chemical ⓑ less ⓒ remains ⓓ boosts

해설 ⓐ 두 번째 단락 도입부 아난다미드의 설명에서 동격의 콤마(,) 뒤에 '화학물질(chemical)'임이 나와 있다.(anandamide, a chemical ~)
ⓑ FAAH는 아난다미드 분해(break down)에 필요한 효소 생성을 맡고 있는데 돌연변이로 인해 그 기능이 약화되므로 아난다미드는 '덜(less)' 분해될 것이다.
ⓒ 아난다미드가 덜 분해되므로 체내에 더 많이 '남아 있게(remains)' 된다.
ⓓ 자연 진통제인 아난다미드의 체내 축적은 통증을 줄이고 기분(mood), 즉 행복감을 '신장하는(boost)' 효과로 이어진다. 동사 병렬 구조이므로 relieves에 맞춰 boosts로 써야 하는 데 주의한다.

FAAH
: 아난다미드 분해를 촉진하는 유전자
아난다미드
: 통증 지각을 줄이는 ⓐ 화학물질
FAAH-OUT
: FAAH의 볼륨 조절 장치
제1 돌연변이
: 약화된 FAAH
제2 돌연변이
: FAAH-OUT의 삭제된 부분
아난다미드가 ⓑ 덜 분해됨.
더 많은 아난다미드가 체내에 ⓒ 남음.
인체에 미치는 영향
: 통증을 줄이고 행복감을 ⓓ 끌어올림.

6 ③

해설 보통 사람에게는 다 있는 고통 감지 능력이 떨어지는 이 특징이 Cameron이 고통을 못 느끼게 해주었고, 마지막 문장에서 Cameron 본인도 다양한 면에서 좋다고 말하고 있으므로 축복(blessing)인 셈이다.

선택지 해석

① 노력이 없으면 얻는 것도 없다.
② 폭풍 뒤에 고요가 찾아온다.[고생 끝에 낙이 온다.]
③ 위장된 축복[뜻밖의 좋은 결과]
④ 모르는 것이 약
⑤ 마지막에 웃는 자가 최후의 승자이다.

3~6

해석 71세인 Jo Cameron은 과학자들이 고통의 알림, 기분, 기억에 중대한 역할을 하는 것으로 믿고 있는, 이전에는 알려지지 않았던 유전자에 돌연변이가 있다. 이 발견은 전 세계적으로 수백만 명에게 영향을 끼치고 있는 만성 통증의 새 치료법에 대한 희망을 드높였다. Inverness에 살고 있는 전직 교사 Cameron은 팔다리 골절, 베인 상처, 화상, 출산과 수많은 외과 수술을 진통제의 필요가 거의 또는 전혀 없이 경험했다. 하지만 Cameron을 두드러지게 하는 것은 고통을 감지하지 ① 못하는 것뿐만이 아니다. 그녀는 절대로 겁에 질리지 않는다. 조사를 통해 두 개의 눈에 띄는 돌연변이가 발견되었다. (두 돌연변이가) 함께하면, 그것들은 통증과 근심을 ② 억누르며 한편으로는 행복감, 망각, 상처 치유를 북돋운다.

과학자들이 발견해낸 첫 번째 돌연변이는 일반 사람들에게도 흔하다. 그것은 FAAH라고 하는 유전자의 활동을 약화시킨다. 이 유전자는 통증 지각을 약화시키고 기분과 기억을 증진시키는 인체 내 화학물질인 아난다미드를 분해하는 효소를 만들어낸다. 이 돌연변이에서 아난다미드는 보통 사람들에게서 관찰되는 것처럼 약화되지 않는다. (Cameron의) 두 번째 돌연변이는 DNA의 일부 없어진 조각이었다. 이 '삭제'는 과학자들이 후에 FAAH-OUT이라고 이름 붙인 또 다른 유전자에서 일어난다. 연구자들은 이 새로운 유전자가 FAAH 유전자에 볼륨 조절 장치 역할을 하는 것으로 생각한다. Cameron에게 있는 것과 같은 돌연변이로 그것을 기능 못 하게 하면 FAAH가 ③ 조용해지는[아무것도 못 하는] 것이다. 그럼 무슨 일이 벌어지는가? 자연적인 진통제인 아난다미드가 몸 안에 ④ 쌓인다. Cameron은 아난다미드가 보통 사람들 몸속에 있는 양의 두 배이다. 연구자들이 그 돌연변이들에 대해 Cameron에게 설명했을 때, 많은 자상과 화상이 그토록 빨리 치유되고 했던 그녀의 과거의 많은 부분이 ⑤ 더 잘 납득되었다. "(그 사실을) 알았을 때 꽤 재미있었어요. 많은 점에서 좋다고 생각해요."라고 Cameron은 말했다.

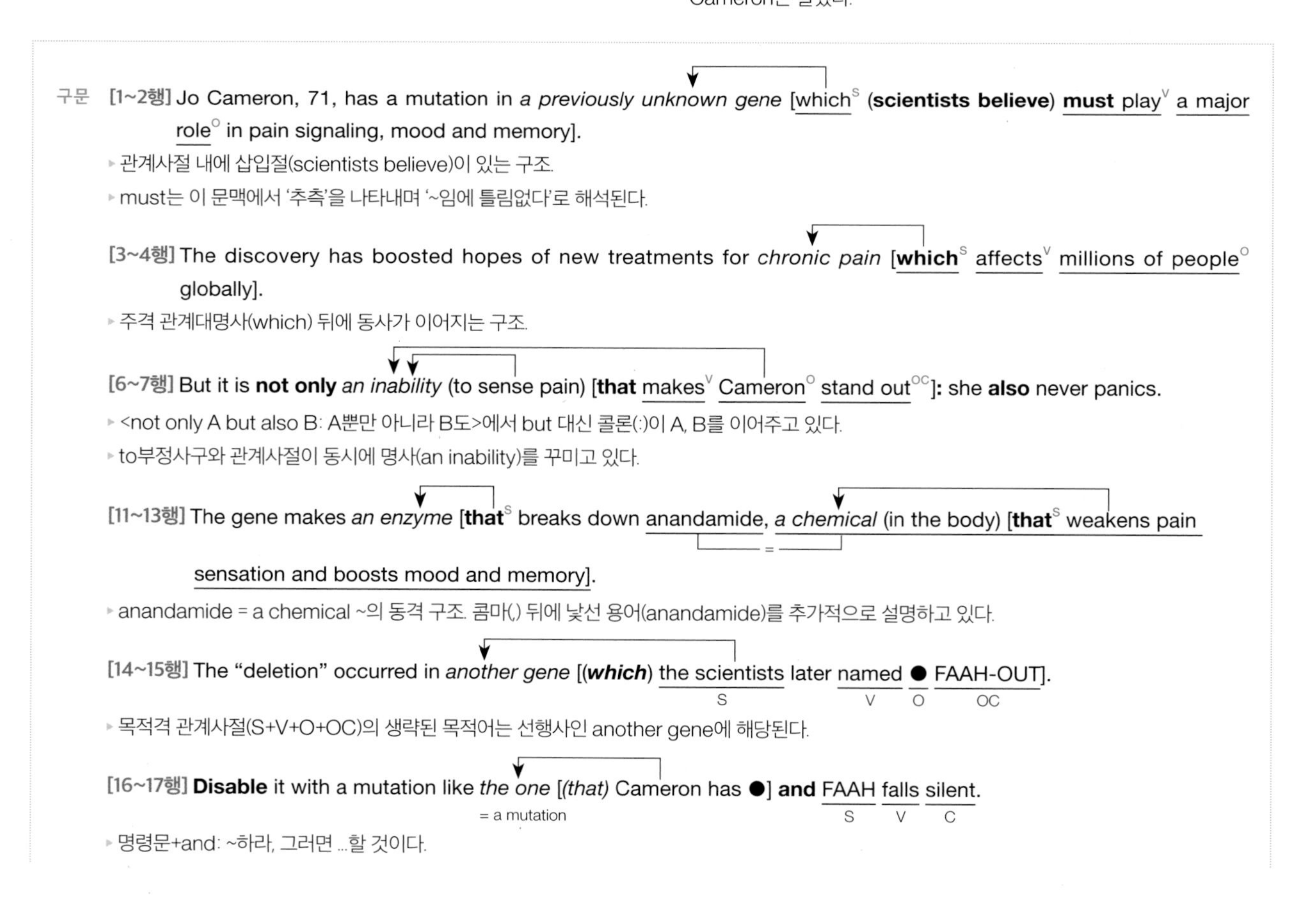
구문 [1~2행] Jo Cameron, 71, has a mutation in *a previously unknown gene* [which(S) (**scientists believe**) **must** play(V) a major role(O) in pain signaling, mood and memory].
▸ 관계사절 내에 삽입절(scientists believe)이 있는 구조.
▸ must는 이 문맥에서 '추측'을 나타내며 '~임에 틀림없다'로 해석된다.

[3~4행] The discovery has boosted hopes of new treatments for *chronic pain* [**which**(S) affects(V) millions of people(O) globally].
▸ 주격 관계대명사(which) 뒤에 동사가 이어지는 구조.

[6~7행] But it is **not only** *an inability* (to sense pain) [**that** makes(V) Cameron(O) stand out(OC)]**:** she **also** never panics.
▸ <not only A but also B: A뿐만 아니라 B도>에서 but 대신 콜론(:)이 A, B를 이어주고 있다.
▸ to부정사구와 관계사절이 동시에 명사(an inability)를 꾸미고 있다.

[11~13행] The gene makes *an enzyme* [**that**(S) breaks down anandamide, *a chemical* (in the body) [**that**(S) weakens pain sensation and boosts mood and memory].
▸ anandamide = a chemical ~의 동격 구조. 콤마(,) 뒤에 낯선 용어(anandamide)를 추가적으로 설명하고 있다.

[14~15행] The "deletion" occurred in *another gene* [(***which***) the scientists(S) later named(V) ●(O) FAAH-OUT(OC)].
▸ 목적격 관계사절(S+V+O+OC)의 생략된 목적어는 선행사인 another gene에 해당된다.

[16~17행] **Disable** it with a mutation like *the one* (= a mutation) [*(that)* Cameron has ●] **and** FAAH(S) falls(V) silent(C).
▸ 명령문+and: ~하라, 그러면 …할 것이다.

[18~19행] Cameron has **twice as much** anandamide **as** those in the general population.
▸ twice as much ~ as A: A의 두 배만큼의 ~(= twice more ~ than A)

그 연구의 연구자인 James Cox가 Cameron에 대해 한 말

"그녀에게서 알 수 있는 게 엄청나게 많습니다. 돌연변이가 어떻게 작동하는지를 일단 이해하고 나면 그녀에게서 보게 되는 효과를 그대로 따라 하는 유전자 치료법을 고안해낼 수 있습니다. 고통 속에서 살고 있는 수백만의 사람들이 있고, 우리는 분명 그들을 위한 새로운 진통제가 필요합니다. 이와 같은 환자들은 우리에게 통증 체계에 대한 진정한 통찰력을 줄 수 있습니다."

SUMMARY 해석

<관계대명사의 역할>

나는 **모든 면에 주머니가 있는** 가방을 샀다. / **내가 자주 가는** 온라인 상점은 다양한 물건을 갖추고 있다. / 이것이 **네가 예전에 얘기했던** 그 사이트야? / 내게는 **그의** 조언이 늘 효과를 발휘하는 한 친구가 있다.

그 사이트를 운영하는 사람이 십 대이다. / **내가 파티에서 같이 춤췄던** 그 남자는 왕자였어. / **그 영화에서 흥미로운 점**은 음악이다.

<관계부사=전치사+관계대명사>

이것이 내가 **내 어린 시절 이야기를 모두 기록한** 일기장이다. / 그것은 **당신의 정확한 출퇴근 시간**을 기록한다. / 나는 **보물을 숨긴 장소**를 찾을 수가 없다. / **K-pop이 세계적으로 유명한 이유**는 분명하다. / **그 벌레가 먹을 것을 나르는 방식**은 독특하다. /

<주의해야 할 관계사 구조들>

나는 영어 수업에서 **여러 나라에 살았던 남자아이**를 만났다. / 다이아몬드는 **사람들이 믿기로** 여성이 가장 좋아하는 보석이다. / **어둠 속에서 빛나고 약으로 사용되는** 곤충이 뭐지? / 그 스타는 많은 외국인 팬이 있는**데, 그들은** 그가 내딛는 모든 행보에서 그를 지지한다. / 뷔페에서는 원하는 **뭐든** 먹을 수 있다.

CHAPTER 14 문장의 확장: 접속사 (2)

UNIT 1 접속사와 전치사: 같은 의미, 다른 구조

p. 140

• 미리보기

1 X | 11월이면 많은 나무가 앙상한 나뭇가지를 가진다[나뭇잎이 다 떨어진다]. 해설 by(~까지(에는))는 전치사로 뒤에 명사(구)가 온다.

2 X | 폭우에도 불구하고 우리는 집에 안전하게 도착했다.
해설 despite(~에도 불구하고)는 전치사로 뒤에 명사(구)가 온다.

3 (Once) | 그가 일단 도착하면 우리는 시작할 수 있다. 해설 once가 접속사로 쓰인 경우이다.(once+S+V: 일단 ~하면. *cf.* She once(부사) allowed me to read her diary.(그녀가 한번은 내가 자기 일기를 읽도록 해주었다.)

어휘 1 bare 벌거벗은, 앙상한

• 대표 예문

어휘 A hose 호스, 관 soaked 흠뻑 젖은 B despite ~에도 불구하고(= in spite of) outcry 외침, 아우성 passenger 승객 C get used to ~에 익숙해지다 D ignorance 무지, 무식 due to ~ 때문에, ~에 기인한 fear 두려움 embarrass 창피하게 하다; 무안하게 하다

Grammar PLUS

① 그 장관은 탈세 의혹으로 사임했다. / 그 장관은 뭔가 불법적인 일을 해서 사임했다.

② 2045년까지는 대출금을 전액 상환해야 합니다. / 우리 12월까지는 못 만날 것 같아. / 경찰은 쓰러진 나무가 길에서 치워질 때까지 차량 통행을 중지시켰다.

어휘 ① minister 장관; 목사 resign 사임하다 tax 세금 scandal 스캔들(대중적인 물의를 빚는 부도덕 사건·행위) illegal 불법의 ② pay off 다 갚다, 청산하다 loan 대출(금), 대부(금) traffic 차량들, 교통(량) remove 제거하다, 치우다

Check it

1 **during** | 우리는 하와이에 머물 동안 즐거운 시간을 보냈다. 해설 이어지는 어구가 명사구(our stay ~)이므로 접속사(while+S+V: ~하는 동안)가 아닌 전치사(during: ~ 동안)가 필요하다.

2 **she** | 그녀는 쉬지 않고 4시간 동안 운전한 후이니 피곤할 거야. 해설 이어지는 drove가 동사의 과거형이므로 <접속사(after)+주어(she)+동사(drove)>의 절 구조에 필요한 주격 대명사 she가 알맞다.

3 **until** | George는 거의 스무 살 될 때까지 계속 키가 컸다. 해설 get taller가 스무 살까지 '지속'되는 것이므로 동작이 '완료'되는 시점을 나타내는 by(+명사(구)), by the time(+S+V)이 아닌 until(~(할 때)까지)이 알맞다. until은 전치사, 접속사 둘 다로 쓰인다.

4 **Although** | 그들은 지금 멀리 떨어져 살지만 그들의 우정은 수십 년간 지속되었다. 해설 주어(they), 동사(live)로 이어지므로 전치사(Despite: ~에도 불구하고)가 아닌 접속사(Although: ~함에도 불구하고)가 알맞다. though, even though로도 쓸 수 있다.

어휘 3 keep (on) v-ing 계속 ~하다 nearly 거의 ~, 약 ~ 4 apart 떨어져 endure 지속되다, 오래가다

UNIT 2 혼동하기 쉬운 접속사

p. 141

• 미리보기

1 **Put on your helmet / so that you don't get hurt. (다치지 않도록)** | 다치지 않도록 헬멧을 써라. 해설 so that+S+not: ~하지 않도록<목적>

2 **The patient was so weak / that he could not sit up. (그는 바로 앉을 수 없었다)** | 그 환자는 너무 약해서 바로 앉을 수 없었다. 해설 so ~ that ...: 너무 ~해서 …하다<정도 및 결과>

• 대표 예문

어휘 B have an advantage over ~보다 유리하다 C class leader 반장 hang out with ~와 시간을 보내다, ~와 어울려 다니다 D peel 껍질을 벗기다 curl 곱슬곱슬하게 말리다

Grammar PLUS

② 기차가 거친 선로를 지나면서 약간 흔들렸다. / 잠자리는 날개가 하나도 없어서 날아갈 수 없다. / 우리는 사물을 있는 그대로 보지 않고 우리가 생각하는 대로 본다. / 그는 영화배우보다는 가수로서 더 유명하다. / 인기 있긴 하지만 대통령은 자기 뜻대로만 하지는 않는다. / 프랑스인들이 와인을 사랑하듯이 독일인들은 맥주를 사랑한다.

③ 이제 모두 다 여기 모였으니 회의를 시작할 수 있겠다. / 많은 걸 함께 할 수 있는 자매가 있어서 나는 운이 좋다.

어휘 ② sway (좌우로) 흔들리다 rough 거친 track 선로 dragonfly 잠자리

Check it

1 **Since, As** | 시간이 너무 늦어서 집주인이 우리에게 저녁 먹고 가라고 권했다. 해설 시간이 늦었다는 '이유'로 저녁을 먹고 가라고 하는 문맥이 자연스러우므로 since, as는 가능하지만 while(~하는 동안; ~인 반면)은 이유를 나타내지는 않으므로 문맥에 맞지 않다.

2 **so, so that** | 모두가 음악가들을 볼 수 있도록 무대 조명은 아주 밝다. 해설 무대를 환하게 한 '이유, 목적'을 나타내는 부분이다. <so (that)+S+can: ~할 수 있도록>으로 표현 가능하다.

3 **in that** | 나는 돈 걱정을 해야 할 일은 여태 없었다는 점에서 운이 좋았다. 해설 나를 운 좋은(lucky) 사람이라고 판단하는 '근거'는 <in that(~라는 점에서)>으로 표현할 수 있다. so that은 '목적'을 나타내는 접속사.

4 **Now that** | 나는 혼자 힘으로 걸을 수 있으므로, 더 이상 목발이 필요하지 않다. 해설 접속사 뒤에 오는 부사절 내용이 원인, 주절이 결과이므로 '~이므로(이유)'를 의미하는 Now that이 맞다.

어휘 ① encourage 권장하다, 격려하다 supper 저녁 ④ on one's own 혼자 힘으로 crutch 목발

UNIT 3 복합 구조 파악하기: 절 안의 절 p. 142

• 미리보기

1 ⓐ (The kids)—became, ⓑ (they)—found, ⓒ (they)—wanted, ⓓ (all the ice cream bars (they wanted))—were sold out.

2 The kids became discouraged // when they found / that all the ice creams they wanted / were sold out.

해석 아이들은 자기들이 원하는 아이스크림이 전부 다 팔린 걸 알고는 낙담했다.

해설 The kids(S) became(V) discouraged(C) // when('~할 때') they(S') found(V') / that('~임을') all the ice cream bars(O') [(that)('~한') they wanted]^S were sold out^V.

어휘 1 discouraged 낙담한, 낙심한 ice cream bar (막대 모양의) 아이스크림 바 sold out 매진된, 다 팔린

• 대표 예문

어휘 A refuse 거절[거부]하다 apologize 사과하다 C get blamed 비난받다, 욕먹다 D break up with ~와 결별하다 awkward 어색한, 거북한 E hardly 좀처럼 ~ 않다 repair 수리하다

Grammar PLUS

눈에 안 보이는 것은 믿을 수 없다고 생각하는 사람은 누구든 '보는 것이 믿는 것이다[백문이 불여일견]'라는 속담을 들을 때 공감할 것이다.

어휘 sympathize 공감하다 saying 속담, 격언

Check it

예 when(1), that(2) | 그가 현금이 좀 필요하다는 걸 깨달았을 때 은행은 이미 문을 닫은 상태였다.

1 that(2), but(1), that(2) | 많은 사람들이 과학 연구를 위해 동물을 이용하는 것이 필요하다고 믿지만 다른 많은 사람들은 그것이 비윤리적이라고 흔히 생각한다.

2 that(1), because(2), that(3) | Ted는 수영에 재능이 없다고 느껴서 수영팀을 그만뒀다고 한다.

3 what(1), when(2) | 그는 자기가 곤궁에 처했을 때 이웃 사람들이 그를 위해 해준 일에 고마워했다.

4 that(1), that(2), whenever(3) | 네가 날 필요로 할 땐 언제든지 내가 널 위해 여기 있다는 걸 네가 알았으면 해.

어휘 예 cash 현금 1 immoral 비윤리적인, 부도덕한 2 talented 재능 있는 3 appreciate 고마워하다 be in trouble 곤경에 처하다

해설 예 The bank had already closed // when he(S') realized(V') that(O') he needed some cash.

1 Many people(S) believe(V) that *the use of animals for scientific research*^S is^V necessary^C(O), // but many other people(S) often think(V) that it^S is^V immoral^C(O).

2 Ted says that he^S quit^V the swimming team^O(O) // because he^S felt^V *that he was not talented in swimming*^O(O).

3 He appreciated what the neighbors^S had done^V for him(O) // when he^S was^V in trouble.

4 I hope that you^S know^V *that I am here for you*^O(O) // whenever you^S need^V me^O.

Into the Grammar p. 143

A

1 as | 1) 부모로서 나는 우리 아이들을 보호하기 위해 더 많은 것이 행해져야 한다고 느낀다. 2) 나는 버스에서 내리면서 Peter를 봤다. 3) 그녀는 나이에 비해 (덩치가) 커서 엄마의 옛날 코트를 입을 수 있다.
해설 1) 전치사로 쓰인 as(~로서) 2) '때, 시간'을 나타내는 접속사 as(~할 때, ~하면서) 3) '이유'를 나타내는 접속사 as(~이므로, ~ 때문에)

2 that | 1) 이제 내가 공원 근처에 살게 됐으니 그곳에서 한가한 시간을 좀 즐겨야지. 2) Rebecca는 연습을 열심히 하면 팀에서 한자리를 얻어낼 수 있을 거라는 걸 알고 있었다. 3) 그녀가 연설을 잘하는 한 가지 이유는 압박감을 느끼는 가운데서도 냉정을 유지한다는 것이다.
해설 1) now that(~이므로) 2) 동사의 목적어가 시작되는 곳의 접속사 that 3) 관계부사 대신 쓰인 that(One reason why[that] ~: ~인 한 가지 이유)과 보어절이 시작되는 곳의 접속사 that

어휘 2 under pressure 압박[스트레스]을 받고

B

1 **before she cooking → before she cooks 또는 before cooking** | 엄마는 스테이크를 요리하시기 전에 스테이크에서 여분의 지방을 잘라내신다. 해설 before가 접속사라면 <before+S+V>의 형태(before she cooks), 전치사라면 <before+명사(구)>의 형태(before cooking)가 되어야 한다.

2 **because → because of** | 내 생각에 우리는 불평하고 싶은 깊은 내적 욕구 때문에 언어를 개발한 것 같다. 해설 이어지는 말이 주어, 동사 없는 명사구(our deep inner need to complain)에 해당하므로 전치사(because of)로 써야 한다.

3 **can → could** | 엄마와 나는 신문지 여러 묶음을 재활용 센터가 가져갈 수 있도록 끈으로 묶었다. 해설 주절에서 묶은 게 과거(tied)이니 재활용 센터에 가져갈 목적이 발생한 것도 과거(so that we *could* take ~)이므로 과거시제를 쓴다.

4 **by the time → until** | 2차 세계대전은 1945년 독일과 일본의 패배까지 계속되었다. 해설 1945년 두 나라의 패배 시점까지 전쟁이 '지속'되었으므로 특정 시점에 '완료'되는 행위를 나타내는 by the time이 아닌 until로 써야 한다. until(~까지)은 전치사, 접속사 둘 다로 쓰이므로 명사구(the defeat of ~)와 함께 쓰일 수 있다.

5 **Even though → Despite[In spite of]** | 우리 정부가 국

제사회에서 기울인 그 모든 노력에도 불구하고 협상에서 좋은 결과를 내는 데 실패했다. 해설 Even though 뒤에 오는 것은 명사구(all the efforts)이므로 접속사(Even though: 비록 ~일지라도) 대신 전치사(Despite[In spite of]: ~에도 불구하고)가 와야 한다. 뒤에 이어지는 주어(our government), 동사(made)는 명사구를 수식하는 관계사절의 주어, 동사일 뿐이다.

Despite *all the efforts* [*(that)* our government made ● in the international society], it failed ~.
전치사+ O

어휘 1 trim 잘라내다; 다듬다 fat 지방 2 inner 내적 need 욕구, 필요 complain 불평하다 3 tie 묶다 bundle 묶음, 꾸러미 string 끈, 줄 take A to B A를 B에 갖고 가다 recycling center 재활용 센터 4 defeat 패배(시키다) 5 make an effort 노력하다 international society 국제사회 fail to-v ~하는 데 실패하다, ~ 못하다 talk 협상, 회담

C

Every time the coach tells us how important this next game is | 해설 전체 문장이 '~할 때마다 …하다'의 구조이고 빈칸 부분이 '~할 때마다'에 해당한다. 접속사 대용어구(every time)로 시작, 주어에 '감독이(the coach)', 동사에 '얘기하다(tells)', 간접목적어에 '우리에게(us)'를 쓰면 직접목적어에 해당하는 '다음 게임이 얼마나 중요한지'가 남는다. 명사절 어순(의문사+S+V: how important+this next game+is)으로 직접목적어를 완성한다.

Every time the coach tells us how important this next game[S] is[V], // my anxiety gets worse.
S′ V′ IO′ DO′ / S V C

어휘 anxiety 불안, 염려 get worse 악화되다

Read it #1

p. 144

1 ④

해설 빈칸 문장은 바로 앞 문장(그것(유전학)은 환경 속에서 우리의 실제 기질에 딱 들어맞는 점들을 선별하도록 이끈다)의 예를 드는 부분이다. 주어 shy children이 '빈칸'일 가능성이 더 크다는 문맥이므로 타고난 shyness를 강화하는 방향으로 행동하는 내용이 빈칸으로 적합하다. ①, ③, ⑤는 shyness와 병행되기 힘든 내용이다.

해석 어떤 사람들에게는 파티에서 사람들과 어울리거나 붐비는 곳에서 얘기하는 것이 악몽이다. 왜 우리 중 어떤 이들은 수줍은 성격을 타고나는가? "우리는 수줍음을 기질적 특성으로 생각하는데, 기질이란 성격의 전조 같은 것입니다."라고 한 발달 행동 유전학 교수가 말한다. "아주 어린 아이가 타인과 관계 맺기를 시작할 때, 모르는 어른에게 말을 거는 일에서 아이가 얼마나 편한지에 있어서 차이를 볼 수 있습니다." 그 교수는 수줍음 특성의 70%만큼이나 유전에 의한 게 아니라 대신 환경에 대한 우리의 반응이라고 말한다. 그러나 유전(학)에 관한 흥미로운 점은, 그것이 환경 속에서 우리의 실제 기질에 딱 들어맞는 점들을 선별하도록 이끈다는 점이다. 예를 들어, 수줍은 아이는 운동장에서 남과 섞이려고 하기보다는 스스로를 고립시키며 나머지 아이들을 지켜볼 가능성이 더 클 수도 있다. 그러면 그것이 혼자 있는 것을 더 편하다고 느끼게 만드는데, 그렇게 하는 것이 그들에게는 흔한 경험이 되기 때문이다.

선택지 해석
① 다른 이들을 이끌다
② 다른 이를 모방하다
③ 재미를 더 느끼다
④ 자신을 고립시키다
⑤ 적극적이다

구문 [4~6행] "**When** very young children are starting to engage with other people, // you see variation (in **how comfortable** they[S] are[V] (in speaking to *an adult* [**that** they don't know●]))."
S′ V′ O′ / S V O / 전치사(in)의 목적어

▸ '때, 시간'을 나타내는 부사절(when+S+V), 전치사(in)의 목적어로 명사절(의문사(how comfortable)+S(they)+V(are) ~), 명사(an adult)를 꾸며주는 형용사절인 관계사절(that+S+V)이 쓰였다.

[6~7행] She says that **as much as** 70% of shyness traits[S] are **not**[V] genetic[C1], **but** *instead* a reaction to our environment[C2].
S V O

▸ 주절 안에 종속절(says의 목적어로 명사절)이 들어 있는 구조.
▸ as much as A: (많음을 강조하여) A나 되는 / not A but (instead) B: A가 아니라 B, instead는 A가 아님을 강조를 위해 쓰였다.

[7~9행] **What**'s interesting about genetics, however, is **that** it[S] drives[V] us[O] to select[C] *aspects of the environment* [**that**[S] match[V] our actual predispositions[O]].
'~하는 것' S V C / '~하는' <주격관계대명사>

▸ 명사절(what+S+V) 주어, 명사절(that+S+V) 보어 외에, that절 내 목적격보어에 형용사절(that+V: 앞의 명사(aspects of the environment) 수식)이 쓰였다.

[9~11행] ~, shy children may be *more* likely **to isolate** themselves in a playground and **watch** everybody else *rather than* trying to mingle.
(A: to isolate ~ everybody else)

▸ <more A (rather) than B: B이기보다는 A>의 비교급 구조.

[11~12행] **That** then makes them feel more comfortable (being on their own) // **because that** becomes their common experience.
(That: S / makes: V / them: O / feel more comfortable: OC / (being on their own): '~하면서'<동시동작> / that: S′ / becomes: V′ / their common experience: C′)

▸ 주절의 주어 That = 앞 문장의 to isolate themselves in a playground and watch everybody else
▸ because절의 주어 that = being on their own

2 ⑤

해설 (A) '비교, 대조'를 나타내는 접속사 whereas로 연결돼 있으므로 주절의 "nearly infinite(거의 무한한, 종류가 다양한)"에 대비되는 내용인 '특징적인(distinctive)'이 알맞다. universal은 '보편적인'이므로 '어디에서나 볼 수 있는', 즉 특징적인 것과는 반대되는 의미이다.
(B) 앞 문장에 언급된 occasion인 Weddings와는 선물 종류 면에서 대비될 것이므로 둘 중 unique, distinctive와 대비되는 것은 '유한한, 한정된(finite)'이 아니라 '광범위한, 폭넓은(broader)'이 알맞다.
(C) 결혼식 선물만큼 한 종류가 압도적으로 많은 건 아니지만 여러 선물들 가운데 상대적으로 '충분히(sufficiently) 인기 있는' 한 종류가 1/4 정도의 비중은 차지한다고 했다. 'hardly(좀처럼 ~ 아닌) popular'한 선물 비중이 1/4에 이르기는 힘들 것이다.

해석 한 해 동안 우리는 생일, 크리스마스, 결혼식 날과 같이 특별한 때마다 아주 다양한 선물을 하게 된다. 크리스마스 선물로 가능한 것들의 범위는 '거의 무한한' 반면 다른 때는 선물 주는 양상이 더 (A) 독특한 패턴을 띤다. 결혼식은 독특한 선물을 하는 시기인데, 돈이라는 단 하나의 선물 종류가 선물의 대다수를 차지하는 유일한 행사이기 때문이다. 다른 행사에 선물하는 것은 (선택 범위가) (B) 넓지만, 어떤 선물들이 다른 선물들보다 상대적으로 더 중요한데, 즉 적어도 한 가지 선물 종류가 (선물로) (C) 충분히 인기 있어서 들어오는 선물의 1/4 이상은 차지하기 때문이다. 그런 행사로는 부활절(캔디가 들어오는 선물의 48%), 어머니날(장식용 화초가 33%), 생일(옷이 34%), 밸런타인데이(캔디가 45%), 결혼식(돈이 65%), 연민을 표현해야 하는 경우(장식용 화초가 43%)가 있다.

구문 [2~4행] The range of possible Christmas gifts is "nearly infinite" // **whereas** other occasions involve more distinctive patterns of gift giving.
(The range of possible Christmas gifts: S / is: V / "nearly infinite": C / other occasions: S′ / involve: V′ / more distinctive patterns of gift giving: O′)

▸ Christmas와 other occasions의 선물 종류의 특징(infinite, distinctive)을 접속사 whereas(~인 반면)로 '대조'해 보이고 있다.

[4~5행] Weddings are unique gift occasions, // **for** they are the only *time* [**when** a single gift type—money—accounts for the majority of giving].
(a single gift type: S′ = money / accounts for: V′)

▸ 접속사 for(~이므로, ~이니까) 이하가 앞의 진술의 근거를 제공하고 있다.

[7~8행] ~ —that is, at least one gift type is **sufficiently** popular / **that** it accounts for *one-quarter or more* (of *the gifts* (given)).

▸ sufficiently[so] ~ that ...: 충분히[너무] ~해서 …하다

Read it #2

p. 146

3 ④

해설 문화마다 다른 스토리텔링 방식을 미국과 중국을 예로 들어 설명하며, 이것이 유년 시절의 기억에 미치는 영향을 얘기하고 있는 글이다. ②는 기억과의 상관관계를 포괄하지 못하고 세부 내용만을 다루고 있으므로 정답이 될 수 없다. 또한 일어난 일 자체가 아니라 그 일을 어떤 관점에서 어떻게 서술하느냐에 기억이 좌우된다는 글이므로 ⑤는 이 글의 요점과 반대되는 얘기이다.

선택지 해석
① 만년의 기억력 저하 문제
② 문화마다 다른 스토리텔링 방식
③ 기억의 비밀: 우리는 기억하고 싶은 것을 취사선택한다
④ 문화가 우리의 기억력을 결정할 수 있나?
⑤ 특별한 일이 기억을 더 북돋운다

4 ⑤

해설 ⓔ 실험 결과, 이야기가 더 길고 자세하며 자기중심적인 미국인들이 과거 일을 더 잘 기억하는 것으로 보아 세세하고 자기중심적인 기억이 회상에 '더 쉬운(easier)' 것 같다고 해야 자연스럽다.

5 less, saved[stored]

해설 Qi Wang의 연구를 통해 중국인이 미국인에 비해 덜 상세하고 덜 자기중심적으로 기억을 함에 따라 어린 시절의 일을 기억할 가능성이 떨어짐을 알 수 있다. 따라서 첫 번째 빈칸은 less로(be less likely to-v: ~할 가능성이 덜 있다), 두 번째 빈칸은 주어인 their memories of themselves가 '저장되지 않다'는 문맥이므로 현재완료의 수동태(have been p.p.)로 써서 saved[stored]가 적절하다.

요약문 해석

이 글에 따르면 중국인들은 초년 시절에 일어난 일들을, 자기에 대한 기억들이 보다 상세하고 자기중심적인 방식으로 기억체계에 저장돼 있지 않아서, 덜 기억해내기 쉽다.

3~5

해석 태어난 날과 같이 인생의 가장 극적인 순간에서부터 처음 발을 떼고, 처음 말을 뱉고, 처음 음식을 먹은 날에 이르기까지 우리들 대부분은 우리 인생의 첫 몇 해에 대해 아무것도 기억하지 못한다. 하지만 흥미롭게도, 어떤 사람들은 두 살 때 있었던 일도 기억할 수 있는 데 반해 어떤 사람들은 7~8년 동안 일어났던 일을 아무것도 ⓐ 기억 못 할 수 있다. 더욱 흥미로운 것은, 망각에 있어서의 이 ⓑ 격차가 나라 간에도 관찰되었는데, 나라에 따라 인생 초기 기억에 대한 평균적인 공격[기억 감퇴]이 최대 2년까지 다를 수 있다.
이것이 ⓒ 공백이 된 이전 시간을 설명하는 실마리를 제공할 수 있을까? 이를 알아내기 위해 Cornell 대학의 심리학자 Qi Wang이 중국인 대학생과 미국인 대학생에게서 수백 가지의 기억을 모았다. 국가별 고정관념으로 예측하듯이, 미국인의 이야기는 더 길고 더 상세하고 더 자기중심적이었다. 중국인의 이야기는 반면 더 간결하고 더 ⓓ 사실에 입각한 것이었다. 또한 미국인이 중국인보다 과거를 더 잘 기억하는 것 같았다.
보다 상세하고 자기중심적인 기억을 담고 있는 이야기는 자기만의 관점을 만들어내는 것이 (일어난) 그 일에 더 많은 의미를 보태는 데 도움이 되기 때문에 기억해내기가 ⓔ 더 어려워(→쉬워) 보인다. "그건 '동물원에 호랑이가 있었다.'와 '동물원에서 호랑이를 봤는데 그것들이 무섭긴 했지만 아주 재미있었다.'의 차이죠."라고 Emory 대학의 심리학자 Robyn Fivush가 말한다.

구문 [1~2행] (**From** the most dramatic moment in life — the day of your birth — **to** your first steps, first words, and first food), / most of us(S) can't remember(V) anything of our first few years.

- from A to B: A에서 B에 이르기까지

[3~5행] But interestingly, *some* people can remember *events* (from **when** they were just two years old)(전치사(from)의 목적어), // **while** *others* may have no recollection of *anything* [**that** has happened to them for seven or eight years].

- some ~, (while) others ...: 어떤 이는 ~하고, (반면) 어떤 이는 …하다
- events는 전명구(from ~)의 수식을, anything은 관계사절(that has happened ~)의 수식을 받는 구조. 전치사 from의 목적어로 온 when절은 명사절이다.

[5~7행] **What**'s still more interesting(S) is(V), ***(that)*** this gap in forgetting(S') has also been observed(V') *from country to country*, [**where** the average onset of our earliest memories(S') can vary(V') by up to two years](C).

- <S+V+C> 구조로 주어(S)는 관계대명사 what(~하는 것)으로 시작되는 명사절, 보어(C)는 <that+S+V> 명사절의 모습을 띠고 있다.
- 관계부사 where절은 계속적 용법으로 쓰여 부사어구 from country to country에 대해 추가적인 설명을 하고 있다.

[10~12행] **As**('~하듯이') the national stereotypes would predict, / American stories(A) were longer, more elaborate and egocentric. Chinese stories(B), **on the other hand**, were briefer and more factual.

- 접속부사의 앞뒤로 A와 B가 대조되며 비교되고 있다.

[14~15행] ***Those***(= stories) (with more detailed, self-focused memories) seem to be *easier* (to recall) // **since**('~이기 때문에') developing your own perspective(S') **helps**(V') ***(to)*** **add** more meaning to the events(O').

- 사역동사 help의 목적어로 원형부정사가 쓰였다. help는 to부정사도 목적어로 취할 수 있다.

Wang의 최초 기억은 중국 Chongqing에 있는 자기 집 근처의 산에 엄마와 언니와 산행 간 일에 관한 것이다. 그녀는 여섯 살 정도였다. 문제는 그녀가 미국으로 옮겨가 살기 전까지는 그 산행에 대해 질문을 받은 적이 없었던 것이다. "동양 사회에서는 어린 시절의 기억이 중요하지 않아요. 사람들은 '뭔 상관인데?' 하는 식이죠. 사회가 그런 기억들이 중요하다고 당신에게 말해주고 있다면 그 기억들을 붙잡고 있게 되겠죠."라고 Wang은 말한다. 초기 기억에 대한 기록을 뉴질랜드에 사는 마오리족에게서 살펴보면, 그들의 문화에는 과거를 매우 강조하는 점이 있다. 많은 이들이 두 살 반쯤에 일어났던 일들도 기억해낼 수 있다.

SUMMARY 해석

<하나의 접속사, 여러 뜻>

내 아들은 내가 저녁 준비**할 동안** 상차림을 한다. / 내 아들은 수다스러운 **반면**, 딸은 집에서 거의 말이 없다. / Mike는 퇴직한 **이래로** 자원봉사를 해오고 있다. / Jenny의 생일이기 **때문에** 나는 부케를 샀다. / 너는 내가 시킨 **대로** 안 했구나. / 도표가 보여주**듯이**, 경제가 9월부터 회복하고 있었습니다. / 어른들에게 문제가 있**듯이** 우리 십 대들에게**도** 우리만의 문제가 있다.

<혼동 주의 접속사>

그는 매사에 **너무** 진지해서 좀처럼 웃는 일**이 없다**. / (듣는 사람이) 더 잘 이해**하도록** 발표에 시각 자료를 좀 넣어라. / 네가 그의 이름을 말**하니** 그가 학창 시절에 어떻게 생겼었는지 기억난다. / supper는 더 가볍고 소박한 저녁 식사**라는 점에서** dinner와 다르다.

<복합 구조: 절 안의 절>

나는 그 영화를 전부 다 봤**는데**, 내 남자 친구는 영화가 무서워졌**을 때** 나가버렸다. / 엑스레이가 노인이 넘어졌**을 때** 뼈가 부러진 게 있는**지를** 보여줄 것이다. / 아주 많은 사람들이 단순히 편견을 재배치하고 있**을 때[있으면서]** 사고하고 있**다고** 생각한다. / 우리 어머니는 아버지를 기분 좋게 한다는 것을 알기 **때문에[알고서는]** 아버지에게 **얼마나 잘생겼는지를** 늘 말해준다.

CHAPTER 15 비교구문

비교구문의 구성: 비교 대상과 비교 내용

p. 150

• 미리보기

1 as, The watermelon, a soccer ball | 수박이 축구공만큼 크다. 해설 수박과 축구공 크기를 원급(A as+원급+as B: A는 B만큼 ~하다)으로 비교하고 있다.

2 than, A watermelon, a pumpkin | 수박은 보통 호박보다 크다. 해설 비교급 문장이므로 than으로 이어져야 한다(A 비교급+than B: A는 B보다 ~하다).

3 cheaper, in summer, in winter | 수박은 겨울보다 여름에 더 싸다. 해설 뒤에 than(~보다)이 나오므로 이 문장은 비교급 문장이다. 따라서, 비교급 표현(cheaper)이 알맞다.

• 대표 예문

어휘 A make up one's mind 마음먹다, 결심하다 B efficiently 능률적으로 C cost 비용이 들다 upgrade 성능을 높이다

Grammar PLUS

① 너는 나만큼 건망증이 심하지 않다. / 내가 너보다 더 건망증이 심하다. / 너는 나보다 건망증이 덜하다.

② Andy의 머리카락이 Jack의 그것[머리카락]보다 약간 더 곱슬곱슬하다. / 우리는 책보다 간식에 더 많은 돈을 쓴다. / 치마 가격이 내가 예상했던 것보다 높다. / 대형차는 엔진의 용량이 더 크다.

어휘 ① forgetful 건망증이 있는, 잘 까먹는 ② curly 곱슬곱슬한, 동그랗게 말리는 spend+O+on A A에 ~를 쓰다 capacity 용량

Check it

1 liveliest | 나는 회색 새끼고양이가 네 마리 중 제일 활발해서 골랐다. 해설 뒤에 <of+A>로 보아 비교되는 대상이 전체이고 앞에 최상급을 나타낼 때 쓰는 the가 있으므로 liveliest가 알맞다.

2 mine | 나는 너의 분장이 내 것보다 더 웃기다는 것을 인정해야겠다. 해설 your make-up(A)과 my make-up(B)의 비교이므로 me가 아닌 mine(=my make-up)이 비교 대상으로 알맞다.

3 well | 그 신입사원은 전임자만큼 그 일을 잘하고 있다. 해설 do the task well의 <동사+부사> 구조에서 부사 well이 비교되고 있다.

4 more convenient | 어떤 사람들은 전자책이 종이책보다 편리하다고 느낀다. 해설 SVOC의 구조에서 목적어 e-books(A)를 paper books(B)와 비교하고 있다. 명사인 목적어를 보충하는 목적격 보어 자리이므로 부사가 아닌 형용사(more convenient)가 알맞다.

5 than | 뭔가를 안 하는 것에 대해 변명하기보다는 지금 당장 그것을 하는 게 시간이 덜 걸린다. 해설 비교급 less(덜 ~)로 시작했으니 than(~보다)으로 이어져야 한다.

어휘 1 gray 회색(의)(= grey) kitten 새끼고양이 lively 활발한, 활기 넘치는 2 admit 인정하다 make-up 화장, 분장 3 employee 직원 predecessor 전임자 4 e-book 전자책 convenient 편리한 5 it takes ~ to-v …하는 데 ~(시간, 노력)가 들다 right now 당장, 바로 make an excuse 변명하다

UNIT 2 비교구문의 단골: that[those], 대동사, 비교급 강조, 배수사, 차이의 by

p. 151

• 미리보기

1) | 해설 1)번 해설 참고

1) 그 위에 그 정도로 많은 후추를 뿌릴 필요는 없다. | 해설 셀 수 없는 명사 pepper를 꾸며주는 수량형용사 much이다.

2) 소금을 더 넣고 나니 찌개가 맛이 훨씬 좋다. | 해설 much가 비교급 better(더 좋은)를 강조해주는 어구로 쓰였다. '훨씬 더 ~'로 해석된다.

3) 반죽이 이번에는 훨씬 더 끈적거리는 느낌이다. | 해설 비교급(stickier)을 강조하는 much. this time(A)과 생략된 before(B)의 반죽의 끈적거리는 정도를 비교하고 있다.

어휘 1) sprinkle (가루, 물 등을) 뿌리다 pepper 후추 2) stew (국물이 자작한) 찌개, 스튜 3) dough 반죽 sticky 끈적거리는

• 대표 예문

어휘 A final 결승전 be in demand 수요가 있다 match 경기, 시합 B comprehend 이해하다, 파악하다 D Mars 화성 E dash 돌진, 질주 second (시간의) 초

Grammar PLUS

③ 인간은 개보다 약 4배 더 산다. / 인간은 개가 사는 것의 약 4배를 산다. / 인간의 수명은 개의 그것의 약 4배이다.

어휘 ③ lifespan 수명

Check it

1 than → to | 전문 분야에 종사하는 직장인은 특히 회의에 참석할 때는 캐주얼 복장보다 정장을 선호한다. 해설 prefer(선호하다)는 비교 대상 앞에 than이 아닌 to를 쓴다.

2 much bad → much worse | 공장이 두 개 더 문을 닫자 마을의 상황은 더욱 나빠졌다. 해설 much는 비교급을 강조하는 어구이므로 원급(bad) 표현과 같이 쓸 수 없다. grew much worse(더욱 나빠졌다) 비교급으로 고쳐 써야 한다.

3 that → those | 사람들은 다른 사람들에 의해 발견된 것들보다는 자기가 직접 발견한 이유들에 더 잘 납득된다. 해설 reasons [they discovered themselves](A)와 reasons (found by others)(B)의 비교이므로 단수(that)가 아닌 복수(those)로 고쳐 써야 한다.

4 does → did | 그는 한 달 전에 보였던 것보다 더 기운 나 보인다. 해설 앞 절이 일반동사(look)이고 주어가 he이므로 현재시제라면 중복을 피한 대동사로 does가 맞지만, 문맥상 지금 모습(A)을 과거(a month ago)의 모습(B)과 비교하고 있으므로 B 자리는 과거시제가 반영된 did로 고쳐 써야 한다.

5 **five times high than → five times higher than** | 수십 년 전의 전 세계 출생률은 오늘날의 그것보다 5배 더 높았다. 해설 뒤에 than이 나오므로 five times higher than ~의 비교급 모양으로 배수사 표현을 완성한다. five times as high as ~의 원급 모양 배수사 표현도 가능하다.

어휘 1 professional 전문적인, 직업의 field (일의) 분야 especially when 특히 ~할 때 attend ~에 참석하다 3 convince 납득시키다 reason 이유; 이성 4 energetic 기운 넘치는, 활력 있는 5 birthrate 출생률

UNIT 3 숨은 의미를 읽어야 하는 비교 표현들

p. 152

• 미리보기

예 아이가 어릴수록 더 호기심이 있다. | 해설 <The+비교급+S+V, the+비교급+S+V: ~하면 할수록 더 ...하다> 구조이다.

1 **stressed** | 나는 바쁠수록 스트레스를 더 느낀다. 해설 busy의 비교급과 stressed의 비교급이 연결된다.

2 **big, much** | 차가 클수록 더 많은 기름을 필요로 한다. 해설 big의 비교급과 much의 비교급이 연결된다.

어휘 예 curious 호기심 있는 1 stressed 스트레스를 느끼는

• 대표 예문

어휘 C rescue 구조(하다) respond 대응[응답]하다 emergency 긴급사태, 비상사태 D creativity 창의성 field 분야 E treat 대하다, 취급하다

Grammar PLUS

① 이 공원의 다른 어떤 탈것도 이것보다 더 짜릿한 것은 없다. / 이 공원의 다른 어떤 탈것도 이것만큼 짜릿한 것은 없다. / 이것이 이 공원의 다른 어떤 탈것보다 더 짜릿하다. / 이것이 이 공원에서 제일 짜릿한 탈것이다.

어휘 ① ride (놀이동산의) 탈것, 라이드 thrilling 짜릿한, 전율을 느끼는

Check it

1 **더 염려하지는[신경 쓰지는] 않는다** | 해설 부정주어+비교급+than A: A보다 더 ~한 것은 없다, A가 제일 ~하다

2 **(상대방을) 판단하면 할수록** | 해설 the+비교급+S+V, the+비교급+S+V: ~하면 할수록 더 ...하다

3 **무엇을 전달하느냐보다 덜 중요하지 않다[무엇을 전달하느냐만큼 중요하다]** | 해설 A not less ~+than B: A가 B보다 덜 ~하지 않다, A가 B만큼이나 ~하다

4 **점점 더 바빠진다** | 해설 get 비교급+and+비교급: 점점 더 ~해지다

어휘 1 care 염려하다, 신경 쓰다 2 judge 판단하다, 평가하다 3 deliver (연설 등을) 하다, 전달하다 4 ladder 사다리

Into the Grammar

p. 153

A

1 **Some people(A), others(B) / A>B** | 어떤 이들은 남들보다 변화에 더 빨리 적응한다. 해설 A(Some people)가 B(others)보다 더 빨리(more quickly) 적응한다고 하였으므로 A>B로 쓰면 된다.

2 **The quality of their new product line(A), that of their previous models(B) / A>B** | 신제품군의 질이 이전 모델의 그것보다 아마도 더 우수하다. 해설 신제품군의 품질(A)이 기존 제품들의 품질(B)보다 우수하다는 의미. superior는 than이 아닌 to와 함께 쓰인다.

3 **the silver prize cup(A), the pride in his talent that the player has gained(B) / A<B** | 은잔 트로피보다 훨씬 더 값진 것은 그 선수가 갖게 된 자기 재능에 대한 자부심이다. 해설 문장의 보어가 문두에 나와 주어-동사 도치된 비교급 문장.(Even more valuable than A is B) 뒤에 나오는 B가 문장의 주어, 먼저 나오는 A가 비교 대상으로 자부심(B)이 트로피(A)보다 값지다고 했으므로 A<B이다. 주어 B가 수식어로 길어진 구조(*the pride* (in his talent) [that the player has gained ●]).

4 **waiting for the audition(A), performing(B) / A<B** | 오디션 순서를 기다리는 긴장감 이후에, 그 지원자는 공연하는 것이 실제로는 더 쉽게 느껴졌다. 해설 that 이하에 비교급이 등장하는데 performing(B)의 비교 대상이 생략되었지만(performing was easier (*than A*)) 문맥상 앞에 나온 waiting for the audition(A)임을 알 수 있다. 공연이 더 쉽다고 하였으므로 A<B.

어휘 1 adapt to ~에 적응하다 2 quality 품질, 질 product line 제품군, 제품 라인 supposedly 추정상, 아마 3 valuable 값진, 귀중한 pride 자부심, 자긍심 talent 재능 gain 얻다, 획득하다 4 tension 긴장(감) wait for ~를 기다리다 audition (가수, 배우 등의) 오디션, 테스트 applicant 지원자, 신청자 perform 무대를 꾸미다, 공연하다

B

1 **as vividly as → as vivid as** | 그 사고에 대한 내 기억은 사진만큼 선명하다. 해설 be동사에 이어지는 부분이므로 부사가 아닌 형용사(are vivid)가 as ~ as ...로 비교될 부분이다.

2 **three times many people → three times as many people** | 새 경기장은 옛날 것의 세 배 인원을 수용할 수 있다. 해설 <A three times as+원급+as B: A가 B의 세 배만큼 ~하다>의 배수사 표현에서 앞의 as가 빠져 있다. A(the new stadium)와 B(the old one)가 비교되고 있는 구조로 one은 stadium 대신에 쓰였다.

3 **much interesting → (much) more interesting** | 그의 최신작은 그의 다른 책들보다 훨씬 더 흥미롭다. 해설 than으로 이어지므로 비교급 문장이다. 원급 much를 비교급인 more로 고치거나 (*more* interesting than), 비교급을 강조하는 어구 much(훨씬 더 ~)가 더해진 비교표현(*much* more interesting than)으로 고쳐 쓸 수 있다.

4 **those → that** | 전기 자동차의 에너지 소비는 전통적인 휘발유 자동차의 에너지 소비보다 상당히 낮다. 해설 The energy consumption (of the electric vehicle)(A)와 the energy consumption (of traditional gasoline-powered cars)(B)의

비교이므로 단수(that)가 아닌 복수(those)로 고쳐 써야 한다.

5 **The more early → The earlier** | 일찍 일어날수록 너는 뭔가를 할 시간이 더 많아진다. 해설 early는 2음절 단어이므로 비교급 형태는 earlier이다. early와 much time이 <the+비교급> 형태로 앞에 쓰여 <The+비교급+S+V, the+비교급+S+V: ~하면 할수록 ...하다> 패턴을 이루고 있다.

어휘 1 vividly 선명하게, 또렷하게 2 accommodate (인원을) 수용하다, 충분한 공간이 되다 4 consumption 소비, 소모 significantly 상당히

C

1 **as more expensive brands** | 엄마가 이 저렴한 샴푸가 더 비싼 브랜드 제품들만큼이나 좋다고 말한다. 해설 says (that) 이하에 as가 있고 주어진 단어 가운데에도 as가 있으므로 원급 비교 문장을 완성할 수 있다(A is as good as B). 주어진 more는 품질(good)을 비교하는 비교 표현이 아니라 비교 대상 B의 특징(more expensive brands)임에 유의한다.

2 **twice as much money as they offered** | 나는 너에게 그들이 제안한 두 배의 돈을 주겠다. 해설 제시된 단어들을 살펴보면 두 배(twice), 원급 표현(as, as)으로 완성돼야 할 배수사 문장 <A twice as+원급+as B>임을 알 수 있다. 나머지 단어들로 금액(much money), 비교 대상인 B(they offered)를 완성한다.

3 **likely it is to become popular** | 드라마 속 등장인물이 실제 인물 같을수록 그것이 인기를 얻을 가능성이 더 크다. 해설 <The+비교급+S+V, the+비교급+S+V: ~하면 할수록 ...하다> 패턴의 문장이다. the more likely(가능성이 더 큰) → 주어(it) → 동사(is) → 나머지(to become popular)의 순으로 문장을 완성한다.

어휘 1 budget 저렴한; 예산[을 세우다] 2 offer 제안하다; 제공하다 3 be likely to-v ~할 가능성이 크다, ~하기 쉽다

Read it #1

p. 154

1 ④

해설 이어지는 술부 내용(included even the power of ~)으로 미뤄볼 때 선행사가 the Roman father가 아닌 the enormous authority of the Roman father, 즉 사람이 아니므로 who를 which로 고쳐 써야 한다.
① 관계대명사 what(~하는 것)이 이끄는 명사절(what+S´+V´)이 주어를 이루고 있는 구조.
② 그리스인에 대해 설명하는 앞 절과 로마인을 설명하는 뒷 절이 '비교, 대조'를 나타내는 접속사 while(~인 반면)로 연결된 것은 적절하다.
③ highly(크게, 매우)는 high(높이)와 다른 뜻으로, 문맥에 맞게 쓰였다.
⑤ <lead+O+to-v: O가 ~하게 이끌다>의 구조로 맞게 쓰였다.

해석 그리스인과 로마인의 업적들이 서구 문명의 토대를 형성한다. 하지만 그들 각각이 추구한 것은 달랐다. 삶의 목표를 파고든 것은 그리스인들이요, 다스리고 운영한 것은 로마인들이었다. 그리스인들은 조화와 균형을 더 생각한 반면 로마인들의 우선순위는 효용에 두어졌다. 그리스 교육은 남성의 지적 발달에 치중한 반면 로마 교육은 남성의, 특히 아버지의 권리, 의무와 (도덕적) 책무에 역점을 두었다. 그는 절대적인 권력을 갖고 가정을 다스렸다. 로마 여성들은 그리스의 상응하는 존재[여성]들보다 일반적으로 아내와 엄마라는 역할에 있어서 더 크게 여겨졌다. 그러나 그들은 로마 시민이 되도록[시민권을 행사하도록] 허용되지는 않았다. 가정생활의 커다란 중요성과 로마 아버지가 갖고 있는, 아내와 아이들 둘 다에 관한 생사의 권력까지도 포함하는 막대한 권위가 여성의 교육을 주로 가정생활을 돌아가게 하는 하나의 기능(적 존재)이 되게 이끌었다.

구문 **[2~4행]** **It** was *the Greeks* **that investigated the aims of life**, and **it** was *the Romans* **that governed and administered.**
▸ the Greeks와 the Romans가 추구하는 바가 서로 달랐음을 <It is A that ~> 강조구문으로 대비해 보여주고 있다. (← *The Greeks* investigated the aims of life, and *the Romans* governed and administered.)

[8~9행] Roman women(A) *were* generally **more highly** *regarded* in their role of wife and mother **than** their Greek *counterparts*(B).
(counterparts = women)
▸ A, B를 비교하는 비교급 문장으로, 수동태에서 동사(be regarded)를 수식하는 부사(highly: 크게, 중요하게)가 비교되고 있다.

[10~13행] ~ and *the enormous authority of the Roman father*(S, 선행사), / **which** included even the power of life and death over both wife and children, / **led**(V) a woman's education(O) **to be** largely a function of her home life(OC).
▸ 선행사 다음에 앞뒤 콤마로 삽입된 관계사절이 로마 가부장의 강력했던 권위를 구체적인 일례를 들어 부연 설명해주고 있다.
▸ lead+O+to-v: O가 ~하게 이끌다

2 ⑤

해설 빈칸 포함 문장은 기존에 서방 국가들이 빈곤국에 취했던 태도의 전환을 예고했고(has moved increasingly to ~), 동격의 of 뒤에 이어질 내용은 지금까지와는 '정반대의 전략', 즉 초기의 적극적인 원조와 반대되는, 자율적인 경제 발전을 버금가는 전략에 해당하는 내용일 것이다. ①은 기존의 전략과 다르지 않고 ③은 전반부(stopping aid to countries)는 빈칸에 어울리지만 후반부(holding different political posture)는 언급된 바가 없으므로 정답이 될 수 없다. ⑤는 글의 후반부에 국가가 경제적 자유를 통해 경제 발전을 스스로 꾀해야 경제적 자립이 가능하다는 전문가들의 주장이 나오는 것으로 보아 이를 뒷받침을 받는, 즉 '자기 문제(빈곤 문제)'를 스스로 해결하게 놔두는 것이 서구 국가 지도자들이 방향 전환한 전략임을 짐작할 수 있다.

해석 몇십 년 전에 세계 지도자들은 광범위한 원조와 투자 프로그램들로 가난한 나라들의 경제 발전을 서두를 수 있다고 믿었다. 그들은 사기업들도 투자하도록 격려했다. 그러나 그 나라들에 쏟아 부어진 돈의 많은 부분이 거창하지만 생산성 없는 계획에 투입되었고, 과대평가된 통화를 떠받치고 부패한 관리를 부유하게 만들었다. 라틴아메리카, 아프리카, 남아시아에서의 실패 사례들 이후 많은 서방 세계의 정치적 (지도자들의) 의지는 점차 가난한 나라들이 (자기 문제를) 그들 스스로 해결하게 놔두는 정반대의 전략으로 옮아갔다. 점점 더 많은 분석가들이 이제는 경제적 자유, 즉 한 사회에 속하는 사람들이 자유 시장과 자유 거래를 토대로 경제적 행위를 할 수 있는 능력이 경제 발전을 이끄는 주된 동인이라고 말한다. 그들은 최고의 경제적 자유를 누리는 나라가 경제적 자유를 덜 누리는 나라보다 경제 발전율이 더 높고, 가난한 나라들은 자유 시장 시스템의 도입을 통해 경제적인 자유를 얻음으로써만 자립할 수 있다고 주장한다.

선택지 해석

① 부유한 나라들이 가난한 나라들에 더 큰 도움의 손길을 주도록 강제하는 것

② 국가들 간의 경제 협력의 중요성을 강조하는 것

③ 다른 정치적 입장을 견지하고 있는 나라들에 원조를 중단하는 것

④ 국제사회에 등을 돌리는 것

⑤ 가난한 나라들이 스스로 해결하게 놔두는 것

구문 **[3~5행]** *Much* (of *the money* [that was poured into those countries]), however, went into *grandiose* but *unproductive* projects, ***supporting*** *over-valued currencies* and ***enriching*** *corrupt officials*.

(S: Much ~ countries]), V: went)

▸ 등위접속사 but이 서로 상반되는 두 개의 형용사(grandiose, unproductive)를, and는 두 개의 분사구문(supporting ~, enriching ~)을 연결해주고 있다.

[6~7행] ~, *the political will* (in much of the West) has moved increasingly to the opposite strategy **of** letting[V] poor countries[O] fix themselves[OC].

(S: the political will, V: has moved, strategy = letting ~)

▸ 동격의 of 뒤에 strategy의 내용이 나온다.

▸ let+O+동사원형: O가 ~하게 놔두다

[10~12행] They claim that *those countries* (with *the most* economic freedom) have **higher** rates of economic development **than** *those* (with less economic freedom), ~.

(A: those countries (with the most economic freedom), B: those (with less economic freedom))

▸ A, B를 비교하는 비교급 문장. economic freedom의 수준과 economic development rates가 비례 관계에 있다는 내용의 글이다.

Read it #2

p. 156

3 ⓐ instead ⓑ making ⓒ much ⓓ those

해설 ⓐ A instead of B: B 대신에 A

ⓑ make a decision: 결정하다 *cf.* have a hard time v-ing: ~하는 데 어려움이 있다

ⓒ 비교급 better을 강조하는 어구들(a lot, much, far, even, still: 훨씬 더 ~) 가운데 m으로 시작하는 것을 쓴다.

ⓓ 학업 후 갖게 될 미래의 직업과 지금까지 가져본 직업들의 비교이므로 지시대명사의 복수형 those가 알맞다.

해석 학교 교육으로 돌아가는 비율이 여성이 돈을 적게 버는 경향이 있다는 사실에도 불구하고 남성보다 여성이 약 2퍼센트포인트 더 높은 것 같다. 조사 결과 여성이 학교로 돌아가는 비율이 높은 것이 일반적으로 보이는 점이 드러난다. 가능한 설명들 가운데 하나가 차별이 미치는 해로운 영향(때문)이다. 여성들로 하여금 여성의 특성을 저평가하는 임금 제안을 받아들이게 하는 다른 요인들도 이 데이터에 기여했을 수 있다. 여성이 교육을 더 잘 받을수록 자기의 결점을 극복하고 노동 시장에서 남성과 더 경쟁할 수 있고 더 기꺼이 경쟁한다는 가설이 성립된다. 여성은 교육이 상대적으로 더 중요하게 여겨지는 분야에서 일하기로 선택하는 경향이 있다는 점이 여성이 학

교 교육으로 돌아가는 비율이 더 높은 점을 설명해줄 수 있다.

문제 해석

A 안녕, 네 언니가 일을 그만뒀다고 들었어.

B 응, 언니는 새 일을 구하는 대신 진학할 거야. 귀중한 기술을 습득하기 위해 고등 교육을 더 받기로 했어.

A 쉬운 결정이 아니었을 텐데. 이제 성인이니 부모님께 모든 비용을 의존할 수도 없고 말이야.

B 그게 언니가 결정을 내리는 데 어려움이 있었던 이유지. 언니의 지난 직업들에서는 게 급여를 충분히 못 받았어. 언니 계획은 자신의 미래를 위해 약간의 돈과 시간을 투자하는 거야. 이번에는 전문적인 분야로 들어갈 거야.

A 그러면 언니가 월급도 훨씬 더 잘 받고, 직업 자체도 지금까지 가져보았던 것들보다 더 안정적이겠다.

B 그러면 좋겠어.

구문 **[1~3행]** The rate of return to schooling appears to be *nearly two percentage points* **greater** for females **than** for males despite the fact **that** females tend to earn less *(than males).*

(S: The rate of return to schooling / 격차의 정도: nearly two percentage points / A: for females / B: for males / the fact = females tend to earn less)

▸ 비교급 문장에서 A와 B의 rate 격차가 구체적인 수치로 제시되었다.

▸ 동격의 that 뒤에 the fact의 내용, 즉 females와 생략된 males의 전반적인 소득 비교 내용이 이어지고 있다.

[5~6행] *Other factors* [**that** cause women to accept *wage offers* [**that**ˢ undervalueⱽ their characteristicsᴼ]] **could have contributed** to the data.

(S′: that / V′: cause / O′: women / OC′: to accept wage offers ~)

▸ <could have p.p.: ~했을 수 있다>는 과거의 가능성을 나타내고 있다.

[6~8행] It is hypothesized *(that)* **the better educated** a womanˢ isⱽ, **the more able and willing** sheˢ **is**ⱽ **to** overcome her handicapsᴬ and compete with men in the labor marketᴮ.

(가주어: It / 진주어: (that) ~)

▸ <be able to-v: ~할 수 있다>와 <be willing to-v: 기꺼이 ~하다>가 <the+비교급 ~, the+비교급 ...>으로 사용되었다.
(← a woman is *well* educated / she is *able* and *willing* to overcome ~ᴬ and *(to)* compete ~ᴮ)

[8~10행] The tendency **that** women choose to work in *sectors* [**where** education is relatively highly valued] could explain the higher female return rate for schooling.

(S: The tendency / The tendency = women choose ~ / V: could explain / O: the higher female return rate for schooling)

▸ 동격의 that 뒤에 tendency의 내용이 이어지고 있고, 수식하는 관계부사 where절에서 여성이 선호하는 분야(sectors)의 특징이 언급되고 있다.

4 ③

해설 ①번 문장의 benefits from their(=employers') side of the desk의 구체적인 내용, 즉 사무 설비에 들어가는 경비 절감액이 ②에서 구체적으로 언급된 후, '이 절감분이 직원들에게 넓찍한 사무실을 제공하는 데 사용된다'라는 ③번 내용은 재택근무의 확장으로 넓찍한 사무실이 더 이상 필요 없는 상황에 모순되는 내용이다.

5 can be done just as effectively from a home office

해설 원급비교(A as 원급 as B)를 활용하여 영작한다. 문맥상 사무실에서 처리되는 만큼 홈 오피스에서도 효율적(effectively)이라는 의미이며, just는 첫 번째 as 앞에 쓴다.

4~5

해석 점점 더 많은 사람들이 직장으로의 두려운 출퇴근에 작별을 고하면서 재택 인력의 비중이 급속히 커지고 있다. 문자나 이메일은 말할 것도 없고 클라우드 컴퓨팅과 같은 늘 진화하는 과학기술 덕분에 팀의 생산성 있는 일원이 되기 위해 물리적으로 사무실에 상주하는 것이 더 이상 필요 없다. 사실, 많은 종류의 일이 사무실에서 처리되는 만큼 홈 오피스에서도 꼭 마찬가지로 효율적으로 처리될 수 있다. 원격 근무가 직원들에게 매력적으로 보이더라도 고용주 역시 자기편에서 이점을 인식하지 않는다면 그다지 강력한 경향이 되지 못할 것이다. 조사에 따르면, 가상 일터를 실행한 회사는 사무 설비에 드는 경비 절감의 진가를 체험하고 있는데, 이는 연간 직원 한 명당 만 달러나 된다고 추정된다. (이 돈은 주로 직원들에게 더 넓찍한 사무실을 제공하는 데 쓰인다.) 가상 일터는 근로자 생산성이 올라가고, 질병이나 출퇴근 문제로 인한 결근일이 줄어들며, 골라 쓸 수 있는 잠재적 인력 풀이 훨씬 커지는 결과를 가져온다. 또한, 천재지변 또는 인재로 인한 재난 상황이 발생한 경우에 (골고루) 분포된 인력은 회사가 계속 돌아가게 하는 데 보다 나은 입장에 있게 한다.

구문 **[1~2행]** The work-from-home job force is rapidly expanding **with** *an increasing number of* people **kissing** the dreaded commute to the workplace goodbye.

(V′: kissing / IO′: the dreaded commute to the workplace / DO′: goodbye)

▸ <with+O+C(O가 C하면서)>의 구조에서 people(O)과 kiss(C)가 능동 관계이며 진행의 의미가 있기 때문에 v-ing형으로 쓰였다.

▸ a number of(많은 ~)에 수식어가 붙은 an increasing number of(점점 더 많은 수의 ~)는 수량형용사로 people을 꾸며주고 있다.

[2~5행] (**Thanks to** *ever-evolving technologies* like cloud computing—**not to mention** texting and email) / —**it**'s no longer necessary **to be** physically in an office (**to be** a productive member of the team).

'~ 덕분에' / A: cloud computing / '~은 말할 것도 없고' / B: texting / C: email / 가주어: it / 진주어: to be physically in an office / '~ 하기 위해'<목적>

▸ ever-evolving technologies의 예로 기존의 texting, email, 그리고 cloud computing이 언급되었다.
▸ 진주어인 to부정사구(~하는 것) 내에 '목적'을 나타내는 to부정사구(~하기 위해)가 부사적 요소로 온 구조.

[5~6행] In fact, many kinds of work can be done **just as** effectively from a home office (**as** *when they are done in the office*).

A: from a home office / B: in the office

▸ 원급 비교(A as+원급+as B)에서 비교대상 B가 생략되어 있는 구조.

[6~8행] **As appealing as** remote work is ● to employees, / it **wouldn't be** such a strong trend / **if** employers **didn't** also **recognize** benefits from their side of the desk.

'~이긴 하지만'

▸ As appealing as ~ employees = *Though* remote work is *appealing* to employees, ~
▸ 주절은 현재 사실의 반대를 가정하는 가정법 과거 문장이다.
(= ~ it *has become* such a strong trend *since* employers also *recognize* benefits ~.)

[8~10행] ~, *companies* [**that** have implemented virtual workplaces] appreciate *the cost savings* on office facilities, *(being)* **estimated** to be **as much as** $10,000 **a** year **per** employee.

'~당, ~마다(=per)' '~당'

▸ (being) estimated ~ = *and they*(= the cost savings ~) *are* estimated to be ~.
▸ as much as+수치: ~만큼이나 (많은)

[11~13행] Virtual workplaces create **greater** employee productivity, **fewer** missed workdays *due to* illness or commuting problems, and *a **much** **bigger** pool* of potential workers (to choose *from*).

A: greater employee productivity / B: fewer missed workdays due to illness or commuting problems / '~로 인한' / '훨씬 더' / C: a much bigger pool of potential workers (to choose from)

▸ virtual workplaces의 장점이 A, B, and C로 열거되었다.
▸ 명사(pool)가 전치사(from)의 목적어인 <명사+to부정사+전치사> 구조.
(← choose *from* a much bigger pool of potential workers)

재택근무 환경을 위한 체크리스트

#1 적당한 작업공간이 있는가?
작업공간은 식당의 탁자든 자택 사무실이든 사람들이 근무 모드로 들어갈 수 있게 해줄 것이다.

#2 사무실에서 일할 때보다 생산성이 떨어지는가, 비슷한가, 아니면 더 생산적인가?
직원이 생산성 있고 마감 시간을 잘 맞추면 원격 근무는 많은 직원이 좋아한다면 장기적인 가능성이 될 수 있다.

#3 집에서 근무할 때 일과 삶 간에 건강한 균형을 맞추는가?
점심시간의 산책이든 정원에서 잠시 갖는 휴식 시간이든 근무 후 운동이든 신선한 공기를 쐬는 것이 중요하다.

#4 (집에) 당신의 역할을 이행하는 데 필요한 장비 일체를 갖추고 있는가?
이것이 관건이다. 우리 직원들은 사무실에서 필요한 것처럼 동일한 장비가 필요한데, 그렇지 않으면 업무수행도가 떨어질 것이고 느끼는 스트레스가 커질 수 있다.

SUMMARY 해석

<원급, 비교급, 최상급>

가을은 봄**만큼 짧다**. / 가을은 겨울**보다 짧다**. / 겨울은 모든 계절 중 **가장 긴** 계절이다. / 여름밤은 여름 낮**만큼** 덥지 **않다**. / 여름밤은 여름 낮**보다 덜** 덥다.

<비교급 추가 학습>

오렌지 향은 귤의 **그것**과 다르다. / 요즘은 아이들의 이름이 과거의 **것들**보다 더 창의적이다. / 너는 내가 **했던** 것보다 더 또렷하게 말했다. / 겨울밤이 여름밤보다 **훨씬** 길다. / LTE가 속도면에서 3G**보다 우수하다**. / KTX는 보통 열차**보다** 거의 **두 배 빠르다**. / KTX는 보통 열차 **속도의** 거의 **두 배만큼 빠르다**. / KTX의 속도는 보통 열차 **속도의** 거의 **두 배**이다. / 우리 팀이 3점 **차로** 이기고 있어. 이제 1분밖에 안 남았어.

<숨은 의미를 읽어야 하는 비교 표현들>

밤하늘의 **다른 어느** 별도 북극성**만큼 밝지 않다**. / 밤하늘의 **다른 어느** 별도 북극성**보다 더 밝지 않다**. / 북극성이 밤하늘의 **다른 어느 별보다 밝다**. / 북극성이 밤하늘**에서 가장 밝은** 별이다. / 별이 가까**울수록 더 밝다**.

CHAPTER 16 특수구문

UNIT 1 병렬, 생략, 대동사

p. 160

• 미리보기

1 **you → yours** | 내 꿈은 네 것만큼 크지 않다. 해설 비교급 문장에서 비교 대상 A가 My dream이므로 B도 you가 아닌 your dream이므로 yours로 고쳐야 한다.

2 **carefully → careful** | 면접 대상자가 조심스럽고 상세한 설명으로 응답했다. 해설 두 개의 형용사가 A and B의 구조로 명사(explanation)를 수식하므로 부사(carefully)가 아닌 형용사(careful)로 고쳐 써야 한다.

3 **picks → picked 또는 started → starts** | 그녀는 책을 한 권 집어 들더니 그것을 읽기 시작했다[시작한다]. 해설 그녀가 한 두 개의 동작은 시제가 일관돼야 한다. 즉 둘 다 과거시제로 표현되거나(picked, started) 현재시제로 표현되어야 한다(picks, starts).

어휘 2 interviewee 면접 대상자, 면접받는 사람 detailed 상세한

• 대표 예문

어휘 A cruelty 잔인성 spring from ~에서 솟아나다[샘솟다] hard-heartedness 무정함, 비정함 C external 외적인 not A but B A가 아니라 B due to ~ 때문인, ~에 기인한 estimate 추정치; 추정하다 E historical 역사적인, 역사상의

Grammar PLUS

① 호기심이 많은 마음은 총명한 마음이다. / 내가 하듯이 종이를 반으로 접어라. / 네가 원하면 내 공책을 빌려도 좋다.

② 세미나가 시작되기 전에 모두 이곳에 도착해 세미나 등록을 해야 한다. / 인생의 행복의 일부분은 전투를 하는 데가 아니라 그것을 피하는 데에 있다.

어휘 ①curious 호기심 많은 intelligent 총명한, 지적인 fold 접다 ②be supposed to-v ~하기로 되어 있다 register 등록하다 consist in ~에[~하는 데] 있다

Check it

1 **not injured, was not injured** | 그 노인은 넘어져서 몸이 흔들렸지만 다치지는 않았다. 해설 was shaken ~, but was not injured의 수동태 병렬구조에서 be동사(was)가 생략되거나(but not injured), 생략되지 않고 온전히 쓰인(was not injured) 형태가 가능하다. injure는 목적어를 갖는 타동사이므로 injuring 형태로 목적어 없이 단독으로 쓰이지 못한다.

2 **start** | 나는 군중들이 난데없이 모여 함께 춤추기 시작하는 걸 보았다. 해설 <see+O(the crowd)+C1(gather from nowhere)+and +C2(start to dance together)>의 목적격보어 병렬구조로 gather와 같은 형태의 원형부정사, 즉 동사원형(start)이 어법에 맞다. 지각동사는 목적격보어로 v-ing을 쓸 수 있지만 동사 start(시작하다)의 성격상 '진행'의 의미가 어울리지 않는다.

3 **those, the ones** | 이 신 모델은 우리가 써온 것들보다 훨씬 좋다. 해설 This new model과 비교되는 대상이 올 자리이다. 명사의 중복 사용을 피해 쓰이는 지시대명사 those(=the models)나 부정대명사 the ones(=models)는 가능하지만 복수형의 목적격 대명사 them은 쓰일 수 없다.

4 **to, to do so** | 허락 받지 않고 건물에서 나가지 마시오. 해설 unless you are permitted *to leave the building*에서 to부정사구를 대신하는 대부정사 to, 또는 그 내용을 담은 to do so는 가능하지만 to do는 쓰일 수 없다.

5 **When we enter, When entering** | 공군 기지 내에 들어설 때는 신분을 밝히도록 요구받는다. 해설 '때, 시간'을 나타내는 부사절(When we enter) 외에 종속절의 주어가 주절의 주어와 같을 경우, 부사절에서 주어를 생략하고 동사를 v-ing형으로 쓸 수 있다(When entering). 주어가 있는데 동사로 이어지지 않는 When we entering은 불가능하다.

어휘 1 injure 다치게 하다, 부상을 입히다 2 crowd 군중, 무리 from nowhere 난데없이, 갑자기 4 unless ~하지 않고 permit+O+to-v O가 ~하는 걸 허락하다 5 air force 공군 base 기지 identity 정체, 신분

UNIT 2 강조, 도치, 부정

p. 161

• 미리보기

1 **ever** | 유명인을 직접 본 적이 혹시 있나요? 해설 부사 ever는 have seen을 강조한다.

2 **I** | 나는 그런 일이 일어나리라고는 상상해본 적이 없다. 해설 부정어(Never)가 강조를 위해 문두에 쓰이면서 주어(I)와 동사(have imagined)의 조동사가 도치되었다.

어휘 1 ever 어느 때고, 한번이라도 celebrity 유명인

• 대표 예문

어휘 B circumstance 상황, 사정 reveal 누설하다 boss 두목, 우두머리; 상관 C fully 전적으로 D inferior 열등한 consent 동의(하다)

Grammar PLUS

① 대중을 끌어들이는 것은 바로 그들의 노래의 가사이다. / 그들이 데뷔한 것이 바로 이 무대이다. / 깰 때까지는 잠들었다는 걸 알지 못했다.[깨고 나서야 잠들었다는 걸 알게 됐다.]

② 그 정치인은 진실을 감췄을 뿐만 아니라 대중에게 거짓말도 했다. / 우리는 그런 압도적인 승리를 결코 예상하지 못했다! / 은행이 없다면 우리 돈에 대해 불안감을 느낄 것이다.

③ 다른 사람의 신념을 꼭 받아들이지 않고서도 귀 기울여 들을 수 있다. / 불이 난 뒤 가구 단 한 점도 손상 안 된 게 없었다.

어휘 ① lyric (노래의) 가사 make a debut 데뷔하다, 첫발을 들여놓다 ②overwhelming 압도적인, 제압하는 insecure 불안한, 불안정한 ③beliefs 신념, 확신 necessarily 필연적으로, 반드시, 꼭 article 품목, (물건 한) 점

furniture 가구 undamaged 손상이 안 된

Check it

1 **도대체** | 도대체 내 새 옷에 무슨 짓을 한 거야? 해설 의문문에 쓰인 on earth는 '도대체, 어떻게'의 뜻으로, 강조를 위해 쓰인 표현이다.

2 **모든 회의에 ~할 필요는 없다** | 당신이 모든 회의에 참석할 필요는 없다. 해설 '완전, 모든'을 나타내는 어구(all, always, both, exactly, necessarily ...)가 부정어와 함께 쓰이면 완전부정이 아닌 부분부정을 나타낸다. '다[늘, 둘 다, 꼭, 반드시 ...] ~인 건 아니다'로 해석된다.

3 **대통령이 줬을 뿐만 아니라** | 대통령이 우리에게 축하 전화를 줬을 뿐만 아니라 꽃도 보냈다. 해설 <not only A but also B: A뿐만 아니라 B도>에서 부사구인 Not only가 강조되어 문두로 나가면서 주어-동사가 도치된(Not only+V+S ...) 구조이다.

4 **바로 크리스마스 아침이다** | 아이들이 어떤 선물을 받게 될지 아는 것은 바로 크리스마스 아침이다[크리스마스 아침에 알게 된다]. 해설 <It is A that ~> 강조구문에서 A는 마지막에 해석한다.

어휘 1 on earth 도대체 3 celebration 축하

UNIT 3 동격, 삽입, 부연

p. 162

• 미리보기

3) | 해설 3)번 해설 참고

1) 네가 미래의 직업을 정하는 데 시간을 좀 쓰는 것은 좋은 생각이다. 해설 <It = that you spend ~>의 가주어-진주어 구조로 that을 생략할 수 없다.

2) 모두가 각자 파티에 음식을 가져오자는 아이디어에 동의했다. 해설 <the idea = that each of us bring food for the party>의 동격 구조로 that을 생략할 수 없다.

3) 모두가 네가 우리 현장학습에 대해 제안한 아이디어를 좋아한다. 해설 that은 목적격 관계대명사이므로 생략 가능하다. (← Everyone likes *the idea* [(that) you suggested ● about our field trip.])

어휘 1) spend A v-ing: ~하는 데 A(시간, 돈)를 쓰다 2) agree with ~에 동의하다

• 대표 예문

어휘 F limited 제한된, 한정된 evidence 증거 favorable 유리한; 우호적인 suspect 용의자

Grammar PLUS

그 커플이 깨졌다는 소문이 온라인상에 빠르게 퍼졌다. / 길을 잃었을 때 당신에게 도움을 줄 것이 지도 앱이다. / 나를 너무 믿지 마. 내 기억은 그다지 좋지 않아. / 나는 여자 친구가 머리 모양을 바꾼 걸 알아채지 못했다.

어휘 rumor 소문 break up 결별하다 spread 퍼지다 application 애플리케이션, 앱(= app)

Check it

1 **Leo** | 많은 소녀들이 팀의 주장인 Leo가 엄청나게 잘생겼다고 생각한다. 해설 앞뒤 콤마 사이에 Leo가 누군지에 대한 부연 설명이 삽입된 구조이다.

2 **(that) he was driven out of the company he himself founded** | 그가 자기 손으로 창립한 회사에서 쫓겨났다는 사실은 아이러니이다. 해설 The fact의 구체적인 내용이 동격의 접속사 that 이하에 이어지고 있다.

3 **Their new album** | 그들의 새 앨범은, 오늘 출시되었는데, 지난번 것의 복제품에 지나지 않는다. 해설 앞뒤 콤마 사이에 Their new album에 대한 부연 설명이 삽입된 구조이다.

4 **Be yourself, not anybody else** | 최근에 나는 '다른 누구도 아닌 너 자신이 되어라.'라는 내 새 좌우명을 만들었다. 해설 콜론(:) 뒤에 my new motto의 내용이 이어진다.

5 **endorphins** | 행복감을 느끼게 하는 데 도움이 되는 화학물질인 엔도르핀이 극도의 행복감을 느낄 때 뇌에서 분비된다는 것을 알고 있나요? 해설 앞뒤 대시(—)를 통해 생소한 용어인 endorphins에 대한 자세한 설명이 삽입된 구조.

어휘 1 captain (운동팀의) 주장; 기장; 대위 awfully 엄청나게, 몹시 2 drive A out of B A를 B에서 쫓아내다 found 창립하다 irony 아이러니, 역설; 반어 3 release (신상품을) 출시하다; 분비하다, 방출하다 clone 복제 (생물) 5 extreme 극도의, 극한적인

Into the Grammar

p. 163

A

1 **swelling** | 벌에 쏘인 상처는 통증과 부어오름을 야기한다. 해설 pain(통증)과 나란히 produces(만들어내다)의 목적어가 될 수 있는 것은 동사(swell: 부풀어 오르다)가 아니라 명사(swelling: 부풀어 오름)이다.

2 **were** | 요즘 십 대들은 우리가 그 나이였을 때보다 아는 것이 더 많다. 해설 오늘날 십 대와 그 나이 때 우리, 즉 과거의 우리의 be informed 정도를 비교하고 있다. 과거형 일반동사를 대신하는 대동사 did는 어울리지 않는다.

3 **ones** | 엄마가 잼을 만드는 데는 오래된 딸기가 새 딸기보다 낫다고 하신다. 해설 old strawberries와 new strawberries의 비교로, 앞에 나온 명사가 복수이므로 이의 반복을 피해 쓰는 부정대명사도 복수형(ones)이 알맞다.

4 **is predicted** | 올해 우리 팀은 기록적인 성과를 냈고, 내년에는 훨씬 더 좋은 경기력을 보일 것으로 예상된다. 해설 predict는 뒤에 목적어 없이는 쓰일 수 없는 타동사로, 주어 Our team이 '~할 것으로 예상되는(is predicted to-v)' 수동태 구조가 자연스럽다. Our team을 주어로, achieved ~ this year와 is predicted ~ next year의 두 개 술어부가 and로 병렬구조를 이루고 있다.

어휘 1 sting (벌의) 쏨; (곤충의) 침; 쏘다, 따끔하다 swell 부풀어 오르다 2 informed (특정 주제에 대해) 잘 아는, 정보통인 4 record 기록적인; 기록(하다) performance 실적, 성과; 수행

B

1 ⓒ | 과학 과제를 위해 모든 팀이 주간 회의에 한 명씩 보내 에너지 절약을 위한 제안을 해야 한다. 해설 be required to-v1 and to-v2의 병렬구조이므로 ⓐⓑ는 역할이 같은 데 비해 ⓒ는 앞의 명사(suggestions)를 꾸미는 형용사로 쓰인 to부정사(to save energy:

에너지를 절약할 ~)이다.

2 ⓐ | 바다 전망은 새들이 하늘을 날아다니고 해가 그 뒤로 지고 있으면서 굉장했다. 해설 amazing은 주어((The view of the sea)를 서술하는 주격보어로 쓰인 현재분사 형용사. 뒤에 이어지는 <with+O1(birds)+C1(flying ~) and (*with*)+O2(the sun)+C2(setting ~)>의 구조에 쓰인 flying과 setting도 현재분사이지만 병렬구조로 나란히 쓰였다.

3 ⓐ | 나는 내가 매일 새로운 하루를 환영하고 그 하루를 최대한 열심히 살기를 희망한다. 해설 <I hope (*that*)+S(I)+V1(welcome ~) and (*I*)+V2(live ~)>의 구조에서 ⓐ(hope)는 주절의 동사이고, ⓑ와 ⓒ는 종속절의 동사로 and로 연결되었다.

어휘 1 be required to-v ~해야 하다, ~할 것이 요구되다 make suggestions 제안하다 2 set behind (해가) 넘어가다 3 to the fullest 최대한으로, 완전하게

C

1 **Had he been just a second late** | 그가 버튼을 누르는 데 딱 1초만 늦었어도 그는 그 티켓을 사지 못했을 것이다! 해설 콤마 뒤에 would have failed가 있는 것으로 보아 빈칸은 가정법 과거완료 문장의 If절 부분이다. 주어진 단어에 if가 없으므로 주어(he), 동사(had been)가 도치된 Had he been ~ 다음에 얼마나 늦는지(a second late), 그리고 강조하는 말 just(딱, ~만)를 강조되는 말(a second) 앞에 놓는다.

2 **was under the bed that** | 내가 핸드폰을 찾은 곳은 침대 밑이었다. 해설 장소를 나타내는 어구들(bed, under)이 있는 것으로 보아 강조구문(It is A that ~)에서 장소가 강조되어 A에 쓰인 구조임을 짐작할 수 있다. 내가 쓰는 침대, 즉 특정물이므로 the bed이다.

3 **have I had such an embarrassing moment** | 그와 같이 창피한 순간은 내 평생 없었다[내 평생 그것이 가장 창피한 순간이었다]. 해설 부정어 Never로 시작하므로 부정어 강조로 인한 도치구문임을 짐작할 수 있다. 주어(I)+현재완료형 동사(have had)+목적어(such+a+형용사+명사)의 구성 요소들을 배치하되 have가 주어 앞으로 오는 도치 문장의 어순(동사+주어)으로 배열한다.

어휘 1 hit 치다, 타격을 가하다; (버튼을) 누르다 3 embarrassing 창피한, 난처한

Read it #1

p. 164

1 ⑤

해설 대동사가 대응하는 대상이 앞에 있는 has, 즉 현재시제 일반동사이므로 be동사(is)가 아닌 do동사가 돼야 한다. 3인칭 단수 주어(everyone else)에 맞게 does로 쓴다.

① 주어절을 이끌고 있는 관계대명사 what(~하는 것). 주어절 안에서 전치사 to(come down to: ~로 요약되다)의 목적어에 해당된다.

② 바로 앞에 나온 another person을 가리키는 지시사 that. person을 꾸미는 형용사로 쓰였다.

③ instruct+O+to-v: O(those in the workshop)가 ~하도록 지시하다[알려주다]

④ consider v-ing: ~하는 것을 고려하다

해석 우리 자신과 타인을 진정시키는 법을 배우는 워크숍이 사람들을 다양한 긴급 상황과 스트레스가 큰 상황에 대비시키게 고안되었다. 이날의 첫 시간은 한 경찰관에 의해 진행됐는데, 경찰관은 격앙된 상황을 어떻게 진정시키는 게 최선인지에 관한 지침을 제공했다. 그것이 한마디로 요약된 것이 감정이입과 침착한 태도이다. "다른 사람의 감정을 점진적으로 안정시키려면 그 사람이 기꺼이 말을 나눌 마음이 있어야 한다."라고 노스이스턴 경찰서 직원이자 노스이스턴 대학이 주최한 안전 의식 훈련 행사의 초대 연사인 Jane Farrell이 말한다. "우리가 할 수 있는 최선의 일은 듣는 것, 그것도 주의 깊게 경청하는 것입니다." "이런 상황에서는 비언어적인 신호가 아주 많은 것을 전달하죠."라고 했으며 그녀는 워크숍 참가자들에게, 위협적이지 않은 자세로 서서 당황한 상대방이 갇혀 있다는 느낌이 들지 않도록 충분한 공간을 주며 (상대의) 표정에 유념할 것을 알려준다. "상황에 비언어적인 방식으로 침착하게 대처한 후에야 말하는 것을 고려해야 한다[말하는 것은 상황에 비언어적인 방식으로 침착하게 대처하기 전에는 고려해서는 안 된다]."라고 그녀는 말했다. "천천히, 심사숙고해서, 또렷하게 말하세요. 그리고 당신 앞에 있는 사람이 다른 모두와 마찬가지로 동등하고 고유한 가치를 지녔다는 생각에서 출발하세요."라고 덧붙였다.

구문 **[2~4행]** The first session of the day was run by *a police officer*, **who**(S′) offered(V′) instructions(O′) (on **how best to calm down a heated situation.**(전치사의 목적어))

▸ a police officer에 이어지는 관계사절에서는 그가 제공한 첫 시간의 강의내용이 부연 설명되고 있다.

▸ <의문사+to부정사구>가 전치사 on의 목적어로 쓰였다. 의문사 how 뒤의 부사 best는 동사 calm down과 연결되어 '어떻게 진정시키는 게 최선인지'라는 의미. (= how best *we can calm down* ~)

[4~5행] **What** it comes down *to*(S) is(V) empathy and a calm attitude.(C)

▸ What은 관계대명사(~하는 것)로 전치사(to)의 목적어.
▸ it = how best to calm down a heated situation

[5~8행] "(To de-escalate the emotions of another person), that person has to be willing to communicate," Jane Farrell, (**Northeastern Police Department staff and a guest speaker of *the Security Awareness Training event* (held by Northeastern University)**), said.

'~하기 위해서'<목적> / S V / S = / V

▸ Jane Farrell의 신분(Northeastern Police Department staff)과 이 자리에 참석한 이유(a guest speaker of the Security Awareness Training event ~)가 앞뒤 콤마로 삽입되었다.

[9~12행] ~, she said, **instructing** those in the workshop **to be** mindful of their facial expressions, (**standing** in a nonthreatening way[A], and **giving** the upset person enough space / **so that** he or she doesn't feel caged[B]).

'~하면서'<동시동작> / '~하면서'<동시동작> / '~하면서'<동시동작> / '~할 수 있도록'<목적>

▸ instructing ~은 said와 동시에 진행되는 동작.
▸ standing ~과 giving ~은 to be mindful~과 동시에 진행되는 동작.

[12~13행] "**Only after** addressing the situation calmly in a nonverbal way / **should you consider** speaking," she said.

'~한 후에야' / V S

▸ 강조어(Only ~)가 문두에 나와 주어(you)-조동사(should)가 도치된 구조.

[13~15행] "Speak *slowly*, *deliberately*, and *clearly*. And start with *the idea* **that** *the person* (in front of you) has *equal* and *intrinsic* value **as** everyone else **does**." ~.

= / '~대로, ~처럼'

▸ that 이하에 the idea의 내용이 이어지는 동격 구조.
▸ has ~의 반복을 피해 일반동사, 3인칭 단수 주어에 맞게 대동사 does가 쓰였다.

2 ④

해설 청소년의 올바른 성장을 지원하는 멘토링 프로그램을 진행하는 단체(TRY)에서 멘토링이 청소년의 삶에 어떤 영향을 끼치는지 역설하고, 멘토로서 이 일에 참여해줄 것을 호소하고 있다. 중반부 이후에서 '우리를 도와줄 사람이 필요하다(we all need someone to help us ~)'라고 말하는 부분이 단서이다.

해석 교육과 고용의 장벽에 부딪힌 사회적으로 혜택을 받지 못하고 취약한 청소년에게 긍정적인 성인 롤 모델을 제공하기 위해 1883년에 설립된 사회적 목적을 띤 단체인 TRY에서, 우리는 멘토링이 삶을 바꿔놓는다는 것을 직접 체험으로 알고 있습니다! TRY 멘토링은 7~20세의 위기에 처한 취약한 청소년들을 긍정적인 성인 롤 모델과 성공적으로 연결해주고, 자원봉사자들이 완전히 훈련된 멘토로서 청소년들에게 힘을 부여하고 안내하고 이야기를 경청하도록 지원합니다. 때로 우리 모두에게 우리가 (우리) 앞에 놓여 있는 가능성을 보게 도와주고, 우리를 성공으로 가는 길에 놓아줄 사람이 필요합니다. 우리는 청소년에게 힘 실어주고, 뒷받침해주며 그들의 목소리에 귀 기울이는 것과, 또 시도하기를 원하는데 그럴 기회가 없었던 이들에게 기회를 제공하는 것이 너무나 중요하다고 믿고 있습니다. 청소년의 삶에 적극적으로 개입함으로써 우리는 사회가 거둘 결과를 바꿔놓을 수 있습니다.

구문 **[1~4행]** At **TRY**—***a social purpose organization*** (established (in 1883) (in order to provide positive adult role models for *disadvantaged* and *vulnerable* young people (facing barriers to *education* and *employment*)))—/ we know firsthand that mentoring changes lives!

S V / O

▸ TRY가 어떤 성격의 단체인지에 대한 부연 설명이 앞뒤 대시(—)를 통해 삽입 설명되었다.

[4~6행] TRY Mentoring successfully **connects** at-risk and vulnerable *young people* (aged 7-20) **with** a positive adult role model, and **supports** volunteers **to empower**[A], **guide**[B] and **listen to**[C] young people as a fully trained mentor.

▸ <connect A with B: A를 B와 연결하다>와 <support+O+to-v: O가 ~하도록 지원하다>가 and로 병렬구조를 이루고 있다.

[6~7행] Sometimes, we all need *someone* (**to help** us see the possibilities (ahead), and **to put** us (on a path for success)).

V' O' OC' V' O'

▸ 두 개의 to부정사구(to help us see ~, to put us~)가 명사(someone)를 공통으로 수식하고 있다.

[8~10행] We believe *(that)* **it** is incredibly important **to empower, support, and listen to** the voices of young people[A] and ***(to)* provide** opportunities for *those* (wanting to try), but [who have not had the chance][B].

가주어 / 진주어

▸ <It ~ to-v: …하는 것은 ~이다>의 가주어-진주어 구조에서 두 개의 to부정사구 A(to empower ~ people)와 B((to) provide opportunities ~ the chance)가 and로 연결되어 있는 병렬구조.

▸ A는 세 개의 to부정사(to empower, *(to)* support, *(to)* listen to) 병렬구조(A, B, and C)를 이루고 있고, B는 현재분사구(wanting to try)와 관계사절(who have not had the chance)이 '역접'의 접속사 but으로 연결되어 명사(those)를 공통으로 꾸미고 있다.

Read it #2

p. 166

3 **a behavioral problem rather than one that can be solved by medication**

해설 빈칸은 주어(addiction)에 대한 서술로, 주어진 어구 중 rather than이 있는 것으로 보아 A rather than B(B이기보다는 A)의 틀로 완성될 부분이다. 글의 내용상 A가 a behavioral problem, B가 <one(=a problem)+수식어구(that can be solved by medication)>로 대조되는 두 개념을 완성시킨다.

해석 중독이 무엇인가? 도대체 그게 뭐란 말인가? 중독에 대한 대중의 이해와 전문가의 견해 간에는 여전히 중대한 차이가 있다. 사람들이 그저 재미있다는 이유로 어떤 행동을 '중독적'이라고 칭하는 것을 듣는 일이 흔하다. 어떤 이들은 주요 공중 보건 및 의학 기관들이 수십 년 동안 말해온 바와는 대조되게 중독을 의학적인 상태가 아닌 도덕적인 실패로 계속 여기고 있다. 신체적인 의존이 중독의 결정적인 증거라는 오해가 여전히 있다. 그러나 전문가의 견해로는 중독은 신체적 의존이라는 구성요소를 심지어 필요로 하지도 않는다. "우리는 오래전에 중독을 약물에 대한 신체적 또는 생리적 욕구로 보는 사고에서 떠났죠."라고 과학 잡지 Addiction의 편집장인 Robert West가 말했다. "대부분의 경우, 문제를 일으키는 것은 생리적인 의존이 아닌데, 그 이유는 사람들이 꽤 쉽게, 이를테면 감시받는 중독 치료를 통해 그것을 극복하게 할 수 있기 때문이에요. 중독은 기본적으로 행동의 문제입니다. 그것은 강박적으로 무엇을 하는 것이 부정적인 결과를 가져올 줄 알면서도 그것을 하게 될 때인 거죠."

문제 해석

많은 이들에게 믿어지고 있는 것과는 달리 중독은 약으로 해결될 수 있는 것이기보다는 행동의 문제이다.

구문 **[2~3행]** It's common to hear[V] people[O] casually **call an activity "addictive" / just because** *it*'s fun[C].

가주어 / 진주어 / = an activity

▸ <hear+O+원형부정사: O가 ~하는 것을 듣다>에서 목적격보어 call이 다시 <call+O+C: O를 C라 부르다>의 SVOC 구조를 취한 형태.

▸ ~ just because …: 단지 …라는 이유로 ~라고

[3~6행] Some people continue to **see** addiction *not* **as** a medical condition *but* **as** a moral failure, / contrary to **what** major public health and medical organizations[S] have said[V] ● for decades now.

A / B1 / B2 / O

▸ <see A as B: A를 B로 여기다>에서 B가 다시 <not B1 but B2: B1이 아니라 B2>로 세분화된 구조.

▸ contrary to의 목적어로 관계대명사 what절(~하는 것)이 왔다.

[6~8행] There are still *misconceptions* **that** physical dependence is conclusive proof of addiction. Under the expert view, however, addiction doesn't **even** require a physical dependence component.

▸ 동격의 that 뒤에 misconceptions의 내용 자체가 이어 나오는 구조.

▸ 강조어 even(심지어 ~조차)이 말하는 사람의 의도, 즉 중독은 신체적 의존이라는 요소를 '심지어 필요조차 하지 않음'을 더 확연히 보여준다.

[11~13행] In most cases, **it's** not the physiological dependence **that**'s causing the problem, // because you can quite easily get people over *that*—through, **say**, supervised detoxification.

= physiological dependence

▸ <It is A that ~: ~인 것은 A이다> 강조구문에서 not the physiological dependence가 강조되었다.

▸ 앞뒤 콤마로 삽입된 어구 say(이를테면)는 for example과 유사한 의미이다.

[13~15행] ~ It's **when** a person compulsively does something // **even though** he knows ***(that)*** *doing so*[S] would lead[V] to negative outcomes.
S V O S′ V′ = compulsively doing something O′

▸ when절이 주절과 종속절(even though ~)로, even though절이 다시 주절과 종속절(that ~)로 나뉜 구조이다.

4 b) → a) → d) → c)

해설 사건의 정황을 보면 주인이 버린 개가 유기견 보호소에 오게 됐고(b), 다른 집으로 가기로 정해져 있는 상태(a)에서 개를 버렸던 주인들이 개를 훔쳐 가버려(d), 보호소에서 신고하고 동시에 페이스북에 도둑의 신분 확인을 위해 도움을 요청하였다.(c)

해석 유기견 보호소인 Joplin Humane Society가 화요일에 보호소에서 개를 훔쳐 간 것은 (개의) 전 주인들이었다고 전한다. 보호소에 따르면 Lillie는 오늘 새 가정에 가기로 예정되어 있었다. 1월 14일, 보호소는 사진 속 두 남자의 정체를 파악하는 일에 도움을 요청하며 페이스북에 글을 올렸다. 게시물은 이렇게 쓰여 있었다. "그들은 어제 문 닫는 시간 직전에 개 한 마리를 훔쳐 갔습니다. 우리는 우리 개의 안전이 매우 염려됩니다! 어떤 정보든 갖고 계신 분은 저희에게 연락해주시기 바랍니다." 오늘 보호소 관계자가 누가 개를 가져갔는지 알아냈다고 하며 게시물에 코멘트를 달았다. "침입해 개를 훔쳐 간 것은 전 주인들이라는 사실을 알아내어서 원 게시물을 삭제했습니다. 여러분 모두 (정보를) 공유해주셔서 감사드립니다. 개를 보호소에 다시 데려올 수 있도록 경찰이 이 사람들과 접촉하도록 하고 있는 중입니다."

문제 해석

a) Lillie는 새 가정에 가기로 예정되어 있었다.
b) Lillie가 거리에서 발견되었고 유기견 보호소인 Joplin Humane Society로 옮겨졌다.
c) 유기견 보호소가 범죄를 경찰에 신고했고, 도움을 청하는 메시지와 함께 사진을 올렸다.
d) 두 남자가 유기견 보호소에 침입해 Lillie를 데려갔다.

구문 [1~2행] The Joplin Humane Society, **a shelter for abandoned pets**, says *(that)* **it was** *the previous owners* **that** stole a dog from the shelter on Tuesday.
S = V O

▸ 앞뒤 콤마로 The Joplin Humane Society가 어떤 성격의 단체인지 부연 설명하고 있다.
▸ <It is A that ~: ~한 것은 A>의 강조구문 패턴에서 the previous owners가 강조되고 있다. (← The previous owners stole a dog from the shelter on Tuesday.)

[3~4행] On Jan. 14th, the shelter posted on Facebook, / **asking** for help in identifying *two men* (in a photo).
S V

▸ '동시동작'의 분사구문 구조. (= ~ and (it) asked for ~.)

[7~8행] Today, shelter officials commented on their post, / **saying** *(that)* they found out who[S] took[V] the dog[O].
S V O

▸ '동시동작'의 분사구문 구조.
▸ say의 목적어로 that 명사절, 그리고 that절의 동사 found out의 목적어로 의문사 명사절이 왔다.

[8~9행] "We have deleted our original post / **as** we have found out *(that)* it[S] was[V] the previous owners **that** came in and stole the dog. ~"
S V O '~ 때문에' S′ V′ O′

▸ 접속사 as가 '이유'를 나타내며 주절과 종속절을 연결하고 있다.
▸ the previous owner를 강조하는 강조구문(It is A that ~)이 found out의 목적어절을 이루고 있다.

[10~11행] We are in the process of **having** the police **contact** these people / **so** *(that)* we can get Lillie back to the shelter."
V′ O′ OC′ '~하기 위해, ~할 수 있도록' <목적>

▸ <have+O+원형부정사: O가 ~하게 하다>의 SVOC 구조.

차분해짐에 대한 인용구들

"당신의 생각을 제어할 필요는 없다. 그저 그것들이 당신을 제어하게 놔두는 걸 중단하기만 하면 된다." *– Dan Millman*

"당신 자신 말고는 어떤 것도 당신에게 평화를 가져다줄 수 없다." *– Ralph Waldo Emerson*

"스트레스에 대항하는 가장 큰 무기는 한 가지 생각이 다른 하나를 누르도록 선택하는 우리의 능력이다." *– William James*

"침착해짐의 역사상 그 누구도 침착하라는 말을 들음으로써 침착해진 일은 없다." *– 작자 미상*

"침착함을 유지하라. 고통은 당신을 더 강하게, 두려움은 당신을 더 용감하게, 그리고 상심은 당신을 더 현명하게 만들어주기에." *– Ritu Ghatourey*

SUMMARY 해석

<병렬> 모든 지원자는 오디션 최소 10분 전에는 **도착해 준비돼 있어야** 합니다.

<생략> 나는 지금까지 3개의 카드를 모았고, Lory와 Gary는 각각 2개, 6개(**를 모았다**).

<대동사> 후보들 모두 내가 첫 오디션 볼 때 **그랬던** 것처럼 초조해 보인다.

<강조> 선생님은 내 보고서에서 크고 작은 실수, 구두법 실수**까지도** 지적하셨다. / 그 나이 든 여성이 딸의 집을 찾게 **도운 것은** 바로 거리의 한 소년**이었다**.

<도치> 맹세해! 난 네게 진실을 숨긴 **적이 없어**. / 그때 내가 마음을 바꿨**더라면** 모든 게 달라졌을 텐데.

<부정> 나는 숙제를 **완전히** 끝내**지는 못했다**. / 내가 한 말과 행동을 후회**하지 않은** 날이 단 하루**도 없었다**.

<동격> 나는 새로운 뭔가를 위해 낡은 걸 없앤다**는 생각**이 맘에 안 든다. / 혈액형 B형인 사람이 사고방식이 비교적 자유롭다는 **잘못된 믿음**이 있다. / 내 별명인 '**푸**'는 크고 느리지만 모두에게 다정한 내 신체적, 성격적 특성 때문에 지어졌다.

<부연 및 삽입> 당신의 운전에 향상된 안락감을 보태 줄 새 모델은 다음 주에 출시됩니다. / 당신의 논문의 질을 떨어뜨릴 철자나 어법적인 실수를, **혹 있다면**, 찾아라.

문법을 알아야 독해가 된다

WORKBOOK

정답 및 해설

문장을 구성하는 것들

WORKBOOK p. 2

A

1 **leave, O** | 그녀의 엄마의 키스가 Jane의 뺨에 붉은 립스틱 자국을 남겼다. 해설 leave가 '~을 남기다'의 뜻으로 쓰인 <S+V+O+M> 구조의 문장이다.

2 **sit, M** | 그 고양이는 난롯가 옆 자기가 가장 좋아하는 곳에 앉았다. 해설 sit(앉다)은 자동사로 뒤에 목적어가 없다. 뒤에 장소를 나타내는 수식어가 주로 이어진다.(sit-sat-sat) <S+V+M1+M2> 구조.

3 **find, O/C** | 나는 그 퀴즈가 보기보다 까다롭다고 생각했다. 해설 <find+O+C(O가 C라고 생각하다[깨닫다])>의 5형식 구조.

4 **grow, C** | 수영하는 사람들이 떠난 후 호수는 잔잔해졌다. 해설 <grow+C>의 2형식 구조에서 grow는 '~하게 되다(=become)'의 의미이므로 이어지는 still은 부사가 아니라 the lake를 서술하는 형용사이다.

5 **lie, M** | 외과 도구들이 수술대 옆 카트 위에 가지런히 놓여 있었다. 해설 뒤에 목적어(~을)에 해당하는 단어가 없으므로 타동사 lay(~에 두다)가 아니라 자동사 lie(~에 누워[놓여] 있다)의 과거형 lay이다.(lie-lay-lain)

어휘 1 **mark** 자국, 표시 **cheek** 뺨 2 **fireside** 난롯가 3 **complicated** 까다로운; 복잡한 4 **still** 잔잔한, 고요한; 아직도, 여전히 5 **surgical** 외과의 **instrument** 도구, 기구 **in order** 가지런히, 순차적으로 **operating table** 수술대

B

1 **discuss this** | 우리 이것을 성숙한 태도로 논의할 수 없나요? 해설 discuss(~을 논의하다)는 <S+V+O> 구조로 쓰이는 타동사로, 전치사 없이 바로 목적어가 온다. [✕discuss about+A]

2 **complained to the teacher** | 모든 학생들이 엄청난 양의 숙제에 대해 선생님에게 불평하였다. 해설 complain(불평하다) 뒤에 불평하는 대상(~에게)이 오므로 전치사 to가 필요하다.

3 **seat** | 그 식탁은 12명까지 편안하게 앉힐 수 있을 것이다. 해설 뒤에 목적어가 이어지므로 <S+V+O> 구조, 즉 타동사 seat(~을 앉히다)가 알맞다.

4 **silent** | 사람들이 교회에서 기도할 때는 조용히 있어야 한다. 해설 You의 상태를 서술하는 주격보어로 부사가 아닌 형용사 silent가 알맞다. <S+V+C>의 구조에서 동사 stay는 '~한 채로 있다, 계속 ~하다'의 뜻으로, 보어와 함께 쓰인다.

5 **each other high fives** | 우승한 축구팀은 승리를 축하하며 서로에게 하이파이브를 했다. 해설 <give+IO+DO>의 4형식 구조가 되어야 하므로 each other(IO) high fives(DO)가 알맞다.

어휘 1 **mature** 성숙한 **manner** 태도, 방식 2 **amount** 양, 금액 3 **dining table** 식탁 **comfortably** 편안하게 **up to** (최대) ~까지 4 **pray** 기도하다

C

1 ⓒ | 태양이 아이의 얼굴을 붉게 바꿔놓았다. 해설 turn+O+C: O를 C로 바꾸다

2 ⓓ | 그 형제들은 같은 침대에서 잔다. 해설 자동사 sleep에 이어 장소를 나타내는 수식어(in the same bed)가 어울린다.

3 ⓔ | 내일 네게 내 새 신발을 보여줄게. 해설 <show+IO+DO(IO에게 DO를 보여주다)>의 간접목적어(you), 직접목적어(my new shoes)가 있는 문장으로 완성된다.

4 ⓑ | 그 감독의 신작 영화는 내내 스릴 넘쳤다. 해설 be동사 다음에 주어(그 감독의 신작 영화)를 설명하는 보어가 필요하므로 thrilling으로 이어지는 게 알맞다.

5 ⓐ | 그 제안은 신중한 사고를 요한다. 해설 require(~을 요하다)는 목적어가 필요한 타동사. careful thought가 문맥상 목적어로 알맞다.

어휘 4 **director** 감독(= movie director) **thrilling** 스릴 넘치는, 짜릿한 **all the while** 내내, 시종 5 **suggestion** 제안 **require** ~을 요하다, 필요로 하다 **thought** 사고, 생각

D

예) (→ 그녀의 첫 번째 책은 대중들로부터 놀라운 반응을 얻었다.)

1 The mechanic / gave / the engine / another try, // but / it / still / didn't work.
그 수리공은 / 주었다 / 엔진에 / 또 한 번의 시도를 // 그러나 / 그것은 / 여전히 / 작동하지 않았다 (→ 그 수리공은 엔진을 또 한 번 걸어봤지만 여전히 작동이 안 됐다.)

2 On hot summer days, / the cows / lie / in the shade / beneath the trees.
더운 여름날에 / 소들은 / 있다 / 그늘에 / 나무 아래에 있는 (→ 더운 여름날에 소들은 나무 아래 그늘에 있다.)

3 I / become / uneasy // when / I'm / with critical people.
나는 / ~하게 된다 / 불안한 // ~할 때 / 내가 있다 / 비판적인 사람들과 (→ 나는 비판적인 사람들과 있을 때 불안해진다.)

4 With help / from all around the world, / the country / could recover / from the disaster / in a year.
도움으로 / 세계 곳곳으로부터의 / 그 나라는 / 회복할 수 있었다 / 그 재난으로부터 / 1년 만에 (→ 세계 곳곳으로부터의 도움으로 그 나라는 그 재난으로부터 1년 만에 회복할 수 있었다.)

5 The woman / at the information desk / gave / us / a detailed explanation / for getting to the office.
그 여자는 / 안내데스크의 / 주었다 / 우리에게 / 상세한 설명을 / 그 사무실로 가는 것에 대한 (→ 안내데스크의 그 여자는 우리에게 그 사무실로 가는 상세한 설명을 주었다.)

6 Changes in the Earth's atmosphere / make / scientists / anxious / about possible climate changes.
지구 대기의 변화는 / 만들었다 / 과학자들을 / 불안하게 / 가능한 기후 변화에 대해 (→ 지구 대기 변화는 과학자들을 가능한 기후 변화에 대해 불안하게 만들었다.)

어휘 <예> **response** 반응 **the public** 대중 1 **mechanic** 수리공 2 **lie** 있다, 눕다 **shade** 그늘; 음영 **beneath** ~의 아래에 있는 3 **uneasy** 불안한 **critical** 비판적인; 중요한, 결정적인 4 **disaster** 재난, 재해 5 **detailed** 상세한, 세부적인 **explanation** 설명 6 **atmosphere** 대기 **possible** 가능한, 일어날 수 있는 **climate change** 기후 변화

구문

1 The mechanic **gave** the engine another try, // but it still didn't **work**.
S1 V1 IO DO S2 V2

2 (On hot summer days,) the cows **lie** (in the shade) (beneath the trees).
S V M1 M2

3 I **become** uneasy // when I'm with critical people.
S V C

4 (With *help* (from all around the world)), the country could **recover** (from the disaster) (in a year).
S V M1 M2

5 *The woman* (at the information desk) **gave** us *a detailed explanation* (for getting to the office).
S V IO DO

6 *Changes* (in the Earth's atmosphere) **make** scientists uneasy (about possible climate changes).
S V O C

VOCA *voca*

1 **positive** | 성숙한; 잘 익은 / 과감성 있는, 결단력 있는 / 긍정적인
2 **financial** | 전문적인 / 상업적인 / 재정적인, 금전의
3 **detailed** | 상세한, 세부적인 / 집중이 흐트러진, 산만한 / 연결된
4 **athlete** | 시민 / 운동선수 / 이민자
5 **instruction** | 지시사항 / 산업 / 긴급(사태)
6 **require** | 벌다, 획득하다 / 증명하다, 입증되다 / (~을) 필요로 하다
7 **observe** | 숭배하다 / 관찰하다 / 달라지다, 변하다
8 **at the same time** | 처음으로 / 동시에 / 가끔, 때때로

CHAPTER 02 다양한 주어: 문장의 주인공들

WORKBOOK p. 4

A

1 **you** | 인생에 대해 쓰려면 먼저 인생을 살아야 한다. 해설 to부정사구(In order to write about life)에 이어 부사(first), 그 후에 주어(you)가 등장하는 구조.

2 **is** | 두 시간짜리 수업에 고작 10분 휴식이라니 너무 혹독해! 해설 전명구(for two hours' class)의 수식으로 주어가 길어진 구조.

3 **came** | 불타는 건물에서 도움을 청하는 미친 듯한 외침이 나왔다. 해설 부사구가 문장의 앞에 나오고 긴 주어(frantic cries for help)와 짧은 동사(came)가 도치된 구조.

4 **To keep peace in mind when it's difficult to do so** | 그렇게 하는 것이 힘들 때 마음의 평화를 유지하는 것은 어려운 일이다. 해설 to부정사구 주어 안에 시간의 부사절인 when절이 포함되어 주어가 길어진 구조.

5 **generated** | 거대한 뱀의 소식이 마을 곳곳에 많은 흥분을 자아냈다. 해설 전명구 수식어(of the huge snake)까지가 주어이므로 그 다음의 generated가 동사.

6 **won** | 그에 대한 대중의 지지의 결과로 그 후보자는 선거에서 이겼다. 해설 전명구(As a result of ~ him)가 끝난 이후 주어, 동사가 차례로 이어지고 있다.

7 **that Ray is the best boxer for his age at the gym** | Ray가 체육관에서 그 나이대의 최고의 권투 선수라는 것은 명백하다. 해설 <It = that Ray is ~ gym>의 가주어-진주어 구조이므로 that 이하가 진주어이다.

어휘 2 harsh 혹독한, 가혹한 3 frantic 미친 듯한, 필사적인 5 generate 만들어내다, 발생시키다 excitement 흥분 6 as a result of ~의 결과로 the public 대중 support 지지, 후원 candidate 후보자 election 선거 7 obvious 명백한, 뻔한 boxer 권투 선수, 복서

B

1 **Wearing** | 내내 마스크를 착용하는 것은 불편하겠지만 안전할 것이다. 해설 뒤에 동사(would be)가 있으므로 명령문의 동사원형(Wear: ~을 착용해라)이 아닌 동명사 주어(Wearing: ~을 착용하는 것)가 알맞다.

2 **for an athlete** | 운동선수는 큰 게임을 앞두고 충분한 휴식을 취하는 것이 필요하다. 해설 뒤에 to부정사가 있으므로 to부정사의 의미상주어가 오는 것이 알맞다. <It ~ for A to-v(A가 …하는 것이 ~하다)>의 구조.

3 **Lifting** | 역기 들기와 조깅이 우리 선수들의 운동 프로그램의 기본이다. 해설 주어 자리이므로 to부정사, 동명사 둘 다 올 수 있지만, 이어지는 동명사 jogging과 병렬구조(A and B)를 이루는 동명사 Lifting이 알맞다.

4 **to** | Jane은 너무 수다스러워서 그녀에게서 벗어나기가 힘들다. 해설 괄호 뒤에 동사가 있으므로 <주어+동사>로 이어져야 할 접속사 that은 올 수 없다. <so ~ that ...: 너무 ~해서 …하다>의 that절이 가주어-진주어 구조를 이루고 있으며 진주어로 to부정사가 온 경우이다.

어휘 1 all the time, 내내, 줄곧 inconvenient 불편한 2 athlete 운동선수 3 lift weights 역기를 들다 4 talkative 수다스러운 get away from ~에서 벗어나다[도망치다]

C

1 ⓑ | 숙련되는 것은 많은 시간과 노력을 요구한다. 해설 동명사 주어 뒤에 단수 동사(requires)가 어울린다.

2 ⓓ | 급격히 감소하는 매출은 곧 그 회사의 파산으로 이어질 것이다. 해설 주어부가 <부사+형용사(분사)+명사>의 구조를 띠고 있다.

3 ⓐ | 외국인이 한국어를 그렇게 잘하는 건 쉽지 않다. 해설 가주어-진주어 <It ~ for A to-v(A가 …하는 것이 ~하다)>의 구조로 완성될 수 있다.

4 ⓒ | 그 돈을 전 국민에게 줄지 안 줄지가 커다란 쟁점이다. 해설 <whether ~ or not(~인지 아닌지)>절이 주어부를 이루고 있다.

어휘 1 **skilled** 숙련된 2 **lead to** ~로 이어지다, ~의 결과를 가져오다 **bankruptcy** 파산, 부도 4 **nation** 국민; 국가

D

예) (→ 공원에서 걷는 것은 네게 자연의 진가를 음미할 기회를 준다.)

1 생존하는 것은 / 먹을 것 없이 / 일주일 내내 / ~이다 / 끔찍한 경험 (→ 일주일 내내 먹을 것 없이 생존하는 것은 끔찍한 경험이다.)

2 (~임은) 명백하다 / 교사와 학생이 / 의사소통할 필요가 있다 / 더 많이 (→ 교사와 학생이 더 많이 의사소통할 필요가 있음은 명백하다.)

3 그는 / 너무 건강해 보인다 / 지금 // (~은) 어렵다 / 믿는 것은 / 바로 작년에 / 그가 ~였다 / 심각하게 아픈 (→ 그는 지금 너무 건강해 보여서, 바로 작년에 그가 심각하게 아팠음을 믿는 것은 어렵다.)

4 공원에서 걷다가 / 나는 발견했다 / 몇몇 작은 곤충들을 / 그리고 이름 없는 꽃들을 (→ 공원에서 걷다가 나는 몇몇 작은 곤충들과 이름 없는 꽃들을 발견했다.)

5 감으로써 / 그 건물의 맨 위로 / 우리는 / 피할 수 있었다 / 맹렬한 열기를 / 건물 안의 (→ 그 건물의 맨 위로 감으로써, 우리는 건물 안의 맹렬한 열기를 피할 수 있었다.)

6 그 남자는 '나무꾼'으로 불린다 // ~이기 때문에 / 한평생 / 그가 나무를 베어왔다 / 숲의 (→ 한평생 숲의 나무를 베어왔기 때문에 그 남자는 '나무꾼'으로 불린다.)

어휘 <예> **appreciate** 진가를 알아보다; 고마워하다 1 **dreadful** 끔찍한, 두려운 4 **nameless** 이름 없는 5 **fierce** 맹렬한, 광포한 6 **woodcutter** 나무꾼 **lifetime** 한평생

구문

1 To survive (without food) (for a whole week) is a dreadful experience.
(To survive … week: S / is: V / a dreadful experience: C)

2 It is clear that teachers and students^{S} need^{V} to communicate more.
(It: 가주어 / that … more: 진주어)

3 He looks so healthy now; it's hard to believe that (just last year) he^{S} was^{V} seriously ill.
(He: S / looks: V / so healthy: C / it: 가주어 / to believe … ill: 진주어)

4 (Walking in the park,) I found some small insects and nameless flowers.
(I: S / found: V / some small insects and nameless flowers: O)

5 (By going to the top of the building,) we were able to escape the fierce heat in the building.
(we: S / were able to escape: V)

6 The man is called "woodcutter" // because (for his whole lifetime) he has cut wood in the forest.
(The man: S / is called: V / he: S' / has cut: V')

VOCA *voca*

1 **critical** | 평범한, 보통의 / 중요한, 결정적인; 비판적인 / 명백한, 분명한
2 **illiterate** | 적당한, 합리적인 / 공격적인, 호전적인 / 문맹의
3 **loss** | 위로, 위안 / 상실; 결손 / 위기
4 **ignorance** | 무지, 무식 / 동료, 벗 / 기쁨, 즐거움
5 **sympathy** | 차별 / 피난민 / 공감, 연민
6 **struggle** | 장비, 기구 / 투쟁, 애씀 / 존재
7 **enable** | 차지하다, 점령하다 / 가능하게 하다 / 확실하게 하다, 보장하다
8 **be absorbed in** | ~에 푹 빠지다 / ~에 직면하다 / ~에 기여하다

CHAPTER 03 동사에 이어지는 것들

WORKBOOK p. 6

A

1 **him** | 그는 불안해 보였다. 나는 그가 책상에 손가락을 톡톡 치는 소리를 들을 수 있었다. 해설 <hear+O+v-ing/동사원형(O가 ~하는 소리를 듣다)>의 패턴이므로 둘 중 목적격 him이 맞다.

2 **this is** | 너 이게 누구의 핸드폰인지 아니? 해설 동사 know의 목적어 자리에 명사절, 즉 종속절의 어순(의문사(whose+명사)+S+V)에 맞는 this is가 정답이다.

3 **to get** | 네 동생에게 저녁 먹으러 갈 준비를 하라고 해라. 해설 <tell+O+to-v(O에게 ~하라고 시키다)>의 5형식 구조에서 목적격보어 자리에 to부정사가 오는 것이 맞다.

4 **think** | 그녀가 몇 살이라고 생각해? 해설 의문문 맨 앞에 의문사(How old)가 있으므로 '몇 살(How old)'일 것으로 생각하는지 의견을 묻는 동사인 think가 알맞다. do you know일 경우 문장의 맨 앞에 위치해야 한다.

5 **from being** | 그 단체는 사람들이 동물에게 잔인하지 못하게 하기 위해 일한다. 해설 keep A from v-ing: A가 ~ 못하게 하다

어휘 1 tap (가볍게) 톡톡 치다[두드리다] 5 unkind 불친절한; 잔인한

B

1 **the man in the truck** | 경찰관이 트럭에 탄 남자에게 면허증을 보여달라고 요청했다. 해설 <ask+O+to-v(O에게 ~해달라고 요청하다)>에서 목적어가 <명사+(전치사+A)>의 구조를 이루고 있다.

2 **an artist, staying an artist when you grow up** | 모든 아이는 예술가이다. 문제는 크고 나서 계속 예술가로 남는 것이다. 해설 <S+V+C>의 2형식 구조에서 be동사에 이어지는 부분이 주격보어이다. Every child(S) = an artist(C) / the problem(S) = staying an artist when you grow up(C)

3 **look dull** | 그 빛나는 새 동전이 낡은 것을 칙칙해 보이게 한다. 해설 <make+O+동사원형(O를 ~하게 만들다)>의 5형식 구조에서 목적격보어가 <look+C(~처럼 보이다)>의 2형식 구조를 띠고 있다.

4 **you, to pay it back** | 나는 네가 돌려줄 걸로 믿었기 때문에 그 돈을 네게 빌려줬다. 해설 주절은 <lend+IO+DO(IO에게 DO를 빌려주다)>의 4형식 구조를, 종속절은 <trust+O+to-v(O가 ~할 것으로 믿다[신뢰하다])>의 5형식 구조를 띠고 있다.

어휘 1 driver's license 면허증 3 dull 칙칙한; 무딘, 둔한 4 pay A back A를 갚다[상환하다]

C

1 ② | 경찰이 어제 사람들이 그 건물에 접근하는 것을 막았다. 해설 prohibit A from v-ing: A가 B하는 것을 막다[금하다]

2 ② | 과학적 과정은 정보를 모으고, 이론을 형성하고, 그 이론을 더 많은 정보로 테스트하는 것이다. 해설 be동사 뒤에 주어인 The scientific process를 한 마디로 설명하는 to부정사(주격보어)가 이어져야 한다. to부정사가 A, B, and C의 구조로 이어지면 B와 C에서는 to가 생략될 수 있지만 A는 to-v의 형태로 쓰여야 한다.

3 ② | 판사는 배심원단에게 결론에 도달하기 전에 모든 증거를 따져보라고 지도했다. 해설 <instruct+O+to-v(O에게 ~하라고 지도[지시]하다)>에서 to weigh의 주체는 the jury, 즉 목적격보어 앞에 목적어가 들어가야 한다.

4 ② | 학교 이사회에서 Sullivan 고등학교를 폐교할 것인지, 필요한 비용이 꽤 드는 수리를 할 것인지 숙고 중이다. 해설 A or B의 두 가지 선택사항이 시작되는 곳이 whether의 자리로 적절하다(whether A or B: A인지 B인지). A, B에 to부정사구가 왔다.

The school board is deliberating **whether** to close Sullivan Junior High[A] **or** to make *the costly repairs* [that are needed][B].
(is deliberating: V / whether ... : O)

어휘 1 prohibit 금지하다 approach 접근하다, 다가가다 2 form 형성하다 theory 이론 3 judge 판사, 재판관 instruct 지도[지시]하다; 가르치다 weigh (결정을 내리기 전에) 따져 보다, 저울질하다; 무게가 ~이다 evidence 증거 conclusion 결론 jury 배심원단 4 board 이사회 deliberate 숙고하다 costly 비용이 꽤 드는

D

예) (→ Mary는 그녀의 오빠에게 차를 어떻게 운전하는지 그녀에게 보여 달라고 부탁했다.)

Mary asked her brother to show[V] her[IO] how to drive a car[DO].
(Mary: S / asked: V / her brother: O / to show her how to drive a car: OC)

1 많은 사람들이 / 연관 짓는다 / 먹구름을 / 우울함 그리고 침울과 (→ 많은 사람들이 먹구름을 우울함 그리고 침울과 연관 짓는다.)

2 ~에 따르면 / 조사로부터의 데이터에 / 우리는 예상할 수 있다 / 우리 (회사) 매출이 / 증가할 것으로 / 30%만큼 / 내년에 (→ 조사로부터의 데이터에 따르면, 우리는 회사 매출이 내년에 30%만큼 증가할 것으로 예상할 수 있다.)

3 재해들 / 1989년 샌프란시스코 지진과 같은 / 상기시킨다 / 우리에게 / 자연의 파괴적인 힘을 (→ 1989년 샌프란시스코 지진과 같은 재해들은 우리에게 자연의 파괴적인 힘을 상기시킨다.)

4 그녀는 간청했다 / 프랑스 왕자에게 / ~하게 해달라고 / 그녀가 / 그의 병사들을 전투에서 이끌게 (→ 그녀는 프랑스 왕자에게 자신이 전투에서 왕자의 병사들을 이끌게 해달라고 간청했다.)

5 그 고객은 편지를 끝맺었다 / 요청함으로써 / 회사가 / 알려줄 것을 / 그에게 / 조치들을 / 그것이 취하고 있는 / 그것의 오염을 줄이기 위해 (→ 그 고객은 회사가 오염을 줄이기 위해 취하고 있는 조치들을 그에게 알려줄 것을 요청하는 것으로 편지를 끝맺었다.)

어휘 1 depression 우울함 gloom 침울, 우울 3 earthquake 지진 remind 상기시키다 destructive 파괴적인 4 beg 간청하다 5 inform A of B A에게 B를 알리다 take steps 조치를 취하다 pollution 오염

구문

1 Many people **associate** dark clouds **with** depression and gloom.
▶ associate A with B: A와 B를 연관 짓다, A에서 B를 연상하다

2 (According to the data from the survey,) we can **expect** our sales **to increase** (by 30%) (next year).
(we: S / can expect: V / our sales: O / to increase: OC)
▶ expect+O+to-v: O가 ~할 것으로 예상[기대]하다

3 *Disasters* (such as the 1989 San Francisco earthquake) remind / us / of nature's destructive power.
(Disasters ...: S / remind: V)
▶ remind A of B: A에게 B를 상기시키다

4 She begged the prince of France **to let**[V] her[O] lead his soldiers in battle[C].
(begged: V / the prince of France: O / to let ...: OC)
▶ <beg+O+to-v(O가 ~해줄 것을 간청하다)>의 목적격보어 자리에 <let+O+동사원형(O가 ~하게 두다)>이 겹쳐 온 구조이다.

5 The customer closed his letter (by **asking** the company **to *inform*** him ***of** the steps* [(that) it was taking ● (to decrease its pollution)]).
('~함으로써' V′ / O′ / OC′ / '~하기 위해')
▶ ask+O+to-v: O가 ~해줄 것을 요청[부탁]하다
▶ inform A of B: A에게 B를 알리다

VOCA *voca*

1. **subjective** | 주관적인 / 짓궂은, 장난기 있는 / 학업의, 학문적인
2. **universally** | 우연히 / ~에도 불구하고 / 보편적으로, 어디에서나
3. **mechanic** | 조수; 조력자 / 젊은이 / 정비사, 수리공
4. **aspect** | 일상(적인) / 흥미, 관심사 / 측면, 점
5. **posture** | 주도권 / 자세, 태도; 입장 / 진척, 발전
6. **comprehend** | 발표[공표]하다 / 이해하다 / 굶주리다, 굶기다
7. **maintain** | 암기하다 / 엿듣다 / 유지하다, 보수하다
8. **appreciate** | 동기를 부여하다 / 진가를 알다; 감사히 여기다 / 소유[보유]하다

CHAPTER 04 동사 속으로: 시제

WORKBOOK p. 8

A

1. **before** | 나는 전에 미국에 가본 적이 한 번도 없다. 해설 '한 번도 가보지 않은(never)' 이전의 경험에 대해 얘기하는 문장이므로 before(이전에)가 어울린다.
2. **since** | Smith씨는 그 회사에서 일하기 시작한 이후로 죽 고객 불만을 다뤄오고 있다. 해설 시작된 시점을 말하는 '~ 이후로'의 뜻의 접속사 since가 알맞다. 근무를 시작한 과거 시점(started) 이후로 지금까지, 그리고 지금도 여전히 하고 있는 업무를 현재완료진행형(has been dealing with)으로 표현한다.
3. **ago, yet** | 회의는 두 시간 전에 시작됐는데, 아직 끝나지 않았다. 해설 시작된 것은 과거이므로 ago(~ 전에)가 과거시제와 어울린다. but 이하는 has not finished, 즉 현재에 아직 완료되지 않은 행위이므로 yet(아직)이 어울린다.
4. **for** | 아서왕의 전설은 약 15세기 동안 (우리) 주변에 존재해왔다. 해설 빈칸 뒤에 기간을 나타내는 말이 오므로 for(~ 동안)가 알맞다. <계속>을 나타내는 현재완료 표현이다.

어휘 2 deal with ~을 다루다, 취급하다 customer complaint 고객 불만 4 be around 주변에 있다, 체재하다

B

1. **suffer → suffered** | 1950년대 동안 대부분의 한국인은 빈곤을 겪었다. 해설 과거 시간 표현으로 시작되므로 동사를 과거시제 suffered로 써야 한다.
2. **was → has been** | 엄마의 뇌졸중 이후로 소녀는 엄마의 모든 필요 사항에 신경을 써왔다. 해설 엄마가 쓰러진 과거 일 이후로(since) 죽 be attentive의 행위가 계속되어 왔으므로 현재완료(has been attentive)로 써야 맞다.
3. **I'll get → I get** | 건강검진 결과를 받자마자 네게 알려줄게. 해설 시간의 부사절(as soon as+S+V: ~하자마자)에서는 미래시제를 쓰지 않고 현재시제로 대신하므로 I get으로 고친다.
4. **have to → had to** | 그 부부는 어젯밤 아기가 고열인 긴급 상황이 있어서 한밤중에 병원에 가야 했다. 해설 어젯밤 일이므로 병원에 가야 했던 것도 과거 일, 즉 had to(~해야 했다)로 써야 한다.

어휘 1 suffer from ~을 겪다, ~로 고통받다 poverty 빈곤, 가난 2 stroke 뇌졸중, 쓰러짐 attentive 신경을 쓰는, 주의를 기울이는 3 check-up 건강검진 4 emergency 긴급 상황, 비상사태 fever 열; 열기

C

1. ⓓ | 과학자들이 암을 정복하려고 시도하고 있다. 해설 오른쪽 표현들 가운데 be동사와 어울릴 수 있는 것은 v-ing형으로 시작되는, 즉 현재진행형(be+v-ing)으로 완성되는 ⓑ와 ⓓ이다. 주어가 '과학자들'이므로 ⓓ(암 정복 시도)가 문맥상 어울린다.
2. ⓒ | 우리는 그 휴양지에 3일간 머물 것이다. 해설 are going이 현재진행형이라면 to 뒤에 행선지, 즉 명사가 오겠지만, 명사가 아닌 to stay도 미래를 나타내는 표현의 일부(are going to stay ~: 머물 것이다)로 쓰일 수 있다는 점에 착안하면 문장은 ⓒ로 완성된다.
3. ⓔ | 새 철길을 놓는 일은 2023년에 시작될 것이다. 해설 주어가 끝난 자리에 동사가 시작되어야 하는데 오른쪽 표현들 가운데 독립적인 동사 형태는 미래시제인 ⓔ밖에 없다. 철길 공사의 시작 시점을 알리는 미래 표현이 어울린다.
4. ⓑ | 최고의 디자이너가 네 웨딩드레스를 몇 주째 만들고 있다. 해설 기간을 나타내는 말(for weeks)과 그 일을 지금까지 죽 하고 있음을 나타내는 현재완료진행형(has been making)이 어울린다.
5. ⓐ | 최근 몇십 년에 걸쳐 소녀들의 교육에 커다란 진전이 있었다. 해설 기간 앞에 쓰이는 over(~에 걸쳐)는 for(~ 동안)에 준하는 의미로 <계속> 의미의 현재완료에 잘 쓰인다. there is A(A가 있다) 구문에서

be동사를 현재완료시제로 사용하면 has been이다.

어휘 1 **attempt** 시도하다, 꾀하다 **conquer** 정복하다, 이기다 **cancer** 암

D

예) (→ 매일 아침 그녀는 자신의 가게를 청소하고 고객을 맞이할 준비를 한다.)

1 세계 최초의 전시회가 / 열렸다 / 시카고에서 / 1893년에 (→ 세계 최초의 전시회가 1893년에 시카고에서 열렸다.)

2 목격자들이 말한다 / 두 차가 다 / 가고 있었다 / 적정한 속도로 (→ 목격자들이 두 차가 다 적정한 속도로 가고 있었다고 말한다.)

3 그녀가 은퇴한 이후로 / 우리 숙모는 / 가르쳐오셨다 / 성인 컴퓨터 사용 능력 (교육) 프로그램에서 (→ 은퇴한 이후로 숙모는 성인 컴퓨터 사용 능력 (교육) 프로그램에서 가르쳐오셨다.)

4 우리 이사 트럭은 / 끝낼 것이다 / 모든 물건을 싣는 것을 / 정오 전에 (→ 우리 이사 트럭은 정오 전에 모든 물건을 싣는 것을 끝낼 것이다.)

5 그 환자는 / ~인 채로 있다 / 나쁜 건강 상태에 / 기침과 함께 / 지속되고 있는 / 지금까지 몇 주 동안 (→ 그 환자는 지금까지 몇 주 동안 지속되고 있는 기침을 하는 상태로 건강 상태가 계속 나쁘다.)

6 나는 몹시 부끄러웠다 // 사람들이 알았을 때 / 내가 거짓말했다는 것을 (→ 나는 내가 거짓말했다는 것을 사람들이 알았을 때 몹시 부끄러웠다.)

어휘 1 **exposition** 전시회 **take place** 열리다, 일어나다 2 **witness** 목격자 **reasonable** 적정한, 합리적인 3 **retire** 은퇴하다 **literacy** (컴퓨터 등의) 사용 능력; 글을 읽고 쓸 줄 앎 4 **moving truck** 이사 트럭 **load** (짐을) 싣다 **stuff** 물건, 잡동사니 **noon** 정오 5 **cough** 기침 6 **deeply** 몹시, 크게 **ashamed** 부끄러운, 수치스러운

구문

3 *Since* she(S′) retired(V′), // my aunt(S) **has taught**(V) in the adult computer literacy program.

4 Our moving truck(S) **will have finished**(V) loading all the stuff(O) *before noon*.

5 The patient remains in poor health, (with *a cough* [that(S′) **has lasted**(V′) for weeks now].

6 I(S) was(V) deeply ashamed(C) // when people(S′) *found out*(V′) that I **had told** a lie(O′).

VOCA *voca*

1 **diverse** | 다양한 / 평균적인, 보통의 / 시민의
2 **involuntary** | 멸종된 / 비자발적인 / 그 지역의
3 **barely** | 급속히 / 지극히, 극도로 / 가까스로 ~하다; 거의 ~ 않다
4 **atmosphere** | 탐험 / 대기; 분위기 / 도약, 큰 발전
5 **pioneer** | 개척자 / 인류 / 희생자
6 **urge** | 고통받다, (어려움을) 겪다 / 줄다, 감소하다 / 촉구하다
7 **owe** | 완화시키다 / 항의(하다) / 빚지다; ~ 덕분이다
8 **all the time** | 내내, 줄곧 / ~에 반응하여[답하여] / ~ 너머

CHAPTER 05 동사 속으로: 태

WORKBOOK p. 10

A

1 **will be served** | 세미나 후에 다과가 나오겠습니다. 해설 주어인 refreshments(다과)가 serve(음식을 내다)하는 것이 아니라 되는 것이므로 수동태인 will be served가 맞다.

2 **contains** | 과일 펀치에는 소량의 당분만 들어 있다. 해설 contain(~가 들어 있다, ~을 포함하다)은 뒤에 목적어가 이어지는 동사이므로 능동태인 contains가 맞다. 주어가 3인칭 단수이므로 -s의 형태를 띤다.

3 **filled** | 쓰레기 운반차의 냄새가 우리를 역겨움으로 가득 채웠다. 해설 주어인 '냄새'가 우리를 (역겨움으로) '가득 채운' 것이므로 fill A with B(A를 B로 가득 채우다) 형태를 그대로 쓴, 즉 능동태 filled가 알맞다. (→ We *were filled with* disgust by the smell of the garbage truck.)

4 **as** | 그 지역은 젊은이들의 인기 장소로 알려져 있다. 해설 A is known for B(~로 유명하다)에서 B는 A의 특징인 데 반해 A is known as B(~로 알려져 있다)는 A=B의 관계. The area = a hot spot for the young이므로 as가 알맞다.

5 **has impressed** | Anne의 수학 능력이 그녀의 모든 선생님들에게 깊은 인상을 심었다. 해설 have p.p.는 현재완료의 능동형이며 현재완료의 수동형은 have been p.p.이다. Anne의 능력이 교사들에게 인상을 심은 것이므로 능동태(has impressed)가 맞다. (→ All her teachers *have been impressed by* Anne's ability in math.)

6 **has been arrested** | 그 도시의 경제 개발은 공해 문제로 발목이 잡혔다. 해설 arrest(체포하다)가 '(무엇의 진행을) 막다'라는 비유적인 의미로 쓰였다. 경제 개발이 공해 문제로 저지된 것이므로 수동태 has been arrested가 맞다. 이어지는 행위자 표시(by its pollution problems)가 수동태 문장임을 뒷받침해준다.

어휘 1 **refreshment** 다과, 기운을 되찾게 해주는 가벼운 식사[음료] 2 **punch** 펀치(음료의 일종); 치기, 가격하다 **amount** 양; 금액 3 **garbage truck** 쓰레기 운반[수거]차 **disgust** 역겨움, 역함 4 **hot spot** 핫스팟[활기 넘치는, 인기 있는] 장소 5 **impress** 깊은 인상[감명]을 주다 6 **economic development** 경제 개발 **arrest** 막다[저지하다]; 체포하다 **pollution** 공해, 오염

B

1 **defeated → was[has been] defeated** | 우리 농구팀이 64 : 62의 점수로 패배했다. 해설 주어인 우리 농구팀이 defeat(~을 패배시키다)의 주체가 아닌 대상이므로 수동태 was[has been] defeated로 써야 한다.

2 **was occurred → occurred** | 거대한 지진이 어젯밤 동쪽 해안선을 따라 일어났다. 해설 occur(일어나다, 발생하다)는 목적어를 갖지 않는 동사이므로 능동태의 목적어가 주어가 되는 수동태로 쓰이지 않는다.

3 **was thought of → was thought of as** | 그 여배우는 미국의 아이콘으로 여겨졌다. 해설 '~으로 여겨지다'라는 수동태 표현은 be thought of as로 표현한다.

4 **is risen → has risen** | 해가 수평선 위로 솟아올라 환히 빛나고 있다. 해설 rise(오르다, 올라가다)는 목적어 없이 쓰이는 자동사로 수동태로 쓰이지 않는다. 이어지는 is glowing으로 볼 때 '다 솟아오른', 즉 현재완료(has risen)로 표현하는 것이 알맞다.

어휘 1 score 점수, 득점 2 earthquake 지진 coastline 해안선, 해안 지대 3 actress 여배우 4 above 위로[위에] horizon 수평선, 지평선 glow (불, 전구 등이) 빛나다, 타다 brightly 환히, 밝게

C

1 ⓓ | A Campus Weekly는 학생들에 의해 발행된다. 해설 주어인 주간지가 '발행되는' 의미로 수동태가 쓰였다. (← The students issue *A Campus Weekly*.)

2 ⓐ | 회사는 예고 없이 그를 해고했다. 해설 fire(~를 해고시키다)의 목적어로 어울리는 것은 ⓐ의 him이다.

3 ⓑ | 그 오래된 어항은 많은 주의를 필요로 한다. 해설 목적어인 a lot of care를 주어 The old fish bowl이 필요로 하는 것이므로 능동태 requires로 이어지는 것이 자연스럽다.

4 ⓔ | 여기 있는 모든 제품은 1년 품질 보증을 받습니다. 해설 제품은 품질 보증을 '받는' 것이므로 수동태 are covered로 이어지는 것이 알맞다.

5 ⓒ | 알람이 울린 직후 소방관들은 현장으로 빠르게 호출되었다. 해설 주어인 firefighters가 호출하는 게 아니라 호출'되는' 쪽이므로 수동태 were called로 이어지는 것이 자연스럽다.

어휘 1 weekly 주간지; 주 1회의 issue 발행[발급]하다; 쟁점, 문제 2 fire 해고하다 without notice 예고[통고] 없이 3 fish bowl 어항 require ~가 필요하다 care 주의, 신경, 돌봄 4 goods 제품, 상품 warranty 품질 보증(서) 5 immediately after 직후, 곧 뒤따라 scene 현장; 장면

D

예) (→ 특수 임무팀의 리더로 누가 선발되었나?)

1 이 아름다운 양탄자는 / 만들어졌다 / (사람) 손으로 / 터키에서 / 백 년 전에 (→ 이 아름다운 양탄자는 백 년 전에 터키에서 (사람) 손으로 만들어졌다.)

2 그 마술사는 / 요청했다 / 관객 중 누군가를 / 그의 손을 한데 묶어줄 // 그가 갇히기 전에 / 트렁크에 (→ 그 마술사는 그가 트렁크에 갇히기 전에 그의 손을 한데 묶어줄 관객 중 누군가를 요청했다.)

3 네가 지금 말하고 있는 것은 / 모두 녹음되고 있다 / 내 핸드폰에 (→ 네가 지금 말하고 있는 것은 내 핸드폰에 모두 녹음되고 있다.)

4 학생 전원은 / 읽을 것이 요구된다 / 첫 번째 챕터를 / 수업 전에 (→ 학생 전원은 수업 전에 첫 번째 챕터를 읽을 것이 요구된다.)

5 그는 들었다 / 시험 결과에 대해 / 그리고 / 매우 실망했다 / 그것들에 대해 (→ 그는 시험 결과에 대해 듣고는 그것들에 대해 매우 실망했다.)

6 살인자는 / 유죄가 아니라고 선포되었다 / 그가 정신적으로 아팠기 때문에 // 그리고 / 그는 보내졌다 / 정신병원으로 / 감옥 대신에 (→ 살인자는 정신적으로 아팠기 때문에 유죄가 아니라고 선포되었고 감옥 대신 정신병원으로 보내졌다.)

어휘 <예> task force team 특수 임무팀, 전담반 1 rug 양탄자, 깔개 2 bind 묶다, 동여매다 lock 밖에서 가두다, 잠그다 6 murderer 살인자 declare 선포[선언]하다 guilty 유죄의 mental hospital 정신병원

구문

2 The magician asked for *someone* (**in** the audience) (**to bind** his hands together // **before** he was locked in the trunk).

▶ 전명구와 to부정사구가 명사 someone을 공통으로 수식하고 있다.

▶ A before B에서 사건의 순서는 A → B이다.

3 What you're saying now (S: '~하는 것') **is** all **being recorded** (V) on my cell phone.

▶ 관계대명사절이 문장의 주어로 온 구조.

▶ 주어인 명사절에서는 현재진행형이 능동태(be+v-ing)로, 전체 문장의 동사는 현재진행형의 수동태(be being p.p.: ~되고 있는 중이다)로 쓰였다.

4 All the students **are required to read** the first chapter before the class.

▶ be required to-v: ~할 것이 요구되다
(require+O+to-v: O가 ~할 것을 요구하다 ← I *require* all the students *to read* the first chapter ~.)

5 He **had been told** about the test results [and] **was** very disappointed about them.

▶ 과거완료 수동태가 쓰여 주어가 실망한 것(과거)보다 결과를 들은 것이 먼저(대과거)라는 점, 그가 결과를 말해주는 쪽이 아니라 듣는 쪽이라는 점(수동태)을 말해준다.

6 The murderer (S) **was declared** (V) not guilty (C) / because he was mentally ill, // [and] he was sent to a mental hospital instead of prison.

▶ <S+V+O+OC>의 5형식 문장이 수동태로 바뀌어 목적어(O)가 주어(S)가 되면, O = OC 관계가 S = SC의 관계의 2형식 문장이 된다.
(← They (S) declared (V) *the murderer* (O) not guilty (OC) ~)

VOCA *voca*

1 **genetic** | 초자연적인 / 생물(학)의 / 유전(학)의
2 **thorough** | 최초[본래]의; 독창적인 / 철저한 / 태양의
3 **explosion** | 폭발 / 조사 / 동맹(하다)
4 **incident** | 거주하고 있는; 거주민 / 사건, 일 / 용의자; 의심하다
5 **era** | 접근, 이용 / 명령(하다) / 시대
6 **submit** | 압도하다 / 제출하다 / 노출시키다

7 **interact** | 상호작용하다 / 문서(로 기록하다) / 소개하다; 발표하다

8 **take place** | ~로 구성되다 / ~로 알려져 있다 / 일어나다, 발생하다

CHAPTER 06 동사 속으로: 조동사

WORKBOOK p. 12

A

1 **may** | 다른 사람들에 대한 소문을 퍼뜨리는 것은 그들을 심각하게 해롭게 할지도 모른다. 해설 may는 '추측'이나 '허가'를, should는 '필요, 의무'를 나타내므로 이 문장에서는 '추측'을 나타내는 may가 알맞다.

2 **may have been** | 그 학생은 플룻 레슨을 시작할 때는 느렸을지도 모르지만 지금은 꽤 숙련됐다. 해설 레슨을 받기 시작했던 때, 즉 과거 일을 추측하므로 <may have p.p.: ~였을지도 모른다>가 알맞다.

3 **will have to** | 제 아들이 심한 감기에 걸려 수학여행에 빠져야 할 겁니다. 해설 주어가 My son으로 3인칭 단수이지만 조동사(will) 뒤에서는 has to가 아닌 동사원형 have to로 써야 하므로 will have to의 모양이 어법에 맞다.

4 **used to be** | 재활용은 전에는 버려졌던 수 톤의 종이를 활용한다. 해설 that절은 tons of paper에 대한 얘기, 즉 수많은 종이가 '이전에는 버려졌다'는 얘기이므로 '(이전에) ~했었다'는 뜻의 조동사 used to에 수동태 be thrown away가 결합된 used to be thrown away가 문맥에 알맞다. is used to-v는 '~하기 위해 이용되다'로 문맥에 맞지 않는다.

어휘 1 spread 퍼뜨리다 harm 해를 입히다 2 skilled 숙련된, 노련한 3 severe 심한, 모진 class trip 수학여행, 학급 견학 4 recycle 재활용하다 utilize 활용하다, 이용하다 tons of 수 톤의 ~ throw A away A를 버리다

B

1 **수업을 (중간에) 그만두고 나오지 않을 수 없었다** | 엄마에게서 온 급한 전화 때문에 나는 수업을 (중간에) 그만두고 나오지 않을 수 없었다. 해설 cannot but+동사원형: ~하지 않을 수 없다(= cannot help v-ing)

2 **서명이 되어야 할 것이다** | 계약서는 공사가 시작되기 전에 서명이 되어야 할 것이다. 해설 두 개의 조동사인 will(~할 것이다)과 have to(~해야 한다), 수동태 be signed(서명되다)의 의미를 결합하여 해석해본다.

3 **그렇게 얘기했을 리가 없다** | 그에 대한 그녀의 지식으로 볼 때[그에 대해 그녀가 아는 바로는] 그녀는 그가 그렇게 얘기했을 리가 없다고 확신한다. 해설 <can't have p.p.: ~했을 리가 없다>는 과거 일에 대한 추측을 나타내며, 그가 했다고 전해 들은 말에 대해 그라면 그렇게 말했을 리가 없다고 추측하는 내용이다.

4 **그 일을 계속할 수 없을 것이다** | 추가적인 돈을 지불하지 않으면 우리는 그 일을 계속할 수 없을 것이다. 해설 will(~할 것이다)과 be able to(~할 수 있다)를 결합하여 부정으로 해석한다.

5 **주장이 트로피를 갖고 있어야 한다고 주장한다** | 멤버들이 전부 주장이 트로피를 갖고 있어야 한다고 주장한다. 해설 주장, 제안의 내용이 담기는 that절의 동사 keep은 <(should) keep>의 형태이므로 '~해야'의 의미가 더해져야 한다.

어휘 1 due to ~ 때문에, ~에 기인한 urgent 긴급한, 급박한 2 contract 계약 sign 서명하다, 조인하다 construction 공사, 건설 3 knowledge 지식 4 unless ~하지 않으면 extra 추가적인, 가외의 5 insist 주장하다 captain (팀의) 주장; 기장; 대위

C

1 ⓓ | 여기 이 신발이 마음에 드는데, 신어 봐도 돼요? 해설 신발 가게에서 손님이 마음에 드는 신발을 신어 보려 하는 상황으로 '허가'를 구하는 can I ~?가 어울린다.

2 ⓒ | 운전할 때는 늘 주의를 늦추지 않아야 한다. 해설 운전 시 주의 사항은 강한 '필요, 의무'를 나타내는 must로 표현된 것이 어울린다.

3 ⓑ | 문제는 신체적인 것이라기보다는 심리적일 것이다. 해설 <A rather than B: B라기보다는 A>에서 A와 B는 보통 같은 형태를 띤 어구가 쓰이므로 A(psychological)와 대조될 수 있는 B를 찾아보면 같은 형용사 physical이 이어 나오는 ⓑ가 알맞다. 문제의 진정한 성격에 다가가려는 진술이다.

4 ⓕ | 로데오 기수가 성난 황소를 1분 안에 제어할 수 있을 것이다. 해설 조동사 will에 이어질 수 있는 것은 동사원형이므로 be able to(~할 수 있다)의 be로 시작하는 ⓕ가 어법상 내용상 자연스럽게 이어진다.

5 ⓐ | 저 작은 여성이 프로 권투 선수였다는 것을 믿을 수 있니? 해설 that 이하의 내용, 즉 작은 여성의 과거를 전달하는 '(과거 한때) ~했었다'라는 의미의 used to와 잘 이어진다.

6 ⓔ | 그는 탁월한 기억력을 갖고 있는데, 그는 이삼 분 만에 20개의 두 자리 숫자를 욀 수 있다. 해설 memory-memorize의 조합이 어울린다. '능력(~할 수 있다)'을 나타내는 can 뒤에 동사원형이 이어지는 구조이다.

어휘 1 try A on (옷, 신발 등을) 입어[신어] 보다 2 alert 주의[경계]를 늦추지

않는 3 **psychological** 심리적인 **physical** 신체적인 4 **rodeo** 로데오(카우보이들이 사나운 말타기, 올가미 던지기 등의 솜씨를 겨루는 대회) **rider** 기수, 타는 사람 **bull** 황소 5 **petite** 몸집이 작은 **professional** 프로의, 전문적인 6 **two-digit** 두 자리의

D

예) (→ 너는 네가 원하면 수업을 빠져도 좋다. 하지만 너는 추가적인 공부를 해야 한다.)

1 작별 인사를 말하지 않으면 / 채팅방을 나갈 때 // 사람들이 생각할지도 모른다 / 네가 무례하다고 (→ 채팅방을 나갈 때 작별 인사를 말하지 않으면 사람들이 네가 무례하다고 생각할지도 모른다.)

2 선생님이 제안하셨다 / 점심시간을 갖자고 / 그리고 / 여기서 다시 만나자고 / 한 시간 후에 (→ 선생님이 우리에게 점심시간을 갖고, 한 시간 후에 여기서 다시 만나자고 제안하셨다.)

3 나는 차라리 ~하겠다 / 카페에서 공부하다 / ~보다 / 집에서 공부하다 / 주위에 아무도 없이 (→ 나는 주위에 아무도 없이 집에서 공부하느니 차라리 카페에서 공부하겠다.)

4 정부가 / 했어야 했다 / 뭔가를 / 긴급사태에 대해 // 그것이 발생한 직후에 (→ 정부가 긴급사태가 발생한 직후에 뭔가를 했어야 했다.)

5 전반적인 목적은 / 인간의 의사소통의 / ~이다 / 또는 ~이어야 한다 / 화합 (→ 인간의 의사소통의 전반적인 목적은 화합이거나 화합이어야 한다.)

어휘 5 **overall** 전반적인, 총괄적인 **harmony** 화합, 조화

구문

1 **If** you(S′) don't say(V′) goodbye(O′) / **when** you(S″) leave(V″) the chat room(O″), // people(S) may think(V) (*that*) you're rude(O).

▶ <종속절(If)+주절>에서 종속절이 다시 <주절+종속절(when)>로 나눠진 구조이다.

2 The teacher has *proposed* (*that*) we **(*should*)** **take** a lunch break(A) and **meet** back here in an hour(B).

▶ 제안의 내용인 A, B가 should를 공통으로 병렬구조를 이루고 있다.

3 I'**d rather** study in a cafe(A) **than** study at home(B) (**with** no others around).

▶ would rather A than B: B하느니 차라리 A하겠다
▶ with+O+부사: O가 ~한 채로

4 The government(S) **should have done**(V) something(O) about the emergency // **immediately after**('~한 직후에') it(S′) occurred(V′).

▶ should have p.p.(~했어야 했다)는 '과거 일의 유감, 후회'를 나타내어 긴급사태에 대한 즉각적인 조치가 취해지지 않았음을 암시한다.

5 *The overall purpose* (of human communication)(S) **is — or should be**(V) — harmony(C).

▶ 사실로 단정해 말하는 is와 '당위(~이어야 한다)'를 말하는 should be가 A or B로 연결돼 있다.

VOCA *voca*

1 **present** | 점진적인 / 피할 수 없는 / 참석[출석]해 있는, 와 있는
2 **stable** | 안정적인 / 독성의 / 진행 중인, 계속되고 있는
3 **occasionally** | 가끔, 때때로 / 어딘가에 / 보통 때는, 정상적으로는
4 **measure** | 회복 / 조치 / 쟁점, 이슈
5 **crisis** | 누출, 샘 / 접근, 이용 / 위기
6 **interrupt** | (~의) 형편이 되다 / 방해하다 / 적용하다, 응용하다
7 **book** | 요구하다 / 예약하다 / 들어 있다, ~을 포함하다
8 **adapt to** | ~에 적응하다 / ~을 제거하다 / ~을 알아내다

CHAPTER 07 동사 속으로: 가정법

WORKBOOK p. 14

A

1 **had** | 엄마는 집에 자기를 위한 약간의 공간이 있으면 하고 바란다. **해설** 현재의 반대를 가정하는 가정법이므로 동사의 과거형 had가 알맞다.

2 **were** | 난 너무 행복해. 공중에 날고 있는 기분이야. **해설** 현재 느껴지는 기분을 가정해 표현하는 것이므로 현재진행형이 아닌 과거진행형 were flying이 알맞다.

3 **hadn't** | 네가 그 제안을 거절하지 않았더라면 좋(았)을 텐데. **해설** 과거 일을 반대로 가정하므로 과거완료형(hadn't p.p.)의 hadn't가 알맞다.

4 **were not for** | 휴대폰이 없다면 우리는 거의 아무것도 할 수 없을 것이다. **해설** '~가 없다면'의 뜻의 표현은 if it were not for이다.

5 **Had I** | 내가 운이 좋았다면 더 쉬운 문제를 뽑았을 텐데. **해설** if가 없는 가정법 문장에서 if가 생략되면 주어, 동사가 도치되므로 Had I가 알맞다. if절(If I had been lucky, ~)의 동사 과거완료형(had p.p.)의 had가 주어 앞으로 나간 형태이다.

6 **would have woken** | 알람이 울렸다면 내가 바로 일어났을 텐데. **해설** 과거 일을 반대로 가정하는 가정법 과거완료의 주절이므로 <조동사의 과거형+ have p.p.>, 즉 would have woken이 알맞다.

어휘 3 **reject** 거절하다, 퇴짜 놓다 **offer** 제안 6 **go off** (알람 등이) 울리다

B

1 **모른다, 전화할 수 없다 / could call** | 그녀의 전화번호를 몰라서 그녀에게 전화할 수 없다. → 그녀의 전화번호를 안다면 그녀에게 전화할 수 있을 텐데. 해설 가정법 과거는 직설법 현재를 반대로 표현하므로 직설법 현재(don't know / can't call) → 가정법 과거(knew / could call)로 완성한다.

2 **~이 아니다 / as if[as though]** | 그녀는 영어를 모국어로 쓰는 사람이 아닌데 원어민만큼 영어를 잘 구사한다. → 그녀는 마치 원어민인 것처럼 영어를 구사한다. 해설 주어진 상황을 표현할 수 있는 가정법은 as if 가정법으로, 현재 사실(원어민은 아님)의 반대이므로 가정법 과거, 즉 <as if S+were: 마치 S가 ~인 것처럼>으로 표현될 수 있다. as if는 as though로 바꿔쓸 수 있다.

3 **알지 못했다 / had known** | 나는 그 사실을 더 일찍 알지 못했다. → 내가 그 사실을 더 일찍 알았더라면 좋았을 텐데. 해설 실제 사실이 과거이므로 과거의 반대를 가정하는 가정법 과거완료형 had known으로 완성한다. I wish S+had p.p.: S가 ~했더라면 좋았을 텐데

어휘 2 native 토박이(의), 원어민(의)

C

1 **were** | 내가 조금만 더 키가 크면 좋을 텐데. 해설 현재의 키가 맘에 들지 않아 그 반대를 소망하는 I wish 가정법 과거 문장이다. <I = taller>를 연결해줄 수 있는 동사는 be동사로, 과거형 were로 완성하면 된다.

2 **didn't know** | 그는 나를 모르는 것처럼 내 시선을 피했다. 해설 현재 사실인 '알고 있음'의 반대를 가정법으로 표현하면, 과거형이며 부정형인 didn't know이다.

3 **had** | 내 기억력이 좋으면 좋을 텐데. 해설 좋은 기억력을 갖고 있지 않은(don't have ~) 현재 사실의 반대는 부정의 의미를 뺀 과거형 had로 완성하면 된다.

4 **knew** | 내가 미역국을 만들 줄 안다면 그녀의 생일날에 그녀를 위해 만들 텐데. 해설 미역국을 할 줄 모르는(don't know) 현재 사실을 반대로 가정하여 말하는 if 가정법 과거에서 if절의 동사는 과거형 knew이다.

5 **could go** | 신데렐라는 아름다운 드레스를 입고 파티에 갈 수 있으면 하고 바랐다. 해설 현재 불가능한(can't) 일을 소망하는 I wish 가정법 과거로, could go로 완성하면 된다.

어휘 2 stare 시선, 응시 4 seaweed soup 미역국

D

예) (→ 그는 변호사로서 큰돈을 벌 수도 있었을 텐데.)

1 ~라면 / 우리가 갖고 있다 / 우리만의 글자를 // 우리 백성들이 / 자유롭게 표현할 수 있을 텐데 / 그들의 생각을 / 세종대왕이 말했다 (→ "우리가 우리만의 글자를 갖고 있다면 백성들이 생각을 자유롭게 표현할 수 있을 텐데."라고 세종대왕이 말했다.)

2 ~했다면 / 내가 / 확인하지 않았다 / 달력을 / 오늘 아침에 // 나는 알지 못했을 것이다 / ~인 것 / 오늘이 네 생일이다 (→ 내가 오늘 아침에 달력을 확인하지 않았더라면 오늘이 네 생일인 것을 몰랐을 것이다.)

3 그 남자가 말한다 // 마치 ~인처럼 / 있었던 것처럼 / 뭔가 귀중한 것이 / 상자 안에 (→ 그 남자는 마치 상자에 뭔가 귀중한 것이 있었던 것처럼 말한다.)

4 나는 ~을 바란다 / 내가 시험을 쳐야 하지 않기를 / 오늘 (→ 나는 내가 오늘 시험을 쳐야 하지 않기를 바란다.)

5 그 방송 프로그램의 남자는 / 행동한다 // 마치 ~인 것처럼 / 그가 건물 위를 오르고 있다 / 로프를 가지고[써서] (→ 그 방송 프로그램의 남자는 그가 로프를 가지고[써서] 건물 위를 오르고 있는 것처럼 행동한다.)

6 ~가 없었다면 / 그 용감한 조종사 // 많은 사람들이 / 잃었을 것이다 / 그들의 목숨을 / 그 사고에서 (→ 그 용감한 조종사가 없었더라면 많은 사람들이 그 사고에서 목숨을 잃었을 것이다.)

어휘 <예> make a fortune 큰돈을 벌다 1 alphabet 글자, 알파벳 express 표현하다

구문

예 He **could have made** a fortune as a lawyer (***if** he had become one*).
= a lawyer
▶ 과거 일의 반대를 가정하는 가정법 과거완료 문장으로 if절이 암시되어 있다.

1 "If we **had** our own alphabet, our people **could** freely **express** their thoughts," ~.
▶ 현재 사실의 반대를 가정하는 가정법 과거 문장. If+S+동사의 과거형 ~, S+would[could]+동사원형 ...: ~라면 …할[할 수 있을] 텐데

2 If I **hadn't checked** the calendar this morning, I **would not have known** that today(S) is(V) your birthday(C).
V, O
▶ 과거 일의 반대를 가정하는 가정법 과거완료 문장. If+S+had p.p. ~, S+would have p.p. ...: ~했다면 …했을 텐데

3 The man talks **as if** there **had been** something precious in the box.
▶ 과거 일(there was nothing precious in the box)의 반대를 나타내는 as if 가정법 과거완료(마치 ~였던 것처럼).

4 I **wish** I **didn't have to take** a test today.
▶ 현재의 반대를 소망하는 I wish 가정법 과거(~라면 좋을 텐데).

5 The man in the show acts **as if** he **were climbing** up a building with a rope.
▶ 현재 일(The man in the show is not climbing ~)의 반대를 가정하는 as if 가정법 과거(마치 ~하는 것처럼).

6 **Had it not been for** the brave pilot, many people **would have lost** their lives in the accident.
= Without
▶ 가정법 과거완료에서 If가 생략되고 주어-동사가 도치된 구조.
(← *If it had not been for* the brave pilot, ~)

VOCA *voca*

1 **scarce** | 귀중한 / 드문 / 정확한
2 **emotional** | 국제적인 / 독립적인 / 정서적인
3 **commercial** | 공격적인 / 상업적인 / 중대한; 비판적인
4 **currency** | 인구 / 위치, 장소 / 화폐, 통화
5 **bias** | 시장 / 여주인 / 편견
6 **decade** | 흐름 / 10년 / 형체, 모양
7 **deserve** | 고통 받다 / 알리다 / ~받을 만하다
8 **toward** | ~않고 / ~를 향하여 / ~을 가로질러

CHAPTER 08 형용사 수식어 (1)

WORKBOOK p. 16

A

1 **eat** | 대부분의 상어는 먹이를 통째로 먹는다. 해설 <Most(대부분의)+복수명사>가 주어를 이루고 있으므로 동사 변화 없이 eat이 알맞다.

2 **equal** | 그 조리법은 밀가루와 물의 같은 비중을 요한다. 해설 명사 parts를 꾸미므로 형용사 equal로 수식하는 것이 알맞다.

3 **a few** | 내가 뜬 첫 스웨터는 몇몇 실수가 있었다. 해설 mistake는 셀 수 있는 개념이므로 양에 쓰는 a little이 아닌 수에 쓰는 a few가 알맞다.

4 **inquiring** | 고대 그리스인들은 탐구심으로 유명했다. 해설 명사 minds가 탐구하는(inquire) 주체이므로, 능동을 나타내는 v-ing형인 inquiring이 minds를 꾸미는 분사형용사로 알맞다.

5 **sent** | 월요일에 보내진 편지는 수요일까지는 전달될 겁니다. 해설 뒤에 동사(will be delivered)가 나오므로 둘 중 동사(were sent)가 아닌 형용사 수식어로 쓰일 수 있는 과거분사 sent가 알맞다.

어휘 1 prey 먹이, 사냥감 2 recipe 조리법 call for ~을 요하다, 필요로 하다 flour 밀가루 3 knit 뜨개질하다 4 ancient 고대의, 옛날의 Greek 그리스인; 그리스어 be famous for ~으로 유명하다 inquiring 탐구하는, 알고 싶어 하는

B

1 **are associated → associated 또는 that are associated** | 정치 상황과 연관되는 사업들은 위험 부담이 너무 크다. 해설 뒤에 동사(are)가 있으므로 수동태 동사 모양을 하고 있는 are associated with는 명사(Businesses)를 꾸미는 형용사 수식어 모양인 associated with가 되어야 문장이 자연스럽다. 또는 관계사절 수식 형태인 that are associated도 가능하다.

2 **pleasantly → pleasant** | 우리는 쾌적하고 저렴한 이탈리아 식당에서 식사했다. 해설 inexpensive와 함께 Italian restaurant을 꾸미는 형용사가 올 자리이므로 pleasantly를 pleasant(쾌적한, 기분 좋은)로 고쳐야 한다.

3 **The → A** | 많은 사람들이 잦은 정전에 대해 최근에 불평했다. 해설 The number of(~의 수)가 아닌 '많은 ~', 즉 수량형용사인 A number of를 써야 주어(A number of people)-동사(have complained) 관계가 자연스럽다.

4 **lives → live** | Sumi의 반 학생 대부분이 그녀의 동네에 산다. 해설 주어는 전명구의 수식을 겹겹이 받은 최종적인 명사 Most(대부분)로 Most of 뒤에 복수명사가 왔으므로 Most도 복수, 따라서 동사 lives를 live로 고쳐 써야 한다.

5 **response → responses** | 'ㅋㅋ'은 웃기는 어떤 것에 주어지는 가장 흔한 응답 중 하나이다. 해설 one of(~ 중 하나) 뒤에는 복수명사가 이어지는 게 자연스러우므로 response를 responses로 고쳐 써야 한다.

어휘 1 associated with ~와 연관[결부]되는 risky 위험 부담이 있는 2 pleasantly 즐겁게, 유쾌하게 inexpensive 저렴한, 비싸지 않은 Italian 이탈리아(어, 사람)의 3 frequent 잦은, 빈번한 blackout 정전

C

1 ⓒ | 그 해커에게는 서버 컴퓨터에 접속하는 영리한 계획이 있었다. 해설 해커가 갖고 있는 계획이 to부정사 형용사로 표현된 ⓒ로 이어지는 것이 자연스럽다(plan to access ~ computer).

2 ⓔ | 여러분 각자에게 물어볼 여러 가지 질문이 있습니다. 해설 셀 수 있는 명사에 쓰이는 수량형용사 several에 이어질 복수명사(questions)가 있는 ⓔ로 연결되면 <명사(questions)+to부정사(to ask)>의 구조가 완성된다.

3 ⓓ | 이것은 대나무로 만들어진 매트이다. 해설 매트의 재료를 설명하는 ⓓ, 즉 명사 mat가 '만들어진', 수동관계를 나타내는 과거분사 수식어 made of(~로 만들어진)로 연결되는 것이 자연스럽다.

4 ⓑ | 어젯밤 고속도로에서 끔찍한 차 사고가 있었다. 해설 형용사 awful의 수식을 받는 명사 crash로 이어지는 것이 자연스럽다.

5 ⓐ | 선생님이 학교에서의 에너지 절약에 관한 내 아이디어에 대해 [가 좋다고] 나를 칭찬하셨다. 해설 idea의 주제를 말해주는, 전치사 about(~에 관한)으로 시작하는 수식어구 ⓐ로 이어지는 것이 자연스럽다(idea about ~).

어휘 1 server computer 서버 컴퓨터(주된 정보의 제공이나 작업을 수행하는 컴퓨터 시스템) 3 mat 매트, 깔개 bamboo 대나무 4 crash (자동차, 비행기의) 사고 5 praise A for B B에 대해 A를 칭찬하다

D

예) (→ 미국으로의 해외 방문객들은 뉴욕에 자주 간다.)

1 대부분 / 내 옷의 / 왔다 / 내 두 언니들에게서 (→ 내 옷의 대부분은 내 두 언니들에게서 왔다.)

2 그 모델은 / 입고 있다 / 하나를 / 최신 패션 가운데 / 봄 호에 소개된 / 톱 패션 잡지의 (→ 그 모델은 톱 패션 잡지의 봄 호에 소개된 최신 패션 가운데 하나를 입고 있다.)

3 중요한 특징은 / 1급 지능의 / ~이다 / 능력 / 두 개의 정반대의 아이디어를 유지하는 / 마음속에 / 동시에 (→ 1급 지능의 중요한 특징은 두 개의 정반대의 아이디어를 마음속에 동시에 유지하는 능력이다.)

4 나는 사진을 찍었다 / 해의 / 산봉우리 뒤로 지고 있는 (→ 나는 산봉우리 뒤로 지고 있는 해의 사진을 찍었다.)

5 ~의 수 / 강도 사건의 / 줄어들었다 // 우리가 시작한 이후로 / 마을 방범대를 (→ 우리가 마을 방범대를 시작한 이후로 강도 사건의 수가 줄어들었다.)

어휘 <예> overseas 해외(에서, 로) 2 latest 최신의 issue (출판물의) 호; 문제, 쟁점 3 first-rate 일급[일류]의 intelligence 지능, 지성 4 set (해가) 지다 peak 산봉우리; 정상, 정점 5 robbery 강도 사건 watch 순찰, 망보기; 방범대

구문

예 *Visitors* (**to** the United States) (**from** overseas) often go to New York.
S: Visitors (to the United States) (from overseas) / V: go

1 **Most** (**of** my clothes) came from my older two sisters.
'~의 대부분'

2 The model is wearing **one** (**of** *the latest fashions* [**that** was introduced in *the spring issue* (**of** a top fashion magazine)]).

3 *An important feature* (**of** a first-rate intelligence) is *the ability* (**to hold** two opposed ideas in the mind / at the same time).

4 I took *a photograph* (**of** *the sun* (**setting** behind the mountain peaks)).

5 ***The number*** (**of** robberies) *has declined* / **since** we *started* the neighborhood watch.

▶ <the number of: ~의 수>는 단수이므로 동사도 have가 아닌 단수형 has로 쓰였다.
▶ 마을 방범대를 시작한 과거 시점(started) 이후로 강도사건의 수가 줄어들었음(has declined)을 나타내는 현재완료.

VOCA *voca*

1 **isolated** | 정상적인, 보통의 / 고립된, 소외된 / 후텁지근한
2 **confusing** | 견딜 만한 / 인조의, 인공적인 / 헷갈리는, 혼동을 주는
3 **itching** | 법률적인; 합법적인 / 가려운 / 떨고 있는
4 **visibly** | 완전히, 전적으로 / 매일, 날마다 / 눈에 띄게, 뚜렷이
5 **review** | (공동)묘지 / 능력 / 논평, 비평; 검토
6 **addict** | 중독자; 중독시키다 / (사회) 운동; (몸의) 움직임 / 평등
7 **awareness** | 도덕(성) / 각성, 인식 / 희생자
8 **grind** | 영감을 주다 / 땀(흘리다) / 갈다, 빻다

CHAPTER 09 준동사의 이해 (1)

WORKBOOK p. 18

A

1 **dining** | 그 가족은 근사한 식당에서 식사하는 것으로써 Roy의 졸업을 축하했다. 해설 전치사 by 뒤이므로 명사 개념, 즉 동명사형 dining으로 쓰면 된다.

2 **held** | 공기 중에 들린 젖은 손가락은[젖은 손가락을 공기 중에 들고 있으면] 바람의 방향과 세기를 측정하는 좋은 방법이다. 해설 hold a wet finger, 즉 손가락은 '들리는' 수동의 입장이므로 과거분사 held로 쓰면 된다.

3 **ⓐ Driving[To drive] ⓑ broken** | 백미러가 깨진 차를 운전하는 것은 가벼운 위법 행위이다. 해설 ⓐ 뒤에 동사 is를 둔 주어 자리이므로 동명사 Driving 또는 to부정사 To drive로 쓰면 된다. ⓑ 후방에 있는 거울이 '깨진' 것이므로 수동의 과거분사 broken으로 완성한다.

4 **ⓐ excited ⓑ celebrating** | 축제의 영상이 재즈가 자기 나라에서 탄생한 것을 축하하고 있는 흥분된 사람들을 보여준다. 해설 명사 people은 excite(흥분시키다)와는 수동관계, celebrate(축하하다, 경축하다)와는 능동관계이므로 각각 excited, celebrating으로 표현하면 된다.

어휘 1 dine 식사하다 fancy 근사한, 화려한 2 measure 측정하다 direction 방향 strength 세기, 힘 3 rear 후방의, 뒤쪽의 minor 가벼운, 경미한 offense 위법 행위, 범죄

B

1 **Receiving letters from my friends, 친구에게서 편지를 받는 것** | 친구에게서 편지를 받는 것은 늘 나를 행복하게 한다. 해설 주어 부분이므로 동명사(receiving)로 시작, 이어서 receive의 목적어인 letters, 누구에게서 받는 건지를 나타내는 <from+A>로 동명사구를 완성한다.

2 **To keep up with ever-advancing technological developments, 끊임없이 발전하는 기술 발전을 따라잡기 위해서는** | 끊임없이 발전하는 기술 발전을 따라잡기 위해서는 그 분야의 뉴스에 항상 주의를 기울여야 한다. 해설 <목적('~하기 위해')>을 나타내는 to부정사로 시작해(To keep up with) 동사의 목적어인 명사와 이를 수식하는 형용사를 <형용사(ever-advancing)+명사(technological developments)> 어순으로 완성한다.

3 **my asking personal questions, 내가 그에게 사적인 질문을 한 것** | 내가 그에게 사적인 질문을 한 것이 그를 기분 상하게 한 것 같다. 해설 that절의 주어 자리이다. 동명사(asking) 앞에 ask의 의미상주어 my를 써주어 동명사구를 완성한다.

어휘 2 keep up with ~을 따라잡다, ~에 뒤처지지 않다 ever-advancing 끊임없이[늘] 발전하는 attentive 주의를 기울이는 field 분야, 영역 3 personal 사적인, 개인적인 upset 기분이 상한, 심사가 뒤틀린

C

1 **to talk → to talk to[with]** | 그 교수는 엄숙해 보이지만 실은 얘기 걸기가 쉽다. 해설 talk-him이 아니라 talk to(~에게 얘기 걸다, ~와 얘기 나누다)-him의 관계이므로 전치사 to가 필요하다.

2 **push → pushes** | 질투심 많은 사람인 것은 네 인생에서 사람들을 밀어낼 뿐이다. 해설 동명사구 주어이므로 단수개념. 따라서 동사 push를 pushes로 고쳐 써야 한다.

3 **wake → waking** | 그 젊은 부부는 첫아기가 태어났을 때 한밤중에 일어나는 것에 적응해야 했다. 해설 adapt to의 to는 전치사이므로 뒤의 동사가 동명사형 waking으로 바뀌어야 한다.

4 **showing → shows 또는 is showing** | 여러분 모두 보시다시피 그 그림은 진주 귀걸이를 한 여자를 보여줍니다[보여주고 있습

니다]. 해설 the picture 이하에 절의 모양을 갖추는 데 필요한 동사가 없다. showing이 현재시제(shows) 또는 현재진행형(is showing)의 동사 모양을 띠게 고쳐야 한다. a woman (wearing pearl earrings)가 동사 show의 목적어이다.

어휘 1 grave 엄숙한, 근엄한 2 jealous 질투심 많은, 샘내는 push away 밀어내다 4 pearl 진주 earring 귀걸이

D

예) (→ 내 아기는 한 번의 미소로 내 하루를 빛나게 하는 힘을 갖고 있다.)

1 Rogers의 가족은 / 슬픕니다 / 알리게 되어 / Kenny Rogers가 세상을 떠났음을 / 어젯밤 / 밤 10시 25분에 / 81세의 나이로 (→ Rogers의 가족은 어젯밤 10시 25분에 Kenny Rogers가 81세의 나이로 세상을 떠났음을 알리게 되어 슬픕니다.)

2 숙련된 요리사가 아니어서 / 그녀는 많은 시간을 썼다 / 저녁을 준비하는 데 / 가족을 위해 (→ 그녀는 숙련된 요리사가 아니어서, 가족을 위해 저녁을 준비하는 데 많은 시간을 썼다.)

3 ~이 더 낫지 않을까 / 지금 식사하는 것 // 우리가 연습을 시작하기 전에 (→ 우리가 연습을 시작하기 전에 지금 식사하는 것이 더 낫지 않을까?)

4 남북전쟁 이전에도 / 일부 남부인들은 / 믿었다 / 사람들을 노예로 두는 것이 / 잔인했다 (→ 남북전쟁 이전에도 일부 남부인들은 사람들을 노예로 두는 것이 잔인하다고 믿었다.)

5 그는 걱정스러워 보인다. 그는 ~인 것 같다 / 잃어버린 것 / 뭔가를 / 아주 중요한 (→ 그는 걱정스러워 보인다. 그는 아주 중요한 뭔가를 잃어버린 것 같다.)

6 과거에는 / 지극히 어려웠다 / 장애가 있는 사람들이 / 건물과 탈것에 들어가는 것이 (→ 과거에는 장애가 있는 사람들이 건물과 탈것에 들어가는 것이 지극히 어려웠다.)

어휘 1 announce 알리다, 발표하다 pass away 세상을 떠나다, 돌아가시다 2 skilled 숙련된 4 the Civil War 미국 남북 전쟁 Southerner 남부지방 사람 slavery 노예 상태[신분, 제도] 6 disability (신체) 장애, 불구 vehicle 탈것, 차량

구문

예 My baby has *the power* (**to make** my day with one smile).

1 The Rogers' family is sad **to announce** that Kenny Rogers(S) passed away(V) last night / at 10:25 p.m. / at the age of 81.
'~하게 되어'<감정의 원인> O

2 **Not being** a skilled cook, she(S) spent(V) a lot of time preparing dinner for her family.
'~이어서' <이유>

3 Wouldn't **it** be better **to eat** now / before we start practice? (it = to eat)

4 Even before the Civil War, some Southerners(S) believed(V) (*that*) **keeping** people in slavery(S) was(V) cruel(C)(O).

5 He looks worried. He(S) seems(V) **to have forgotten** something (very important).
C '~했던 것처럼' <완료형: seems보다 앞선 시점>

6 In the past, **it**(가주어) was often extremely difficult **for** people with disabilities(의미상주어) **to enter** buildings and vehicles(진주어).

VOCA*voca*

1 **priceless** | 값비싼, 귀중한 / 건설적인 / 성숙한
2 **disabled** | 겁먹은, 무서워하는 / 장애가 있는, 불구의 / 끈적거리는
3 **eventually** | 반복적으로, 거듭 / 게다가, 추가적으로 / 결국, 나중에 가서는
4 **resident** | 자원 / 절차 / 거주자
5 **enthusiasm** | 단순함, 소박한 / 열정, 열의 / 지원자, 후보자
6 **conserve** | 피하다 / 보존하다 / 분리하다
7 **ease** | 전달하다 / 예방하다 / 완화하다, 덜다
8 **point of view** | 관점, 견해 / 몸매[체격]를 유지하다 / 무엇보다도

CHAPTER 10 부사 수식어

WORKBOOK p. 20

A

1 **every four years** | 미국 시민들은 4년마다 대통령을 선출한다. 해설 every four years(4년마다)는 전치사가 따로 필요 없는, 시간을 나타내는 부사구이다.

2 **amazingly** | 우리의 예상과는 달리 영화는 놀라울 정도로 흥미로웠다. 해설 형용사(exciting)를 수식할 수 있는 것은 같은 형용사가 아닌 부사 amazingly이다.

3 **rarely** | 그녀는 모든 면에서 나보다 가진 게 적다. 그럼에도 불구하고 그녀는 좀처럼 불평하지 않는다. 해설 동사를 수식할 수 있는 것은 부사 rarely(좀처럼 ~않다)이다.

4 **to keep** | 기차에서 젊은 부모는 아기가 큰소리 내지 않는 채로 있게 하려고 최선을 다한다. 해설 <목적>을 나타내는 to부정사('~하려고, ~하기 위해')가 문맥에 알맞다.

5 **Standing** | 그 요리사는 그릴 앞에 서서 줄 선 모든 이에게 음식을 나눠주고 있었다. 해설 요리사(the cook)가 stand의 주체이므로 능동형 분사구문 v-ing가 알맞다.

어휘 1 elect 선출하다, 뽑다 3 aspect 측면, 점 still 그럼에도 불구하고, 그런데도 5 grill 그릴(위에서 내려오는 불길로 요리하는 기구) give out 나눠주다

B

1 **country quite quickly** | 김 씨네는 새 나라에 꽤 빨리 적응했다. 해설 quite는 '꽤, 상당히'의 뜻의 <정도>를 나타내는 부사이다. 동사(adapted)를 수식하고 있는 부사(quickly)를 수식하여 quite quickly로 쓴다.

2 **studied hard for, did well on** | 그는 시험공부를 열심히 해서 시험을 잘 봤다고 확신한다. 해설 부사 hard(열심히)는 동사 studied를, 부사 well(잘)은 동사 did를 각각 뒤에서 수식하는 것이 자연스럽다.

3 **is never dishonest** | Jamie는 친구들에게 정직하지 않은 적이 한 번도 없기 때문에 친구가 많다. 해설 친구가 많은 이유(because)를 설명하는 부분이므로 부정적인 자질인 '부정직한'(dishonest)을 다시 부정(never dishonest)해줘야 문맥이 통한다.

4 **happy to report** | 우리 박물관은 어젯밤 화재가 우리의 귀중한 예술품 어느 것도 손상시키지 않았음을 알리게 되어 기쁩니다. 해설 동사부(is happy)가 끝나는 곳에 다시 동사(report)가 시작되고 있다. 감정(is happy)의 원인을 to부정사('~하게 되어')로 표현할 수 있으므로 to report로 문장을 완성하면 된다.

어휘 1 adapt to ~에 적응하다 2 confident 확신하는, 자신감 있는 3 dishonest 부정직한 4 work of art 예술품, 미술품

C

1 ⓓ | 그가 변장하고 있었지만 나는 그를 바로 알아봤다. 해설 '알아보는(recognize)' 것과 '변장한(in disguise)' 것은 서로 역접관계이므로 '~에도 불구하고'의 뜻의 접속사 although로 시작하는 절인 ⓓ로 연결되는 것이 알맞다.

2 ⓔ | 나는 어두워진 뒤에는 위험하기 때문에 자전거를 타지 않는다. 해설 어두워진 뒤 자전거를 타지 않는 이유가 설명된 because절로 이어지는 것이 알맞다.

3 ⓑ | 남은 음식은 즉시 냉장고에 보관되어야 한다. 해설 보관되어야 할 장소(in the refrigerator)와 동사 be stored를 수식하는 부사(promptly)를 담고 있는 ⓑ로 마무리되는 게 알맞다.

4 ⓐ | 단어를 읽지 못하고서는 단어를 진정으로 알 수 없다. 해설 <can't ~ without ...: …하지 않고서는 ~할 수 없다, …해야 ~할 수 있다>의 '강한 긍정'의 의도를 지닌 부정-부정 구조이다.

5 ⓒ | 아이는 변하는 그림을 보기 위해 홀로그램을 이리저리 기울였다. 해설 아이가 홀로그램을 갖고 노는 '목적'이 나오는 ⓒ가 알맞다.

어휘 1 recognize 알아보다, 인식하다 in disguise 변장[위장]하고 있는 2 ride a bike 자전거 타다 risky 위험한 3 leftover 남은 음식[것] store 저장하다, 보관하다 promptly 즉시, 지체 없이 4 truly 진정으로 5 tilt 기울(이)다 hologram 홀로그램(레이저 빛의 효과로 만든 3차원 이미지) back and forth 이리저리, 앞뒤 좌우로

D

예) (→ 그 노부부는 은퇴를 대비해 매달 돈을 따로 떼어뒀다[저축했다].)

1 그 식당의 주인은 / 바뀌었다 / 일 년간 두 번 // 박 씨가 그것을 인수하기 전에 (→ 그 식당은 박 씨가 그것을 인수하기 전 일 년간 두 번 주인이 바뀌었다.)

2 공격하는 쪽의 군사력이 / 크게 ~보다 우세했다 / 그 용감한 방어자들 / 그래서 / 그들을 쉽게 압도했다 (→ 공격하는 쪽의 군사력이 그 용감한 방어자들보다 크게 우세해서 그들을 쉽게 압도했다.) 해설 greatly는 <정도>를 나타내는 부사로 '크게, 대단히'로 해석한다.

3 하루 종일 일한 후에 / 엄마는 좋아한다 / 긴장을 푼 30분을 쓰는 걸 / TV를 보면서 / 저녁 준비를 시작하기 전에 (→ 엄마는 하루 종일 일한 후, 저녁 준비를 시작하기 전에 긴장을 푼 30분을 TV 시청하며 보내는 걸 좋아한다.) 해설 spend와 동시동작('~하면서')을 이루는 분사구문 watching TV ~(TV를 보면서)의 해석에 주의한다.

4 나는 출석했다 / 모든 온라인 수업에 / 그날의 / 애쓰면서 / 잠들지 않는 것을 (→ 나는 잠들지 않으려 애쓰며 그날의 모든 온라인 수업에 출석했다.) 해설 to부정사의 부정어 not이 있으므로 '~하지 않는 것을 애쓰며', 즉 '~하지 않으려고'로 해석하면 자연스럽다.

5 그 운전자는 안전벨트를 점검했다 / 확실히 하기 위해 / 그것이 안전하게 채워져 있는지를 (→ 그 운전자는 안전벨트가 안전하게 채워져 있는지를 확실히 하기 위해 그것을 점검했다.) 해설 to make sure는 <목적: ~하기 위하여, ~하도록>으로 해석한다.

6 Tom은 / 바로 떠나지 않았다 / 밤 인사를 한 후에도 / 알아서 / 그가 Emma를 다시 못 볼 것을 / 한동안 (→ Tom은 Emma를 한동안 다시 못 볼 것을 알아서, 밤 인사를 한 후에도 바로 떠나지 않았다.) 해설 seldom (좀처럼 ~않다)은 문장을 부정문으로 만드는 부정어이다. even(심지어 ~하는)은 after saying goodnight을 강조하여 '~한 후에도'로 해석한다. 분사구문 knowing ~은 <이유>를 나타내어 '~하고 있어서, ~이기 때문에'로 해석한다.

어휘 <예> set A aside A를 따로 떼어두다[비축하다] retirement 은퇴 1 change 바뀌다 2 force 군대, 부대; 힘 greatly 크게, 대단히 outnumber (수적으로) 우세하다, 능가하다 defender 방어자; 옹호자 overwhelm 압도하다 5 safety belt 안전벨트 make sure (that) ~임을 확실히 하다, 확실히 ~되도록 하다 fasten 고정시키다, 매다

VOCA *voca*

1 **honorable** | 태평한, 느긋한 / 명예로운 / 맹목적인, 눈먼
2 **indeed** | 계속, 지속적으로 / 참으로, 정말로 / 면밀히
3 **permission** | 허락, 허가 / 긁힌 자국 / 인류
4 **concept** | 기동성 / 양심 / 개념, 관념
5 **loyalty** | 신의, 충성심 / 공정함 / 라벨(을 붙이다)
6 **prosper** | 기다, 기어가다 / 살피다, 조사[검사]하다 / 번성[번영]하다
7 **sacrifice** | 압도하다 / 희생(하다) / 들이마시다
8 **for the sake of** | ~을 위하여, ~을 목적으로 / 명예심 / ~에 속하다

CHAPTER 11 준동사의 이해 (2)

WORKBOOK p. 22

A

1 **to start** | 졸업 후에 언니는 방송업계에서 경력을 시작하기로 결정했다. 해설 decide는 to부정사를 목적어로 취하는 동사이므로 to start로 빈칸을 완성한다.

2 **hoping** | 소녀는 오리를 끌어모으기를 바라면서 빵 부스러기를 물에 던졌다. 해설 threw와 hope를 동시에 하는 것이므로 '동시동작'의 분사구문 hoping ~으로 완성하면 된다.

3 **to tell** | 미안해, 며칠 전에 내가 네 책을 그냥 가져가고서는 네게 말하는 걸 잊었어. 해설 '~해야 하는 것(미래에 해야 할 일)'을 깜빡 잊는 경우 forget to-v로 쓰므로 to tell로 완성한다. *cf.* forget v-ing: ~했던 것(과거에 한 일)을 깜빡하다

4 **saying** | "이름을 좀 더 또렷이 말씀해주시면 안될까요?" 해설 mind v-ing: ~하는 것을 꺼리다[싫어하다]

5 **Kept** | 아무도 모르는 다락에 보관되어서 그 그림은 손상이 많이 되어 있다. 해설 손상된 상태(has been damaged)의 그림이 손상된 상태에 이르기에 앞서 보관되었을 것이므로, 즉 보관(keep) 시점이 손상 시점보다 앞서므로 완료수동형(having been p.p.)의 모양으로 분사구문을 완성하면 된다. Having been이 생략된 나머지 kept가 빈칸에 알맞다.

어휘 1 career 활동, 경력; 직업 broadcasting 방송업계 2 scrap 부스러기, 조각 attract 끌어모으다, 유인하다 4 clearly 또렷이, 분명히 5 unknown 알려지지 않은 attic 다락

B

1 **to be allowed** | 우리 개 Max는 차 안에 (들어오는 게) 허용되기에는 너무 더러웠다. 해설 too ~ to-v(...하기에는 너무 ~하다)의 구조에서 주어 Our dog Max가 allow와 수동관계이므로 to부정사의 수동형(to be p.p.) to be allowed로 쓰는 것이 알맞다.

2 **arrested** | 경찰에 체포되는 사람은 자기의 법적 권리에 대해 고지받아야 한다. 해설 뒤에 동사(must be informed)가 있으므로 괄호 부분은 동사 모양인 are arrested가 될 수 없다. 주어인 명사 People을 수식하는 분사형용사 arrested(체포되는)가 알맞다.

3 **to exist** | 현재로서는 어떤 물도 화성에 존재하지 않는 것으로 여겨진다. 해설 think의 시점과 exist의 시점이 다르지 않으므로 완료형이 아닌 to exist가 알맞다.

4 **playing** | 그렇게 흙 속에서 노는 걸 그만두지 않으면 옷이 엉망이 될 거야. 해설 stop v-ing: ~하는 것을 그만두다 *cf.* stop to-v: ~하기 위해(목적) 멈춰서다

어휘 2 arrest 체포하다 inform A of B A에게 B를 알리다[고지하다, 통지하다] 3 body 덩어리, 모음 exist 존재하다, 있다 Mars 화성 4 dirt 흙, 먼지 ruin 망치다, 엉망으로 만들다

C

1 **not help laughing** | 그의 깎은 머리를 봤을 때 나는 웃지 않을 수 없었다. 해설 cannot help v-ing: ~하지 않을 수 없다(=cannot but v)

2 **busy working to notice** | 나는 시간을 알아차리기에는 일하느라 너무 바빴다.[나는 일하느라 너무 바빠서 몇 시인지 알지도 못했다.] 해설 too ~ to-v: ...하기에는 너무 ~하다

3 **return the product with the tag on** | 환불을 위해서는 물건에 가격표가 붙어 있는 채로 가져와야 합니다. 해설 조동사(have to) 뒤이므로 동사(return), 이어서 동사의 목적어(the product)가 와야 하고, 나머지 요소들을 <with+O+C: O가 C한 채로>의 어순으로 놓으면 return the product with the tag on으로 완성된다.

4 **driving at a high speed look** | 그 광고는 고속으로 운전하는 것을 매력적으로 보이게 함으로써 사람들을 잘못 인도하려고 한다. 해설 사역동사 make 다음에 목적어로는 동명사구 driving at a high speed가 한 의미를 이룬다. <make+O+C: O를 C하게 만들다>의 목적격보어 자리에 동사원형 look을 놓으면 look appealing(매력적으로 보이게)으로 완성된다.

어휘 3 refund 환불 tag 가격표, 꼬리표 4 advertisement 광고 mislead 잘못 이끌다, 호도하다 appealing 매력적인, 마음을 끄는

D

예) (→ 아빠는 내게 다시는 문을 꽝 닫지 말라고 말하셨다.)

1 엄마는 고려 중이시다 / 제2의 직업을 갖는 것을 / 도우려고 / 지불하는 것을 / 집세를 (→ 엄마는 집세를 지불하는 데 보탬이 되려고 제2의 직업을 갖는 것을 고려 중이시다.) 해설 consider v-ing: ~하는 것을 고려하다 / to help는 '목적(~하기 위해, ~하려고)'을 나타내고 있고, help는 (to) pay ~를 목적어로 취하고 있다.

2 대부분의 사람들은 / 파악하는 데 어려움이 있다 / 얼마나 먼지 / 여기에서 / 태양까지 (→ 대부분의 사람들은 여기에서 태양까지 얼마나 먼지 파악하는 데 어려움이 있다.) 해설 have trouble[difficulty] v-ing: ~하는 데 어려움이 있다

3 마음의 평화는 / 의미한다 / 능력을 / 내적으로 정리되는 / 그것은 의미한다 / 내적 고요함을 / ~의 가운데서 / 혼동, 고난, 갈등이나 반대 (→ 마음의 평화는 내적으로 정리되는 능력을 의미한다. 그것은 혼동, 고난, 갈등이나 반대의 가운데서의 내적 고요함을 의미한다.) 해설 organize(정리하다, 체계화하다)는 능동형으로 쓰이면 뒤에 목적어가 이어지는 동사이다. '어떤' 능력인지를 수식하는 형용사 자리에 to부정사의 수동형(to be organized)이 쓰였으므로 '정리되는'으로 해석한다.

4 모두가 / 내게 등을 돌렸다 / 내가 (~라고) 믿어질 때 / 저질렀다고 / 범죄를 // 하지만 너는 신중했다 / 충분히 / ~하지 않을 만큼 / 성급한 판단을 / 나에 대해 (→ 내가 범죄를 저질렀다고 믿어질 때 모두가 내게 등을 돌렸지만, 너는 나에 대해 성급한 판단을 하지 않을 만큼 충분히 신중했다.) 해설 믿어지는 시점(was believed)보다 범죄를 저지른 시점이 앞섬을 나타내는 완료형 to부정사는 '~했던 것으로'로 해석하면 된다. <~ enough to-v: …할 만큼 충분히 ~한>에서 to부정사가 부정형(not to-v)으로 쓰였으므로 부정의 의미를 살려 '…하지 않을 만큼 충분히 ~한'으로 해석하면 된다.

5 쓰인 / Bee Gees에 의해 / 그리고 불린 / Rogers에 의해 / 그리고 전설적인 동료 컨트리 가수인 / Dolly Parton에 의해 / "Island in the Stream"은 / 처음 발매되었다 / 1983년에 (→ Bee Gees에 의해 쓰이

고 Rogers와 그의 전설적인 동료 컨트리 가수인 Dolly Parton에 의해 불린 "Island in the Stream"은 1983년에 처음 발매되었다.) 해설 분사구문이 수동형으로 표현되어 있으므로 '~에 의해 쓰인(작사가)', '~에 의해 불린(가수)'로 해석한다.

어휘 <예> slam 쾅 닫다, 세게 놓다 2 grasp 파악하다, 꽉 잡다 3 organize 정리하다, 체계를 잡다 inwardly 내적으로, 마음속으로 inner 내적인, 안의 calmness 고요함, 평온 confusion 혼동 opposition 반대, 대립 4 turn one's back on ~에게 등 돌리다, 외면하다 considerate 신중한 make a judgment 판단하다 hasty 성급한 5 fellow 동료(의) country 컨트리 뮤직(미국의 음악 장르 중 하나)의 legend 전설(적인 인물) originally 최초에, 원래 release (신상품을) 발매하다

구문

예 Dad told(V) me(O) **not to slam** the door again(C).

1 Mom(S) is considering(V) **getting** a second job(O) / to help *(to)* ('~하기 위해') pay for the house(O').

2 Most people **have trouble grasping** how far it(S) is(V) (<의문사+S+V>) / *from* here *to* the Sun(O').

3 Peace of mind means the ability (**to be organized** inwardly)(O); it means inner calmness (in the midst of *confusion, difficulty, conflict,* or *opposition*)(O).

4 All(S1) turned(V1) their backs on me / when I *was* believed **to have committed** a crime, (be believed(나중) ← do(먼저)) // but you(S2) were(V2) considerate enough / **not to make** a hasty judgment of me. ('~하지 않을 만큼'<정도>)

5 **Written** by the Bee Gees, / [and] **sung** by *Rogers* and fellow country legend *Dolly Parton*, // "Island in the Stream"(S) was originally released(V) in 1983.

VOCA *voca*

1 **synthetic** | 공격적인 / 미동도 않는, 움직임이 없는 / 합성의, 인조의
2 **considerate** | 흠뻑 젖은 / 사려 깊은 / 가혹한, 잔인한
3 **yield** | 대체물 / 산출량 / 위협
4 **fertilizer** | 편견 / 생명 안전 요원 / 비료
5 **authorities** | 당국 / 수혜자 / 독재자
6 **endure** | 촉발하다, 유발하다 / 오염[전염]시키다 / 참다, 견디다
7 **sip** | 능가하다, 더 나은 결과를 내다 / 폭발하다 / 홀짝 마시다
8 **be based upon** | 허물어뜨리다, 철거하다 / ~에 근거를 두다 / ~하는 경향이 있다

CHAPTER 12 문장의 확장: 접속사 (1)

WORKBOOK p. 24

A

1 **alert** | 그 개는 경계심이 많아서 어떤 작은 소리에도 짖는다. 해설 작은 소리에도 짖는 '경계심이 많은(alert)' 개이다.

2 **or** | 기초 교육은 무상이거나 비용이 거의 들지 않아야 한다. 해설 비용이 거의 안 드는 것(cost very little)과 비용이 전혀 안 드는, 즉 무상(free)이 and(그리고)로 연결될 수는 없다.

3 **refused** | 그는 내게 그 일을 해달라고 부탁했지만, 나는 그렇게 하기를 거절했다. 해설 but 뒤이므로 부탁에 긍정적인 답(accepted)이 아닌 부정적인 답(refused)을 한 것이 자연스럽다.

4 **Since** | 할아버지는 은퇴하신 후 자원봉사자로 활동적으로 지내오셨다. 해설 주절의 시제가 현재완료(has become)이므로 과거의 시작 시점을 나타내는 접속사 Since(~한 이후로)로 할아버지의 활동적인 자원봉사 생활이 시작된 시점을 나타낼 수 있다(Since Grandpa retired).

어휘 1 alert 경계하는, 방심하지 않는 dull 둔한 2 basic 기초의 cost ~의 비용이 들다 4 retire 은퇴하다 active 활동적인, 적극적인

B

1 **will start → starts** | 머지않아 공항 건설이 시작될 것이다. 해설 <A before B: B 전에 A, A 후에 B>의 구조에서 시간의 부사절 before절에는 미래시제를 쓰지 않고 현재시제로 쓰므로 will start를 starts로 고쳐 써야 한다. 주어가 3인칭 단수(the construction of the airport)이므로 동사를 -s형으로 써야 하는 데 유의한다.

2 **and → or** | 지시사항을 적어둬라, 그러지 않으면 나중에 그것을 떠올릴 수 없을 것이다. 해설 <명령문+and ~: ...하라, 그러면 ~할 것이다>와 <명령문+or ~: ...하라, 그러지 않으면 ...할 것이다> 중 적어두는 것-떠올릴 수 없는 것의 관계는 or(그러지 않으면)로 연결되는 것이 자연스럽다.

3 **have → has** | 저 사내들도 저 여자도 그 돈을 훔치지 않았다. 해설 <neither A nor B: A도 B도 둘 다 아닌>에서 동사는 B에 일치시키므로 단수(that woman)에 맞는 단수동사 has stolen으로 고친다.

4 **both flavor → both flavors** | 나는 아이스크림 두 가지 맛을 다 좋아해서 절대 한 가지 맛을 정할 수 없어서 늘 혼합 맛으로 고른다. 해설 both는 '둘 다'의 의미로 복수명사(flavors)와 함께 쓰여야 한다.

5 **don't push → push** | '완료' 버튼을 누르지 않으면 너의 보고서는 제출되지 않을 것이다. 해설 unless(~하지 않으면)는 그 자체

부정의 의미가 있으므로 don't라는 부정 표현과 함께 쓰이지 않는다. don't push를 push로 고쳐야 한다.

어휘 1 It will not be long before ~ 머지않아 ~할 것이다 construction 건설 2 take notes of ~을 적어두다; ~을 주목하다 instruction 지시사항 recall 떠올리다, 기억해내다 4 mixed 혼합의, 섞인 flavor 맛, 풍미 5 complete 완료하다; 완성된 submit 제출하다

C

1 **when it is angry, 코끼리가 화났을 때** | 코끼리는 화났을 때 귀를 넓게 펼친다. 해설 늘 보이는 행동이 아닌 특정 <때>를 나타내는 부분이다. '~할 때'로 해석하면 된다.

2 **If you can laugh at it, 네가 그것에 대해 웃을 수 있다면** | 네가 그것에 대해 웃을 수 있다면 너는 그것을 받아들일 수 있다. 해설 <조건>의 부사절은 '~한다면'으로 해석한다.

3 **that he is a dancer, 그가 댄서라는 것** | 그 남자가 움직이는 방식을 보면 그가 댄서라는 것이 분명하다.

해설 **It**'s obvious / from *the way* [(*that*) the man moves] **that** he is a dancer.
(It: 가주어, that ~: 진주어)

4 **Since the note was written on ordinary paper, 그 메모는 일반 종이에 쓰였기 때문에** | 그 메모는 일반 종이에 쓰였기 때문에 경찰은 그 드문 보라색 잉크를 추적하는 데 집중했다. 해설 경찰이 종이의 출처를 추적하지 않는 <이유>를 나타내는 Since절이므로 '~ 이후로'가 아닌 '~ 때문에, ~이어서'로 해석한다.

5 **that they have a hard time keeping pace with the fast-changing world, 그들이 급속히 변하는 세상에 보조를 맞추는 데 어려움이 있다는 것** | 노인들이 오늘날 겪고 있는 문제들 중 하나는 그들이 급속히 변하는 세상에 보조를 맞추는 데 어려움이 있다는 것이다. 해설 주어는 One(= a problem), 주어를 설명하는 주격보어는 be동사 is에 이어지는 that 명사절이다.

One (of *the problems* [**that** the old are experiencing today]) (S) is (V) **that** they have a hard time keeping up with the fast-changing world. (C)

어휘 2 live with ~을 받아들이다, 감수하다 4 trace 추적하다, 거슬러 올라가다 rare 드문, 희귀한 5 have a hard time v-ing ~하는 데 어려움이 있다 keep pace with ~에 보조를 맞추다

D

예) (→ 네가 어쩌다가 그 멍든 눈을 갖게 되었는지 내가 묻는다면 그것은 무례한 질문일까?)

1 이 / 강력한 / 하지만 / 경량의 / 진공청소기는 / 제공할 것이다 / 당신에게 / 편안한 시간을 (→ 이 강력하지만 경량인 진공청소기는 당신에게 편안한 시간을 제공할 것입니다.) 해설 제품의 장점(powerful) 뒤에 언급된 장점에 반전을 가하는(but: 그러나), 제품 특징(lightweight)에 중점을 두어 해석한다.

2 충분한 영양 섭취는 / 뜻한다 / 먹는 것을 / 다양한 몸에 좋은 음식을 / 당신이 좋아하는 것만이 아닌 (→ 충분한 영양 섭취는 당신이 좋아하는 것만이 아닌, 다양한 몸에 좋은 음식을 먹는 것을 뜻한다.) 해설 <A, not B: B가 아닌 A>에서 A를 강조해서 해석한다.

3 모두가 놀랐다 / 그가 시험에 떨어졌을 때 // 왜냐하면 / 그가 떨어진 적이 없다 / 이전에 (→ 그가 시험에 떨어졌을 때 모두가 놀랐는데, 왜냐하면 그가 이전에 떨어진 적이 없기 때문이다.) 해설 for가 앞 내용의 <근거, 이유>를 나타내는 접속사로 쓰였으므로 '왜냐하면 ~이니까'로 해석한다.

4 그 참을성 없는 판매자는 / 물었다 / 내게 / ~인지 아닌지 / 그 가방을 살 건지 / 안 살 건지 (→ 그 참을성 없는 판매자는 내게 그 가방을 살 건지 안 살 건지 물었다.) 해설 if가 동사 ask의 목적어로 쓰였으므로 '~인지 아닌지'로 해석한다.

5 ~할 때 / 두 선수가 / 상대 팀의 / Tony를 잡았을 때 / 그는 축구공을 떨어뜨렸다 // 하지만 / Gary가 그것을 낚아챘다 / 그리고 달렸다 / 150야드를 (→ 상대 팀의 두 선수가 Tony를 잡았을 때 그는 축구공을 떨어뜨렸지만 Gary가 그것을 낚아채고 150야드를 달렸다.) 해설 <때>를 나타내는 When절(~할 때), 반전을 나타내는 but(그러나), 그리고 내용이 추가되는 and(그리고)를 해석한다.

어휘 <예> rude 무례한 black eye 눈 주위의 멍 1 lightweight 경량의, 무게가 적게 나가는 vacuum cleaner 진공청소기 provide A with B A에게 B를 제공하다 ease 편안함, 안락함 2 nutrition 영양 (섭취) favorite 좋아하는 (것) 4 impatient 참을성 없는 5 grab (와락) 붙잡다, 움켜잡다 snatch up 낚아채다, 채가다 yard 야드(길이의 단위로 약 1m)

구문

예 Would **it** be a rude question // **if** ('~한다면') I asked how you got that black eye (O')?

1 This *powerful* **but** *lightweight* vacuum cleaner (S) will **provide** you **with** hours of ease.
▶ provide A with B: A에게 B를 제공하다

2 Good nutrition means eating *various healthy foods* (O), **not** *just your favorites*.

3 Everyone was surprised / when ('~할 때') he failed the test, // **for** ('왜냐하면 ~이니까') he **had** *never* **failed** *before*.
▶ 그가 떨어진(failed) 이전의 일이 과거완료의 '경험'으로 표현됐다.

4 The impatient seller asked (V) me (IO) **if** ('~인지 아닌지') I would buy the bag **or not** (DO).

5 **When** *two players* (from the other team) (S') grabbed (V') Tony, / he (S) dropped (V) the football, // but Gary *snatched* it *up* (V1) **and** *ran* (V2) for fifteen yards.

VOCA voca

1 **idle** | 가정의, 국내의 / 빈둥거리는 / 현명한, 분별 있는
2 **demanding** | 자격이 안 되는 / 힘든, 요구가 많은 / 직접 해보는, 체험의
3 **promising** | 전도유망한 / 공인된, 인정된 / 말로 하는, 구두의
4 **concern** | 감수성, 예민함 / 안락, 편안함 / 우려, 걱정
5 **institution** | 쓰레기장, 고물 처리장 / 기관, 단체 / 변장, 위장

6 **resolve** | (불빛 등이) 발갛게 달아오르다 / 대화하다 / (문제를) 해결하다
7 **justify** | 정당화하다 / 모순되다 / 반대하다, 맞서다
8 **in demand** | 뒤에 남겨두다, ~을 떠나다 / ~의 자격이 되다 / 수요가 많은

CHAPTER 13 형용사 수식어 (2): 관계대명사

WORKBOOK p. 26

A

1 **stops** | 그 컴퓨터 프로그램에 프린터의 작동을 멋게 하는 버그가 있을지도 모른다. 해설 주격 관계대명사의 선행사가 a bug, 즉 단수이므로 수 일치시킨 3인칭 단수형 동사 stops가 알맞다.

2 **at which** | 그녀는 사설 양로원에서 일하고 있는데, 그곳의 급여가 더 낫다. 해설 a private nursing home에 이어지는 계속적 용법의 관계사절에서 관계사 부분은 at a private nursing home, 즉 장소를 나타내는 전치사 at과 관계대명사가 함께 쓰인 at which가 알맞다.

3 **which** | 그 여배우는 미소로 유명한데, 그것은 수줍으면서 매력적이다. 해설 앞의 선행사 her smile에 대해 보충 설명을 제공하는 계속적 용법의 관계대명사이므로 that으로는 쓸 수 없다.

4 **the way** | 나는 Lily가 생일선물들을 과시하는 방식이 아주 싫다. 해설 '방법, 방식'을 나타내는 표현은 <the way (*how*)+S+V> 또는 <(*the way*) how+S+V>로, the way와 how 둘 중 하나가 생략되어 쓰이므로 the way how는 불가하다.

5 **which** | 그 신입직원은 다른 직원들과는 업무를 상당히 다르게 하는 경향이 있는데, 이는 그녀의 상관을 짜증나게 한다. 해설 선행사가 바로 앞 the other workers가 아니라 앞 절 전체이므로 사람 선행사에 쓰이는 who가 아닌 which가 알맞다.

어휘 1 bug 컴퓨터 버그(컴퓨터 프로그램의 결함) printer 프린터 2 private 사설의, 개인의 nursing home 양로원, 요양원 3 both A and B A와 B 둘 다 charming 매력적인, 마음을 끄는 4 parade 과시하다, 내세우다; 시가행진(하다)

B

1 **I usually take a walk in the early morning <u>when</u> the streets are quiet.** | 나는 보통 거리가 조용한 이른 아침에 산책한다. 해설 이른 아침의 특징을 설명해주는 종속절(the streets(S)+are(V)+quiet(C)) 앞에 관계부사 when을 넣으면 the early morning [when+S+V ~]의 <명사+수식절>이 완성된다.

2 **The charges for the services <u>the company offers</u> are reasonable.** | 그 회사가 제공하는 서비스에 대한 요금은 합리적이다. 해설 회사(S)가 제공할(V)수 있는 것, 즉 동사 offer의 목적어가 될 수 있는 것은 서비스(O)이므로 the services [(*which/that*) the company offers]의 <명사+관계대명사절>의 구조가 자연스럽다.

3 **His photos catch the details <u>that</u> make the neighborhood special.** | 그의 사진들은 근처 동네를 특별하게 만들어주는 세세한 것들을 포착한다. 해설 동사 make 앞이 주어 없이 비어 있는 구조이므로 그 자리에 주격 관계대명사 that을 넣으면 the details [that(S)+make(V) ~]의 <명사+수식절>의 구조가 완성된다.

4 **The movie showed the deep sorrow of people <u>who had survived the disaster</u> but had lost their families and loved ones.** | 그 영화는 그 재난에서 살아남았으나 가족과 사랑하는 사람을 잃은 사람들의 깊은 슬픔을 보여줬다. 해설 but 앞에 뒤의 내용(had lost(V) ~)과 접속사 but으로 연결될 동사 구조가 보이지 않는다. 괄호 안 내용은 주어가 없는 동사부(had lost ~)와 접속사 but으로 병렬구조를 이뤄 함께 명사(people)를 수식하는 관계사절의 시작 부분이다. people [who *had survived the disaster* but *had lost* ~]

5 **Almost <u>all the books</u> he bought for his studies are about the decline of the world economy in the 1930s.** | 그의 공부를 위해 그가 산 거의 모든 책들이 1930년대 세계 경제의 쇠퇴에 관한 것이다. 해설 he bought for his studies는 목적어가 없는 불완전한 절로 괄호 안의 명사구가 그 목적어에 해당한다(bought-all the books). 명사구를 절의 앞에 두면 관계대명사가 생략된 <선행사(Almost all the books)+수식절((*that*) he bought for his studies)>의 구조가 완성된다.

어휘 2 charge (서비스에 대한) 요금 reasonable (가격이) 합리적인, 너무 비싸지 않은 4 sorrow 슬픔 loved 사랑하는, (~의) 사랑을 받는 5 decline 쇠퇴, 저하

C

1 **and cat we own** | 우리가 보유하고 있는 모든 개와 고양이가 아주 예쁘고 건강하다. 해설 접속사 and가 연결할 수 있는 것은 빈칸 앞의 dog와 병렬구조를 이룰 수 있는 cat이다. 이어 주어-동사 어순으로 쓰면 Every dog and cat [(*that*) we own]의 <명사+관계사절>의 주어부가 완성된다.

2 **who is in charge of operating** | 그 관리자는 공장의 컴퓨터 시스템의 작동을 책임지는 사람으로서 고용되었다. 해설 주어진 단어들 가운데 who는 선행사 the person에 이어지는 주격 관계대명사. 동사의 형태를 띤 것은 is, operating은 빈칸 뒤의 명사구와 동사-목적어 관계(operate-the computer system ~), 여기에 in charge

of(~을 책임지고 있는, ~ 담당의)의 조합을 완성하면 as the person [who(S)+is(V)+in charge of operating (the computer system of the factory)]의 긴 부사구(~로서)가 완성된다.

3 **will honor those firefighters who** | 그 식에서 시는 공무 수행 중에 순직한 소방관들을 기릴 것이다. 해설 주어(the city) 뒤이므로 동사(will honor)를 찾고 나면 동사의 목적어(those firefighters)로 이어지고, 빈칸 뒤 종속절의 동사부를 이끄는 주격 관계대명사 who로 마무리한다.

어휘 2 operate 작동하다[시키다] in charge of ~의 책임을 맡은 3 ceremony 식, 의식 honor 기리다, 영예롭게 하다 in the line of duty 공무 수행 중에

D

예) (→ 그것은 개미로 바뀐 과학자에 관한 공상과학 이야기이다.)

1 "저것은 뭐라고 불리죠 / 늘어져 있는 / 저 동물 뒤쪽에?" / 아이가 물었다 (→ "저 동물 뒤쪽에 늘어져 있는 저것은 뭐라고 하죠?"라고 아이가 물었다.) 해설 의문문의 주어인 that thing을 that 관계대명사절이 수식하고 있는 구조이다.

2 나는 기쁠 텐데 / 팀에 들면 / 그 팀을 / 홍 씨가 이끄는 / 그를 / 나는 존경한다 / 그의 높은 게임 기술 때문에 (→ 높은 게임 기술 때문에 내가 존경하는 홍 씨가 이끄는 팀에 들면 기쁠 텐데.) 해설 콤마 이하는 홍 씨를 내가 왜 존경하는지에 대한 부연 설명을 제공한다.

3 미국에서의 대화는 / 경쟁적인 활동이다 / 그것에서 / 첫 번째 사람이 / 숨을 들이마시는 / 여겨진다 / 듣는 사람으로 (→ 미국에서의 대화는 숨을 들이마시는 첫 번째 사람이 듣는 사람으로 여겨지는 경쟁적인 활동이다.) 해설 미국에서의 대화의 경쟁적인 양상을 in which 이하에 소개하고 있다.

4 ~하는 식은 / 아이가 의자에 앉아 뒤로 몸을 기울이는 / 컴퓨터 게임을 하면서 / 나를 아주 신경 쓰이게 한다 (→ 아이가 컴퓨터 게임을 하면서 의자에 앉아 뒤로 기울이는 식은 나를 아주 신경 쓰이게 한다.)

5 빗속에서 길을 따라 죽 걷다가 / 그는 가끔씩 멈춰서야 했다 / 샌들을 다시 신기 위해 / (발에서) 미끄러져 빠진 (→ 그는 빗속에서 길을 따라 죽 걷다가 발에서 미끄러져 빠진 샌들을 다시 신기 위해 가끔씩 멈춰서야 했다.)

어휘 <예> be transformed into ~로 변화되다 2 admire 존경하다, 경탄하다 4 tip back 뒤로 기울이다 5 recapture 다시 붙잡다, 되찾다 slip 미끄러지다

구문

2 I *would be* happy / **to be** on *the team* [**which** *Mr. Hong* leads ●], // **whom** I admire for his high gaming skills.
('~하게 된다면'<조건>; which: O′, Mr. Hong: S′, leads: V′; whom: O″, I: S″, admire: V″)

4 The way [(*that*) the kid tips his chair back // **while** (*he's*) playing computer games] makes me very nervous.
(The way: '~하는 식'; while: '~하는 동안, ~하면서'; S: The way ... games, V: makes, O: me, C: very nervous)

5 **Walking** along the road in the rain, // he sometimes had to stop / **to recapture** *a sandal* [**that** had slipped free].
(Walking: '~하다가, ~하면서'<동시동작>; he: S, had to stop: V; to recapture: '~하기 위해'<목적>; that: S′, had slipped: V′)

VOCA *voca*

1 **terminal** | 말기의, 종점의 / 무수한 / 진정한, 진짜의
2 **chronic** | 주목할 만한 / 외과의, 수술의 / 만성적인
3 **mechanism** | 작동기제 / 고정관념, 전형 / 멸종, 소멸
4 **sensation** | 불안, 근심 / 지각, 느낌 / 삭제, 제거
5 **boost** | 드러내다, 누설하다 / 관찰하다 / 증강[증진]시키다
6 **suppress** | 진단하다 / 억압하다, 내리누르다 / 문의하다, 자세히 묻다
7 **disable** | 낮게 으르렁거리다[짖다] / 불구로 만들다, 무력하게 만들다 / 뜨개질하다
8 **make sense** | 목숨을 위협하는 / 교감 선생님 / 뜻이 통하다, 이해가 되다

CHAPTER 14 문장의 확장: 접속사 (2)

WORKBOOK p. 28

A

1 **during** | 조종사가 비행 중 비행기의 지휘를 맡는다. 해설 뒤에 명사구가 나오므로 <전치사+명사구>, 즉 during a flight가 알맞다.

2 **Though** | 그는 목표물을 맞히려 했으나 좀처럼 성공하지 못했다. 해설 뒤에 주어(he)-동사(tried)의 절의 구조가 이어지므로 접속사 Though가 알맞다.

3 **by the time** | 손님이 모두 도착할 무렵이면 저녁이 준비될 것이다. 해설 저녁이 준비되는 것은 한순간의 일이므로 '지속'되는 행위를 나타내는 until은 올 수 없다. by는 전치사로 뒤에 명사(구)만 올 수 있지만 by the time은 절을 이끌어 <by the time+S+V: ~할 무렵[즈음]이면>의 형태로 쓰인다.

4 **as long as** | 모든 것은 누군가 다른 사람에게 일어나는 한 재미있다. 해설 Everything, 즉 창피하거나 운 나쁜 일도 포함된 모든 일이 '누군가 다른 사람에게 일어나는 한' 우스운 일에 불과하다는 <조건, 전제>를 말하므로 as long as(~하는 한)가 문맥에 알맞다. *cf.* as soon as: ~하자마자<때, 시간>

5 **because of** | 지난 토요일 태풍으로 인해 그 도시의 거의 모든 집이 손상됐다. 해설 <이유, 원인>을 나타내는 접속사 because와 전치사구 because of 중 명사구 목적어를 취할 수 있는 것은 because of이다.

어휘 1 in command of ~을 지휘하는 flight 비행(편) 2 seldom 좀처럼 ~ 않다 4 happen 일어나다, 벌어지다 5 damage 해를 입히다 typhoon 태풍

B

1 **Speak louder so everyone can hear you.** | 모두가 네 목소리를 들을 수 있도록 더 크게 말하라. 해설 크게 말하라고 명령하는 <목적>이 시작되는 곳에 <목적>을 나타내는 접속사(so (that) ~: ~할 수 있도록)가 이끄는 부사절이 이어져야 한다.

2 **I read a lot while I was in college.** | 나는 대학 때 책을 많이 읽었다. 해설 책을 많이 읽은 <때>가 대학생일 때이므로 while I was in college로 <때, 시간>의 부사절을 완성한다.

3 **~, the driver was certain that she was heading in the wrong direction.** | 지도를 들여다본 후에 그 운전자는 자신이 틀린 방향으로 가고 있음을 확신했다. 해설 그 운전자가 지도를 본 뒤 확신한 내용이 시작되는 곳(she was heading~)에 that 명사절이 이어져야 한다.

4 **The first time I got a pimple, I felt that everyone in school was staring at me.** | 내가 여드름이 처음 생겼을 때, 나는 학교에 있는 모든 사람이 다 날 쳐다보고 있다고 느꼈다. 해설 여드름이 처음 생긴 당시의 느낌(모두의 시선을 받고 있다고 느낀 것)을 전달하고 있다. The first time(~한 처음, 처음 ~할 때)은 every time(~할 때마다), the moment(~하는 순간)와 마찬가지로 두 개의 절을 연결하는 일종의 접속사로 <때, 시간>을 나타낸다.

5 **We have so many dishes on the shelves that there's no space for new ones.** | 우리는 선반에 너무 많은 접시가 있어서 새 것들을 위한 자리가 없다. 해설 접시가 너무 많은 것과 새 접시를 위한 자리가 없는 것은 원인-결과로 이어지므로 <so ~ that ...: 너무 ~해서 …하다>의 패턴으로 표현할 수 있는데, 수가 많음을 강조하는 so many는 명사 dishes 앞에 놓이는 것이 알맞다.

어휘 4 pimple 여드름, 뾰루지 stare at ~을 빤히 쳐다보다, 응시하다

C

1 ⓓ | 네가 내 질문에 답하지 못하니 다른 사람에게 물어봐야겠다. 해설 since는 <이유: ~하니, ~이기 때문에> 또는 <시간: ~ 이후로>을 나타내는 접속사로, answer-question-ask로 이어지는 ⓓ의 주절을 만나면 <이유>의 뜻으로 쓰였음이 확인된다.

2 ⓒ | 허리케인이 접근해오면서 사람들은 서둘러 초와 배터리를 사재다. 해설 재난을 앞두고 비상사태에 대비해 사재기 행태를 보이는 ⓒ로 연결되는 것이 자연스럽다. As가 '~하면서, ~함에 따라'의 뜻으로 쓰였다.

3 ⓑ | 방콕 지사가 문을 닫음으로써 그 회사는 동남아시아에 지사가 하나도 남지 않게 되었다. 해설 방콕지사가 없어진 것이 동남아시아 지사가 하나도 남지 않은 주절 사실에 대한 <이유, 근거>가 되므로 Now that(~이니까, ~이므로)의 연결이 자연스럽다.

4 ⓐ | Tony는 실험실 조교로서 모든 책임을 성실히 다했다. 해설 Tony의 신분과 자격을 나타내는 <전치사 as(~로서)+명사구>가 있는 ⓐ로 자연스럽게 연결된다.

어휘 2 stock up 사재다, 비축하다 3 branch 지사, 지점; 가지 base 근거지, 기반 4 sincerely 성실히, 진심으로 fulfill 이행하다 laboratory assistant 실험실 조력자, 조수

D

예) (→ 그 소년은 너무 목이 말라서 우유 팩 전체를 비웠다.)

1 ~인 반면 / 설탕과 소금은 / 몇몇 유사점들을 갖고 있다 / 그것들은 / 그럼에도 불구하고 / 차이점들을 갖고 있다 (→ 설탕과 소금은 몇몇 유사점이 있지만, 차이점도 있다.)

2 ~할 때 / 우리 삼촌의 사업이 실패했다 / 그는 열심히 일했다 / 빚을 전부 갚기 위해 / 비록 ~이지만 / 그에게 몇 년이 걸렸다 (→ 우리 삼촌의 사업이 실패했을 때, 그는 비록 몇 년이 걸렸지만 빚을 전부 갚기 위해 열심히 일했다.)

3 일단 ~하자 / 내 부모님이 확신했다 / 내가 사고에서 안 다쳤다 / 그들은 나를 꾸짖기 시작했다 / 내 부주의에 대해서 (→ 내 부모님은 일단 내가 사고에서 안 다쳤다는 것을 확신하시자 내 부주의에 대해서 꾸짖기 시작했다.)

4 이기심이란 / ~이다 / 다른 사람들에게 살아달라고 늘 요청하는 것 / 자기가 살았으면 하고 바라는 대로 (→ 이기심이란 다른 사람들에게 자기가 살았으면 하고 바라는 대로 살아달라고 늘 요청하는 것이다.)

5 네가 할 수 있는 실수 중 하나는 / 네가 수줍을 때 / ~이다 / 생각하는 것 / 네가 아주 특이하다고 / 사람들과 교류하는 방식에 있어서 / 하지만 / 이런 문제들 가운데 몇몇은 / 보편적이다 (→ 네가 수줍을 때 할 수 있는 실수 중 하나는 사람들과 교류하는 방식에 있어서 네가 아주 특이하다고 생각하는 것이다 — 하지만 이런 문제들 가운데 몇몇은 보편적이다.)

어휘 <예> carton (음료를 담는 종이) 팩 2 debt 빚 3 criticize A for B B에 대해 A를 꾸짖다[비난하다] 4 selfishness 이기심 5 unusual 흔치 않은, 특이한 interact with ~와 교류하다, 상호작용하다 universal 보편적인, 어디에서나 일어나는

구문

예 The boy(S) was(V) **so** thirsty // **that** he(S′) emptied(V′) the entire carton of milk.
▶ so ~ that ...: 너무 ~해서 ...하다<정도, 결과>

1 While sugar and salt(S′) have(V′) some similarities(O′), // they still have differences.

2 **When**('~할 때') my uncle's business(S′) failed(V′), // he(S) worked(V) hard / to('~하기 위해') pay off every debt / **even though**('비록 ~이지만') it(S′) took(V′) him years.
(it = to pay every debt)

3 **Once**('일단 ~하자') my parents(S′) were(V′) sure (*that*) I wasn't hurt in the accident(O′(be sure의 목적어)), // they began to criticize me / for my carelessness.

4 Selfishness(S) is(V) always asking[V] others[O] to live(C) // **as**('~대로') one wishes to live[C].

5 *One* (of *the mistakes* [(*that*) you can make // **when** you
S

are shy]) is to think **that** you are very unusual / in *the way* [(*that*) you interact with people] — **but** some (of these problems) are universal.

VOCA *voca*

1 **immoral** | 벌거벗은, 맨살의 / 견고한, 튼튼한 / 부도덕한
2 **behavioral** | 기질적인 / 행동의, 행동에 관한 / 뚜렷한, 특징적인
3 **finite** | 유한한, 한정된 / 충분한 / 사실에 입각한
4 **remark** | 식물, 초목 / 발언, 비평 / 장관; 목사
5 **onset** | (성격) 특성, 기질 / 유전학 / 공격; 엄습; 시작
6 **resign** | 사임하다 / 낙담시키다 / 껍질을 벗기다
7 **mingle** | 섞이다, 어우러지다 / 고립시키다 / 다르다, 변하다
8 **account for** | ~을 곰곰이 생각하다 / ~와 어울려 다니다 / ~을 차지하다

CHAPTER 15 비교구문

WORKBOOK p. 30

A

1 **than** | 이 배터리는 보통 것보다 훨씬 더 오래갈 것이다. 해설 비교급 표현(longer)이 있으므로 than과 호응되어야 한다.

2 **to remember** | 모든 걸 기억하는 것보다 어떤 것은 잊는 게 더 좋은 때가 자주 있다. 해설 가주어-진주어 구조에서 진주어가 비교 대상 A, B이므로 B는 A(to forget ~)와 형태가 같은 to부정사(to remember)여야 한다.

3 **did** | 나는 얘기 나눌 사람이 거의 없었던 작년보다 지금 덜 소외된 느낌이다. 해설 지금(now)과 작년(last year)의 고립감을 느끼는(feel isolated) 정도를 비교하고 있으므로 일반동사 feel의 과거형 대동사 did가 알맞다.

4 **superior** | 그는 모든 면에서 나보다 우수하다. 해설 He의 비교 대상 me 앞에 to가 있으므로 비교 대상 앞에 than이 아닌 to를 쓰는 superior가 알맞다. superior는 inferior(열등한), junior(손아래의), senior(손위의), prefer(선호하다)와 마찬가지로 비교대상 앞에 to를 쓴다.

5 **less than** | 네 보고서는 너무 간단명료해서 1천 단어 미만으로 주제를 다뤘구나. 해설 <so ~ that ...: 너무 ~해서 ...하다> 구조에서 보고서의 간단명료한 점(clear and concise)을 칭찬하고 있으므로 보고서 양이 상대적으로 적음을 나타내는 less than(~ 미만)이 문맥에 알맞다.

어휘 1 last 지속되다 normal 보통의, 정상적인 3 isolated 소외된, 고립된 4 superior 우수한, 우월한 5 concise 간결한

B

1 **long → longer** | 그 두 의류 브랜드 중 어느 것이 시장에서 더 오래 갈까? 해설 비교 대상이 둘(Which of the two)이므로 상대적으로 '더 오래(longer)'갈 하나를 묻는 비교급 표현으로 고쳐야 한다.

2 **drier → dry** | 뱀은 끈적끈적해 보이지만 실은 인간만큼 (피부가) 건조하다. 해설 원급 비교(A as+원급+as B: A는 B만큼 ~하다)에서 as ~ as 사이에는 원급 표현이 와야 하므로 dry로 고쳐야 한다.

3 **that → those** | 신형 모델들의 가격은 보통 지금 것들의 그것보다 높다. 해설 The prices of new models와 the prices of current ones(=models)의 비교이므로 복수명사 those로 고쳐야 한다.

4 **fast → faster** | 소식이 나쁠수록 더 빨리 퍼진다. 해설 <the+비교급 ~, the+비교급 ...: ~하면 할수록 …하다>의 비교이므로 콤마 뒤의 부사 fast도 비교급 faster가 되어야 한다.

5 **much → more 또는 much more** | 지금은 네가 네 인생의 그 어느 때보다 (훨씬) 많은 노력을 해야 할 때이다. 해설 뒤에 비교급 문장임을 알려주는 than이 왔으므로 원급(much: 많은)이 아닌 비교급(more)으로 쓰거나, 비교급(more effort) 앞에 비교급 강조 부사(much)가 온 형태로 써야 한다. 많은 노력을 해야 하는 점(need to make (much) more effort)을 Now와 any other time in your life와 비교하고 있다.

Now (A) is *the time* [when you need to make (*much*) ('훨씬~') **more** effort **than** any other time in your life (B)].

어휘 1 last 지속되다, 유지되다 2 slimy 끈적거리는 3 current 현재의

C

1 **fish I've ever caught** | 이것은 내가 지금껏 잡아본 제일 큰 물고기이다. 해설 최상급 the biggest 뒤에 명사(fish), 이어서 최상급 의미를 강조하기 위해 '경험'의 현재완료 시제로 표현된 관계대명사 수식절((*that*) I've ever caught)로 문장을 완성한다.

2 **even more meat than a human being** | 개는 인간보다 훨씬 더 많은 고기를 먹고 싶어 한다. 해설 more, than으로 보아 비교급 문장이고 A dog과 a human being이 비교 대상이므로 than 뒤에 비교 대상인 a human being을 놓는다. 빈칸 앞의 동사 eat 뒤

에 목적어 meat가 올 텐데 비교급 강조 어구 even(훨씬)이 비교급 표현(more)과 함께 meat를 수식하는 구조로 목적어를 완성하면 even more meat than a human being의 어순이 완성된다.

3 **The later you go to bed** | 늦게 잠자리에 들수록 그 다음날 더 피곤하다. 해설 빈칸 뒤가 <the+비교급>으로 이어지므로 주어진 문장은 <the+비교급 ~, the+비교급 ...> 구문으로 나타낸다. the later 뒤에 <you(S)+go(V) to bed>의 어순으로 완성한다.

4 **No other moment in my life was** | 내 인생의 다른 어떤 순간도 지금만큼 짜릿하지는 않았다. 해설 빈칸 뒤에 <as+원급+as> 패턴이 보이고 주어진 단어에 부정어 no가 있으므로 부정주어를 이용한 최상급 <No other+단수명사+as+원급+as A: A만큼 ~한 (명사)는 없다>의 어순으로 배열해보면 No other moment in my life was로 빈칸을 완성할 수 있다. in my life는 범위를 지정해준다.

어휘 4 thrilling 짜릿한, 전율을 일으키는

D

예) (→ 우리가 우리 마음에 더 많이 양식을 줄수록, 우리는 진실을 더 많이 이해한다.)

1 그 웨딩드레스는 장식되었다 / 레이스로 / 거미줄만큼 섬세한 (→ 그 웨딩드레스는 거미줄만큼 섬세한 레이스로 장식되었다.) 해설 원급 비교 표현(as delicate as a spider's web)은 앞의 명사(lace)의 delicate(섬세한) 정도를 표현한다.

2 나는 계단을 뛰어 내려갈 수 있다 / 더 빨리 / ~보다 / 네가 엘리베이터로 내려올 수 있는 것 (→ 나는 네가 엘리베이터로 내려올 수 있는 것보다 더 빨리 계단을 뛰어 내려갈 수 있다.) 해설 내가 계단을 뛰어 내려가는 것과 네가 엘리베이터를 타고 내려오는 것의 속도를 비교하는 비교급 문장이다.

3 교육받은 여성은 / 결혼할 가능성이 더 크다 / 늦은 나이에 / 그리고 자녀 수가 적을 (→ 교육받은 여성은 늦은 나이에 결혼하고, 자녀 수가 적을 가능성이 더 크다.) 해설 비교 대상 B(a less educated woman)가 생략된 문장이지만 more의 의미를 잘 살려('~할 가능성이 '더' 크다') 해석한다.

4 이곳의 기온은 / 훨씬 더 높다 / ~보다 / 여름의 캐나다의 그것 (→ 이곳의 기온은 여름의 캐나다의 기온보다 훨씬 더 높다.) 해설 이곳의 기온과 여름의 캐나다 '기온(that)'을 비교하고 있는 점에 유의하여 해석한다.

5 점점 더 많은 사람들이 / 알게 되고 있다 / 한국 음식의 맛이 / 마음을 끈다는 것 (→ 점점 더 많은 사람들이 한국 음식의 맛이 마음을 끈다는 것을 알게 되고 있다.) 해설 <more and more+명사: 점점 더 많은 ~> 표현을 잘 살려 해석한다. 목적어(the flavors ~ food)와 목적격보어(to be appealing)의 관계를 살려 해석한다.

6 인내심은 절대 더 중요하지 않다 / ~보다 / 그것을 막 잃으려고 할 때 (→ 인내심은 그것을 막 잃으려고 할 때보다 절대 더 중요하지 않다.) 해설 <부정어+비교급+than A: A보다 더 ~하지는 않다>를 살려 해석한다. A(when you're about to lose it)가 Patience의 제일 중요한 때라는 뜻으로 의미상 최상급 문장이다.

어휘 <예> feed 먹이를 주다, 먹이다 1 be decorated with ~로 장식되다 delicate 섬세한, 연약한 web 거미줄, 그물망 3 be more likely to-v ~의 가능성이 크다 5 flavor 맛, 풍미 appealing 마음을 끄는, 마음에 드는 6 patience 인내심, 참을성 be about to-v 이제 막 ~하려고 하다

VOCA *voca*

1. **spacious** | 비생산적인 / 열등한 / 널찍한
2. **virtual** | 마음을 끄는 / 안정적인 / 가상의
3. **transaction** | 전임자 / 거래 / 역량, 능력, 크기
4. **proportion** | 균형, 조화, 비율 / 우선순위 / 예산
5. **aid** | 의무 / 대응물 / 원조
6. **posture** | 분석가 / 자세 / 표준, 전형, (사회) 규범
7. **commute** | 흩뿌리다 / 서두르다 / 정기통근하다
8. **vividly** | 부패한, 타락한 / 생생하게 / 변명

CHAPTER 16 특수구문

WORKBOOK p. 32

A

1 **~ when he was right in the middle of a story** | 그가 이야기의 바로 도중에 있는데 문이 갑자기 열렸다. 해설 right가 강조어('바로, 딱')로 쓰여 강조하는 말 앞에 쓰이므로 이야기의 진행 정도를 나타내는 말(in the middle of a story)을 강조하여 그 앞에 쓰이면 알맞다.

2 **~ and 16 against** | 회의에서 32명이 그 제안에 찬성표를 던졌고, 16(명)이 반대했다[반대표를 던졌다]. 해설 16은 16 people을 가리키므로 and 앞 절의 주어(32 people)와 대응하는 자리에 넣으면 알맞다. 주어, 동사, 전치사 뒤의 명사구 모두 중복을 피해 생략된 형태이다.(~ 32 people voted for the proposal and 16 (people voted) against (the proposal).)

3 **The vice president, the former minister of unification, is going to ~** | 전직 통일부 장관인 부통령이 회의에서 연설할 것이다. 해설 괄호 내용은 The vice president의 이전 신분을 나타내므로 주어 뒤, 그리고 동사 앞에 앞뒤 콤마로 괄호 내용을 삽입하는 것이 알맞다. 주어인 The vice president에 대한 부연 설명을 제공한다.

4 **Everybody's belief that a fan sent ~** | 한 팬이 그녀에게 꽃을 보냈다는 모두의 믿음이 틀린 것으로 드러났다. 해설 한 팬이

그녀에게 꽃을 보냈다는 것이 모두의 믿음이므로 동격을 나타내는 접속사 that을 belief와 a fan sent her the flowers ~ 사이에 넣으면 알맞다.

5 **~ is scheduled to begin at 10:00 AM and ~** | 세미나는 오전 10시에 시작되어 오후 4시에 끝나기로 예정되어 있다. 해설 끝나는 시각(to finish at 4:00 PM)과 병렬구조를 이루고 있으므로 시작하는 시각 앞에 to부정사를 넣으면 된다.

The seminar **is scheduled** *to begin at 10:00 AM* (A) [and] **to** *finish at 4:00 PM.* (B)

어휘 1 in the middle of ~의 도중에, 한창 ~ 중에 2 vote for ~에 찬성 투표하다(↔ vote against ~에 반대 투표하다) 3 vice president 부통령, 부사장, 부반장 former 이전의, 전직 minister 장관; 목사 4 turn out (to be) ~임이 드러나다[판명되다] 5 be scheduled to-v ~할 것으로 예정되어[스케줄 잡혀] 있다

B

1 **have → has** | 3인치 더 넓은 신모델은 많은 훌륭한 세부 사항[세부 기능]을 갖추고 있다. 해설 삽입구(three inches wider) 앞의 주어(The new model)가 단수이므로 have를 has로 고쳐야 한다.

2 **one → ones** | 이 게임에는 명백한 함정이 3개, 감춰진 것들[함정들]이 여러 개 있다. 해설 앞의 several(여럿의)에 맞게 복수형 ones로 써야 한다.

3 **the plan will be → will the plan be** | 어떤 상황에서도 그 계획은 변경되지 않을 것이다. 해설 부정어(Under no circumstances)가 문장의 앞에 왔으므로 주어-동사가 도치되는 것이 자연스럽다. will the plan be changed로 고쳐 쓴다.

4 **accept → accepting** | 용인이란 다른 사람의 신념, 관습, 습관을 꼭 공유하거나 받아들이지 않고도 이해하는 것이다. 해설 or로 이어지는 A, B 병렬구조로, 전치사 without 뒤이므로 sharing과 같은 형태인 동명사 accepting으로 고쳐 써야 한다.

어휘 1 wide 넓은 fine 훌륭한; 정교한, 세련된 2 obvious 명백한, 뚜렷한 trap 함정, 덫 hidden 감춰진 3 circumstance 상황, 사정, 환경 4 tolerance 용인, 관용 practice (사회적) 관습, 관행 necessarily 필연적으로, 불가피하게

C

1 **another without helping himself** | 누구도 스스로를 돕지 않고는 진정으로 다른 사람을 도울 수 없다. 해설 동사 help 뒤이므로 목적어로는 명사인 himself 또는 another가 올 수 있다. 전치사 without(~하지 않고)과 동명사 helping을 한 덩어리로 보면 문맥상 helping의 목적어가 himself, 문장의 동사 help의 목적어가 another로 완성된다.

2 **rumors that he would soon resign 또는 rumors that he would resign soon** | 그 장관의 논평이 그가 곧 사임하리라는 소문을 일으켰다. 해설 주어진 단어들은 절의 요소를 고루 갖추고 있으므로 <접속사+S+V>의 어순으로 정리하면 that he would resign의 절이 완성된다. 남은 것들 중 soon은 수식하는 동사 앞 또는 뒤에, 이 내용 자체가 소문이므로 that 앞에 명사 rumors를 넣으면 명사 뒤에 명사의 구체적 내용이 이어지는 동격의 that절이 완성된다.

3 **Had I had good communication skills** | 내게 우수한 의사소통 기술이 있었더라면 내가 나의 팀을 더 잘 이끌 수 있었을 텐데. 해설 빈칸 뒤 절이 <조동사 과거형+have p.p.>의 형태로 가정법 과거완료의 주절이므로 빈칸은 가정이 담긴 부분, 즉 <had+p.p.>의 형태를 띨 부분이다. 주어진 단어 중 if가 없으므로 주어(I)-조동사(had)가 도치된 <조동사+S+동사> 어순으로 정리하면 Had I had good communication skills로 정렬된다.

4 **price that makes the difference** | 그 두 차는 많은 면에서 비교할 만한데, 차이를 낳는 것은 가격이다. 해설 많은 면에서 비슷한 두 차의 결정적인 차이점인 '가격'이 강조되는 강조구문 어순(It is A that ~: ~인 것은 A이다)으로 배열하면 강조되는 대상인 가격(the price) → that(S) → makes(V) the difference)의 어순으로 정리된다.
← *The price* makes the difference.(주어 강조)

어휘 1 sincerely 진정[진심]으로, 성실하게 2 give rise to ~을 일으키다, 낳다 resign 사임하다, 물러나다 4 comparable 견줄 만한, 비슷한 make difference 차이를 낳다

D

예) (→ 요령이란 결국 일종의 마음 읽기이다.)

1 아이들은 입장이 안 된다 / 이 영화에 / ~ 없이는 / 부모나 성인 보호자 (→ 아이들은 부모나 성인 보호자 없이는 이 영화에 입장이 안 된다[이 영화를 관람할 수 없다].) 해설 A(parent) or B(adult guardian)의 병렬구조를 잘 해석한다.

2 최고의 현명함은 / ~이다 / 현재를 사는 것 / 미래를 계획하는 것 / 그리고 / 과거로부터 이득을 얻는 것 (→ 최고의 현명함은 현재를 살고, 미래를 계획하고, 과거로부터 이득을 얻는 것이다.) 해설 세 개의 to부정사구가 A, B, and C의 병렬구조로 보어를 이루고 있으므로 to가 생략된 plan, profit을 to부정사(~하는 것)로 잘 해석한다.

3 그녀는 그 쇼핑몰을 좀처럼 방문하지 않는다 / 더 사지 않고는 / 그녀가 필요로 하는 것보다 (→ 그녀는 그녀가 필요로 하는 것보다 더 사지 않고는 그 쇼핑몰을 좀처럼 방문하지 않는다.[그녀는 그 쇼핑몰을 방문할 때마다 필요한 것보다 더 산다.]) 해설 강조어 ever(여태껏, 한 번도) 외에도 hardly ~ without ...의 <부정+부정> 구조로 강한 긍정(~할 때마다 …하다)을 말하고 있다.

4 쌀은 / 가끔씩만 먹히는 / 서구인들에 의해 / ~이다 / 일상적인 음식 / 아시아에서는 (→ 쌀은, 서구인들에 의해 가끔씩만 먹히는데, 아시아에서는 일상적인 음식이다.) 해설 수동의 분사구문이 rice 뒤에 삽입되어 rice에 부연 설명을 제공하고 있으므로, 분사구문을 주어 뒤에 추가적으로 해석한 뒤 동사(is)로 넘어간다.

5 연설자가 연설을 마쳤을 때 // 그녀는 알았다 / 대부분의 청중이 실패했다는 것 / 그것을 완전히 이해하는 것을 (→ 연설자가 연설을 마쳤을 때 연설자는 청중 대부분이 그것을 완전히 이해하지는 못했다는 것을 알았다.) 해설 부정적 의미의 어구(had failed to-v: ~ 못하다)와 '완전'을 나타내는 말 entirely가 만나면 <부분부정>을 이루어 '완전히 ~하지는 못하다'로 해석한다.

6 경찰은 의구심을 품고 있다 / ~의 가능성을 / 목격자의 답변에서 어떤 실마리를 얻는 것 (→ 경찰은 목격자의 답변에서 어떤 실마리를 얻을 가능성에 대해 의구심을 품고 있다.) 해설 possibility 다음 동격의 of 뒤에 가능성의 내용이 소개되고 있으므로 of 이하를 '~할, ~라는'으로 해석한다.

어휘 <예> tact 요령, 눈치 after all 결국, 어쨌든 1 admit 입장을 허락하

다; 인정[시인]하다 guardian 보호자, 수호자 2 ultimate 최고의; 궁극적인, 최종적인 profit 이득(을 보다), 이익(을 얻다) 4 occasionally 가끔, 때때로 Westerner 서구인 everyday 일상적인, 매일의 5 fail to-v ~하지 못하다, ~하는 데 실패하다 comprehend 이해하다, 파악하다 entirely 완전히, 전적으로 6 be doubtful of ~을 의심스러워하다, ~에 확신이 없다 clue 실마리, 단서 witness 목격자

VOCA *voca*

1 **external** | 비언어적인, 말을 사용하지 않는 / 손상되지 않은, 피해를 입지 않은 / 외적인
2 **intrinsic** | 유념하는 / 취약한, 상처 입기 쉬운 / 타고난, 내재적인
3 **necessarily** | 강박적으로 / 심사숙고하여, 잘 생각해서; 고의로 / 반드시, 꼭, 필연적으로
4 **empathy** | 잔인성, 잔인함 / 감정이입, 공감 / 아이러니, 역설
5 **misconception** | 구성요소 / 잘못된 생각, 오해 / 장벽, 장애
6 **empower** | 동의(하다) / 힘을 부여하다 / 나누다; 차이점
7 **estimate** | 추정(치); 추정하다 / 버리다, 유기하다 / 감독하다
8 **firsthand** | 신체적인; 물리적인 / 의존 / 몸소, 직접 체험으로

독
해
가
된
다

series

쎄듀 초·중등 커리큘럼

예비초 | 초1 | 초2 | 초3 | 초4 | 초5 | 초6

구문	천일문 365 일력 | 초1-3 |	교육부 지정 초등 필수 영어 문장
구문	초등코치 천일문 SENTENCE	1001개 통문장 암기로 완성하는 초등 영어의 기초
문법	초등코치 천일문 GRAMMAR	1001개 예문으로 배우는 초등 영문법
문법	왓츠 Grammar	Start (초등 기초 영문법) / Plus (초등 영문법 마무리)
독해	왓츠 리딩 70 / 80 / 90 / 100 A / B	쉽고 재미있게 완성되는 영어 독해력
어휘	초등코치 천일문 VOCA&STORY	1001개의 초등 필수 어휘와 짧은 스토리
어휘	패턴으로 말하는 초등 필수 영단어 1 / 2	문장 패턴으로 완성하는 초등 필수 영단어
ELT	Oh! My PHONICS 1 / 2 / 3 / 4	유·초등학생을 위한 첫 영어 파닉스
ELT	Oh! My SPEAKING 1 / 2 / 3 / 4 / 5 / 6	핵심 문장 패턴으로 더욱 쉬운 영어 말하기
ELT	Oh! My GRAMMAR 1 / 2 / 3	쓰기로 완성하는 첫 초등 영문법

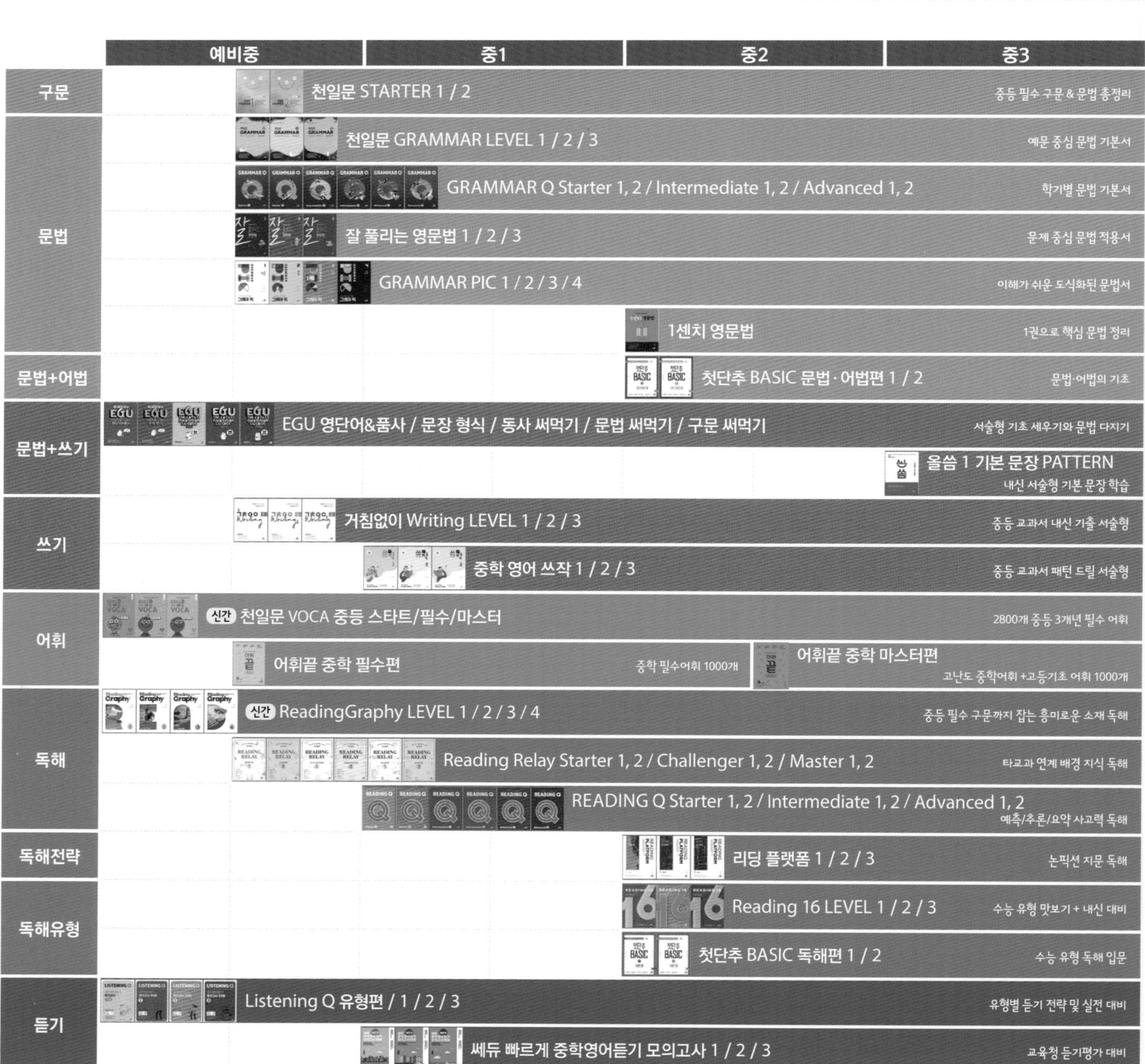